O ADVOGADO DE
Deus

Revisão e Editoração Eletrônica
João Carlos de Pinho

Direção de Arte
Luiz Antonio Gasparetto

Capa
Kátia Cabello
Foto 4ª de capa
Renato Cirone

20ª edição
Agosto • 2002
10.000 exemplares

Publicação, Distribuição
Impressão e Acabamento
CENTRO DE ESTUDOS
VIDA & CONSCIÊNCIA EDITORA LTDA.

Rua Agostinho Gomes, 2312
Ipiranga • CEP 04206-001
São Paulo • SP • Brasil
Fone / Fax: (11) 6161-2739 / 6161-2670
E-mail: gasparetto@snet.com.br
Site: www.gasparetto.com.br

Zibia Gasparetto

ditado por Lucius

O ADVOGADO DE Deus

EDITORA GRÁFICA VIDA & CONSCIÊNCIA

Sumário

Capítulo 1

O salão estava cheio e a festa, animada. Os pares dançavam alegremente ao som da música agradável. Tudo estava impecável. Maria Alice olhava satisfeita, atenta aos convidados, observando todos os detalhes para que nada faltasse. Com classe e finura, deslizava entre eles, dando uma palavra aqui, um sorriso ali, segura de seu charme, certa de sua beleza. Mulher habituada ao brilho dos salões, sabia como receber com luxo e distinção.

Seu marido, Antônio de Almeida Resende, rico e de importante família do Rio de Janeiro, militava ativamente na política, tendo sido eleito deputado federal. Costumava reunir em sua casa pessoas famosas, artistas no ápice da fama, políticos, empresários, a classe A. Os convites de suas recepções eram muito disputados e todos consideravam uma honra comparecer a uma de suas festas.

Tanto Maria Alice quanto o marido e seus dois filhos, Lanira e Daniel, apareciam constantemente nas colunas sociais das revistas da moda. Lanira, dezenove anos, corpo bem-feito, tez morena, cabelos castanhos, olhos negros grandes e brilhantes, sempre elegante e vestida na última moda, chamava atenção por onde passava. Voluntariosa, habituada a ser servida e valorizada, não se relacionava com facilidade. Educada, tinha muitos conhecidos, mas seria difícil encontrar alguém que privasse de sua intimidade.

Daniel, vinte e dois anos, alto, mais claro do que a irmã, cabelos castanhos e ondulados que o sol descoloria ainda mais colocando neles reflexos dourados. Elegante, afável e cordato, tinha muitos amigos, acabara de se doutorar em Direito.

O pai sonhava introduzi-lo na política. Daniel tinha todas as qualidades para isso. Simpático, amável, aparência bondosa e principalmente uma perspicácia que muitas vezes o surpreendia. Mas, apesar de sua insistência, Daniel não se decidira.

— Tenho outros planos — dizia quando o pai tocava no assunto.

— Nada pode ser melhor do que servir ao país! — argumentava ele convicto. — Você terá o apoio de nosso partido e obterá vitória fácil. É uma profissão honrosa e rendosa. Não pode haver caminho melhor!

— Não penso assim. Você vive preso a compromissos com os homens do partido, com o povo, com o governo, com as organizações. Não pretendo escravizar-me dessa forma. Sou livre e quero fazer o que gosto.

— Neste mundo não se pode fazer só o que se gosta! Cedo descobrirá que está errado. Para progredir terá que transigir. Não há outra maneira de vencer.

Daniel olhou-o pensativo e em seus olhos havia uma expressão indefinível ao dizer:

— A vida não é só o que parece estabelecido. Há diferentes caminhos para se chegar ao que se quer. Pretendo encontrar o mais curto.

Antônio meneou a cabeça negativamente:

— Arroubos da mocidade, meu filho! Escute o que eu digo. Tenho experiência. Se quer o caminho mais curto, entre para a política. Terá fama, respeito, dinheiro, tudo.

Ele riu e não respondeu. Seu pai era um vencedor, respeitado, rico, bem-visto na sociedade, mas ele não concordava com suas idéias. Desde muito jovem observava a vida familiar e embora se relacionasse bem com o resto da família, respeitando seus pontos de vista, sentia que seus valores eram diferentes.

Quando os comentários em casa corriam soltos sobre as últimas fofocas sociais, quem aparecera mais em sociedade, quem estava decadente ou quem liderava neste ou naquele setor, Daniel entediava-se. Não sentia nenhum interesse por essas futilidades. Não dava nenhuma importância aos sobrenomes, às posições ou aos poderes das pessoas.

Gostava da espontaneidade, olhava as pessoas apreciando seus aspectos de personalidade, valorizando-as pelas qualidades que descobria ou pelo brilho de sua inteligência.

Quando seus pais reclamavam porque ele não participava das conversas familiares, ele explicava:

— Vocês criticam todo mundo! Enxergam somente os defeitos. E as qualidades?

— Que qualidades? — dizia Maria Alice irônica.

— Todas as pessoas têm qualidades, mamãe. Nem sempre estão à vista. É preciso descobri-las.

Antônio não concordava:

— Isso é loucura. Você é ingênuo. Se continuar pensando assim, vai se dar mal. As pessoas são cheias de defeitos e fraquezas. Pobre de quem confiar no ser humano! Ninguém é perfeito, você sabe disso. É preciso estar prevenido para se precaver contra a maldade dos outros.

— Pensando assim você nunca vai encontrar pessoas que poderiam ser seus verdadeiros amigos.

— Tenho muitos amigos.

— Você vive rodeado de pessoas conhecidas nas quais não confia e critica pelas costas. Amigo, para mim, é outra coisa.

— Agora você está sendo radical. Claro que tenho amigos! Mas sei até onde posso ir com cada um deles.

— São seres humanos, não é, papai?

— Isso mesmo. Um dia verá que tenho razão.

Daniel sorria e não argumentava. De que adiantaria? Ele não era ingênuo como seu pai dizia. Tinha perspicácia para perceber as fraquezas e os limites de cada um, mas por causa disso não era insensível a ponto de ignorar suas qualidades. Pensava que era mais produtivo incentivar essas qualidades do que ficar criticando e mostrando as falhas.

Na adolescência, sempre que alguém criticava uma falha sua, sentia revolta e rancor. Não errava de propósito, mas por não saber fazer melhor. Sentia que as críticas não o ajudavam em nada, davam-lhe apenas uma visão de incapacidade que se ele aceitasse acabaria por incapacitá-lo ainda mais.

Maria Alice preocupava-se com as idéias do filho, ao que Antônio respondia:

— Ele é jovem. Isso passa. Vai amadurecer com o tempo.

— Não sei, não. Às vezes ele me parece tão ingênuo... Não enxerga a maldade. Relaciona-se com qualquer um. Não valoriza nossa classe social.

— Tem a boa-fé dos moços. O que acha que ele vai encontrar relacionando-se com gente sem cultura ou boa educação? É inteligente. Vai descobrir que o nível de cada um é muito importante. Então, mudará, chegará onde nós estamos. Não deve se preocupar.

Maria Alice dirigiu-se à porta principal. Um importante empresário acabava de chegar com a esposa. Ostentando seu melhor sorriso, foi recebê-los.

Eram amigos há vários anos. Ele era um engenheiro especializado em construção naval. Sua empresa construía navios não só para companhias mercantes como para a marinha brasileira. Muito rico, casara-se com a filha de um ilustre fazendeiro de Minas Gerais, juntando os nomes importantes e as fortunas. Dos três filhos, o mais velho formara-se engenheiro e trabalhava com o pai. O segundo preferira advocacia e o mais novo não se decidira quanto à carreira. Mimado pela mãe, que lhe fazia todas as vontades, gastava seu tempo desfilando com seu carro último tipo pelas praias da cidade, empenhando-se em gastar o dinheiro da família.

Várias vezes o pai o advertira a que se moderasse, mas ele sorria e continuava. Ernesto, inconformado, pressionava a esposa:

— Angelina, você precisa parar de dar tanto dinheiro a Betinho. Esse menino está abusando! Não estuda, não faz nada! Está errado!

Ao que ela respondia sorrindo:

— Não seja dramático! Ele é muito jovem. Tem tempo para arcar com as responsabilidades da vida!

Maria Alice abraçou Angelina:

— Como vai, querida?

— Bem. Que festa linda!

— Obrigada. E você, Ernesto, tudo bem?

— Tudo.

Maria Alice passou o braço pelo de Angelina dizendo:

— Passemos para o salão. Antônio espera-o com ansiedade.

Deixando Ernesto em companhia do marido, Maria Alice conduziu a amiga para um recanto agradável, convidando-a a sentar-se. Vendo-a acomodada com um copo de vinho entre os dedos e um pratinho de canapês sobre a mesinha lateral, perguntou:

— Seus filhos virão, Angelina? Uma festa sem a alegria dos moços não tem brilho. Depois, sei de algumas meninas que os estão esperando com ansiedade.

Angelina sorriu com satisfação. Ver os filhos serem admirados era sua melhor recompensa onde quer que fosse.

— Andrezinho tinha um compromisso, mas ficou de vir mais tarde. Rubinho estava se preparando quando saímos, logo estará aqui. Quanto a Betinho, tem a agenda lotada. Não sei como arranja tantos compromissos. Há sempre alguém esperando por ele em algum lugar. Ficou de vir, mas sabe Deus a que horas.

Maria Alice via com prazer a presença dos dois filhos mais velhos de Angelina. Acariciava a idéia de um dia poder casar a filha com um deles. Quando falava nisso com Lanira, esta invariavelmente respondia:

— Não penso em casar-me, mamãe. Mas, se um dia resolver, será com um homem de verdade.

— André é engenheiro e já trabalha. Além do nome ilustre e de sua grande fortuna, é um moço bonito, fino, elegante. Qualquer moça desta cidade ficaria feliz com um partido desses!

— Pois que aproveitem! Ele não é meu tipo.

— E Rubens? Também é formado. Embora esteja no início da carreira, sua fortuna e seu nome bastam para que todas as portas lhe sejam abertas. Não tenho dúvida quanto a seu sucesso! É um moreno atraente, elegante!

— Não me interessa, mamãe. Quando eu quiser namorar, posso arranjar eu mesma um pretendente. Não precisa dar-se a esse trabalho.

Apesar das evasivas da filha, Maria Alice não desanimava. Os moços eram atraentes e ela acreditava que um dia, quando Lanira estivesse mais amadurecida, perceberia isso.

— A qualquer hora serão bem-vindos — respondeu Maria Alice educadamente.

— E Daniel? Não o estou vendo.

— Deve estar com os amigos no jardim. Adora conversar.

— Já os meus preferem dançar.

— Já notei. Aliás eles dançam divinamente.

Na outra sala, distanciados do ruído da festa, Antônio e Ernesto conversavam animadamente.

— Precisamos unir nossos esforços — dizia Antônio com entusiasmo. — As eleições se aproximam. Você pode fazer muito por nosso partido.

— Confesso que simpatizo com suas idéias, gosto de seu partido. Mas por enquanto prefiro cooperar sem aparecer. Não me convém tomar posição agora.

— Esse tempo passou! Estamos na hora da definição, você não pode mais omitir-se.

— Tenho clientes importantes que pensam diferente. Se eu me posicionar apoiando vocês, eles vão se aborrecer. Não posso prejudicar os negócios. Prefiro continuar me mantendo neutro.

— Vamos precisar de muito dinheiro para a campanha.

— Pode contar comigo, como sempre. Nunca deixei de cooperar. Agora, meu nome não pode aparecer.

— Se prefere assim, que seja. Mas ainda acho que se nos apoiasse abertamente seria melhor. Daria prestígio a nossos candidatos. Você é muito respeitado!

— Sou porque não assumo nenhuma posição. Dessa forma continuo sendo prestigiado por todos os políticos que como você desejam engajar-me. Enquanto eu me mantiver assim, terei a simpatia de todos.

— É uma posição cômoda porém duvidosa. O Brasil está precisando de homens que assumam a coisa pública e trabalhem em favor de todos.

Ernesto sorriu, acendeu um cigarro calmamente, deu algumas tragadas olhando os arabescos que a fumaça desenhava no ar e considerou:

— Vamos ver o que seu partido vai fazer para melhorar o Brasil. Estou esperando para apoiar. Acredite: o que vocês fizerem de bom, eu apóio!

Antônio olhou-o, perguntando-se até que ponto ele estava sendo sincero. Havia em seu tom uma pitada de ironia que o fez pigarrear e dizer:

— Soube que fechou um vultoso contrato com a marinha.

— Nem tanto. Alguns navios de carga, apenas.

— Entendo que não queira perder seu prestígio com o almirante. Ele não apóia nosso partido.

— É, não mesmo. Mas apesar disso nunca me pediu para assumir uma postura política. Nunca tocou nesse assunto.

— Apesar de tudo, sua ajuda nos tem sido muito valiosa.

— Mas aquela isenção de imposto ainda não saiu. Em que pé ela está?

— Já dei entrada do projeto na Câmara. Estamos esperando sua tramitação. Logo deverá ser colocado na pauta.

— Espero que saia antes das eleições. Sabe como é, se a isenção sair, terei mais dinheiro para ajudar na campanha.

Antônio dissimulou a contrariedade. Ele estava deixando claro que só lhe daria o dinheiro se pudesse contar com a isenção dos impostos. Isso não dependia dele. Fizera sua parte, cumprira o prometido no trato que haviam feito. Mas as coisas precisavam de tempo para concretizar-se.

— Se dependesse de mim, essa lei já teria sido aprovada. Mas a oposição obstruiu e engavetou o projeto. Só agora consegui encontrá-lo e colocá-lo novamente em tramitação.

— Faça um esforço. Neste ano, se eu tiver que pagar todos os impostos, creio que não sobrará dinheiro para o partido. Sabe como é, não posso prejudicar os negócios. O dinheiro de que eu posso dispor sai dos lucros. Se não houver lucros, nada feito.

— Pode ficar tranqüilo. Amanhã mesmo vou me empenhar para que o projeto seja votado.

— Tenho certeza de que vai conseguir.

Lanira olhou aborrecida para os pares que dançavam no salão. Que festa sem graça! Estava cansada daqueles almofadinhas, cabelo emplastado colado na cabeça, bigodinho refinado, sapatos brilhando, camisa de seda.

Ela apreciava gente elegante, bem vestida, mas era difícil encontrar alguém interessante e com idéias próprias. Conhecia cada um dos rapazes que freqüentavam sua casa, julgava-os melosos e sem graça.

Eram sem expressão. Tinham as mesmas brincadeiras, os mesmos suspiros, a mesma forma de ser galantes. Lanira pensava que eles não possuíam nenhuma imaginação. Certamente haviam aprendido na mesma escola.

Tratava-os com desdém, e quanto mais o fazia, mais eles a procuravam tentando conquistar-lhe as graças. Embaixo de sua janela havia serenata quase todas as noites. Ela nunca aparecia para agradecer, como era costume. Colocava algodão nos ouvidos e dormia tranqüila.

— Vamos dançar?

Lanira levantou os olhos. André estava à sua frente. Levantou-se.

— Vamos. Não o vi chegar.

Ele a enlaçou delicadamente.

— Cheguei agora. Vi-a tão pensativa e logo imaginei que estivesse sentindo minha falta! Acertei?

Ela sorriu:

— Você cresceu mas continua o mesmo.

— O que fazer se as garotas não me deixam em paz? É difícil agradar a todas!

Lanira estava habituada aos gracejos de André. Às vezes se perguntava até que ponto ele estava brincando. Sabia que era bonito, rico e muito cobiçado pelas mulheres. Ela sabia até de algumas histórias dele com certa dama casada.

— Não foi prudente eu dançar com você. Elas podem querer me matar! É melhor pararmos — disse ela querendo esquivar-se dele.

— Qual nada! Eu gosto de provocá-las. Você é linda! Elas devem estar morrendo de ciúme.

Lanira não respondeu. Fechou os olhos e deixou-se conduzir ao ritmo do bolero. Ele dançava divinamente. Ela adorava dançar. Se ficasse calada, não ouviria as futilidades que ele dizia.

Maria Alice olhou-os com satisfação. André chegara e logo fora à procura de Lanira. Era um bom sinal. Embevecida, olhava-os. Formavam um lindo par.

— André dança divinamente — disse.

— É verdade — concordou Angelina com satisfação.

Para ela a vida se resumia no sucesso dos filhos e do marido. Vê-los brilhar na melhor sociedade do Rio de Janeiro era sua glória.

— Veja: Rubens está chegando — disse Maria Alice.

De fato um rapaz alto, moreno e elegante acabava de entrar e, vendo-as, dirigiu-se a elas cumprimentando-as educadamente. Maria Alice aspirou com prazer o delicado perfume que vinha dele.

— Ainda bem que chegou — disse sorrindo. — Várias meninas me perguntaram por você.

— Desculpe o atraso, D. Maria Alice. Tive que atender um cliente.

— Você já está trabalhando, Rubens! Naturalmente nos escritórios do Dr. Ernesto...

— Não. Tenho meu próprio escritório.

— Não sabia. Parabéns!

O garçom passou a bandeja, mas Rubens não quis nada.

— Não vai tomar um vinho? — indagou Maria Alice atenciosa. — Prefere outra coisa?

Ele se curvou levemente:

— Não se preocupe, D. Maria Alice. Acabei de chegar.

— Como queira. Fique à vontade.

Ele agradeceu e afastou-se. Acabava de encontrar um amigo. Quando o viu distante, Angelina suspirou dizendo baixinho:

— Viu, Maria Alice?

— O quê?

— O que ele fez. Não dá para entender. Ernesto é um pai maravilhoso. Faz tudo para encaminhar os filhos na vida. Entretanto Rubens não quis fazer nada do que o pai programou. Em vez de dirigir o departamento jurídico de nossa empresa, ele preferiu alugar uma sala em um prédio qualquer e fazer seu escritório. Você acredita nisso?

— É mesmo? Que loucura!

— Disse que se bacharelou porque gosta da profissão e não quer ser apenas o filho do Dr. Ernesto. Quer fazer carreira por si mesmo.

— Não deixa de ser uma idéia digna.

— Digna mas pobre. Ele é recém-formado. Não tem nome profissional. Se você visse o escritório que ele montou, ficaria preocupada como eu fiquei. Fiz tudo para que ele mudasse de idéia, mas qual! Rubinho sempre foi assim. Quando põe uma coisa na cabeça, não há quem tire.

— O que diz Ernesto?

— Acha que ele vai quebrar a cara e voltar mansinho. Mas eu sei como ele é orgulhoso. Não vai fazer isso.

— Se ele tem vontade de trabalhar, pode ser que obtenha sucesso. Por que não?

— Não creio. Sabe como é, hoje em dia é importante ter nome. Quem confiaria uma causa a um iniciante? Só os pobres mesmo, que não têm como pagar. E isso já está acontecendo.

— Tem certeza?

— Tenho. Outro dia fui conhecer o lugar. O prédio até que não é tão ruim, mas ele tem apenas quatro salas e só uma secretária. Como ele estava com um cliente, fiquei na sala de espera. Vi quando o homem saiu. Vestia-se mal e não tinha boa aparência. Fiquei chocada! Meu filho atendendo essa gentinha!

— Não falou com ele?

— Falei. Mas ele riu e não me levou a sério. Esse é o problema. Eu falo, o pai fala, mas ele não nos atende. Veja você como os filhos são ingratos.

— Quanto a isso você tem razão. Antônio queria que Daniel entrasse para a política, fosse ajudá-lo em seus projetos sociais. Mas ele se recusa. Não quer nem ouvir falar nisso. Faz como Rubinho. Mas vocês têm André. Esse trabalha com o pai. Acho que está aproveitando a oportunidade de subir na vida.

— É verdade. André é maravilhoso. É o braço direito de Ernesto.

— E Betinho, pensa em fazer o quê?

— Esse ainda não decidiu. É tão jovem! É melhor que pense bem para não se enganar.

— Já fez vinte anos!

— Já. Mas não tem maturidade ainda. É inteligente, acho até que é o mais inteligente dos três, mas pensa como criança. Ernesto vive pressionando para que ele decida o que quer estudar. Mas eu acho que ele deve esperar. De que adianta seguir uma carreira sem vontade?

Maria Alice não disse nada. Ela achava a amiga tolerante demais com a irresponsabilidade de Betinho. Havia muitos comentários sobre as loucuras que ele aprontava. Era o terror das mães, que não queriam as filhas envolvidas com ele. Leviano, namorador, exagerava na bebida, diziam até que havia engravidado uma das empregadas da casa e que Angelina fora forçada a tomar as devidas providências, financiando um aborto. Como ela nunca tocara nesse assunto, Maria Alice fazia de conta que ignorava. Esse, se não aparecesse na festa, ela agradeceria.

Mas isso não lhe tirava o entusiasmo de casar Lanira com um dos dois irmãos mais velhos. Afinal, justificava ela, um estróina na família era comum na alta sociedade. Sabia de várias famílias ilustres em que havia um elemento dissonante. Enquanto todos se ocupavam em construir, esse elemento gastava seu tempo em botar fora o dinheiro e comprometer o nome ilustre que usava. Não tinha dúvida de que Betinho era um desses. Tinha todas as características.

Limitou-se a dizer delicadamente:

— Um dia ele vai amadurecer.

— Tenho certeza!

Rubens conversava com Daniel, que o ouvia com interesse.

— Não sei se aceito o caso — dizia. — Não vai ser fácil.

— Tem certeza de que o que ele lhe contou é verdade? Não é apenas uma suposição?

— Não. Ele possui fotos, cartas que comprovam o que ele afirma.

— Se ele for mesmo o herdeiro de tudo e provar que foi usurpado, vai ser um escândalo. Contra quem ele deseja mover a ação?

— Por enquanto não estou autorizado a dizer. Ele pediu sigilo. Quer arranjar mais provas.

— Depois de tantos anos decorridos, será difícil.

— Ele tem fatos novos.

— Esse caso parece-me interessante mesmo. Se eu fosse você, não recusaria.

— Você se formou agora. Já decidiu o que vai fazer?

— Estou pensando. Gostei do que você fez. Pode ser que eu faça a mesma coisa. É bom começar de baixo e aprender tudo que for possível. Penso que nada substitui a experiência.

— Meus pais não concordaram, mas eu sinto que é isso que eu quero. Não estou disposto a ficar limitado pelos interesses de nossa empresa. Quero mais. Gosto de observar a vida, encontrar saídas para os problemas. Experimentar do meu jeito.

Daniel entusiasmou-se:

— Até que enfim encontrei alguém que pensa como eu! Também não quero entrar na política e ficar limitado às idéias partidárias. Desejo ser livre e exercer o Direito como eu penso que deve ser exercido.

— Bravos! Não sabia que você pensava dessa forma! Por que não trabalha comigo? Dividiremos as despesas. Poderemos nos ajudar mutuamente. É bom ter com quem trocar idéias e estudar os casos.

— Gostaria muito.

Rubens tirou um cartão do bolso e entregou-lhe, dizendo:

— Procure-me na próxima semana. Vá conhecer o lugar. Então conversaremos melhor.

— Irei, pode esperar.

Passava das três quando o último convidado se despediu e Maria Alice subiu com o marido para seus aposentos depois de haver ordenado aos criados que fechassem tudo.

Enquanto se preparava para dormir, Maria Alice comentava:

— A festa foi ótima!

Antônio concordou:

— Graças a você, como sempre. Foi impecável. Até Honório, que costuma se exceder na bebida e provocar discussões, você controlou. Como conseguiu isso?

— Foi fácil. Coloquei uma linda mulher a seu lado para distraí-lo. Viu como ele estava gentil?

— Qualquer um seria gentil ao lado de uma viúva rica como aquela. Ele sempre se interessou por ela. Estava cheio de dedos.

— Eu sabia disso. Foi só dar um jeitinho e pronto.

— Em compensação, Ernesto me pressionou. Deu-me vontade de mandá-lo às favas. O que ele quer mais? Fiz o que podia.

— Claro que se controlou. Afinal ele é quem sempre dá mais dinheiro para sua campanha.

— Por isso me fiz de tolo. Amanhã eles podem aprovar a isenção dos impostos e pronto. Tudo fica no lugar.

— Ele está desgostoso com o filho. Sabe que Rubinho não quer trabalhar com o pai e preferiu alugar um escritoriozinho? Angelina estava inconformada.

— Não é para menos. Estou pensando em Daniel... Ele precisa decidir o que vai fazer.

— Tem razão.

— Amanhã mesmo falo com ele.

— Faça isso.

Acomodaram-se para dormir, o que não tardou a acontecer.

Capítulo 2

Daniel parou em frente o prédio e conferiu o número. Era esse mesmo. Quinto andar. Entrou, olhou em volta, gostou. Apesar de não ser novo, estava muito limpo e arrumado.

Ao sair do elevador, caminhou pelo corredor e logo viu uma placa na parede: Dr. Rubens de Oliveira e Castro. Advogado. Parou e tocou a campainha.

A porta abriu e uma moça apareceu.

— O senhor deseja... — perguntou ela educadamente.

— Falar com o Dr. Rubens. Ele está?

— Sim. Faça o favor de entrar. Marcou entrevista?

— Não.

— Vou ver se ele pode atender. Como é seu nome?

Daniel tirou um cartão do bolso e deu-o a ela, dizendo:

— Ele me convidou a vir aqui.

— Queira sentar-se e esperar.

Ela saiu e Daniel examinou a sala com satisfação. Havia flores no vaso, quadros nas paredes. A decoração moderna, elegante, de muito bom gosto.

A porta abriu-se e Rubens apareceu com um sorriso nos lábios.

— Que bom vê-lo! Como vai?

Depois dos cumprimentos, conduziu-o à sua sala.

— Você toma alguma coisa? Um refresco, uma água, um café?

— Um café.

Rubens apanhou o telefone discando, depois disse:

— Dona Elza, providencie um café para nós.

Desligou o telefone e voltando-se para Daniel continuou:

— E então, gostou do lugar?

— É muito agradável. Não se parece nada com os escritórios que conheço. Móveis pesados, escuros, sóbrios.

— Meu estilo é outro. Passo aqui muitas horas e gosto de me sentir bem. Ambiente leve, bonito, acolhedor e principalmente confortável. Adoro conforto, mas não dispenso a beleza. Juntei os dois.

— Faltam também os papéis espalhados sobre a mesa e as incontáveis pastas empilhadas.

Rubens riu gostosamente.

— Sou perfeccionista. Gosto de ordem. Não consigo trabalhar em um lugar desarrumado.

A copeira trouxe a bandeja com o café e serviu-os. Depois de tomarem o café conversando amigavelmente, Rubens convidou:

— Venha conhecer as outras salas.

A sala contígua tinha poucos móveis. Apenas alguns arquivos, uma mesa com máquina de escrever.

— Estou organizando aqui os arquivos dos casos. Tenho também as informações importantes, algumas pesquisas.

— Boa idéia! Facilitará o trabalho.

— Tem pouca coisa. Estou no começo.

— Há quanto tempo está aqui?

— Seis meses. Trabalhei um ano e meio com o Dr. Del Vecchio. Apesar do pouco tempo, aprendi muito com ele. Meu pai queria que eu ficasse mais lá para depois ir trabalhar na empresa dele. Quando soube que eu saí, achou ruim, mas terá que se conformar.

Passaram para outra sala. Estava vazia.

— Não tive dinheiro nem tempo para mobiliá-la. Sabe como é... Também tenho meu orgulho. Se quero ser independente, não posso ficar pedindo dinheiro à minha família. Aliás, meu pai já disse que não vai dar nada, que eu vou botar tudo fora. Não acredita que eu consiga.

— Não acredita ou não deseja que dê certo?

Rubens parou um pouco, depois disse:

— É. Acho que ele não quer.

— Só para depois poder dizer: "Eu não falei?"

Os dois riram gostosamente.

— Quando falei com você, não estava brincando. Pode ocupar esta sala. Dividiremos as despesas, os empregados, nos ajudaremos com os casos. Será perfeito.

— Não sei se estou preparado para assumir isso. Acabo de me formar. Não sou conhecido no meio. Além disso, meu pai também não me ajudará. Tem outros projetos para mim.

— Isso o incomoda?

— Não. Gostaria que fosse diferente, mas cada um é o que é.

— Vai precisar mobiliar sua sala e ter algum dinheiro para os primeiros tempos. Eu também ainda não tenho muitos clientes. Algumas pequenas causas, com muito trabalho e pouco dinheiro. Mas estou disposto a vencer e sei que posso conseguir.

— Tenho dinheiro guardado. Minha mãe sempre foi muito generosa nas mesadas. Meu pai também. Gostam que eu me apresente sempre bem e tenha dinheiro no bolso. Posso mobiliar a sala e agüentar os primeiros tempos, se eles resolverem suspender a mesada.

— Nesse caso, nada o impede de aceitar. Para mim seria conveniente não só porque ficará mais barato manter isto aqui, mas também porque gosto de você, de sua forma de pensar. Creio que é o companheiro ideal. Tenho intuição de que juntos faremos grandes coisas!

Daniel sorriu:

— Seu otimismo é contagiante.

— Nesse caso, aceite. Um dia terá que começar, e esta oportunidade é boa mesmo.

— Está bem. Acho que podemos tentar.

— Assim é que se fala! Amanhã mesmo poderemos comprar seus móveis. Teremos também que fazer uma placa com seu nome para colocar ao lado da minha. Seus documentos estão em ordem? Já pode começar a trabalhar?

— Estão. Gostei muito da decoração que você fez. Acho melhor seguir o mesmo estilo.

— Ótimo.

Entusiasmados, os dois continuaram conversando, combinando detalhes e programando a instalação de Daniel. Quando este deixou Rubens, no fim da tarde, estava entusiasmado e alegre. Imaginava como decorar a sala, o que comprar, tentando visualizar como ficaria desta ou daquela forma.

Na hora do jantar, Maria Alice comentou:

— Daniel está bem-disposto! Alguma namorada nova?

Ele desviou o assunto. Achava melhor não entrar em detalhes do que pretendia fazer.

— Nada disso. Você acha que só ficamos bem quando há mulheres por perto?

— Acho. Basta observar quando passa uma moça bonita. Vocês ficam babando!

Antônio olhou para ambos e resolveu:

— Daniel tem razão. Mulher é bom, mas o que ele precisa agora é decidir o rumo que sua vida vai tomar. Tratar de sua carreira. Agora é o momento exato para iniciá-la. Tudo nos favorece.

— Vou pensar no assunto, papai — prometeu ele querendo escapar à pressão.

— Já pensou demais. Está pensando há muito tempo. É hora de decidir. Está perdendo um tempo precioso. O que espera mais? Formou-se, é um advogado. Tem o título e um nome ilustre. O caminho está aberto.

Daniel franziu o cenho. Seu pai obrigava-o a uma atitude que não queria tomar. Não gostava de ser pressionado. Enquanto ele apenas sugeria, não tinha importância, mas agora estava querendo intervir em suas decisões. Isso feria seu senso de justiça. Tinha o direito de escolher o próprio caminho. Olhou-o sério e respondeu:

— Obrigado por seu interesse, mas eu posso resolver qual a carreira que devo seguir. Estudei não para ter um título, mas para exercer a profissão. Gosto do Direito. Pretendo advogar.

Antônio olhou-o surpreendido. Não esperava uma atitude tão firme. Habituado a contemporizar, disse em tom conciliador:

— Claro que você se formou para advogar. Eu mesmo tenho tido minhas causas.

— Onde você dá o nome e os outros advogados fazem tudo. Não é isso que eu quero para mim.

Antônio irritou-se:

— O que quer? Ir ao fórum de pasta na mão, correr atrás dos juízes, ir nos cartórios e nos distritos para tirar algum malandro da cadeia? É isso que quer?

Maria Alice interveio, preocupada:

— Vamos deixar esse assunto para depois. Não é bom discutir durante as refeições. — Baixou o tom de voz ao dizer: — E na frente dos criados.

— Desculpe, Maria Alice, mas a indecisão de Daniel me irrita. Concordo. Deixemos esse assunto para depois. Mas pode ter certeza de que não esquecerei.

Lanira olhou-os entediada. Eles eram teimosos e com certeza iriam discutir no escritório, tomar decisões para depois sair como se nada houvesse acontecido, fingindo diante dos criados.

Estava cansada dessa hipocrisia. Onde quer que fosse, as pessoas eram falsas e sem graça. Diziam frases convencionais, sorriam educadamente, nunca mostravam o que estavam sentindo. Anos atrás pensara em fugir de casa, mas nunca tivera coragem. Detestava a pobreza, a falta de conforto. Por vezes sentia-se culpada por essa fraqueza. Ela também dizia frases convencionas, fingia, sorria sem vontade. Por isso a vida parecia-lhe sem graça. As pessoas eram autômatos, vivendo uma vida vazia, sem objetivos, sepultando sentimentos, cuidando das aparências. Ela, também, tornara-se uma pessoa como as demais, obedecendo às regras da sociedade. Um dia se casaria com um nome ilustre, teria filhos, ensiná-los-ia a entrar nas regras.

As gerações se sucediam, sempre iguais, e essa rotina a deprimia. Embora desejasse quebrá-la, sabia que não teria coragem. Continuaria fazendo tudo igual, como sua avó, sua mãe e as outras famílias que conhecia. Acreditava que fora das convenções sociais não havia nada. Era só perdição, sofrimento, dor.

Maria Alice procurou conduzir a conversação de forma mais amena, falando dos filmes do momento e dos novos cinemas da cidade. Apesar do tom, Lanira podia sentir que ela estava tensa. Antônio trocou idéias com ela, fingindo que não percebia o silêncio de Daniel. Lanira olhou-o com certa curiosidade. Ele teria coragem para escapar à rotina familiar? Desde pequena ouvia o pai programar a carreira política do irmão. Para ela era fato consumado. Ele acabaria por ceder.

Depois do café, Daniel ia retirar-se quando Antônio convidou:

— Vamos conversar no escritório. Precisamos esclarecer algumas coisas. Não dá mais para adiar.

Daniel suspirou mas resolveu:

— Está bem, papai. Vamos.

Maria Alice olhou com certa preocupação, porém não disse nada. Nunca se intrometia nas conversas do marido com os filhos.

Foram para o escritório. Lanira apanhou um livro e acomodou-se em uma poltrona. Maria Alice foi dar ordens na cozinha.

Antônio sentou-se atrás da pesada escrivaninha de carvalho e Daniel acomodou-se em uma poltrona à sua frente. Olharam-se.

— Se estou tocando nesse assunto, é porque você já tem idade para assumir uma carreira. Eu ingressei no partido muito antes.

— Já lhe disse, pai. Não pretendo ingressar no partido. Não gosto de política.

— Não sabe o que está dizendo. Muitos jovens adorariam ter uma oportunidade como a sua. Quer jogar tudo fora?

— Agradeço seu interesse. Mas quero seguir outro caminho.

— Quer advogar. Logo ser político é ideal para isso. Vai dar-lhe fama, nome. Credibilidade. Se é isso que quer, vou arranjar-lhe um lugar em um escritório de um grande advogado que me deve muitos favores. Ao lado dele, logo estará conhecido. Agora ele é do partido e você precisa inscrever-se também. Amanhã mesmo providenciaremos tudo.

— Eu não quero, pai. Não vou.

— Não quer?

— Não quero. Deixe-me escolher o que fazer. Já decidi. Amanhã começo a trabalhar com Rubinho. Estive com ele hoje e acertamos tudo.

— O quê? Com Rubinho? Você enlouqueceu? Sua mãe me disse que Angelina e Ernesto estão desesperados porque Rubinho montou um escritório por conta própria, de quinta categoria, sem nenhuma chance de ir para a frente. É lá que você quer ir enterrar seu talento?

O rosto de Antônio cobriu-se de rubor e ele se levantou indignado. Sem dar tempo para que Daniel dissesse alguma coisa, prosseguiu:

— Não posso consentir em uma coisa dessas! Meu filho me envergonhando dessa forma. Você não vai fazer isso.

Daniel olhou-o sério e respondeu:

— Vou, pai. Já decidi. O escritório é em um lugar bom no centro da cidade, bem montado, e tenho certeza de que obteremos êxito.

— Você não sabe o que está dizendo. É jovem demais. Vai perder um tempo enorme, gastar dinheiro, envergonhar a família e depois voltar para tentar recomeçar. Não. Não posso permitir que faça isso.

— Não vou envergonhar ninguém. Vou começar do princípio, aprender, crescer. Rubinho é inteligente, sabe o que diz, juntos vamos conseguir subir na vida.

Antônio sacudia a cabeça incrédulo. Foi até a porta e chamou Maria Alice. Quando a viu entrar, não se conteve:

— Veja se consegue convencer seu filho a desistir dessa loucura. Recusou todas as oportunidades que eu lhe ofereci. Sabe por quê? Para ir juntar-se àquele visionário do Rubinho, no escritoriozinho que você falou. É lá, com ele, que Daniel deseja fazer carreira!

Maria Alice levou a mão aos lábios para abafar a exclamação de susto que emitiu a contragosto.

— Não pode ser! Diga, meu filho, que não ouvi bem.

Daniel levantou-se, respirou fundo tentando controlar-se e respondeu:

— Vocês estão fazendo um drama de uma coisa tão simples! Vou fazer uma experiência trabalhando com ele e dividindo as despesas. Combinamos tudo. Não é uma calamidade. Não façam disso uma tragédia familiar.

Maria Alice abriu a boca, tornou a fechá-la e não encontrou palavras para responder. Estava assustada. O tom da voz de Daniel fazia-a sentir que ele falava sério. Quando conseguiu falar, considerou:

— Isso não vai dar certo, meu filho!

— Se não der, farei outra coisa. Afinal sou jovem e tenho uma vida inteira pela frente. Agora, se me dão licença, vou dormir. Amanhã terei que levantar cedo.

Daniel deixou a sala, e Maria Alice e o marido continuaram conversando, inconformados.

— Esse menino está me enlouquecendo! — desabafou Antônio. — Não sei a quem ele puxou. Talvez àquele seu tio maluco que foi morar na Europa e jogou tudo fora.

— Ele não tem nada a ver com tio Eurides. Pare de fazer comparações. Daniel impressionou-se com Rubinho. Sabe como é, os jovens gostam de fazer coisas heróicas, diferentes.

— Vai quebrar a cara! Como nunca trabalhou, pensa que é fácil ganhar a vida.

— Ele é muito moço. Acho que devemos ser pacientes com ele. Deixe-o experimentar, logo vai descobrir seu engano. Não há nada como a verdade. Vai trabalhar muito, ganhar pouco, e quando perceber seu engano, aceitará fazer tudo como você deseja.

— É o que vai acontecer. Mas para isso vou cortar a mesada. Se ele deseja ser independente, fazer as coisas por conta própria, que se sustente.

Maria Alice sacudiu a cabeça:

— Não concordo. Seria humilhante ver Daniel passando necessidades. O que nossos amigos vão dizer? Não, isso não.

— Se eu continuar a dar-lhe dinheiro, ele não vai voltar atrás. É meu dever ensiná-lo.

— Não dessa forma. Ele não vai ganhar o suficiente para manter nosso padrão de vida. Vai ser uma desmoralização. Nosso filho, mendigando, sem dinheiro para ir ao clube, sustentar o automóvel. Você não fará isso! Vai ficar mal para nós!

— Isso é.

— Lembra quando o filho do Dr. Emílio brigou com o pai e saiu de casa?

— Para casar-se com aquela balconistazinha!

— Foi. Ele cortou a mesada e foi um vexame. O rapaz deu para beber, pedia dinheiro emprestado aos amigos do pai, uma vergonha. Você mesmo ficava constrangido quando ele o abordava. Não, nosso Daniel não pode nos fazer passar essa vergonha!

— Você acha que ele poderia ficar como Netinho?

— É um risco. Daniel é um bom moço. Mas sempre teve tudo. Se ficar sem dinheiro, pode descambar e será difícil trazê-lo de volta ao bom caminho.

Antônio suspirou e passou a mão pelos cabelos num gesto nervoso.

— Esse menino merecia uma boa surra.

— Ele já é um homem.

— Mas tem cabeça de criança.

— Precisamos ter paciência. Tenho certeza de que essa postura vai durar pouco. Se você fizer pressão, ele vai teimar. Sei como ele é.

— Um cabeça-dura.

— Isso. Agora, se você não pressionar, ele vai, percebe a bobagem que está fazendo e desiste.

— Talvez você tenha razão. A pressão de Ernesto me irritou. Deu-me vontade de fazer justamente o contrário.

— Está vendo? É isso. Não vamos pressioná-lo. Por si só ele voltará ao bom senso.

— Espero que tenha razão.

Na manhã seguinte Daniel levantou-se disposto a enfrentar qualquer oposição familiar. Pensara em vários argumentos para convencer os pais que sua resolução era irrevogável. Mas, para sua surpresa, na mesa do café ninguém tocou no assunto. Parecia que nada havia acontecido.

Lanira olhou-o curiosa. Se seus pais estavam calmos, Daniel já teria desistido? Depois do café, quando saía para escola, cruzou com Daniel e perguntou:

— Você mudou de idéia?

— Não. Ao contrário. Estou indo encontrar-me com Rubinho para comprarmos os móveis.

— Está tudo tão calmo... pensei que houvesse desistido.

— Não. Estou estranhando. Ontem só faltaram me bater, hoje estão como se nada houvesse acontecido.

— Hum... Se eu fosse você, tomava cuidado. Eles devem estar planejando algo. Papai estava particularmente amável. Quando ele fica assim, sempre há alguma coisa por trás.

— Eu sei. É assim que ele fica quando quer alguma coisa de seus eleitores, ou dos homens do partido.

Lanira riu bem-humorada.

— Eles pensam que nos enganam!

— Seja como for, estou determinado. Tenho o direito de cuidar de minha vida e fazer as coisas do jeito que eu gosto. Se eu errar, será por minha cabeça.

— Gostaria de fazer o mesmo.

— Você?

— Nossa vida é sempre igual. Gostaria de fazer alguma coisa diferente, antes que acabe me casando com algum almofadinha e vire uma dona de casa.

Daniel riu.

— Você, uma dona de casa?

— Do que se admira? O que pode fazer uma moça de sociedade neste Rio de Janeiro?

— Nunca pensei nisso. Sempre achei que você gostava de freqüentar a sociedade.

— Antigamente gostava mais. Agora, estou ficando cansada. Isso não pode, aquilo não fica bem, desse jeito não, só desse. Acho que estamos virando marionetes. Outro dia na festa aqui em casa pensei que todos nós éramos bonecos manipulados.

— E quem puxaria os cordões para movimentar-nos?

— As regras. Já reparou que todos lhes obedecem? Que é um crime sair fora delas?

Daniel olhou a irmã como se a estivesse vendo pela primeira vez. Seus olhos brilharam quando respondeu:

— Não sabia que pensava assim. Entendeu por que quero cuidar de minha vida e fazer alguma coisa do meu jeito? Não quero ser uma marionete nas mãos de papai ou de mamãe, nem da tirania social. Pretendo achar outro caminho. Acredito que exista. Nunca pudemos procurá-lo. Agora estou decidido. Quer saber? A hora que resolver fazer o mesmo, tomar uma decisão diferente de ser a esposa de um almofadinha, conte comigo. Temos o direito de escolher o que fazer de nossas vidas.

Lanira olhou-o séria ao responder:

— Sua atitude sacudiu-me de alguma forma. Vou pensar no assunto. Às vezes penso que a vida não é só essa rotina que conhecemos. Deve existir algo mais.

— Não sabia que estava tão amarga! Em sua idade!

— O que quer? Olho as pessoas e só encontro jogo de interesses, papéis, aparência, nada mais.

Daniel coçou a cabeça pensativo:

— Isso é o diabo. Sei como se sente. Não pensei que estivesse tão entediada. Embora queira mudar, assumir minha vida, não estou deprimido como você. Acredito na vida. Sei que existem outras coisas, outras formas de viver. Existe amor, alegria, bondade.

— Onde?

— Em algum lugar. O importante é não se conformar com o que estão nos impondo. É sair em busca do que queremos, é tentar ser feliz seja como for.

— Você acredita que vai encontrar o que procura?

— Acredito. Somos jovens, cheios de vontade de viver.

— Está entusiasmado!

— O que faremos sem entusiasmo? Ele é o grande motivador na busca da felicidade.

— O pior é que eu perdi o entusiasmo. Nada me motiva. Tudo me parece sem importância.

— Isso passa. Logo mais vai aparecer um moço inteligente, bem apanhado, e pronto. Seu entusiasmo volta rapidinho!

— É... pode ser. Não digo que não. Mas onde encontrá-lo? Por enquanto, nenhum dos que conheço conseguiu interessar-me. Aliás, acho melhor assim. Sabe de uma coisa? Às vezes penso que sou diferente, que não tenho nenhuma vocação para o casamento.

Ele riu bem-humorado:

— Duvido. É só no que as mulheres pensam!

— Não nego que eu penso, mas quanto mais penso, menos eu gosto da idéia de me casar. Já olhou em volta e viu como é a vida dos casais? Eu não teria paciência para obedecer ao marido, pôr panos quentes aqui e ali, engolir a raiva, dissimular.

— Como mamãe faz?

— É. Como ela. Reparou como ela se controla para não sair das regras? Nunca perde o controle, em nenhuma situação.

— Talvez seja uma qualidade.

— Até certo ponto sim, mas ela não é calma, cordata, equilibrada como quer parecer. Com seu jeito educado, controla papai, nós, os criados. Todo mundo só faz do jeito que ela quer.

— Ela não gosta de discutir.

— Experimente contrariá-la. Seus olhos soltam chispas. E embora não discuta, sempre arranja um jeito de torcer as coisas do jeitinho que ela quer. Quer apostar como vai fazer você mudar de idéia?

— Quanto a isso, está enganada. Ela pode fazer o que quiser. Não vai conseguir.

— Veremos.

— Você tem aula agora?

— Tenho. Por quê?

— Ia convidá-la para ir comigo ver o escritório. Poderia me ajudar a arrumá-lo.

— Não tenho nenhuma aula importante. Posso cabular.

— Se mamãe souber, me mata!

— Nós não vamos contar. Estou curiosa para ver como é. Outro dia assisti a um filme em que havia um escritório moderno, muito chique.

— Combinei com Rubinho que faria a decoração no mesmo estilo das salas dele. É moderno e eu gostei. Depois, acho que não ficará muito caro. Sabe como é, ainda não sei se poderei contar com a mesada. Eles bem que podem fazer pressão e cortá-la.

— Não a mamãe. Isso eles não farão. Já pensou se alguém comentar que o filhinho dela está sem dinheiro para as despesas? Ela vai morrer de vergonha!

— É, acho que tem razão. Então vamos embora.

Lanira entrou no carro com satisfação. Até que enfim iria sair da rotina. Havia uma coisa diferente para fazer. Conversaram animadamente durante o trajeto. Rubinho já os esperava. Levaram Lanira para ver tudo e ajudá-los a escolher o que comprar. Um leve toque feminino seria agradável, uma vez que eles desejavam quebrar a sobriedade comum a todos os escritórios de advocacia.

Os três foram às compras alegremente e Lanira não continha o entusiasmo, principalmente porque eles estavam saindo do tradicional, criando alguma coisa nova, mais ousada. Às duas da tarde eles já haviam comprado o mais importante e foram almoçar em um pequeno restaurante.

— Quando sairmos daqui, o que vamos comprar? — indagou Lanira com entusiasmo.

— Bom, eu preciso ir para o escritório. Fiquei fora a manhã inteira. Tenho um cliente que ficou de ir às três horas — respondeu Rubinho.

— Eu acho que por hoje não podemos comprar mais nada. Amanhã eles vão entregar os móveis, vamos arrumar tudo e ver como fica. Não quero me precipitar e comprar coisas que não combinam.

— Tem razão — concordou Lanira. — Só vendo os móveis no lugar é que vamos saber o que fazer mais. Não compramos ainda os objetos de uso, cinzeiros, quadros. Acho elegante ter uma caixa de cigarros sobre a mesa. Vi uma na rua do Ouvidor linda, ficará muito bem com seus móveis.

— Estou começando a ficar com inveja — disse Rubinho. — Eu tive que fazer tudo sozinho. Não notei esses detalhes.

— Se você quiser, podemos escolher algumas coisas para sua sala também — sugeriu Lanira com satisfação.

Ela nunca tivera chance de escolher nada. Seu quarto, seus móveis, seus objetos de uso e até suas roupas haviam sido escolhidas pela mãe. Quando ela era criança, várias vezes tentara comprar o que achava bonito. Mas a mãe dizia que não ficava bem, que estava fora de moda, sugeria outra coisa. Ela obedecia. Ultimamente, quando gostava de algo, só comprava se sua mãe aprovasse, se dissesse que ficava bom.

Ela sempre gostara de decoração. Apreciava objetos de arte, tinha certo jeito para arrumá-los de maneira agradável. Percebendo que os dois rapazes tinham acatado sua opinião na compra dos móveis, sentiu-se animada.

— Só que amanhã você não vai "matar" a aula — resolveu Daniel.

— Está certo. Mas eu saio às onze e meia e vou direto para o escritório. Estou louca para arrumar tudo e ver como fica!

— Está certo. Irei buscá-la na escola.

Quando voltaram para casa, passava das quatro, e Maria Alice olhou-os admirada. Nunca os vira sair juntos. Foi logo dizendo:

— Estava preocupada. Você não voltou da escola no horário de costume e não veio para o almoço. O que aconteceu?

— Nada. É que Daniel passou pelo colégio e aproveitei para voltar com ele. Estávamos com fome e fomos almoçar juntos.

Ela o olhou desconfiada. A história não estava bem contada. Havia alguma coisa errada por detrás disso. Iria descobrir.

— Poderia pelo menos ter telefonado. Já estava quase ligando para o escritório de seu pai e mandando José à sua procura na escola.

— A culpa é minha, mãe — justificou-se Daniel. — Deveria ter avisado que ela estava comigo. Desculpe.

— Só foram almoçar? Já passa das quatro. Lanira saiu às onze e meia!

— Verdade? — disse Lanira. — Nem percebemos o tempo passar! Vou subir para tomar um banho e descansar um pouco.

— É uma boa idéia. Vou fazer o mesmo — resolveu Daniel.

Eles subiram e Maria Alice permaneceu em pé observando-os até que eles sumissem no fim da escada. Lá em cima, no corredor, Lanira trocou um sorriso alegre com o irmão, dizendo baixinho:

— Ela desconfiou, mas desta vez não descobrirá nada.

— É. Espero que não, senão vai sobrar para mim.

— Qual nada! Estou adorando esta história. Não perderia isso por nada! Não se esqueça: amanhã estarei esperando para continuarmos.

— Acho melhor arranjar uma desculpa para a mamãe. Ela vai estranhar você não vir para casa outra vez.

— Deixe comigo. Eu telefono da escola.

— O que vai dizer?

— Não sei ainda. Mas pode ter certeza de que ela vai acreditar.

Com os olhos brilhantes, Lanira entrou no quarto enquanto Daniel, abanando a cabeça e rindo, foi para seus aposentos.

Capítulo 3

Daniel olhou em volta com satisfação. A sala estava pronta e o ambiente, muito agradável. Rubinho entrou e vendo a alegria de Daniel disse:

— Ficou bom mesmo. Vocês fizeram milagre em uma semana.

— A ajuda de Lanira foi preciosa!

— Tem razão. Ela tem muito bom gosto. Agora, é começar a trabalhar. Você fez os cartões?

— Sim. Ficarão prontos amanhã cedo.

— Você pode também anunciar no jornal.

— Não sei. Meus pais ficariam furiosos. Até agora não tocaram mais no assunto e eu não gostaria de provocá-los.

— Os meus ficaram, mas eu não liguei. Meus primeiros clientes vieram por causa do anúncio. Sabe, Daniel, quando eu resolvi assumir minha profissão e cuidar de minha vida, sabia que minha família não iria gostar. Mas entre eles ficarem contrariados e eu viver infeliz, optei por minha felicidade. Não compreendo em que os estou prejudicando fazendo as coisas do meu jeito. Não cometi nenhum crime, nem nada que possa envergonhá-los. Estou trabalhando honestamente e dando o melhor de mim. Acho que tenho todo o direito de escolher o rumo que deverei dar à minha vida.

— Eu penso como você. Por que será que os pais não confiam em nossa capacidade? Para eles nós ainda não crescemos.

— Não é só isso. Eles dão muita importância às aparências, às regras da sociedade. Todos estamos cansados de saber a corrupção que existe por trás. Tudo é permitido desde que ninguém descubra. Há muita gente sórdida fantasiada de gente bem ditando normas e criticando todo mundo.

— Concordo. É engraçado como os comentários maldosos insinuam, a podridão é comentada, mas ninguém faz nada.

— Eu me recuso a ser um deles.

— Eu também. Tem razão. Vou pôr o anúncio. Não tenho nada a esconder. As pessoas precisam saber que estou à disposição.

Rubinho colocou a mão no ombro do amigo, dizendo contente:

— Assim é que se fala! Gostaria de trocar idéias com você sobre os casos que estou atendendo. Ouvir sua opinião.

— Com prazer. Aprender mais vai ser bom para mim.

Dois dias depois Antônio chegou em casa indignado. Encontrou Maria Alice na sala e foi logo dizendo:

— Você já leu no jornal?

Ela se levantou:

— O quê?

— Precisamos fazer alguma coisa! Daniel perdeu o juízo.

— O que aconteceu?

— Veja aqui, este anúncio!

Ela leu o jornal que ele lhe estendia e enrubesceu:

— Que mau gosto! Não foi assim que o educamos!

— Para você ver. Ele poderia ter tudo que quisesse, começar de cima, e não quis. Preferiu ficar como um pedinte, implorando que lhe dêem serviço. Colocar anúncio no jornal é ridículo. Como se ele fosse uma mercadoria, um sabonete, um par de meias que precisa ser vendido. Um horror! Vamos chamá-lo aqui e exigir que ele acabe com isso de uma vez por todas.

— Foi uma idéia infeliz, reconheço. Mas, por outro lado, para ele chegar a esse extremo é porque está determinado. Se o pressionarmos, pode ser pior.

— Não posso ser desafiado por meu próprio filho. Eu, um homem de posição! Ele terá que me ouvir!

— Daniel não é mais criança. Contrariá-lo só fará com que ele continue. Como nós fomos contra o que ele queria, fará tudo para mostrar que ele estava certo.

— Teimoso ele é. Mas por causa disso não podemos deixá-lo fazer as bobagens que quer. Ele terá que entender.

— E se ele se recusar? Se suspendermos a mesada será pior. Nosso filho não pode sair por aí na miséria. O que os outros iriam dizer? Não, Antônio. O melhor mesmo ainda é fazer de conta que não vimos nada. Ignorar.

— Estamos fazendo isso desde que essa história começou. Não deu resultado.

— Dará, com certeza. Você acha que ele será bem-sucedido? Que ganhará fama e dinheiro naquele escritoriozinho?

— Não. Claro que não. Grandes advogados, verdadeiras sumidades precisaram trabalhar com gente famosa durante anos para conseguirem notoriedade. Não daria certo ainda que ele fosse um gênio, o que infelizmente ele não é.

— Então será uma questão de tempo. Ele vai experimentar, não vai dar certo e voltará arrependido, disposto a fazer o que você quiser.

— É... Pode ser que tenha razão. Só pode dar nisso.

— Então por que se preocupar? Vamos fazer de conta que não sabemos de nada.

— E quando os amigos perguntarem? O que diremos?

— Ora, Antônio, vamos sorrir e dizer que são arroubos da juventude. Que ele está querendo ganhar experiência, conhecer a vida, estar no meio do povo para só depois ingressar na política.

— Bem pensado. Um homem de classe que desce de seu nível social para misturar-se ao povo para mais tarde trabalhar pelo bem-estar da sociedade! Que idéia! Nem eu pensei nisso!

— Pois pense. Tudo passa, e essa loucura do Daniel também passará. Então tudo entrará nos eixos.

Antônio suspirou mais conformado. Maria Alice tinha razão. Não iria dizer nada a Daniel.

Naquela noite, depois do jantar, Lanira procurou Daniel no quarto:

— Vi seu anúncio no jornal.

— Então, o que achou?

— Bom. Simples e claro. Gostei. Quem não gostou foi papai, e como sempre mamãe o apoiou.

— É? Não falaram nada durante o jantar.

— Nem falarão. Eles encontraram uma saída para suas "loucuras da mocidade".

— Como assim?

— Pretendem transformar você em um sociólogo que está pesquisando os problemas sociais para mais tarde dedicar-se à política.

— De onde eles tiraram isso? Fui categórico. Jamais entrarei para a política.

— Eles não pensam assim. O que fará quando tudo der errado? Irá procurá-los e fará o que eles quiserem.

— Isso é absurdo.

— É o que eles pensam.

— Verão o quanto estão enganados.

Lanira ficou alguns segundos pensativa, depois disse:

— É o que eu desejo de coração. Você é minha esperança. Sua atitude me mostrou que eu não preciso seguir a programação que eles fizeram para mim.

— Não precisa mesmo. Agora, para ser livre é preciso assumir a responsabilidade por sua vida. A independência intelectual é só ilusão. Você só se torna independente quando tem dinheiro suficiente para sustentar-se. Apesar de minha atitude, ainda não me sinto à vontade. Enquanto estiver vivendo às expensas da família, não posso dizer que sou dono de mim. Mas pode ter certeza de que estou caminhando para isso. Quando puder, não vou mais aceitar a mesada deles.

— Você fala como se fosse errado aceitar o que eles nos dão. São nossos pais, criaram-nos e é função deles nos sustentar.

— Gostaria que soubesse que não pretendo ser ingrato. Gosto deles, respeito-os, eles me deram mais do que o dinheiro, eles me deram a vida. Mas isso não lhes dá o direito de decidir sobre meu destino. Tenho minhas idéias, meus projetos, quero fazer o que gosto. Depois, sou adulto, tenho uma profissão, penso que seria vergonhoso continuar a viver às custas deles. O que se justificava quando éramos crianças, hoje não se justifica mais.

— É. Tem razão. Eu também vou estudar, ter uma carreira e fazer o que quero.

Daniel sorriu ao responder:

— Você é mulher. Não precisa fazer o que eu faço. Logo vai aparecer alguém que fará seu coração bater mais forte e você não vai resistir.

— Isso não vai me acontecer.

— Acontece com todas as meninas.

— Não comigo. Não quero me transformar em dona de casa nem em esposa. Não gosto desse papel. Quando penso nisso me dá arrepios!

Daniel soltou uma gargalhada.

— Vamos ver se você vai falar isso daqui a dois ou três anos.

— Você vai ver.

Quando Lanira deixou o quarto, Daniel deitou-se pensativo. Apesar de se sentir atraído por muitas garotas, de haver namorado algumas, nunca amara ninguém. Seus romances não duravam mais do que um mês ou dois e logo a atração inicial desaparecia. Como todos os rapazes de sua época, ele tivera algumas aventuras sem conseqüências com mulheres casadas. Não era romântico. Tirava da vida o que podia lhe oferecer, não acreditava no amor dos poetas.

Pretendia dedicar-se à carreira e, quando conquistasse uma boa situação financeira, escolher uma mulher inteligente, culta, que lhe agradasse, e se casar. Pensava em ter uma família. Tudo aconteceria a seu tempo.

Embalado por seus projetos para o futuro, Daniel adormeceu e sonhou. Viu-se sentado em uma mesa em um grande salão, cercado de pessoas. Um homem andava de um lado a outro, falava apontando para ele, acusando-o. Reconheceu que estava em um tribunal. Mas ele não era o advogado, ele era o réu. Angustiado, ouviu o que o acusador dizia:

— Ele matou para encobrir a traição! Atraiu a vítima com falsas palavras e covardemente matou-a. Esse assassino cruel não pode ficar impune. Precisa ser responsabilizado pelo que fez. A justiça pede e vocês precisam condená-lo!

Daniel suava frio e queria fugir dali sem conseguir. O acusador parou à sua frente e continuou:

— Olhem para ele! Diz ser inocente e finge estar sofrendo, mas não se iludam, não se deixem enganar pelas aparências. Trata-se de um assassino perverso, calculista. As provas são todas contra ele. Não tenho nenhuma dúvida do que estou afirmando.

Daniel fez tremendo esforço para sair daquela situação e acordou com o corpo molhado de suor. Passou a mão pelos cabelos, levantou-se e foi à cozinha tomar água. Depois respirou aliviado.

"Foi só um pesadelo", pensou. Ele havia pensado tanto em sua carreira que acabara sonhando com ela.

Apesar de não levar a sério o sonho, teve medo de dormir e ter novamente aquele pesadelo. Apanhou um livro e começou a ler. Só quando o dia começou a clarear foi que conseguiu adormecer.

Acordou assustado olhando o relógio sobre a mesa de cabeceira. Dez horas! Levantou-se apressado. Pretendia ir cedo para o escritório. Lavou-se, vestiu-se e saiu.

Maria Alice estava no *hall* e, vendo-o, disse:

— Se quiser café, tem na copa.

— Obrigado. Estou atrasado.

Saiu rápido e ela suspirou resignada, pensando: se ao menos ele ouvisse seus conselhos! Filhos são assim mesmo. Não ouvem os pais, mas quando as coisas dão errado, quando se metem em alguma enrascada, pedem ajuda. Daniel, sempre tão inteligente, por que não entendia isso? Tinha que ir pelo lado mais difícil?

Daniel chegou ao escritório e Rubinho quando o viu foi logo dizendo:

— Ainda bem que chegou. Há um recado para você.

— Perdi a hora! Tive um pesadelo terrível e quase não dormi esta noite.

— Deve ser a tensão. No começo é assim mesmo.

Uma pessoa havia ligado por causa do anúncio, querendo marcar hora. Daniel dirigiu-se à secretária:

— Ligue para ele e diga que estarei livre a partir das três da tarde.

Rubinho sorriu malicioso e Daniel esclareceu:

— É meu primeiro cliente. Ele não pode saber disso.

— Se tem algum tempo, gostaria que visse comigo um processo.

Daniel concordou e juntos mergulharam no estudo do caso que Rubinho estava cuidando, trocando idéias, procurando soluções.

Passava das quatro quando o candidato a cliente de Daniel chegou. A secretária introduziu-o e Daniel, que o esperava, levantou-se para cumprimentá-lo.

Depois de fazê-lo sentar-se em frente à escrivaninha, Daniel sentou-se também, fixando-o atencioso. Era um homem alto, magro, rosto fino e pálido, olhos inquietos, cabelos lisos e castanhos, aparentava uns cinqüenta anos. Provavelmente de classe média.

— Meu nome é Aparício Moreira Filho. Trabalho no comércio. Tenho uma loja de armarinhos há algum tempo. Aqui tem meu cartão.

Daniel apanhou-o, colocando-o sobre a mesa. Ele continuou:

— Vim procurá-lo porque estou tendo problemas com meu sócio e gostaria de desfazer a sociedade.

— Já conversou com ele sobre o assunto?

— Não. Estou desconfiado de que ele está me roubando.

— É uma acusação grave. Tem provas?

— Tenho. Vi quando ele entrou no estabelecimento durante a noite e retirou algumas mercadorias. Nunca me falou sobre isso.

— Por que não o surpreendeu no ato?

— Não podia. Estava lá em condições precárias. Não podia aparecer.

Daniel olhou-o admirado, mas nada disse. Esperou que Aparício continuasse.

— Acontece que eu estava lá com uma mulher, sabe como é. Se minha mulher descobre, estou frito. Tive que ficar escondido e fazer tudo para que ele não me visse. Ele é meu compadre. Se eu falasse do roubo, ele poderia vingar-se de mim contando tudo para Maria. Tive que ficar escondido, sem falar nada, vendo-o levar minhas mercadorias embora.

— O que pretende fazer?

— Desfazer a sociedade. Saber como fazer isso legalmente.

— Tem uma cópia do contrato social?

— Não.

— A sociedade não foi legalmente constituída? Não foram ao cartório assinar o contrato?

— Fomos. Otaviano fez tudo. Eu não entendo disso.

— Sabe pelo menos o que estava escrito nele?

— Dei uma olhada, mas não me lembro bem do que dizia.

— Não consultou nenhum advogado, assinou sem ler?

— Sabe como é, ele é meu compadre, tinha confiança nele.

— Nesse caso, precisamos ir ao cartório, procurar o documento e ler. Só depois poderei dizer o que precisará fazer para acabar com a sociedade.

— Pensei que não precisasse disso!

— Entenda. Há muitas formas de se fazer uma sociedade. Sem saber o que vocês combinaram, como esse contrato foi feito, não posso saber como resolver.

Combinaram que iriam na manhã seguinte ao cartório. Aparício pagou a consulta e saiu. Quando a secretária entregou-lhe o dinheiro, Daniel emocionou-se. Era a primeira vez que ganhava um dinheiro com seu trabalho. A quantia era insignificante, cobrara barato, mas mesmo assim foi prazeroso. Deu-lhe gostosa sensação de auto-suficiência.

Quando contou a Rubinho o caso de Aparício, ele comentou:

— Esse é um caso comum. As pessoas confiam demais e sempre há os que abusam. Tenho visto muitos assim. Agora, que foi engraçado ele estar lá com uma mulher e não poder falar nada, isso foi. Vai ver que ele quis economizar o dinheiro de um hotel. Deve ser meio pão-duro.

— Ou ficou com medo de ser visto. Em todo caso, foi até providencial. Acabou descobrindo a safadeza do outro.

Os dois riram bem-humorados.

— Hoje à noite vou a uma reunião em casa de Julinho. Você quer ir comigo?

— Alguma coisa especial?

— Nada. Ele trouxe alguns discos novos da Europa e vamos ouvi-los. Sabe como é, as garotas também estarão lá. Será divertido. Lanira gostaria de ir? O ambiente é familiar.

— Eu vou. Ela, não sei. Posso perguntar.

— Faça isso. Posso passar em sua casa às oito. Está bem?

— Está.

Depois do jantar, Daniel falou com Lanira:

— Quer ir conosco a casa de Julinho ouvir música?

— Quem vai?

— Não sei ao certo. Alguns amigos. Rubinho garantiu que o ambiente é agradável. Não vou ficar até muito tarde. Estou cansado e amanhã quero levantar cedo.

— Nesse caso eu vou. Será melhor do que ficar no quarto pensando na vida.

Maria Alice, vendo-cs juntos para sair, admirou-se:

— Vão sair?

Foi Daniel quem respondeu:

— Vou a casa de Julinho ouvir música. Lanira vai comigo. Não vamos voltar tarde.

Era a primeira vez que Daniel convidava Lanira para sair com ele à noite. Ele resmungava quando a mãe pedia-lhe para buscar a irmã em casa de alguém. Vendo-os sair, Maria Alice procurou o marido, que sentado confortavelmente na sala lia uma revista.

— Antônio, aí tem coisa!

— Como assim?

— Daniel convidou Lanira para sair. Reparou que ultimamente eles têm saído muito juntos?

— Isso é bom. Não gosto de ver Lanira saindo por aí sozinha.

— Não é disso que estou falando. Acho estranho essa súbita amizade deles. Para mim, estão tramando alguma coisa.

— Que idéia! É natural que Daniel acompanhe a irmã. São jovens, gostam das mesmas coisas.

— É, pode ser. Mas as coisas começaram a mudar depois que ele se juntou a Rubinho.

Ouvindo o ruído de um carro, Maria Alice correu à janela e arregaçou a cortina.

— Eu não disse, Antônio? Eles saíram com Rubinho. Daniel nem tirou o carro.

Antônio colocou a revista sobre a mesa, olhando-a sério.

— Não vejo motivo para preocupação. Apesar de tudo, Rubinho é um rapaz de bons costumes e de boa família.

Maria Alice preferiu não responder. Podia ser que estivesse exagerando mesmo.

— Machado me procurou para dar sua adesão. As eleições estão chegando. Vou concorrer para o Senado.

— Não ia postular outro cargo?

— Pensei bem e resolvi que o Senado é o melhor lugar. Não quero um cargo no Executivo. É perigoso. Posso queimar minha reputação e ter que deixar a vida pública. Já no Senado, não. Dá mais poder e prestígio com menos controle. Para mim é o ideal.

— Você sempre sabe o que faz.

— Vamos dar uma recepção no sábado e eu reúno os que me interessam e que podem contribuir para a campanha.

— Por que não faz um jantar com eles no clube? Poderiam falar de negócios mais à vontade.

— Não. Precisamos cativar as esposas. Elas não gostam que os maridos fiquem sozinhos no clube. Já aqui elas terão prazer em vir.

— Pensando bem, será melhor.

— Sabe como é, todos eles gostam de parecer donos da bola, mas na hora H eles só fazem o que as mulheres querem. Para ganhar a eleição, preciso que elas me apóiem.

Maria Alice sorriu maliciosa. Antônio era um político nato. Sabia o que estava fazendo.

— Daremos a recepção na semana que vem, Antônio. Preciso de tempo para os convites. Vou providenciar tudo.

Ele sorriu com satisfação.

Tudo em sua vida corria bem. Sua mulher era perfeita, seus filhos faziam bela figura, sua carreira ia cada dia melhor, sua vida afetiva ficara maravilhosa desde que conhecera a secretária de um desembargador, seu amigo pessoal. Sentira-se atraído por ela desde o primeiro dia. Jovem, bonita, cheia de graça, dona de duas covinhas graciosas quando sorria mostrando os dentes alvos e bem distribuídos. Bem-feita de corpo, elegante e charmosa, Alícia a princípio mostrara-se arredia, o que atiçou ainda mais o entusiasmo de Antônio.

Fez-lhe a corte, enviando-lhe flores, oferecendo-lhe pequenos presentes que ela aceitava mas continuava recusando um encontro a sós com ele. Até que uma tarde, quando ele foi procurar o amigo em seu escritório, sabendo que ele havia saído, encontrou-a triste, preocupada.

— O Dr. Alberto saiu e vai demorar — disse ela quando ele entrou.

— Tenho tempo, vou esperar.

— Talvez ele não volte mais hoje.

— Está muito calor lá fora. Aqui está muito agradável. Vou ficar um pouco. Se ele demorar mesmo, irei embora.

— Como queira, deputado. Deseja um refresco? Um café?

— Um copo com água, por favor.

Ela apanhou o telefone e pediu à copeira para trazer a água.

Sentado no sofá confortável, Antônio observava-a com atenção. Ela se sentara atrás da escrivaninha e examinava alguns papéis.

Ele tomou a água lentamente, depois colocou o copo sobre a mesinha e tornou:

— Espero não estar atrapalhando.

Ela ergueu os olhos escuros e brilhantes, sacudindo a cabeça negativamente, balançando os cabelos louros e cortados à última moda.

— Absolutamente. Esteja à vontade, deputado.

Ele se remexeu no sofá um tanto inquieto.

— Gostaria que não me tratasse de forma tão cerimoniosa.

— Não estou entendendo.

— Faz-me sentir velho.

— Não houve intenção.

Ela fez silêncio, voltando a examinar os papéis que tinha nas mãos. Ele continuou:

— Desde que a vi, senti muita simpatia por você. Tenho observado e hoje percebo que está triste.

— Nem sempre as coisas são como desejamos.

— Posso fazer alguma coisa?

Ela hesitou, deixou os papéis em cima da mesa e olhou-o como querendo descobrir o que ele estava pensando. Depois suspirou e respondeu:

— Não sei. Trata-se de meu irmão. Ele se encontra em uma situação difícil.

Ele não quis perder a oportunidade:

— Do que se trata? Talvez possa ajudar.

Os olhos dela brilharam.

— Ele é um ano mais novo do que eu, está com vinte e quatro anos. Formou-se em Direito. Desde os tempos de estudante trabalha no escritório de um advogado importante cujo nome prefiro não declinar. A esposa do chefe apaixonou-se violentamente por ele e persegue-o de todas as formas. Agora está fazendo chantagem. Criou uma porção de situações em que parece que ele a está cortejando. Ou ele cede ao que ela quer ou ela o delata ao marido.

— Por que seu irmão não deixa o emprego? Eu poderia arranjar-lhe algo melhor.

— Ela o ameaça. Se ele sair, ela o delata. O marido é conhecido por seu ciúme e por sua intransigência. Se ela fizer isso, ele vai matar Nelsinho. Ele é um moço de princípios. Não quer se envolver com ela. Está desesperado. Pensando em ir embora do Brasil. Minha mãe é doente e muito apegada a ele. Desde que meu pai morreu ele é a paixão dela. Se ele for embora, ela não vai se conformar.

Lágrimas rolavam de seus olhos e Antônio levantou-se e apanhou o lenço, dando-o a ela.

— Por favor, Alícia! Não suporto vê-la chorar! Eu, que tudo faria para vê-la feliz! Não fique assim, vamos dar um jeito nisso. Confie em mim!

Ela o olhou tentando sorrir por entre as lágrimas. O interesse de um homem tão importante a sensibilizava.

— Desculpe, Dr. Resende.

— Chame-me de Antônio. É assim que os amigos me tratam.

Ela hesitou um pouco, depois decidiu:

— Desculpe, Antônio. Não deveria estar aqui falando de assuntos pessoais.

— Por que não? Olhe, diga a seu irmão para ter um pouco de paciência. Vou resolver esse caso.

— De que forma?

— Tenho amigos que sabem como dar um jeito nessa mulher. Podemos armar uma cilada tal que ela nunca mais queira atrapalhar a vida de seu irmão.

— Se o senhor conseguir isso, eu lhe serei grata pelo resto da vida!

Antônio tomou as mãos dela, segurando-as com força.

— Sua gratidão seria o maior prêmio. — Passou a mão delicadamente pelas faces dela, dizendo baixinho: — Farei tudo para vê-la feliz!

Ela retirou a mão dele, tentando recompor-se.

— Não se preocupe. Você está linda como sempre — tornou ele.

Ela esboçou leve sorriso.

— Assim está melhor. Seus lábios foram feitos para sorrir.

— Tem certeza de que vai conseguir que D. Ângela deixe Nelsinho em paz?

— Tenho.

— Não sei como lhe agradecer.

— Aceite jantar comigo.

Ela se sobressaltou, e antes que respondesse ele continuou:

— Se eu conseguir, não mereço nem sua companhia para um jantar de comemoração?

O rosto dela desanuviou-se:

— Está bem. Se resolver esse caso, irei jantar com o senhor.

Antônio saiu de lá entusiasmado. Sabia como resolver o problema dela. Falaria com Antunes. Ele era um ex-policial que trabalhava como detetive particular fazendo pequenos serviços. Servia aos políticos trabalhando conforme a necessidade deles, incriminando pessoas, arranjando testemunhas falsas, desmoralizando ou elevando conforme o caso. Recebia bom dinheiro e tinha um escritório de representações, cujos produtos nunca vendeu, já que eram só para manter as aparências.

No dia seguinte, Antônio marcou um encontro com Antunes em um café afastado. Não queria ser visto com ele. Alícia dera-lhe todas as informações sobre as pessoas, e Antônio contratou o serviço.

Achou divertido fazer com Ângela exatamente o que ela estava fazendo com Nélson, só que com um tipo desclassificado. Antunes armou um plano: usando o nome de Nélson, atraiu Ângela para um encontro de amor em um apartamento afastado e lá tudo estava preparado. Ela chegou, feliz, obedeceu às instruções, preparou-se e deitou-se no quarto em penumbra. Quando ela pensou que Nelsinho iria entrar, quem entrou foi outro homem, que a abraçou e beijou. As luzes se acenderam e eles tiraram várias fotos. Ela sem roupa, na cama, abraçada a ele. Ela quis gritar, mas Antunes foi categórico:

— Se quer gritar, grite. Quem vai sair perdendo é você. Seu marido vai saber de tudo.

Apavorada, ela começou a chorar e trêmula prometeu fazer tudo quanto eles queriam e entregar todo o "material" que forjara contra Nélson, o que ela fez no dia imediato.

Antônio ligou para Alícia e deu-lhe a boa notícia. Ela ficou feliz e finalmente concordou em ir jantar com ele. Excitado, Antônio programou aquela noite cuidadosamente. Comprou um belíssimo vestido e mandou de presente para Alícia. Levou-a a seu apartamento. Tendo organizado tudo, dispensou os criados. O apartamento era belíssimo, luxuoso, ricamente decorado. Ele o comprara para seu uso particular. Quando se interessava por alguma mulher, era lá que a levava.

Alícia era arredia, mas ele sabia como conseguir o que queria. Ela o admirava, e isso era meio caminho andado. Foi buscá-la, tendo parado um pouco distante de sua casa, conforme ela pedira. Quando ela entrou no carro, estava linda. Seu jeito discreto encantava-o. Tentou colocá-la à vontade. Sabia que precisava ser delicado.

— Você está linda! O vestido assentou-lhe maravilhosamente!

— Não sei se devo aceitar! Fiquei tentada a usá-lo pelo menos esta noite. Amanhã poderá devolvê-lo. Não posso ficar com ele!

— Por quê? Tenho tanto gosto em que fique com ele! Você foi feita para usar vestidos como esse. Tem um porte de rainha. O vestido ganhou vida e classe em você.

Ela corou de satisfação. Seu maior desejo era ter classe. Vivia lendo livros a respeito. Adorava a arte, a beleza e os lugares requintados.

— Obrigada por tudo quanto tem feito por mim. Meu irmão pediu demissão do emprego e já tem outro muito melhor. Estou muito feliz. Não imagina o favor que nos fez! Nelsinho pretende procurá-lo para agradecer.

— Não precisa. Prefiro que ninguém saiba. Quando um político presta algum serviço, as pessoas julgam que está fazendo isso para arranjar votos. Não gosto dessa postura. Faço isso porque gosto.

— Essa é a verdadeira caridade.

Uma vez no apartamento, ele a rodeou de carinho, fazendo-a entrever um mundo onde ela sempre desejara mas nunca conseguira entrar. Ela estava fascinada. Na penumbra, dançaram, jantaram e quando depois ele a beijou delicadamente, ela não se pode furtar ao prazer de sentir-se querida por um homem fino, bonito, agradável e apaixonado. Esqueceu quem ele era, seus compromissos familiares e sociais, para lembrar-se apenas de que era um homem inteligente, maduro, famoso, rico, bonito, cheio de classe, que a amava e desejava estar com ela.

Antônio, inebriado, deixou-se envolver na aventura. Apaixonou-se perdidamente. Passaram a encontrar-se pelo menos uma vez por semana. Mas isso não era suficiente para ele. Conversou com o chefe dela e pediu-lhe para ceder a secretária. Assim, levou Alícia para trabalhar com ele diretamente. Como sua secretária, ela cuidava de tudo, acompanhando-o onde quer que fosse. Quando estavam sós, davam vazão a seus sentimentos.

Antônio remoçara, melhorara o humor, sentia-se revigorado, feliz. Alícia deixara-se envolver por esse amor, sentindo-se valorizada e amada. Não se detinha para pensar aonde a levaria aquela aventura. Ao contrário, procurava deliberadamente esquecer o futuro.

Ele nunca lhe prometera deixar a família para assumir seu relacionamento com ela. Ao contrário, fazia-a perceber o quanto a família era importante para ele, para sua carreira. Por outro lado, cercava-a de amor, garantindo que a amava como nunca amara outra mulher, e ela se conformava com a situação, compreendendo sua maneira de ser. Consolava-a a certeza de que ele passava mais tempo com ela do que com a família.

Apesar do relacionamento íntimo, Alícia sabia ser uma secretária eficiente e não misturava as coisas. Antônio aprendeu a admirar sua postura profissional, discreta, e a cada dia mais e mais a amava.

Ele estava feliz e realizado. Só lhe faltava agora conseguir seu mandato de senador para aumentar ainda mais seu poder. Ele adorava poder opinar nos problemas da nação, ser procurado pelos jornalistas para falar sobre este ou aquele assunto, as reuniões do partido, em que era tido em alto conceito.

Despreocupado e satisfeito, Antônio acomodou-se melhor na poltrona e, encontrando um artigo interessante na revista, concentrou a atenção na leitura.

Capítulo 4

Sentado em frente à sua escrivaninha, Daniel examinava atentamente alguns documentos quando Rubinho entreabriu a porta do escritório dizendo:

— Está muito ocupado?

— Não. Entre.

Rubinho aproximou-se dizendo com entusiasmo:

— Lembra-se daquele caso que lhe contei antes ainda de você vir trabalhar comigo?

— Vagamente.

— Do herdeiro que foi usurpado.

— Lembro. Ele se resolveu?

— Resolveu. Está sentado em minha sala.

— E aí?

— Bom, trata-se de um caso difícil e ele quer que eu aceite. Estou pensando.

— Por quê? Não é isso o que você queria? Pode ficar famoso!

— Vai ser trabalhoso. Você quer pegar esse caso comigo?

— Eu? Você vai precisar de pessoa mais experiente. Não sei se estou preparado.

— Acho que está. Faz mais de um ano que está trabalhando, e tem se saído bem. Ganhou várias causas e tem aumentado o número de seus clientes.

— Sei, mas, ainda assim, um caso como esse! Já imaginou os grandes advogados que estarão do outro lado? Você acha que teremos chance de vencê-los?

— Foi isso mesmo que falei para o cliente. Mas ele argumentou que não confia em nenhum desses figurões. Garante que eles se unem para "depenar" os clientes e dividem tudo!

Daniel riu gostosamente:

— A classe está ficando desmoralizada!

— Ele disse que prefere advogados moços e bem intencionados. Tem observado nosso trabalho e quer colocar sua causa em nossas mãos.

Daniel coçou a cabeça pensativo, depois respondeu:

— Se ele pensa assim, podemos tentar. Se conseguirmos vencer, teremos credibilidade.

— Se perdermos, seremos execrados!

Daniel suspirou e Rubens continuou:

— Só vou aceitar se você concordar em dividir comigo essa responsabilidade. Juntos teremos mais chance de ganhar.

— Antes de decidir, quero ouvir o que ele tem a dizer. Se foi realmente logrado e como. Estudar se ele tem mesmo as provas que diz ter.

— Foi o que eu quis fazer. Ele, porém, alega que só vai trazer as provas depois que nós aceitarmos o caso. Não quer dar mais detalhes antes de saber se vamos trabalhar para ele.

— Estranho. Por que tanto segredo? Se não confia em nós, por que não procura outros?

— É que há nomes conhecidos envolvidos e ele só vai mencioná-los depois de saber nossa resposta. Venha, desejo apresentá-lo a você.

Curioso, Daniel acompanhou o amigo. Sentado em uma poltrona em frente à escrivaninha de Rubens estava um rapaz alto, moreno, de uns vinte e poucos anos, cabelos escuros, rosto coberto por uma barba. Ele se levantou assim que se aproximaram, fixando neles seus olhos castanhos e brilhantes.

— Este é meu sócio Dr. Daniel.

Daniel apertou a mão que ele lhe estendia. Notou que, apesar de limpo, suas roupas eram gastas e de má qualidade.

— Muito prazer — disse Daniel. — Sente-se, por favor.

Enquanto Rubens sentava-se do outro lado da mesa, Daniel acomodou-se ao lado do visitante.

— Daniel deseja conhecê-lo antes de decidir se aceita o caso.

Ele olhou firme nos olhos de Daniel dizendo:

— O que quer saber?

— Do caso. Gostaria que me contasse tudo.

— Já disse ao Dr. Rubens o que podia dizer. O resto só vou contar se aceitarem.

— Gostaria que repetisse o que já relatou a meu sócio.

O rapaz começou então sua narrativa:

— Não conheci meus pais. Fui criado em um colégio interno na Inglaterra. Quando perguntava sobre minha família, diziam-me que meus pais haviam morrido e que uma senhora generosa pagava minhas despesas mandando o necessário duas vezes por ano. Aos dezoito anos, fui chamado pela diretora. Ela me perguntou que carreira eu queria seguir, se pretendia ir para a universidade. Eu pretendia estudar leis, fazer Direito, mas não sabia se iria ter condições financeiras. Ela me garantiu que a pessoa que estava me sustentando escrevera-lhe prometendo aumentar minha mesada para que eu pudesse deixar o colégio e ir para a universidade.

— Quem é essa senhora? Você sabe o nome? — perguntou Daniel.

— Agora sei, mas naquele tempo, não. Uma das condições para que ela continuasse me mandando o dinheiro era que eu não soubesse sua identidade.

— O que mais ela queria? — tornou Daniel com interesse.

— Que eu não voltasse ao Brasil.

— Que estranho! — considerou Daniel.

— Bem, eu gostava de estudar. Queria ser alguém na vida, não poderia perder aquela oportunidade. Cursar uma universidade exigia tempo integral e eu precisava daquele dinheiro. Aceitei e fui para a universidade. Duas vezes por ano eu ia ao antigo colégio e a diretora me dava o dinheiro. Durante quase três anos tudo correu bem, até que um dia, quando fui receber o dinheiro, a diretora me disse que não havia chegado nada. Nos dias que se seguiram voltei lá diversas vezes, mas o dinheiro não veio. Minha situação financeira começou a se complicar. Nas horas vagas eu costumava dar aulas para ganhar algum dinheiro. Ensinava inglês para estudantes brasileiros e português para alguns ingleses.

— Quantos anos tinha quando foi para a Inglaterra? — perguntou Rubens.

— Quatro anos.

— Não se recorda de nada daquele tempo? — interveio Daniel.

— Vagamente. Apenas um rosto jovem e bonito sorrindo para mim e beijando-me, um quarto claro e grande, um cachorro de pelúcia. É só. Eu era muito pequeno. — Fez ligeira pausa e continuou: — Então, fui forçado a deixar a universidade. Não pude concluir os estudos. Arranjei um emprego e de vez em quando voltava ao colégio em busca de notícias. Mas não havia nada. Trabalhei, juntei algum dinheiro e por algumas coisas que me aconteceram e que agora não vêm ao caso, resolvi voltar ao Brasil e tentar descobrir o mistério de minha origem. Mrs. Morgan, a diretora do colégio, afirmava que não havia nada de misterioso. Que eu devia dar graças a Deus por haver encontrado uma senhora caridosa que me dera condições de receber uma boa educação. Que eu já era um homem e que ela não tinha nenhuma obrigação de continuar me sustentando.

Mas eu fiquei intrigado. Por que ela interrompera as remessas de dinheiro sem avisar ou dizer nada? Desembarquei no Brasil em 1948, portanto há três anos. Desde então tenho investigado e o que descobri mostrou-me que eu estava certo. Nasci em uma importante família do Rio de Janeiro e tive meus direitos usurpados. Nesses três anos reuni as provas e agora pretendo entrar na justiça e reclamar o que me pertence.

— Seu nome é Alberto Martins, não? — perguntou Daniel.

— Esse é o nome que consta na certidão de nascimento que está comigo, mas esse não é meu verdadeiro nome.

— Tem certeza? O que está dizendo é muito sério. Se você foi registrado com esse nome, será difícil provar o contrário.

— Não se preocupe com isso. Mudarão de idéia quando souberem o resto.

— Sua história é muito interessante. Se o Dr. Rubens aceitar, eu concordo. Com uma condição...

— Qual?

— Você terá que trazer todas as provas que tem. Trata-se de um caso difícil e precisamos estudá-lo melhor antes de resolver se é legalmente viável. Só então poderemos dizer se aceitamos ou não. Seja qual for nossa decisão, seremos discretos.

— Trarei todas as provas que possuo.

— Se elas forem convincentes, de minha parte aceitarei.

— Eu também — disse Rubens satisfeito.

— Nesse caso vamos discutir as condições. Minha situação financeira não é muito boa. Tenho dado aulas em alguns colégios, mas tenho me ocupado com minhas pesquisas e por isso não ganho muito. Agora pretendo procurar um emprego fixo em alguma empresa americana e tenho certeza de que vou ganhar melhor. Entretanto, mesmo assim não poderei de pronto pagar muito pelos honorários.

— Vamos ter despesas. Acha que conseguirá pagá-las? — inquiriu Rubens.

— Acredito que sim.

— Nós trabalhamos para nosso sustento. Não contamos com o dinheiro da família — esclareceu Daniel. — Não pode contar muito com nosso dinheiro.

— Sei tudo a respeito de vocês dois. Tenho certeza de que não lhes darei prejuízo. Serei generoso no final, quando vencermos. Aí então poderei recompensá-los pela dedicação e pelo trabalho.

— Precisamos de seus dados pessoais. Amanhã à tarde gostaria que nos trouxesse todos os documentos relativos ao caso. Então nos contará o resto da história em todos os detalhes — disse Rubens.

— Amanhã preciso me ausentar do Rio, mas dentro de dois dias voltarei e esclareceremos tudo.

Ele se levantou, despediu-se e saiu.

— E então? — indagou Rubens. — O que achou dele?

— Uma pessoa interessante. Fala com tanta certeza! Espero que tenha mesmo as provas que diz ter.

— Acho que tem. Mas se acharmos que essas provas são insuficientes, recusaremos.

— Combinado.

Daniel foi para sua sala, voltou aos papéis que examinava, mas de vez em quando a figura de Alberto voltava à sua mente. Que história curiosa! Quem seria a mulher misteriosa que lhe mandara o dinheiro? Por que não queria que ele voltasse ao Brasil? Teria sido ela quem lhe roubara a identidade e a fortuna? Por que ela teria suspendido a mesada?

Daniel meneou a cabeça. Dali a dois dias teria a resposta a todas essas indagações. Era inútil fantasiar sobre o assunto. Mas, apesar de pensar assim, a figura de Alberto e sua curiosa história não o deixavam.

À noite, tentou esquecer o caso. Estava com vontade de alugar um apartamento e se mudar. Tinha certeza de que quando fizesse isso seus pais suspenderiam a mesada. Apesar de tudo, eles continuavam dando-lhe dinheiro e tentando interessá-lo em política. O pai oferecera-lhe diversos cargos públicos, que ele recusara. Gostava de seu pequeno escritório e as vitórias que conseguira em sua carreira, mesmo pequenas, deram-lhe imensa satisfação. Fizera um trabalho limpo e dentro das normas da justiça. Era a primeira vez que tinha oportunidade de fazer alguma coisa sem a ajuda da família. Sentia-se digno e capaz. Gostava dessa sensação.

Deitou-se fazendo mentalmente as contas para saber se já tinha condições de viver sem a mesada e morar só. Suspirou resignado. Talvez ainda tivesse que esperar mais um pouco. Tinha a certeza de que haveria de conseguir.

Adormeceu. Sonhou. Viu-se novamente naquela sala que lhe parecia um tribunal. Sentiu uma sensação desagradável e quis fugir. Mas não conseguiu sair do lugar. A voz acusadora vibrava na sala:

— Você foi o culpado de tudo. Assassino! Ladrão! Tirou tudo quanto eu possuía.

Daniel assustou-se. Onde tinha ouvido aquela voz?

Olhou tentando descobrir quem o acusava e reconheceu Alberto. Um pouco modificado, mais magro, mais baixo, mas os olhos eram os mesmos. A voz era a mesma. Apavorado, ele procurou fugir. Fez tremendo esforço e acordou, corpo coberto de suor.

Levantou-se de um salto e foi à cozinha tomar um copo de água. Tentou se acalmar. Que loucura! Certamente ficara impressionado com a história de Alberto e acabara provocando aquele pesadelo. Assustado, lembrou-se do outro pesadelo e reconheceu que seu acusador era a mesma pessoa. Como pudera sonhar com Alberto antes de conhecê-lo?

Acendeu o abajur, deitou-se e respirou fundo. Ele não era impressionável. Por que a história de Alberto mexera tanto com ele? Arrependeu-se de haver concordado em aceitar aquela causa. E se seu sonho fosse um aviso para não aceitar?

Sorriu tentando ignorar a preocupação. Que bobagem! Ele estava fantasiando. Um sonho não significava nada. Não iria dar força a essa ilusão. Iria dormir e esquecer tudo. Mas apesar da boa resolução ele não apagou a luz do abajur e custou muito a adormecer.

Dois dias depois, sentado diante de Alberto, olhando sua fisionomia, lembrou-se do sonho. Sorriu pensando o quanto havia fantasiado. Sua figura agora parecia-lhe inofensiva.

— Conte o resto da história e vamos examinar as provas que possui — propôs Rubens.

Alberto colocou a pasta sobre a mesa e abriu-a. Os dois aguardavam com interesse que ele falasse. Pegando alguns recortes de jornal, ele comentou:

— Vejam essa notícia. "Faleceu esta manhã em um acidente de carro o menino Marcelo, neto do Dr. Antônio Camargo de Melo. O enterro será amanhã às 16 horas."

— O que isso significa? — indagou Daniel interessado.

— Há vários jornais da época contando o drama do Dr. Camargo de Melo. Seu único filho, pai de Marcelo, depois que o menino nasceu sofreu uma infecção que o deixou estéril. Ele não podia ter mais filhos. Com a morte do neto, o Dr. Camargo perdeu o único herdeiro, para o qual sonhava deixar toda a sua fortuna. Seu filho Cláudio não se interessara pelos negócios e ele sonhava ensinar o neto a cuidar de tudo e manter seu patrimônio. Ficou muito abatido com a perda do menino e desmotivado para o trabalho. Sua saúde começou a declinar e ele morreu algum tempo depois. Cláudio foi obrigado a assumir o controle de tudo. Tanto ele quanto sua mulher Carolina deixaram o dinheiro nas mãos de um procurador até que em uma viagem pela Europa eles morreram em um acidente de barco. Foi então que o Dr. José Luís Camargo de Melo herdou toda a fortuna do tio e assumiu a direção de tudo. Médico, sem muito sucesso na profissão, desfrutava de conforto mas não era rico. Ambicioso, vaidoso, freqüentava a mais fina sociedade, pertencia aos clubes da moda. Sua mulher, Maria Júlia, estava sempre em evidência, pela classe com que se apresentava e pelas obras de caridade de que fazia questão de participar. Eles tiveram dois filhos, Laura e Gabriel.

— Eu os conheço — disse Daniel, admirado.

Alberto olhou-o firme:

— São pessoas de sua amizade?

— O Dr. José Luís freqüenta a minha casa. É amigo de meu pai. Tem apoiado na política.

— Antes de continuar, preciso saber se você teria coragem de confrontá-los na justiça.

Daniel sustentou seu olhar e respondeu:

— Se você tiver razão e a justiça estiver do seu lado, enfrento qualquer um.

— Muito bem. Vocês são da sociedade. Esse ponto é fundamental. Nenhum advogado famoso ficaria do meu lado numa causa como esta. Eles não teriam coragem para brigar com gente que está no alto.

— E o que o fez pensar que nós o faremos? Nossas famílias são desse meio — interveio Rubens.

— Foi o fato de vocês desafiarem tudo e abrirem este escritório.

— Pelo jeito, está bem informado a nosso respeito — disse Daniel.

— Estou. Durante algum tempo segui todos os seus passos. Sei tudo sobre vocês e suas famílias.

Daniel remexeu-se na cadeira. Não lhe agradava ver invadida sua privacidade.

— Você exagerou! — disse.

— Eu precisava saber em quem confiar. Por isso estou aqui.

— Continue — pediu Rubens. — O que essas pessoas têm a ver com você?

— Quando voltei ao Brasil, a única coisa que eu sabia era que o dinheiro era enviado do Rio de Janeiro. Logo a mulher que me protegia deveria morar aqui. Veja, esta é minha certidão de nascimento. Foi tirada em Petrópolis no ano de 1927. Aí diz que sou filho de Maria Martins e pai ignorado. Fui a Petrópolis na tentativa de encontrar alguma pista. No cartório, a certidão original era igual à minha. Eu tinha os nomes das duas testemunhas que assinaram o documento na ocasião. Mas depois de tantos anos eu teria chance de encontrá-los? Saí de lá desanimado, sem saber o que fazer. Voltei ao Rio e tratei de arranjar um emprego, porque eu precisava me manter. Assim que me instalei em uma pensão, escrevi para a diretora do colégio em Londres, mandando meu endereço. Algum tempo depois recebi um pacote contendo uma carta dela. Está aqui, podem ler, sei que sabem inglês.

Daniel pegou o papel dizendo:

— Eu leio. "Querido Alberto. Estou muito doente, sei que vou morrer em breve. Não desejo levar este segredo comigo. Ultimamente tenho sonhado muito com você e com uma mulher que me pede insistentemente que lhe escreva e fale tudo que sei. Resolvi contar. Uma tarde fui procurada no colégio por uma mulher jovem e bonita, vestida elegantemente, que me contou uma triste história. Um menino de quatro anos, filho de uma grande amiga sua, corria sério perigo de vida no Brasil, e sua mãe, desejosa de salvá-lo, havia pedido a ela que o levasse a um colégio na Inglaterra. O sigilo deveria ser absoluto e nem o menino deveria saber sua origem. Condoída, ela o trouxera e pedira minha ajuda. Preocupada com o problema, aceitei tomar conta de você e prometi guardar segredo. Quando ela abriu a bolsa para pegar o dinheiro, vi o nome de Maria Júlia escrito em um envelope. É só o que sei. Cumpri minha parte no acordo, da melhor forma. Mas agora quero me libertar desse peso Estou lhe enviando as lembranças que vieram com você e que guardei com carinho. Espero que compreenda minha posição e reze por mim. De sua sempre amiga Gabrielle Morgan."

— O que mais havia no pacote? — indagou Rubens.

— Algumas roupas de criança que eu imagino que sejam as minhas quando cheguei lá, uma corrente de ouro com uma medalha, esta aqui.

Rubens apanhou-a:

— Veja: tem iniciais atrás. M.C.M.

— Marcelo Camargo de Melo — disse Alberto com certa emoção.

— O neto do Dr. Camargo! Mas ele morreu! — disse Daniel.

— É o que todos pensam. Seu corpo ficou mutilado no acidente e foi velado com caixão fechado. A ama que estava com ele no carro não se machucou.

— A família certamente deve ter feito o reconhecimento do corpo — disse Daniel.

— Eles ficaram chocados. Foi a ama quem fez o reconhecimento. Tenho certeza de que aquele menino que sofreu o acidente não era Marcelo.

— Continue — pediu Rubens.

— As iniciais no verso da medalha me intrigaram. Ficou claro para mim que meu nome verdadeiro não era o que eu estava usando. Depois, as roupas eram muito finas, a jovem senhora que me levara era de muita classe, o colégio era um dos melhores e seu preço só acessível a pessoas de posse. Eu não podia ser filho de uma Maria Martins, de pai ignorado.

Alberto fez ligeira pausa e continuou:

— Comecei a investigar famílias da alta sociedade em busca de Maria Júlia. Me detive na família do Dr. José Luís Camargo porque tudo coincidia. Sua esposa se chama Maria Júlia, eles haviam herdado a fortuna por causa da morte de Marcelo, cujas iniciais eram as da medalha, e havia ainda a idade. Ele havia nascido no mesmo ano que eu. Era a única pista que eu tinha cujos dados se ajustavam aos detalhes do caso. Mas a morte do menino me intrigava. Se ele havia morrido, eu não poderia ser ele. Investiguei, procurei encontrar outras pistas, mas foi inútil. Tudo me levava sempre de volta aos Camargo. Dediquei-me a investigar o acidente que vitimara o menino e descobri certos detalhes que aumentaram minha suspeita. Além de o caixão haver sido lacrado no velório, a ama estava só em casa com o menino quando saiu naquele dia. Eles estavam passando alguns dias em Petrópolis e os pais dele haviam vindo ao Rio para uma recepção e deveriam voltar no dia seguinte. O carro perdeu a direção e bateu no barranco, tombando. O menino foi jogado fora do carro, sofreu pancada violenta e morreu.

— E o motorista?

— Não sofreu nada, nem a ama. O rosto do menino bateu em uma rocha e ficou irreconhecível.

— Uma tragédia! — disse Daniel.

— É verdade. Só que o menino que estava naquele carro não era o neto do Dr. Camargo.

— Não?

— Não. Depois do acidente a ama e o motorista se despediram do emprego dizendo não suportar a tragédia. Tentei localizá-los. Eles eram agora minha única pista para chegar à verdade. Depois de tantos anos fica difícil procurar pessoas, principalmente sem saber o nome completo. Levei tempo para encontrar uma pista da ama. Ela se chama Eleutéria da Silva e descobri que havia se mudado para São Paulo, pouco depois da morte do menino. Disposto a saber a verdade, fui a São Paulo e consegui localizá-la. Havia se casado e morava em um palacete no Jardim América. Onde teria conseguido tanto dinheiro? Ela era uma moça pobre.

— Vai ver, casou com homem rico — disse Rubens.

— Não. Quem comprou o palacete foi ela pouco depois de haver chegado a São Paulo. Só se casou anos depois. Ficou claro para mim que ela deveria ter recebido dinheiro e eu suspeitava que fora por sua participação no caso do menino.

— De fato — disse Rubens —, qualquer um suspeitaria.

— Eu suspeitava, mas precisava de provas. Tentei conversar com ela, mas recusou-se a receber-me. Disse que não falava com estranhos. Eu tinha que trabalhar no Rio, mas sempre que podia voltava a São Paulo para investigar a vida dela. Descobri que tinha dinheiro. O marido era comerciante, dono de uma loja de tecidos na Vila Mariana. Ele era balconista de uma loja ao casar-se. Fora ela quem comprara a casa de comércio para ele.

— O dinheiro deve ter corrido solto! — tornou Rubens.

— Ninguém dá dinheiro por nada! Tentei saber do motorista. Foi difícil mas acabei por descobrir o nome dele. Um conhecido dele me contou que depois do acidente ele também se mudara para São Paulo por causa do desgosto. Decidido a investigar, arranjei um emprego em São Paulo para poder ter mais tempo. Custou, mas acabei encontrando o homem. Estava recolhido em uma casa de velhos vivendo da caridade, doente, amargurado. Seu único filho não ia visitá-lo nem se interessava por sua saúde. Pensei que era minha chance de descobrir tudo. Passei a freqüentar o asilo todos os fins de semana, levando guloseimas para ele e fazendo amizade com os outros. Eles me contaram que Alberico fora rico e perdera todo o dinheiro por causa da bebida. Fora recolhido doente e em estado miserável. Os médicos afirmavam que sua vida estava por um fio.

— Ele abriu o jogo? — perguntou Daniel.

— Abriu. Estava solitário e ficou meu amigo. Uma noite de sábado ele estava mal, sofrendo dores e com medo de morrer. Amargurado e choroso, queixava-se da ingratidão do filho. Eu lhe disse:

— "Eu também fui abandonado. Não conheci meus pais. Vivo sem ninguém."

— "Que mundo ingrato! Eu estou sendo castigado por meu crime, mas você era criança. Por que o abandonaram?"

— "Não sei" — respondi.

— "É triste viver com remorso. É ele que está me matando. Mergulhei na bebida para esquecer, mas nem me destruindo consegui acabar com o peso da culpa!"

— "Sou seu amigo! Por que não desabafa? Sentir-se-á aliviado."

— Ele suspirou fundo e decidiu:

— "Talvez tenha razão. É isso que eu deveria ter feito há mais tempo, enquanto ainda podia remediar as coisas."

— "Talvez ainda haja tempo."

— Ele abanou a cabeça desalentado enquanto lágrimas corriam por suas faces.

— "Estou velho e cansado. Eles morreram, o que posso fazer agora?"

— "Conte-me tudo. Talvez eu possa ajudá-lo."

— "Vou desabafar. Há muitos anos eu era motorista de uma família rica e importante. Dr. Camargo. Homem bom e sério, não merecia o que fizeram com ele! Seu sobrinho José Luís foi quem tramou tudo. Um plano que ajudei a executar e que acabou com minha paz. Ele sempre invejara a fortuna do tio e como não conseguia ganhar dinheiro tramou para ficar com ela e conseguiu. Tudo aconteceu em Petrópolis. O Dr. Camargo tinha um neto que era seu herdeiro e seu enlevo. Os pais do menino estavam no Rio e eu ficara para tomar conta da casa, da ama e do pequeno Marcelo naquele fim de semana. Na noite do sábado o Dr. José Luís apareceu na casa com sua mulher, D. Maria Júlia. Disseram que haviam ido visitar uma antiga empregada cujo menino de quatro anos acabava de morrer vítima de uma queda. Ele subira numa janela do sobrado e acabara caindo, havendo tido morte instantânea e tendo ficado irreconhecível."

— Eu sustinha a respiração e bebia suas palavras com sofreguidão. Finalmente eu iria conhecer a verdade! Ele continuou:

— "Ele conversou com a ama e comigo e ofereceu-nos uma pequena fortuna, disse que era o dinheiro que sua mulher herdara dos pais. Eleutéria concordou logo; eu hesitei. O que ele queria podia não dar certo. Mas deu."

— "O que vocês fizeram?" — indaguei sem poder me conter.

— "Simulamos um acidente de carro e colocamos o corpo do menino morto vestido com as roupas de Marcelo. Ninguém desconfiou. Nem o médico ou o delegado que fez a ocorrência. Deu tudo certo."

— "E Marcelo, o que foi feito dele?" — indaguei.

— "D. Maria Júlia me procurou nervosa. Disse que eles pretendiam matá-lo. Pediu-me que ajudasse a salvá-lo. Fizemos um plano. Fingi que concordava com o Dr. José Luís e garanti que faria o serviço. Levei o menino, que ficou escondido em casa de uma conhecida minha, e disse que havia acabado com ele conforme o combinado. D. Maria Júlia levou-o embora e desapareceu. Nunca mais se soube dele. Isso tem me incomodado. Às vezes penso que podem ter descoberto tudo e tê-lo matado. Não suporto lembrar o rosto do Dr. Camargo e de D. Carolina. Sofreram muito e eu fiquei arrependido. Mas tive medo de dizer a verdade. Eu seria preso e condenado. Antes tivesse feito isso. De que me adiantou a liberdade se não tinha paz? Fiquei preso no remorso e foi muito pior."

— Nesse momento tirei do bolso a corrente de ouro com a medalha e mostrei:

— "Conhece isto?"

— Alberico apanhou a corrente com dedos trêmulos e depois disse assustado:

— "Onde conseguiu isso? Como está em suas mãos?"

— Nesse momento não pude mais esconder. Contei-lhe toda a verdade. Ele me abraçou soluçando e pedindo perdão. Naquele instante eu estava mais interessado em conseguir provas do que em culpá-lo. Depois, ele havia salvado minha vida. E finalizei:

— "Voltei para reclamar o que é meu de direito. Eles enganaram meu avô, roubaram-me o carinho da família. Não descansarei enquanto não desmascará-los."

— "Quisera poder ajudar! Mas não sei como."

— "Você não tem nenhum documento, nenhuma prova que eu possa usar na justiça?"

— "Não. A única coisa é o dinheiro que recebi. Mas eles podem alegar que estou mentindo. Documento eu não tenho. Meu Deus! Se eu pudesse fazer alguma coisa..."

— "Você pode ir comigo à delegacia, confessar."

— "Não posso me levantar. Estou muito mal."

— "Nesse caso vou trazer o delegado aqui."

— Ele concordou. No dia seguinte procurei a delegacia, mas o delegado não quis ir até o asilo. Não acreditou em nada do que eu disse. Como eu insistisse, aconselhou-me a procurar um escrivão e tomar uma declaração. Foi o que eu fiz. Levei o escrivão do cartório até lá, Alberico contou tudo e ele escreveu. No mesmo dia lavrou a declaração e Alberico assinou. Reconhecemos a firma.

— Você tem esse documento? — indagou Rubens.

— Tenho. Tive sorte porque Alberico morreu dois dias depois. Antes consegui que ele me desse mais alguns detalhes. A certidão de nascimento que eu usava pertencia ao menino que fora enterrado como se fosse eu. O nome da mãe que constava lá era verdadeiro. Tentei encontrá-la. Além da ama, que fugia de mim e se negava a me receber, ela com certeza sabia a verdade. Ninguém teria lhe tirado o corpo do filho morto sem que ela concordasse. Voltei a morar no Rio com o propósito de encontrá-la. Procurei-a por toda parte e não a encontrei. Ela desapareceu sem deixar vestígios.

Ele se calou e Rubens indagou:

— As provas que você tem são as roupas, a corrente com a medalha e a declaração do motorista?

— Sim.

Daniel abanou a cabeça interdito:

— É pouco para abrirmos um caso como esse.

— Não acreditam em mim?

— Não se trata disso — argumentou Daniel. — Sua narrativa foi convincente. Acredito que você seja mesmo o neto do Dr. Camargo. Mas em juízo vamos precisar de mais. Os Camargo são poderosos e respeitados na sociedade. Depois, vão se valer dos melhores advogados para se defender.

— Está com medo de enfrentá-los? — perguntou Alberto.

— Não se trata disso — ajuntou Rubens. — Daniel está certo. Se vamos começar essa briga, precisamos encontrar mais provas. Algo que não deixe nenhuma dúvida na justiça. Seria bom se pudéssemos encontrar a mãe do menino. Talvez concordasse em testemunhar.

— Nem ela ou a ama vão querer fazer isso. Serão arroladas como cúmplices — tornou Daniel.

— Pensei que, se eu reivindicasse meus direitos na justiça, o próprio juiz convocaria as duas para depor e então vocês poderiam pressioná-las a contar tudo — disse Alberto.

— Se ao menos o motorista estivesse vivo e pudesse testemunhar! Isso impressionaria o juiz — disse Rubens.

— Ou a diretora do colégio na Inglaterra. Ela ainda vive? — perguntou Daniel.

— Não sei. Depois que ela me mandou aquela carta contando o que sabia, eu escrevi várias vezes mas não obtive resposta.

— Ela também seria uma testemunha importante. Poderia reconhecer D. Maria Júlia como a pessoa que o levou até lá e que mandava dinheiro todos os meses.

— Vocês não vão desistir agora, vão?

Foi Rubens quem respondeu:

— Não disse isso. Vamos estudar o caso. Talvez possamos investigar um pouco mais, procurar outras provas antes de iniciarmos a ação. Temos que pensar em todas as possibilidades.

— Está bem. Tenho esperado tanto que mais alguns dias não farão diferença.

— Nesse meio tempo você nunca procurou falar com D. Maria Júlia?

— Não. Ela foi cúmplice, não queria que eu voltasse ao Brasil. Se soubesse que eu voltei e que estou investigando, ficaria contra mim, poderia prevenir o marido, tornar as coisas mais difíceis.

— Se você não me contasse tudo, seria difícil acreditar que D. Maria Júlia houvesse ajudado o marido nessa história. Ela é uma mulher muito respeitada na sociedade. Faz muita caridade, promove obras de beneficência, é tida como uma verdadeira dama.

Alberto riu com ironia:

— Para vocês verem como as aparências enganam. Quando o dinheiro está em jogo, as pessoas fazem qualquer negócio. Passam por cima de qualquer sentimento.

— Não vamos generalizar — disse Daniel.

Alberto levantou-se.

— Bom, já vou indo. Têm meu telefone. Qualquer coisa, avisem-me. Senão, dentro de uma semana virei saber o que resolveram.

Ele se despediu e saiu. Rubens voltou-se para Daniel:

— E então? — indagou.

— É um caso difícil. Talvez até perdido. Não sei se vale a pena.

— Será arriscado. E também já percebi que você não simpatiza muito com Alberto.

— Não sei o que é, mas alguma coisa nele me incomoda.

— Acha que está mentindo?

— Não. Isso, não. Sua história me parece verdadeira. Mas quando ele me olha, parece que seus olhos me examinam e me sinto inquieto. É uma sensação desagradável que não posso explicar.

— Se acha que não devemos aceitar o caso, encerramos por aqui. Para obtermos êxito precisamos acreditar no que estamos fazendo, sentir que estamos defendendo uma causa justa. Sem isso, será inútil.

— Tem razão. Vou pensar e amanhã darei uma resposta. E você, o que acha. Gostaria de tentar?

— O desafio me estimula. Depois, eu acredito que esta seja uma causa justa. Ele foi espoliado não só da fortuna como do convívio da família. Cresceu entre pessoas estranhas, longe de seu país. Reparou como seus olhos brilhavam quando se referiu à ausência da família? Ele se sentiu muito só e abandonado o tempo todo. É isso que o incomoda.

— É. Pode ser. Talvez você esteja certo. Amanhã voltaremos ao assunto.

Daniel voltou para sua sala, arrumou alguns papéis e foi para casa. Por mais que tentasse desviar a atenção do caso de Alberto, não conseguia. Seu rosto forte, seus olhos brilhantes e argutos, sua dramática história não lhe saíam do pensamento.

Por que se impressionara tanto com ele? Não era uma pessoa impressionável. Estaria com medo de enfrentar uma briga com pessoas de sua classe e que se relacionavam bem com seus pais? Sabia que a hora em que desse entrada na justiça daquela ação eles o pressionariam de todas as formas. Estaria agindo certo perturbando o sossego deles?

Ser independente era uma coisa, mas irritá-los era outra. Ele respeitava os seus e não desejava levar-lhes problemas. Por outro lado, se pretendia exercer a justiça, teria que deixar de lado os interesses pessoais e defender seu cliente a qualquer custo.

Era uma decisão difícil. Ao mesmo tempo que se preocupava com os problemas que criaria dentro da própria família, sentia que era uma oportunidade de trabalhar em favor dos princípios de decência que sempre defendera. A hipocrisia, os jogos excusos, o abuso do poder incomodavam-no. Gostava das coisas verdadeiras, da dignidade e da justiça.

Sob esse aspecto, o caso de Alberto era precioso. Mas a justiça aceitaria as provas de que dispunham? Iriam mexer com pessoas de alto nível, muito bem escoradas financeiramente e com muito poder. Mexer com elas era desafiar uma estrutura que não sabiam aonde os levaria.

Todos esses pensamentos passavam pela cabeça de Daniel, e ele não se decidia. Talvez fosse melhor recusar o caso. Eles estavam no começo de carreira. Não dispunham ainda de credibilidade para tentar logo um caso desses. Não seria muita pretensão? É, o melhor seria recusar o caso.

Finalmente decidiu. No dia seguinte diria que não. Se Rubinho quisesse procurar outro advogado e tentar, tudo bem. Ele não se achava capacitado para assumir esse trabalho.

A decisão diminuiu a tensão e finalmente Daniel deitou-se e conseguiu adormecer.

Capítulo 5

Daniel dormiu e sonhou. Estava em uma casa solarenga, sentado atrás de uma escrivaninha escura, toda lavrada e com enfeites de metal dourado. A sala ricamente adornada, decorada de maneira sóbria, demonstrava o bom gosto de seu dono, as peças de arte caprichosamente colocadas.

Ele se via um pouco diferente do que era, mais velho, roupas do século passado, porém sentia-se muito à vontade nessa sala, que era sua casa. Uma jovem senhora entrou e ele se levantou educadamente.

— Eurico, precisamos conversar — disse ela aflita.

Era uma mulher de pouco mais de trinta anos, usando um lindo vestido cor de pérola, cabelos castanho-dourados presos em um coque delicado sobre a nuca. Seus olhos cor de mel refletiam preocupação e sua boca bem-feita e carnuda estava trêmula.

— Tudo que podia dizer eu já disse! Você sabe que nunca volto atrás. Está decidido e pronto!

O rosto dela se contraiu ainda mais. Aproximou-se dizendo:

— Você não pode ser tão duro. Precisa compreender. Não pode mandá-lo embora dessa forma!

— Sei o que estou fazendo! Não posso tolerar o que ele fez! Você está proibida de voltar ao assunto!

Ela não conteve o pranto. Ele prosseguiu:

— Você está se excedendo. Não posso tolerar que me desobedeça. Não me obrigue a tomar uma atitude mais drástica.

Ela levantou a cabeça e seus olhos estavam cheios de rancor quando disse com uma voz que a raiva modificava:

— Você ainda vai se arrepender do que está fazendo agora. Então será muito tarde! Quererá voltar atrás e não poderá! Esse será seu castigo! Eu o odeio!

Daniel sentiu-se angustiado. A cena desapareceu, mas as palavras dela continuaram vibrando dentro de sua cabeça enquanto ele vagava por um lugar escuro em meio a denso nevoeiro. Sentia-se perdido, desesperado, sem saber como se libertar da tristeza que estava sentindo.

De repente o rosto de Alberto surgiu à sua frente, aflito e rancoroso. Ele recuou assustado.

— Assassino! Assassino! — disse ele.

Daniel passou a mão diante dos olhos como para apagar aquela visão terrível. Queria gritar que era inocente, mas não conseguiu emitir som algum. Desesperado, pensou em Deus. Era um pesadelo e ele precisava de ajuda para sair dele. Rezou e no mesmo instante a cena se modificou. Viu-se em um jardim florido e uma brisa suave o envolveu causando-lhe grande bem-estar.

Respirou gostosamente aquela brisa leve e perfumada, sentindo-se aliviado. Foi quando ouviu uma voz de mulher dizer com carinho:

— Por que quer recusar a oportunidade que lutou tanto para conseguir? Aceite o caso de Alberto. Aceite o caso de Alberto.

Daniel estremeceu e acordou. As palavras dela ainda estavam soando em seus ouvidos! Respirou fundo e sentou-se na cama. O relógio marcava cinco horas. Estava escuro ainda. Passou a mão pelos cabelos, pensativo.

Aquele sonho parecia verdade! Que coisa estranha! Embora não fosse dado a superstições, ficou impressionado. Considerou que era apenas um sonho, tentou ignorá-lo, porém quanto mais tentava mais se sentia envolvido nele. O que estaria acontecendo? Por que tanta preocupação com Alberto? Ele era um desconhecido. Seria um predestinado? Aquele sonho teria sido uma forma de fazê-lo aceitar aquele caso? Não estaria sendo ridículo, impressionando-se demais por um simples pesadelo?

Levantou-se, foi até a cozinha, tomou um copo de água e voltou para a cama. Estirou-se no leito, tentou dormir, mas foi inútil. Quando se lembrava do sonho, sentia um aperto no peito que não sabia explicar. As palavras que ouvira antes de acordar voltavam vivas em sua memória.

— Por que quer recusar a oportunidade que lutou tanto para conseguir? Aceite o caso de Alberto.

Durante a vida inteira ele se posicionara como uma pessoa contrária aos abusos e artimanhas dos desonestos. Estudara leis por causa disso. Seria a isso que aquela mulher se referia? Teria esse sonho o objetivo de lhe cobrar coerência e dignidade? Reconhecia que ficara com medo de enfrentar a sociedade e os poderosos que alardeava desejar vencer. Teria sido por medo que decidira recusar o caso? Sempre criticara os meios que seu pai usava para subir na carreira política, os conchavos e as barganhas. Estava com medo de enfrentar tudo isso?

Se se acovardasse na hora de assumir uma atitude de acordo com seus ideais, estaria se nivelando com tudo aquilo que desprezava. Teria coragem de levar sua carreira para a frente depois disso?

O caso de Alberto seria o preço que teria que pagar para conquistar sua dignidade diante dos casos que tomara conhecimento sem poder fazer nada durante a vida inteira?

Foi naquele instante que Daniel percebeu que não podia evitar. Teria que aceitar aquele caso e enfrentar todas as conseqüências. Só assim poderia provar para si mesmo que não compartilhava com as coisas erradas, que havia outros caminhos além daqueles. Em sua casa era comum seus pais se referirem à corrupção como um mal do qual não se podia fazer nada sem ele. Diziam-se vítimas do sistema sem o qual não poderiam participar da vida pública.

Daniel pensava diferente. Estava na hora de provar que sua teoria tinha fundamento.

Por isso, quando chegou ao escritório procurou Rubens, concordando em aceitar o caso.

— Ainda bem que você resolveu. Não sei explicar por quê, mas desde o começo senti que não podíamos recusar. Você pode rir de mim, mas há qualquer coisa no ar, não sei o que é, que me diz que precisamos cuidar desse caso.

Daniel olhou-o admirado.

— Você também? Pensei que estivesse acontecendo isso só comigo.

— Por quê?

— Acho que o caso dele me impressionou além da conta. Talvez porque seja meu primeiro caso importante, ou que vai mexer com gente de nossa classe social, amigos de nossas famílias.

— Será só por isso? Você me pareceu determinado a sair do convencional e fazer um trabalho honesto.

— E estou. Entretanto, tenho tido alguns pesadelos, sempre com o rosto de Alberto, como se eu fosse o réu. Ele me acusando. Isso não tem razão de ser, por isso acredito que me deixei impressionar por ele mais do que deveria.

Rubens olhou-o sério por alguns instantes. Depois considerou:

— É estranho mesmo. Eu acredito que os sonhos tenham uma razão de ser, uma explicação lógica.

— Lógica como? Sabe que antes de conhecer Alberto eu sonhei com ele? Não parece uma coisa impossível? Pois foi o que aconteceu.

Rubens interessou-se.

— Tem certeza de que era ele mesmo? Não seria alguém parecido?

Daniel sacudiu a cabeça negativamente:

— Tenho. Era ele. Acusando-me. Eu estava em um tribunal e ele me acusando. Não é uma loucura? Acho que é por causa disso que não sinto muita simpatia por ele nem queria aceitar o caso.

— É estranho mesmo. Teria conhecido Alberto em outras vidas?

— Outras vidas? Como assim?

— Nunca ouviu falar em reencarnação? Que nós já vivemos outras vidas aqui na Terra?

— Já. Mas daí a acreditar vai muita distância.

— Bom, essa é a única forma de explicar com lógica que você houvesse sonhado com ele antes de conhecê-lo.

— Você acredita mesmo nessa possibilidade?

— Bem, eu não sou estudioso do assunto. Mas sei de pessoas sérias e de responsabilidade que se dedicam a essas experiências. Elas afirmam que é verdade. Agora, em seu caso pode haver outra explicação?

— Não sei. Agora não me ocorre nada. Acho que fiquei impressionado, só isso.

— E mesmo não o conhecendo sonhou com ele, do jeito que ele é? Não acha que é demais?

— Acho. Tem razão. Mas a reencarnação me parece alguma coisa ainda mais fantasiosa.

— Por quê? Eu acho até muito natural. Para mim é a forma de conciliar a bondade de Deus com os problemas do dia-a-dia. Você sabe, crianças que nascem doentes, com defeitos físicos, a desigualdade social, etc. Os reencarnacionistas explicam que elas tiveram atitudes negativas em outras vidas, lesaram seu equilíbrio espiritual, por isso não conseguiram nascer com um corpo saudável. Que nós não nos lembramos do passado para ter maior liberdade nesta vida, mas que os relacionamentos mal resolvidos voltam a nós para nos dar oportunidade de solucionar nossos problemas.

— Você está querendo dizer que eu teria conhecido Alberto em outra vida?

— É o que parece.

— Por que ele me acusa?

— Não sei. Vocês podem ter tido um relacionamento problemático. Por isso você não se sente muito à vontade com ele.

Daniel passou a mão pelos cabelos pensativo. O que Rubens dizia parecia-lhe fantástico. Entretanto, apesar disso, algo dentro dele sentia que era plausível.

— Supondo que essa fantástica hipótese seja verdade, seria aconselhável eu me envolver com ele?

— Como é que foi o sonho?

Daniel contou tudo, com todos os detalhes, e terminou:

— Acordei com uma voz de mulher repetindo: "Por que quer recusar a oportunidade que custou tanto a conseguir? Aceite o caso de Alberto". Sua voz era tão forte que mesmo depois de haver acordado ainda soava em meus ouvidos. Foi depois disso que resolvi aceitar o caso.

— Fez muito bem. Como dizia Shakespeare: "Há mais coisas entre o céu e a terra do que sonha nossa vã filosofia". O que aconteceu com você foi muito interessante. Se quiser, poderemos conversar com Julinho. Ele é um estudioso do assunto. Costuma freqüentar algumas sessões espíritas na casa do Dr. Bittencourt Sampaio.

— Não quero nada com essas coisas. Já estou desafiando a família na profissão. Já pensou se meus pais sabem que estou indo a sessões de espiritismo?

Rubens deu uma gargalhada.

— Iriam dizer que estou levando você para o mau caminho. Eu sou a "ovelha negra", lembra-se? Mas eu não me importo. Eles podem dizer o que quiser. Você é quem sabe. Poderemos pelo menos conversar com Julinho. Tenho certeza de que ele vai poder explicar isso muito melhor do que eu.

— Seja como for, por enquanto não quero mexer nisso. Quanto ao caso de Alberto, por onde devemos começar?

— Vou fazer a procuração para ele assinar. Depois, vamos estudar melhor as provas que ele tem. Ao mesmo tempo seria bom fazermos algumas pesquisas, tentar conversar com as pessoas envolvidas.

— Não acho viável procurarmos D. Maria Júlia, pelo menos por enquanto.

— Não me referi à parte contrária. Antes vou chamar Alberto e dar os primeiros passos.

— Está certo. Vou para minha sala. Qualquer coisa, avise-me.

Rubens telefonou para Alberto e marcaram uma reunião para a tarde do mesmo dia. Ele foi pontual. O relógio estava marcando catorze horas quando ele entrou no escritório, sobraçando volumoso pacote.

Reunidos na sala de Rubens, depois de Alberto haver assinado a procuração para que eles cuidassem de seu caso, os três começaram a trabalhar.

Alberto abriu o pacote com todas as provas que possuía. Os dois advogados examinaram tudo detalhadamente. As peças de roupas com as quais ele fora internado no colégio, seus documentos de identidade, a carta da diretora da escola, a corrente com a medalha na qual havia as iniciais. Depois Rubens aconselhou:

— Vamos personalizar isso, catalogar tudo e guardar no cofre. São as únicas provas que temos.

— Tive uma idéia — disse Daniel. — Ocorreu-me que essas roupas são muito finas e de boa qualidade. Se descobríssemos onde foram compradas, talvez conseguíssemos uma boa pista. Um registro qualquer, uma nota sobre quem as comprou.

— A idéia é boa, eu já havia pensado — interveio Alberto. — Entretanto isso foi há muito tempo. Não consegui descobrir nada.

— Não custa tentar de novo — disse Daniel. — Não sei por quê, mas algo me diz que devemos tentar.

Rubens olhou-o surpreendido, mas limitou-se a dizer:

— Tudo bem. Faremos isso.

Chamaram a secretária e Rubens disse taxativo:

— Elza, você vai anotar tudo que ouvir aqui. Mas desde já quero que nos prometa solenemente que não dirá nada a ninguém do que escutar. Esse caso é muito importante e o sigilo tem que ser absoluto.

— Sim, senhor.

— Se eu souber que uma palavra deste assunto saiu daqui, você será imediatamente despedida. Estou sendo claro?

— Sim, senhor.

— Ainda assim quer ficar? Precisamos muito de sua colaboração, mas, se não quiser, faremos nós mesmos as anotações. Se concordar em ficar, terá que guardar segredo.

— Dr. Rubens, sou discreta por natureza. Se me permitir colaborar, garanto que não terá nenhum motivo para se arrepender. Sinto-me honrada com sua confiança. Pode contar comigo.

— Muito bem. Não vai se arrepender de cooperar. Apanhe seu caderno de anotações e volte aqui.

Quando a viu instalada na sala, pronta para começar, Rubens pediu:

— Agora, Alberto, você vai contar toda a história novamente, nos mínimos detalhes. Faça devagar, não importa o tempo que vai demorar. Se precisar, continuaremos amanhã. É preciso registrar tudo que se lembrar.

Ele concordou e começou a contar. Elza era boa estenógrafa e rapidamente ia anotando tudo quanto ele dizia. Fizeram pequeno intervalo de quinze minutos para um café e depois recomeçaram. Eram cinco e meia quando Rubens interveio.

— Hoje paramos por aqui. Você volta amanhã à tarde, no mesmo horário. De manhã Elza vai datilografar tudo e vamos rever o que foi feito e continuar o que falta. Pode ir, Elza.

Ela se levantou e saiu. Estavam tomando café quando Lanira enfiou a cabeça pela porta. Vendo Alberto, não entrou. Rubens viu-a e foi buscá-la.

— Entre, Lanira. Nós terminamos por hoje.

Ela entrou e ele a apresentou a Alberto. Cumprimentaram-se formalmente. Daniel abraçou-a com carinho:

— Que bom que você veio, Lanira — disse. — Pensei que houvesse esquecido.

— De forma alguma. Não havíamos combinado?

— É verdade.

Alberto levantou-se:

— Se não precisam mais de mim, vou embora.

— Está bem. Amanhã às duas.

Ele concordou com a cabeça.

— Combinado. Tenham uma boa tarde. Muito prazer, senhorita.

Curvou-se ligeiramente diante dela e saiu. Lanira acompanhou-o com os olhos até que desaparecesse.

Daniel inquietou-se:

— Ainda bem que ele já se foi.

— Você vai ter que se acostumar com a presença dele. Principalmente no começo, vamos ter que arrancar dele tudo que puder se lembrar.

Lanira estava absorta e Rubens considerou:

— Você parece pensativa. Aconteceu alguma coisa?

Ela sorriu alegre, depois respondeu:

— Nada. Por alguns instantes tive a sensação de conhecer aquele homem que estava aqui. Como se chama mesmo?

— Alberto. É nosso novo cliente — disse Rubens interessado. — Você o conhece de algum lugar?

Ela hesitou por alguns segundos:

— Não. Acho que não.

— Mas você teve a sensação de conhecê-lo — tornou Rubens.

— Tive. Seu rosto me é muito familiar. Mas não me recordo de havê-lo conhecido. Deve ser parecido com alguém de nossas relações. Essas coisas acontecem.

Rubens olhou para Daniel e não disse nada. Daniel também não comentou o assunto. Tornou simplesmente:

— Nós combinamos de tomar um lanche e de ir ao cinema. Há um musical que estamos querendo ver. Você quer vir conosco?

— Quero, sim. Hoje tomamos uma decisão importante, trabalhamos o dia inteiro. Precisamos mesmo de distração.

— A sessão começa às oito. Temos bastante tempo. Que tal um lanche na Colombo? — propôs Lanira.

Os dois concordaram com prazer. Lanira apanhou uma revista enquanto eles ultimavam o trabalho do dia e se arrumavam para o passeio.

Nos dias que se seguiram eles continuaram tomando as declarações de Alberto, confrontando os dados. Antes de tomar alguma deliberação prática, eles queriam conhecer tudo nos mínimos detalhes, examinar todas as possibilidades, procurar novas pistas que pudessem servir de ponto de partida para as reivindicações que desejavam fazer.

Todo cuidado era pouco, uma vez que o Dr. Camargo era pessoa influente e certamente se cercaria dos melhores e mais astutos advogados do Rio de Janeiro para questionar a ação.

Depois que conseguiram de Alberto tudo quanto ele podia se lembrar, os dois passaram a esquematizar um plano de ação.

— Temos a faca e o queijo na mão para investigar — disse Rubinho a certa altura.

— Você acha? Não está sendo otimista demais?

— Não. Estive pensando. Nós somos membros da sociedade. Nossas famílias freqüentam a casa do Dr. Camargo. Até que ponto eles se lembram de fatos que poderiam nos ajudar?

— Isso até pode ser verdade. Mas como descobrir sem despertar suspeitas? Se eles souberem o que pretendemos, seremos expulsos de casa.

— Eles não precisam saber. Se passarmos a freqüentar mais as reuniões e a festas, poderemos investigar o passado sem despertar suspeitas.

Daniel considerou:

— Repugna-me esse tipo de coisa. Fico com a impressão de que estou sendo falso, traindo todo mundo...

— Que nada. As pessoas adoram comentar a vida alheia. Não precisa muito para elas contarem todas as fofocas antigas e modernas. Depois, é para uma boa causa. Não se esqueça de que uma criança indefesa foi espoliada, roubada, impedida de viver com a família. Não importa o que você sente diante de Alberto. Importa que ele foi lesado e tem todo o direito de evocar a justiça. Nós somos instrumentos da lei!

— Não precisa fazer discurso. Não está ainda diante do juiz.

Rubinho riu bem-humorado.

— Sabe de uma coisa? O único juiz que considero impoluto é a nossa consciência.

— Pensando bem, acho que tem razão.

— Então concorda?

— Concordo.

— Por que não conta tudo a Lanira e pede para nos ajudar nisso? As mulheres têm jeito para essas coisas. Talvez seja mais fácil para ela conseguir as informações.

— Está bem. Ela anda mesmo louquinha para se envolver com nosso trabalho. Vive me perguntando sobre os casos, as providências que estamos tomando, etc. Vai ficar feliz.

Colocada a par de tudo, Lanira adorou. Finalmente tinha alguma coisa interessante para fazer nas intermináveis e monótonas festas familiares.

A partir daquele dia os três passaram a freqüentar todas as reuniões sociais. Tanto Maria Alice quanto Angelina ficaram radiantes com a mudança dos filhos.

— Parece que eles estão voltando ao bom senso — comentou Angelina em uma reunião em casa de Maria Alice, vendo Rubinho e Daniel conversando animadamente com os convidados.

— Ainda bem — respondeu Maria Alice satisfeita. — Eu disse que tudo era uma questão de tempo. Logo se cansarão daquele escritoriozinho e estarão atendendo nossos conselhos.

— É verdade. Eles estão mudados. Rubinho está tão atencioso! Reparou como ele conversa com os mais velhos? Finalmente! Tal como sempre ensinei. É de bom tom dar atenção primeiro aos mais velhos.

— Interessante — observou Maria Alice. — Está acontecendo o mesmo com Daniel. É um bom começo. Antônio sempre diz que o verdadeiro prestígio está com os velhos. Em nossa sociedade, são eles que controlam o poder e o dinheiro.

— É verdade. Dar-se-á o caso de nossos filhos estarem tentando entrar nas altas finanças? Rubinho sempre disse que queria subir por conta própria, sem usar o prestígio do pai.

— Daniel também. Seja como for, acho muito bom que eles tenham voltado às boas.

Mais tarde, Maria Alice comentou com o marido.

— Estou contente em ver Daniel novamente participando de nossas reuniões. Ele me pareceu interessado em pessoas de prestígio.

— Deve ter percebido que suas idéias não tinham fundamento e está com vergonha de confessar.

— Você não vai agora estragar tudo comentando o assunto. Para nós basta vê-lo freqüentar a sociedade e esquecer aquelas idéias disparatadas que sempre teve. Eu não disse que um dia ele ainda voltaria atrás?

— Ainda bem. Aconteceu mais depressa do que esperávamos.

Daniel aproximou-se de Rubinho, dizendo baixinho:

— Conseguiu conversar com D. Maria Júlia?

— Não diretamente. Lanira estava conversando com Laura.

— Não diga! Terá descoberto alguma coisa?

— Estou ansioso para saber, mas teremos que esperar.

— Laura é mais velha do que Lanira. Terá conhecimento do drama de seu tio-avô?

— Essas histórias costumam ser romanceadas pelos adultos e contadas aos descendentes de acordo com as conveniências. Veremos o que ela sabe.

Viram Lanira sozinha saindo para o jardim e foram atrás. Vendo-os, ela parou e sentaram-se em um banco.

— E então? — indagou Rubinho em voz baixa.

— Falei com Laura. Inventei uma história dramática, da morte trágica de um menino em um acidente. Disse que era um filme. Ela acreditou e contou o drama da família. Não só o único neto do Dr. Camargo morreu em um desastre de carro aos quatro anos de idade, como os pais dele também morreram em um acidente de barco na Europa. Do jeito que ela colocou as coisas, seus pais não tiveram outra alternativa senão assumir os negócios deles. Falou como se ao fazer isso eles houvessem se sacrificado.

— Herdar uma fortuna é sacrifício? — comentou Daniel com ironia.

— Ela disse que seu pai é um idealista. Pretendia se dedicar a aliviar o sofrimento humano, mas que teve que sacrificar seus ideais por causa da herança.

— Eu não disse? — tornou Rubinho. — Essas histórias de família tornam qualquer um herói.

— O que mais ela contou? — indagou Daniel.

— Quando eu ia entrar mais fundo, D. Maria Júlia se aproximou e eu não quis facilitar.

— Fez bem. Temos que ser discretos. Eles não devem perceber nada. Assim poderemos trabalhar mais à vontade — concordou Rubinho.

— O que você ia perguntar? — disse Daniel.

— Se ela conheceu os pais do menino.

— Acho que estamos no caminho certo. Seria bom se você se aproximasse mais de Laura. Ninguém vai desconfiar. Vocês têm quase a mesma idade.

Lanira sorriu maliciosa e respondeu:

— Seria melhor Daniel. Laura fica emocionada só em falar o nome dele!

— Não vou usar os sentimentos dessa menina. Seria muita baixeza. Não contem comigo para isso!

— Foi só uma sugestão. Mas se você não quer... — tornou Lanira sorrindo.

— Isso está fora de cogitação. Você não gostaria que fizessem isso com você!

— Não sei. De repente seria um desafio. Colocar um homem "Entre a Cruz e a Espada". Já pensou o drama? Ele tentando me usar e acabar se apaixonando por mim?

— Já vi esse filme e está fora de moda. Vamos falar sério. Alguém conseguiu mais alguma coisa? — perguntou Daniel.

— Há uma outra coisa! — lembrou Lanira. — Descobri que o mordomo de D. Maria Júlia trabalha lá há mais de trinta anos. Esse deve saber de muitas coisas.

— Eu não disse que as mulheres são boas para investigar? — disse Rubinho com satisfação. — Essa é uma boa pista.

— Isso se ele souber de algo e se houver como fazê-lo falar — objetou Daniel.

— Não podemos perder o aniversário de Gabriel. Haverá uma grande festa. Fomos todos convidados.

— Para quando? — indagou Daniel.

— No próximo sábado.

— Estaremos lá — concordou Lanira.

— Veremos esse mordomo! — tornou Rubinho.

— Sinto-me como Dick Tracy — brincou Daniel.

— Todos em busca da justiça! — sentenciou Lanira sorrindo.

Capítulo 6

No sábado à noite, enquanto se preparava para a festa de aniversário de Gabriel, filho mais velho do Dr. José Luís Camargo de Melo, Maria Alice comentou com o marido:

— Não precisamos esperar por Lanira. Ela irá com Daniel.

— Ele também vai?

— Vai. Nem precisei pressionar. Penso que daqui para a frente não teremos mais problemas com eles.

— Hum!... — fez Antônio olhando significativamente para a esposa. — Aí tem coisa!

— Como assim?

— Algum rabo de saia, com certeza. Daniel nunca gostou dessas festas familiares.

— Você acha mesmo? — disse Maria Alice. Em sua voz havia um leve tom de preocupação. — Espero que ele não esteja pensando em casamento. É ainda muito cedo!

— É verdade. Mas não há motivo para se preocupar. Se ele está interessado em alguma moça, ela pertence ao nosso meio. Isso nos deixa tranqüilos.

Maria Alice suspirou:

— Tem razão. Pode ser só um namoro. O que importa é que Lanira também me parece mudada. Será que ela também anda interessada em alguém?

— Talvez seja por Rubinho. Ultimamente eles não se largam.

Maria Alice estremeceu:

— Isso nos colocaria em uma situação desagradável. Sendo filho de amigos tão chegados, não teríamos como recusar o consentimento.

— Eu já não vejo nenhum inconveniente. Rubinho é filho de excelente família, é formado, rico, conhecemo-lo desde criança. O que mais poderíamos desejar?

— Ele não tem juízo.

— Bobagem. São loucuras da mocidade. Quem não as cometeu um dia? Depois, eles agora parece que estão se assentando. — Fez ligeira pausa e perguntou: — O que a faz pensar que Lanira esteja se interessando por ele?

— Não sei se é por ele. Eu notei que para ir a essa festa ela se preparou mais do que o habitual. Quis comprar vestido novo, passou horas no cabeleireiro, pediu-me até para tirar do cofre seu anel de rubi porque combina com o vestido.

Antônio considerou:

— Ela sempre gostou de andar na moda.

— Eu sei, porém hoje foi além do trivial. Seja o que for, acho que está muito bem. Passei pelo quarto dela antes de vir para cá e vi tudo que ela comprou. Fiquei orgulhosa. Ela vai estar linda, você vai ver.

Antônio sorriu satisfeito. Ele precisava dessa moldura familiar onde quer que fosse. Uma família unida, bonita e feliz era comc um cartão de visitas para um político. Os eleitores se impressionam muito com esse cenário, por isso ele fazia questão de mostrar-se em todos os lugares junto com seus familiares.

A festa estava animada quando Rubinho, Daniel e Lanira chegaram ao elegante palacete do Leblon. Entraram no belíssimo jardim, dirigindo-se à porta principal, onde um criado esperava-os convidando-os a entrar. No elegante *hall* de mármore iluminado por enorme lustre de cristal onde as flores do vaso sobre o console refletindo no espelho dourado tornavam seus pingentes multicoloridos, os três foram recebidos pelo aniversariante, a quem entregaram os presentes.

Gabriel era alto, estava muito elegante em seu *smoking* preto, cabelos louro-escuros e ondulados, um pouco descorados pelo sol, olhos cor de mel quando ele estava alegre que se tornavam ligeiramente verdes de vez em quando. Seu tipo era claro, apesar da pele queimada de sol. Quando sorria, o que fazia constantemente, mostrava dentes alvos e bem distribuídos. Estudava Letras e Filosofia, possuía um barco onde estava sempre que podia, passando horas no mar, sozinho ou com os amigos.

A música agradável vinha do salão, e Gabriel, depois de entregar os pacotes ao criado e dar-lhes as boas-vindas, convidou-os a entrar.

Tomando o braço de Lanira, disse com satisfação:

— Quero ter o prazer de conduzir a mais linda mulher da noite.

Lanira sorriu alegre:

— Como você mudou! Quando era criança, não costumava me dirigir galanteios. Sentia prazer em me provocar. Nossos encontros sempre acabavam em briga.

— Para você ver como eu era burro. Também eu não podia imaginar que você se tornaria tão linda. Quero me penitenciar esta noite. Depois de receber os convidados, quero dançar com você!

— Vamos ver — disse ela com ar misterioso.

No salão foram recebidos por Maria Júlia, que abraçou Lanira e cumprimentou os rapazes perguntando pelos pais. Era uma linda mulher, muito elegante e educada. Depois de conversar alguns minutos colocando-os à vontade, afastou-se, ocupada com os convidados.

Gabriel voltara ao *hall* para receber outros convidados. Vendo-se a sós, Rubinho disse baixinho:

— Gabriel ficou deslumbrado com você, Lanira. Acho que pode atacar desse lado, enquanto eu vou procurar me aproximar do mordomo. Quanto a Daniel, bem... sobrou Laura...

— Não me venham com essa! Eu vou procurar o mordomo e você vai dançar com Laura.

— Eu posso tentar manejar Gabriel, e você não quer ficar com Laura! Isso não é justo! Se eu for, você também vai. Foi só eu falar que os olhos dela brilhavam quando falava em você para ficar logo convencido de que ela está apaixonada! Se quer saber, os olhos de uma moça sempre brilham quando ela fala em um rapaz bonito. Isso não quer dizer que esteja caidinha por ele!

— Depois, você não precisa namorá-la. Basta ser gentil, amigo, e isso não tem nada de mais — reforçou Rubinho.

— Está bem. Que seja. Mas se eu notar qualquer interesse maior nela, me afasto.

— Ela vem vindo aí — disse Lanira.

De fato Laura aproximava-se com um sorriso nos lábios finos e bem delineados. Seu rosto claro e ligeiramente corado, seus olhos iguais do irmão e seus cabelos dourados e ondulados que ela fazia tudo para alisar, seu corpo bem-feito e delicado faziam-na parecer mais jovem apesar de medir quase um metro e setenta de altura. Vestia-se discretamente, contrastando com Lanira, que gostava de cores vivas. Laura só usava tons pastéis, pérolas, jóias sóbrias e muito finas.

— Que bom vê-los! — foi dizendo ao chegar, cumprimentando-os educadamente.

— A festa está animada! — disse Lanira passando os olhos pelo salão. — De onde vem a música, que não estou vendo?

— A orquestra está na outra sala, mas abrimos as portas e ouve-se muito bem daqui. Depois do jantar, poderemos dançar — observou Laura com satisfação.

— Por seu tom, vejo que gosta de dançar! — tornou Rubinho.

— Adoro! Enquanto Gabi gosta do barco e do mar, eu gosto de dançar. Por mim, passaria todas as noites no baile.

— Quem gosta de dançar é Daniel — esclareceu Lanira. — Ele é um verdadeiro dançarino.

Daniel ia protestar, mas Laura olhou para ele dizendo:

— Não diga! Nas festas que temos ido nunca o vi dançar.

— É que ele é tímido, Laura — disse Lanira com um brilho malicioso no olhar.

— Mais tarde, se você não me convidar, eu o convido para dançar. Não vou perder essa oportunidade.

— Lanira está exagerando. Não é nada disso — disse Daniel fulminando a irmã com os olhos. — Mas terei prazer em dançar com você.

Rubinho passeava os olhos pelas pessoas presentes e observou um criado, elegantemente vestido, andando de um lado a outro, comandando os garçons que iam e vinham atendendo os convidados. Devia ser o mordomo. Arriscou:

— Interessante! Oliveira, mordomo dos Sousa Campos, agora está trabalhando com vocês?

Laura acompanhou o olhar de Rubinho e respondeu:

— Você está enganado. Aquele é Bóris, nosso mordomo. Está com meus pais desde antes de eu nascer. Ele era nobre na Rússia, mas fugiu para a França depois da revolução. Meus pais conheceram-no em um navio quando estiveram na Europa. Ele desejava vir para o Brasil e eles o trouxeram como empregado. Gostou tanto deles que nunca mais foi embora.

— Puxa! Ele é tão parecido com Oliveira! — disfarçou Rubinho satisfeito.

Quando todos os convidados chegaram, o jantar foi servido à francesa e depois passaram para o outro salão, onde a orquestra tocava músicas dos filmes americanos de sucesso, muito em voga. Os pares dançavam animados.

Gabriel aproximou-se de Lanira dizendo:

— Quero dançar com você.

Ela se levantou e logo os dois rodopiavam pelo salão ao som de um *blues* chorado por um sax bem tocado. A sala romanticamente iluminada com luzes coloridas ressaltava de quando em vez o brilho das jóias e dos vestidos de seda das senhoras, com aplicações de vidrilhos, renda ou lantejoulas, modificando a cor dos vestidos claros das moças, fazendo-os parecer diferentes em cada canto do salão.

O perfume das mulheres misturava-se ao perfume das flores dos enfeites arrumados com gosto e em profusão.

O ambiente era agradável e Lanira deixou-se envolver pela magia do lugar. Fosse pela situação singular que ela estava vivendo, pelo mistério que cercava o caso que estavam tentando resolver, pelo perfume gostoso que vinha de Gabriel, em cujos braços ela se sentia leve, ou pela música romântica e bem tocada, ela se sentiu viva. Nunca o prazer de dançar fora tão intenso, nem a proximidade de alguém tão agradável.

O rosto de Lanira ganhara vivacidade. Seus olhos brilhavam e seus lábios entreabertos pareciam querer beber toda a alegria de viver. Gabriel, fitando seu rosto expressivo, não se conteve:

— Como você é linda! Eu queria que essa música nunca acabasse!

Aconchegou-a mais de encontro ao peito e ela se deixou ficar, sentindo a respiração dele perto de seu rosto, o calor que vinha de seu corpo forte, a sensação de euforia que ela não tentou explicar.

Quando a música acabou, ele a largou e conduziu-a de volta à mesa onde Laura e Daniel conversavam.

— Preciso deixá-la. Tenho que dar atenção a algumas pessoas, mas quero dançar novamente com você.

Ela sorriu e concordou com a cabeça. Ele se afastou. O olhar de Lanira seguiu-o enquanto ele parava aqui e ali, sorrindo para uns, conversando ligeiramente com outros. Ela teve que reconhecer que ele era um anfitrião impecável. Percebeu que ele cumpria todas as regras que a sociedade considerava de bom tom. Notava-se que recebera excelente educação.

Seu olhar deteve-se em Maria Júlia. Vendo-a, podia entender por que Gabriel era tão bem-educado. Seu porte de rainha, sua roupa de classe, seu charme, sua simpatia faziam de sua casa um ponto alto de relacionamento que a mais alta sociedade se orgulhava de freqüentar. Seu marido, homem bonito, elegante e discreto, possuía a arte de manter uma boa conversa. Todos, sem exceção, achavam-no encantador.

Observando tudo isso, Lanira sentiu um pouco de preocupação. O que eles pretendiam fazer não seria uma injustiça? E se Alberto estivesse enganado? E se eles não tivessem nada a ver com aquele caso?

A uma música lenta, Daniel convidou Laura para dançar e Rubinho, que estivera circulando pelos salões, sentou-se a seu lado.

— Estive conversando com Bóris — disse ele baixinho.

Lenira meneou a cabeça pensativa, depois perguntou:

— Descobriu alguma coisa?

— Não. Foi uma conversa informal. Só de aproximação. Sabe como é. Preciso de algum tempo para ganhar sua confiança.

— Não sei, não. Observando o Dr. José Luís, D. Maria Júlia, o respeito e a consideração que desfrutam na sociedade, não sei se faremos bem levantando esse caso.

— Por quê? Está com medo?

— Estou. Não de enfrentar as conseqüências, mas de mexer com isso e descobrir que Alberto estava enganado. Já pensou que pode ter havido uma coincidência de nomes e eles não serem os responsáveis?

— As provas que Alberto tem me parecem bastante conclusivas.

— Trata-se de mexer com pessoas altamente respeitáveis. E se estivermos enganados?

— Por isso ainda não abrimos a ação. Estamos investigando. Só quando confirmarmos todas as provas entraremos na justiça.

— Concordo. Em sociedade é fácil destruir a reputação de uma pessoa, o difícil é reverter a situação se ela for inocente.

— Quanto a isso, pode ficar tranqüila. Tanto eu quanto Daniel estamos interessados em fazer justiça, não em difamar pessoas inocentes. Gabriel não tira os olhos de você. Vou dar uma volta para que ele se aproxime.

Rubinho levantou-se e foi para a outra sala. Lanira fingiu-se interessada em observar os pares que rodopiavam pelo salão. Logo Gabriel se aproximou:

— Posso me sentar?

— Por favor.

— Em que estava pensando?

— Nada de mais. Observava o baile. Sua festa está maravilhosa.

— De fato. Foi idéia de minha mãe. A princípio eu não queria, mas agora penso que fiz bem em concordar.

— Sua mãe tem muito bom gosto. Sabe receber.

Pelos olhos dele passou um brilho de emoção quando disse:

— Ela sabe o que fazer em qualquer circunstância.

— Tem muita classe. Seu pai é um homem feliz.

Ele ficou sério e mudou de assunto. Lanira teve impressão de que ele não gostava de falar no pai. Para amenizar a situação, Lanira perguntou a respeito de seu barco. Então seu rosto se distendeu e ele passou a discorrer sobre ele com entusiasmo.

Daniel, dançando com Laura, tentava conduzir o assunto para onde lhe interessava.

— Nós não conversávamos desde uma festa de aniversário em sua casa, anos atrás. Acho que foi quando Lanira fez quinze anos.

— Tanto tempo assim?

— Faz. Nós fomos a várias festas e reuniões em sua casa, mas você nunca estava. Não gosta de festas?

— Não gosto muito de formalidades. Nessas ocasiões algumas pessoas me parecem muito cheias de regras, a maledicência anda solta e eu prefiro ignorar essas coisas.

— Sei o que quer dizer. Também não gosto de bajulação nem de malícia, mas gosto de festas. Adoro música, adoro dançar, adoro belas roupas, lugares requintados, classe, arte, beleza. Prefiro não me privar desses prazeres só porque há pessoas maldosas e fúteis que freqüentam esses lugares. Para dizer a verdade, eu as ignoro, não lhes dou ouvidos, mas não me isolo como você. Estou viva e participando, desfrutando de todas as alegrias da vida. Não permito que elas me afetem.

Daniel olhou-a admirado.

— E tem conseguido?

— Tenho. Nossa família freqüenta muito a sociedade e eu penso que isso seja uma forma de valorizar nossa posição. Além do que temos obrigações sociais a cumprir.

— De que forma?

— Somos uma classe privilegiada. Uma minoria que teve a felicidade de estudar, de viajar, de possuir bens. Temos que devolver isso trabalhando em favor das classes mais pobres. Você sabe como é. Seus pais também participam.

— Sei. Festas beneficentes em favor de entidades filantrópicas.

— Isso mesmo. Minha mãe dedica boa parte de seu tempo à caridade. Sempre a acompanho.

— Por prazer ou por obrigação?

— Vou porque quero. Minha mãe não me obriga.

— Ah!...

— Soube que você e Rubinho abriram um escritório de advocacia.

— É verdade.

Ela sorriu, hesitou um pouco e depois disse:

— Contra a vontade de seus pais. Como estão indo?

— Estamos no começo. Por enquanto pequenas causas sem grande repercussão. O que é bom para praticar.

— Se vocês quisessem, poderiam subir depressa. Tanto seu pai como o de Rubinho têm boas amizades. Estou sendo indiscreta tocando nesse assunto?

— De forma alguma. O que está dizendo não é segredo para ninguém. Talvez você não tenha condições de entender. Sempre fez tudo que seus pais queriam.

— Eles só desejam meu bem.

— Mas você não é eles, é outra pessoa. O que parece bom para eles talvez não o seja para você. Cada pessoa é diferente.

— Não gosto de correr riscos desnecessários. Eles têm experiência.

A música acabou e Daniel conduziu Laura para a mesa onde Lanira e Gabriel conversavam. Daniel afastou-se a pretexto de procurar Rubinho. A conversa com Laura o entediara. Ela era bem a filha do distinto casal. Educada no mais moderno figurino da alta sociedade do Rio de Janeiro. Quando fosse oportuno, faria um casamento de conveniência e passaria o resto da vida tentando esconder a infelicidade, cuidando das aparências e desempenhando seu papel.

Ela representava tudo quanto ele não aceitava e estava lutando para sair. Vendo Rubinho conversando animadamente com Bóris, ficou observando a certa distância. Quando viu que o mordomo se afastou, aproximou-se.

— Então, conseguiu alguma coisa interessante?

Rubinho pegou Daniel pelo braço, dizendo:

— Ele me contou suas aventuras antes de vir para o Brasil. Está aqui desde 1927. Trata-se de um homem esperto e culto. Tenho impressão de que ele é mais do que um simples mordomo para o Dr. José Luís.

— É?

— Não vai ser fácil arrancar alguma coisa dele. Me pareceu ser o homem de confiança de seu patrão.

— Deve conhecer tudo quanto aconteceu naquele tempo.

— Com certeza. Mas como fazê-lo falar?

— Ele não vai dizer nada.

— Eu mencionei a morte de Marcelo. Disse que minha mãe havia nos contado que fora uma tragédia horrível. Depois perguntei:

— "Você trabalhava para o Dr. Camargo naquela época?"

— "Sim. Fazia quase um ano que eu estava aqui."

— "Minha mãe era amiga de D. Carolina. Ela sofreu muito com o acidente. O Dr. Antônio adoeceu por causa disso."

— "É verdade. O Dr. José Luís cuidou do tio com dedicação, mas ele não conseguiu mais recuperar a saúde. Perdeu o gosto de viver."

— "Minha mãe não esquece a tragédia desta família. Por fim o Dr. Cláudio e D. Carolina também morreram de forma inesperada."

— "Toda família tem sua tragédia. Eu também perdi toda a minha família na revolução. O que fazer? É preciso se conformar, levar a vida para a frente."

Rubinho calou-se. Daniel ficou pensativo por alguns instantes, depois perguntou:

— Você notou alguma coisa nele durante a conversa?

— Só quando falei do desastre que vitimou os pais de Marcelo. Por um segundo seus olhos brilharam emotivos. Foi uma fração de segundo, logo ele voltou a ser como antes.

— Isso não significa muito. Ele mencionou a guerra, onde perdeu a família. Isso pode tê-lo emocionado.

— É verdade. Ou ele sabe mais sobre o desastre que vitimou os pais do Marcelo. Nunca pensou como esse acontecimento foi conveniente para o Dr. José Luís?

— Você quer dizer que a morte deles pode ter sido provocada? — sussurrou Daniel olhando para os lados com medo que alguém o ouvisse.

— Vamos para o jardim. Lá estaremos mais à vontade.

Uma vez sentados em um banco, Rubinho respondeu:

— Se eles raptaram o menino e simularam sua morte por causa da herança, precisavam afastar os outros dois. Eles haviam herdado toda a fortuna do pai.

Daniel passou a mão pelos cabelos pensativo:

— Você acha que não foi acidente? Que eles foram assassinados?

— É uma suposição lógica. Era a única forma de se apossarem da herança.

— Tem razão. Isso ainda me parece impossível. Olhando para eles, é difícil acreditar que tudo isso seja verdade.

— As aparências enganam.

— Aproveitar-se de uma situação, criar uma farsa por ambição pode ser tentador para algumas pessoas, mas chegar ao crime, eliminar os primos!

— Estou quase certo de que eles fizeram isso. De que adiantaria toda a farsa se os pais do menino estavam vivos, gozando de boa saúde?

Daniel respirou fundo.

— Você acha que seria possível descobrir alguma pista sobre isso?

— Não sei. Mas podemos tentar. Amanhã mesmo vamos visitar a sepultura deles, ver a data da morte, procurar os jornais da época. Fazer as investigações preliminares.

— Vamos falar com Jonas, ele é investigador. Além disso, é muito meu amigo e nos ajudará.

— Boa idéia.

Voltaram ao salão.

— Lanira está indo muito bem — comentou Rubinho. — Veja, está dançando com Gabriel. Ele está fascinado e ela está sabendo tirar partido disso.

— Para você ver como as mulheres são. Para elas, fingir é fácil. Eu não consegui nada com Laura.

— É que você não se empenhou. Antes de ir, já estava contra.

— Veja: meu pai conversando animadamente com o Dr. José Luís. Quando ele descobrir o que estamos fazendo, vai querer me matar.

— Está com medo?

— Não. Mas sei que não vai ser agradável.

Antônio conversava animadamente com José Luís:

— Você não pode querer que ele volte — dizia ele com ênfase.

— Não se trata de minha vontade. Você sabe que nunca gostei de Getúlio.

— Você diz isso, mas freqüentava o Catete com assiduidade.

— Claro. Você também andou lá. Era uma ditadura. O que podíamos fazer? Porém nunca fui getulista. Mas em eleição é o voto que conta. Dutra só ganhou porque foi indicado por ele. Agora que o deixaram candidatar-se, você vai ver. Ele vai ganhar mesmo.

— Não acredito que nosso povo possa ser tão ignorante.

José Luís riu ao responder:

— Não? Você vai ver. Seria melhor você ter se candidatado pelo Partido Trabalhista.

— Isso nunca. Sempre fui da UDN.

— Não sei, não. Está se arriscando.

— Você pelo menos vai votar em mim.

— Claro. Como sempre fiz. Você terá os votos dos nossos, como sempre. Acho até que vai conseguir ir para o Senado.

Maria Alice, segurando delicadamente uma taça de vinho branco, conversava animadamente com Angelina:

— Veja Lanira dançando com Gabriel.

— Muito interessados, por sinal — comentou Angelina.

Maria Alice olhou os dois e pensou: Lanira estaria interessada em Gabriel? Desde que chegaram que ele só dançava com ela. Sorriu satisfeita. Ele seria o genro ideal para ela! Bonito, elegante, educado, rico. Era muito cedo para pensar nisso, mas a idéia era-lhe muito agradável.

Vendo que Bóris, parado em um canto da sala, observava como ia o serviço, Rubinho aproximou-se dizendo:

— Poderia mandar servir um copo com água gelada?

Imediatamente o mordomo pediu ao garçom. Enquanto esperava, Rubinho continuou:

— Gostaria de conversar com você em um lugar mais calmo.

Bóris admirou-se:

— Comigo? Sobre o quê?

— Estudo sociologia. Gostaria de entender o que aconteceu na Rússia com a revolução. Você deve ter coisas muito importantes para contar.

— Coisas muito tristes, se quer saber. Quando falo nisso, sinto enorme tristeza. Minha terra, tão linda, com um povo bom, religioso, inteligente, dominada por aqueles bárbaros!

— Gostaria de conversar mais com você. Quando é sua folga?

— Às segundas-feiras.

— Quer ir almoçar comigo na próxima segunda-feira?

Bóris olhou-o um pouco assustado.

— Não posso. Tenho muitos compromissos nesse dia. Obrigado pelo convite.

Dizendo isso, afastou-se e Rubinho seguiu-o com os olhos. Daniel aproximou-se perguntando:

— E então?

— Convidei-o para almoçar no dia de sua folga e ele não gostou. Cortou a conversa e foi embora.

— Teria desconfiado?

— Não. Nem sequer toquei naquele assunto. Disse que estudava sociologia e gostaria de obter informações sobre a revolução. Aí, ele mudou. Percebi que se retraiu.

— Não vamos conseguir nada dele. E se tiver sido cúmplice?

— Vamos pedir a Jonas para investigar a vida dele.

Laura aproximou-se com um sorriso:

— Lanira disse que você gosta de dançar, e está aí, parado. Não está gostando da festa?

— A festa está ótima. É que está muito calor e isso tira a disposição de dançar.

— Não é o meu caso.

— Dá para notar — tornou Rubinho. — Você está acalorada!

— Ia convidá-la para dançar — disse Daniel —, mas diante disso acho mais agradável darmos uma volta no jardim. Que tal?

— É uma boa idéia.

— Você vem, Rubinho? — perguntou Daniel.

— Não. Acabei de ver Julinho. Vou cumprimentá-lo.

Os dois saíram para o jardim conversando animadamente. A noite estava bonita e o perfume das flores tornava-a mais agradável.

— Vocês têm um jardim maravilhoso — comentou Daniel.

— É a paixão de minha mãe. Ela adora plantas. Diz que elas precisam de amor, como as pessoas.

— Este jardim sempre foi muito bem cuidado. Inclusive no tempo de D. Carolina.

— Segundo sei, ela também gostava de plantas.

— Minha mãe era muito amiga dela e freqüentava esta casa quando ela ainda era viva. Em casa temos um retrato dela. Era uma mulher muito bonita. Vocês devem ter fotos no álbum de família.

— Não temos. Meu pai ficou muito sentido com a tragédia e se desfez de todas as fotos.

— Do pequeno Marcelo também?

— Também. Não queria nada que lembrasse os dolorosos acontecimentos daqueles tempos.

— Segundo minha mãe, a morte de Marcelo abalou toda a sociedade. Ela foi ao enterro e se comoveu muito com a dor dos pais dele e do Dr. Antônio. Foi acidente, não é?

— Parece que foi. Meus pais ficaram muito chocados na ocasião. Por causa disso esse assunto virou tabu em casa. Nunca o mencionamos. Afinal, já faz muito tempo, e eles conseguiram esquecer.

— Ainda bem.

Ela mudou de assunto e Daniel não insistiu. Laura não sabia de nada e ele estava perdendo tempo conversando com ela.

Assim que se encontrou com Rubinho e Lanira, foi taxativo:

— Inútil querer descobrir alguma coisa aqui. Laura não sabe nada daqueles tempos. E Bóris não vai falar. Temos que pensar em outra coisa.

— Também acho — concordou Rubinho. — Os moços ignoram o assunto e quem sabe não vai dizer nada.

— Acha que Bóris sabe de tudo? — inquiriu Lanira.

— Tenho a impressão de que sim. Mas não vamos conseguir nada dele.

— Segunda-feira vamos pesquisar os jornais e contratar Jonas — disse Daniel.

— Alberto está ansioso e não quer esperar muito para iniciar a ação. Se quisermos levar esse caso adiante, temos que nos preparar bem — tornou Rubinho.

— Vai ser uma bomba! — exclamou Lanira.

— Vai. Mas vamos detoná-la — considerou Daniel.

— Hum! Sinto um friozinho na barriga só em pensar no escândalo. Será um prato cheio para os jornais. Vocês não têm medo? — perguntou Lanira.

— Quando aceitamos o caso, sabíamos disso — respondeu Daniel.

— É. Conversamos a respeito e assumimos a responsabilidade. Nós acreditamos na história dele.

— E se ele estiver enganado? Olhando D. Maria Júlia e o Dr. José Luís, é difícil acreditar que eles tenham feito tudo isso com a própria família — tornou Lanira.

— As aparências enganam — contrapôs Rubinho. — As provas que Alberto possui são convincentes para mim. Eles simularam a morte do menino e suspeito até que tenham a ver com o "acidente" que vitimou os pais dele.

Lanira abriu a boca para responder e fechou-a de novo. Seus pais se aproximavam:

— Já nos despedimos e vamos embora — disse Maria Alice. — Vocês vão ficar?

Foi Daniel quem respondeu:

— Iremos em seguida.

Eles se foram e os três, percebendo que nada mais havia para fazer ali, despediram-se e saíram.

Uma vez na rua, continuaram conversando, fazendo planos para começar as investigações no início da semana.

Capítulo 7

Na segunda-feira seguinte eles chamaram Jonas ao escritório e encarregaram-no de investigar a vida da família Camargo. Resolveram que enquanto esperavam não tomariam nenhuma providência legal, tentando encontrar as provas de que precisavam.

A custo conseguiram convencer Alberto a esperar. Ele estava impaciente, dizendo ter a certeza de que não havia mais nada a fazer senão abrir o processo. Entretanto, Daniel e Rubens não queriam arriscar-se a perder. A derrota em um caso desses iria levá-los ao descrédito. Por outro lado, a vitória iria dar-lhes fama e credibilidade. Era uma cartada ousada e eles queriam jogar da maneira certa.

Duas semanas depois, Jonas procurou-os levando uma pasta na qual além dos jornais da época havia as informações que ele conseguira obter.

A notícia do acidente que havia vitimado Marcelo. Várias notas sobre a saúde do Dr. Antônio Camargo depois da morte do neto e por fim seu passamento, vitimado pela dor que o abateu. Havia ainda notícias do acidente de barco, um ano depois, ocorrido em uma pequena cidade da Itália.

— Interessante observar — disse Rubinho — que, um ano e meio depois da morte de Marcelo, todos haviam morrido. Tudo aconteceu muito depressa!

— O que vocês não sabem é que, na data em que aconteceu o acidente com os pais de Marcelo, o Dr. José Luís e a esposa também estavam na Europa. Inclusive levaram o mordomo! Aliás, eles sempre viajam com ele!

Daniel e Rubinho entreolharam-se admirados.

— Bem que eu desconfiava desse acidente! — observou Rubinho.

— Talvez você esteja exagerando — tornou Daniel.

— É, pode ser. Mas não deixa de ser uma hipótese plausível.

— Concordo — disse Jonas. — Nada mais conveniente para eles do que esse acidente. Mas eles estavam na França nessa data.

— Nesse caso, não tiveram nada com o acidente — aventou Daniel.

— Eu não acho. Quem nos garante que Bóris não tenha feito esse "serviço"? — sugeriu Rubinho.

— Ou contratado alguém — tornou Jonas.

— Não podemos fantasiar. Temos que nos ater às provas. O que estão fazendo são meras suposições — disse Daniel.

— Temos que aventar todas as hipóteses. Não se esqueça de que quem teve coragem para fazer o que fizeram com Marcelo e a própria família é capaz de tudo.

— Investiguei a vida de Bóris. Ele pertencia à nobreza russa. Perdeu a família e tudo que possuía na revolução. Nada pude descobrir sobre ele durante o tempo em que perambulou pelo mundo depois disso. Sei que chegou ao Brasil trazido pelo Dr. José Luís, e desde então eles não fazem nada sem ele. Nunca se casou. Relaciona-se com uma alemã, que mora em uma bela casa, aonde ele vai em seus dias de folga. Tem dinheiro no banco, um belo automóvel e gosta de luxo.

— O Dr. José Luís deve ser muito generoso — comentou Rubinho.

— É de admirar, pois não é o que se comenta em sociedade, em que ele é tido como mão-fechada. É difícil arrancar dinheiro dele — esclareceu Jonas.

— Por que está sendo tão generoso com Bóris? — perguntou Rubinho.

Daniel abanou a cabeça pensativo, depois respondeu:

— Isso é suspeito, na verdade. Precisamos ir mais fundo. A chave do problema pode estar aí.

— Estive pensando em ir a São Paulo ver o que descubro sobre a ama. Mas se preferem seguir essa pista primeiro, verei o que posso fazer.

— Vigiar Bóris, saber o que faz além de ser mordomo. Ele deve desempenhar outras atividades para o patrão.

— O Dr. José Luís tem se ocupado mais em desfrutar da vida social do que em trabalhar. A clínica que montou, com dinheiro da herança, é uma das primeiras da cidade, mantém em seus quadros profissionais de alto nível. Ele comparece apenas para cuidar da parte gerencial, não trabalha mais com os pacientes. A clínica é procurada por pessoas importantes. Os preços são caros e o atendimento, diferenciado. Suas finanças vão muito bem — informou Jonas. — Tanto ele quanto a esposa são muito estimados. Vai ser difícil conseguir saber o que vocês querem.

— Você quer dizer que podemos estar sendo enganados? — perguntou Daniel.

— Não. De forma alguma. Os fatos que sabemos indicam que eles não são o que parecem ser. Estou habituado com isso. As pessoas não querem mostrar sua maldade e se cobrem com atos de aparência. Pura fachada. O que eu quis dizer é que eles fizeram isso tão bem que está sendo difícil apanhar o fio da meada. Mas isso para mim é um desafio, e eu gosto de vencer os desafios — respondeu Jonas.

— Então continue mais um pouco nessa pista. Deixe sua pasta comigo. Quero estudar um pouco mais — pediu Rubinho.

— Está bem. Já vou indo. Darei notícias!

Ele saiu e os dois apanharam a pasta. Sentados lado a lado, começaram a examinar minuciosamente os recortes, anotando datas, informações. Eles queriam conhecer todos os detalhes, imaginar todas as hipóteses para cercar os vários lados do caso, preparando-se para qualquer eventualidade, no decorrer do processo.

Lanira olhou-se no espelho com satisfação. O tom verde-escuro ficava-lhe muito bem. Ia encontrar-se com Gabriel. Desde a festa que ele a procurava, ora convidando-a para um cinema, ora para um sorvete na confeitaria ou mesmo uma conversa no clube.

Iria passar em sua casa às sete. Quinze minutos antes ela já estava pronta e desceu para esperar. Vendo-a, Maria Alice olhou-a com satisfação.

— Vai sair?

— Vou. Gabriel vai passar aqui às sete.

— Vocês estão namorando?

Ela abanou a cabeça negativamente.

— Não é nada disso. Somos apenas amigos.

— Quer dizer que ele ainda não se declarou?

— Não. Espero que ele não o faça.

— Por quê? É um belo rapaz e parece muito interessado em você.

— Isso não basta, mamãe, para namorarmos.

— Se ele se declarasse, você o rejeitaria?

— Claro. Gosto de sua companhia, mas amor é outra coisa. Por enquanto estamos apenas saindo juntos, conversando. Nada mais. É bom não ficar imaginando coisas.

— Não estou imaginando nada. Vocês são jovens, saem juntos com freqüência. O que posso pensar?

A campainha tocou, Lanira espiou pela janela e disse:

— É ele. Vamos só tomar um sorvete. Voltarei cedo.

Ela saiu deixando uma onda de perfume no ar e Maria Alice aproximou-se da janela, seguindo com o olhar brilhante a figura da filha cumprimentando Gabriel, a gentileza do rapaz abrindo a porta para ela entrar. Acompanhou-os com o olhar até que o carro desapareceu no fim da rua.

Sua filha era linda, inteligente. Casando-se com Gabriel, faria uma aliança brilhante. O que poderia desejar mais? Nesse mundo de aparências, a posição social, o dinheiro eram muito importantes. O amor não passava de um jogo de interesses, sempre colocado no convencional. Acabava na primeira decepção e só se sustentava quando havia interesse em manter as aparências e as vantagens da família.

Maria Alice havia se casado por amor. Entretanto, depois de tantos anos de vida em comum, percebia que nada havia sido como ela imaginara. As primeiras decepções ao notar que as prioridades do marido eram muito diferentes das suas. Enquanto ela dava mais importância a ficarem juntos, ele valorizava a vida social, a companhia de gente importante, as amizades de conveniência.

Quando ela reclamava sua ausência, sua falta de carinho, ele a chamava de imatura, salientando que apreciava a mulher equilibrada, de classe, capaz de governar a família com dignidade e firmeza. Decepcionada, Maria Alice esforçou-se para não desapontá-lo. Trancou os sentimentos e transformou-se na mulher que era. Agora, vendo a filha falando em amor, pensava como ela estava enganada.

O casamento, a família eram a riqueza de uma mulher. E essa riqueza tinha que ser preservada a todo custo, mesmo que para isso fosse preciso engolir a dor, a insatisfação, a raiva, fechar os olhos para tudo quanto pudesse ameaçar a estrutura familiar.

Ela sabia da ligação do marido com Alícia. Ninguém lhe contara, descobrira por acaso. Pensou em falar ao marido. Desabafou com sua amiga Angelina, que a ouviu em silêncio e depois considerou:

— Eu já sabia. Você até que demorou para descobrir.

— Sabia? Diz isso com essa calma!

— Digo porque já passei pela mesma coisa. Nesse Rio de Janeiro, que homem de nossa sociedade não tem uma amante?

Maria Alice olhou-a admirada:

— Aconteceu com você também?

— Faz tempo. A princípio fiquei revoltada. Depois pensei: se eu fizer barulho, escândalo, vai aumentar minha vergonha, todos vão saber. Separar eu não quero. Ficar por aí desquitada eu não suportaria. Depois, o que seria de meus filhos? Pensei, pensei e resolvi fazer de conta que não sabia de nada. Assim, não teria que tomar nenhuma decisão.

— Como agüentou?

— A princípio foi difícil. Depois achei que de alguma forma eu também estava enganando-o. Ele pensando que estava me fazendo de boba, mas era eu quem o estava tapeando. Ficamos elas por elas.

— Você não o amava? Não sentiu ciúme?

— Amei, agora não amo mais. Que amor resiste a tantos anos de casamento? Hoje sei que nossa união é uma sociedade conveniente para ambos. Apenas isso.

— Você tem razão. O amor é ilusão.

— Depois, os homens precisam de uma mulher que lhes faça todas as fantasias sexuais. Com as esposas eles não se permitem nada disso. É até sinal de respeito.

— Pensando desse lado...

— Você se sujeitaria a qualquer coisa menos digna?

— Claro que não.

— Então! Uma amante é como uma válvula de escape para os vícios. A esposa é sempre a esposa. Por isso, continuei firme em meu lugar e não me arrependo. Ele me respeita, me trata bem e temos uma vida em comum equilibrada. Para que mais?

Maria Alice hesitou um pouco, depois disse:

—- Ele ainda a procura?

— Claro. De vez em quando.

Depois dessa conversa, Maria Alice fez sua opção. Faria a mesma coisa que Angelina. Antônio nunca saberia que ela conhecia a verdade. Pensou na filha com tristeza. Ela esperava o amor, como todas as moças. Quantas decepções teria que passar para descobrir que estava enganada?

Esforçou-se para afastar aqueles sentimentos tristes. Ela não se permitia pensar nem se entristecer. Era uma dama e uma dama tinha completo controle sobre as emoções.

Depois dos cumprimentos, Lanira sentou-se no carro e assim que Gabriel deu partida disse:

— Não esperava que me ligasse hoje.

— Por quê?

— Como não tem aula, pensei que tivesse ido andar de barco.

— Fiquei tentado. Mas entre ficar só no barco e passear aqui com você, preferi ficar.

Lanira olhou-o um pouco tensa. Sua mãe teria razão? Gabriel estaria mesmo querendo namorá-la? Claro que ela havia percebido que ele se sentia atraído, e ela também gostava de estar com ele. Contudo, sabia que um namoro entre eles envolveria as duas famílias, poderia transformar-se em um compromisso formal e sério. Isso ela não desejava. Reconhecia que ele era encantador, mas ao mesmo tempo ela não queria transformar-se em uma dona de casa, como as que conhecia e abominava. Talvez fosse mais prudente espaçar os encontros com ele.

— Você tem muitos amigos que gostariam imensamente de fazer-lhe companhia. Acho que está se tornando mais metropolitano.

— Teria imenso prazer se você pudesse ir comigo. Mas sei que não aceitaria.

— Por que não?

— Só nós dois?

Ela sorriu:

— Não ficaria bem. Mas se meu irmão também fosse, talvez Laura, ou Rubinho, não teria nada de mais.

Ele parou o carro no meio-fio e voltou-se para ela, olhando-a nos olhos:

— Você está apaixonada por Rubinho?

— Eu? Não! Que idéia!

— Desde a minha festa desejo perguntar-lhe isso. Vocês não se largam.

— Ele é sócio de Daniel e muito amigo. Apenas isso.

— Tem certeza?

— Tenho. E já que tocou nesse assunto, gostaria de dizer-lhe que por enquanto não penso em namorar. É muito cedo.

— Muitas meninas se casam com sua idade.

— É justamente isso que desejo evitar.

— É contra o casamento?

— Não me agrada a idéia de transformar-me em matrona, nem de arranjar alguém que mande em mim.

— É essa a idéia que faz da vida em família? Não pensa em casar-se?

— Não, enquanto puder evitar.

Ele abanou a cabeça:

— É difícil acreditar. Você não existe.

— Por quê?

— Você é diferente. As outras só pensam em se casar. Não posso compreender. Você vem de uma família bem formada, seus pais levam vida exemplar. De onde tirou essas idéias?

— Observando, amigos, conhecidos. Enquanto as mulheres cuidam de manter as aparências com classe, os homens se dividem entre o interesse, o jogo de poder. Vale tudo, desde que nada venha à tona.

Pelos olhos dele passou um lampejo emotivo quando disse:

— Você está sendo dura. Não acredita no amor e na felicidade?

— Às vezes penso que sim, outras que não.

— Pois eu também odeio esse mundo de aparências, onde quem tem mais dinheiro vale mais, onde se passa por cima de todos os sentimentos para alimentar a ambição. Quando tudo isso me enoja, refugio-me no barco em busca de paz.

Lanira surpreendeu-se:

— Não sabia que sentia isso.

— Tem razão. As pessoas fazem qualquer sacrifício para acobertar suas mazelas. Em sociedade é preciso dissimular, sorrir mesmo quando o coração está amargurado e infeliz.

Lanira olhou-o sem saber o que dizer. O rosto de Gabriel estava sombrio, e havia tanta amargura em seu tom que ela se arrependeu de haver tocado no assunto. Tentou confortá-lo:

— Nós não precisamos ser iguais a eles. Podemos ser diferentes. Não desejo me casar por conveniência, nem me transformar em uma mulher como tantas que conheço. Quero ser eu mesma. Quando eu amar, terá que ser de coração, e farei tudo do meu jeito, sem ligar para as conveniências.

O rosto de Gabriel desanuviou-se, ele sorriu. Lanira considerou que ele ficava lindo quando sorria.

— Se você se apaixonasse por um joão-ninguém, teria coragem de casar-se com ele?

— Se ele me amasse, sim.

— Seus pais não aprovariam.

— Eu enfrentaria todo mundo para ser feliz. É isso que eu quero. Tenho pensado muito nesse assunto, Gabriel. A vida só vale a pena se houver felicidade.

— Tomara que continue pensando assim quando chegar o momento.

Lanira riu contente. Sentia-se aliviada. Conseguira posicionar-se sem ferir os sentimentos dele. Depois dessa conversa, tinha certeza de que ele não lhe faria nenhuma declaração. Poderiam continuar a ser amigos.

No dia seguinte, conversando com Daniel, ela considerou:

— Gabriel parece-me infeliz. Não sei por quê, mas há momentos em que ele se revela magoado, amargurado.

— Será? Ele é muito elogiado em todos os lugares. Bonito, rico, respeitado. As mulheres suspiram por causa dele. Por que estaria infeliz?

Lanira contou-lhe a conversa que haviam tido e finalizou:

— Suas palavras fizeram-me pensar. Há alguma coisa que o está incomodando.

— Será que ele sabe de alguma coisa sobre o passado dos pais?

— Não sei. O que sinto é que, quando fala de família, ele se emociona, fica amargo, parece infeliz.

— Talvez seja bom você continuar saindo com ele. Quem sabe um dia acaba contando o que queremos saber.

— Vou ser bem sincera com você. Na festa aproximei-me dele com essa intenção. Porém, agora, reconheço que ele se transformou em um amigo. É inteligente, sincero, generoso. Não estou saindo com ele para descobrir nada. Estou saindo porque gosto de sua companhia. Eu o aprecio.

Daniel sorriu malicioso:

— Você está se apaixonando por ele!

— Não é nada disso. Ele é apenas um amigo. Nada mais do que isso. E vai continuar assim.

— Alegra-me saber. Logo entraremos com a ação e se estivesse apaixonada seria um problema.

Lanira ficou pensativa por alguns segundos, depois disse:

— Às vezes penso nisso e sinto um aperto no coração. Vocês vão mesmo mover essa ação?

— Tudo indica que sim.

Ela suspirou:

— Vai ser um deus-nos-acuda. Aqui em casa e em casa dele. Nossa amizade vai acabar com certeza.

— Isso a entristece?

— Preferiria que nada disso fosse com ele.

— Se ele gostar mesmo de você, se fizer questão de sua amizade, saberá separar as coisas. Você pode jogar toda a culpa em mim.

— Nem quero pensar. Mamãe então vai ter um ataque. Em que pé estão as investigações?

— Jonas foi a São Paulo tentar obter informações sobre a ama. Deve estar de volta amanhã.

— Quando pensam entrar com a ação?

— Alberto está impaciente. Está difícil segurá-lo. Se tudo der certo, entraremos com a petição na próxima semana.

— Já?

— Parece que ele descobriu algumas coisas importantes com relação à ama. Amanhã decidiremos a data. Pensando bem, é melhor enfrentar as feras logo. A espera deixa-me tenso.

— A mim também.

— Você? Não desejo envolvê-la de forma alguma.

— Já estou envolvida.

— Ninguém precisa saber disso.

Daniel deixou Lanira e foi para o quarto. Deitou-se e custou a dormir. Sentia-se inquieto. A petição formalizando a denúncia e solicitando a abertura de um inquérito estava redigida, faltando apenas alguns detalhes que deveriam incluir com as novas informações de Jonas.

Sabia que sofreria pressão da família. Estava preparado. Ele e Rubinho haviam combinado que se a situação fosse insustentável, eles sairiam de casa, alugariam um apartamento modesto, dividiriam as despesas.

Mais calmo, adormeceu. Sonhou. Viu-se, um pouco diferente, mais velho, em um quarto lindamente decorado, sentia-se inquieto, desesperado. Aproximou-se do leito em que a mesma mulher que o acusara estava deitada, abatida, sem forças.

Ele se ajoelhou ao lado da cama, sentindo aumentar sua angústia. Tomou as mãos dela dizendo com voz suplicante:

— Lídia, não me deixe! Eu peço! Não me abandone! Farei tudo que quiser!

Ela abriu os olhos e fixou-o murmurando:

— Agora é tarde! O que está feito está feito. Acabou.

Seus olhos se fecharam, sua cabeça caiu para o lado e ele percebeu que ela estava morta. Sentiu seu peito rasgar de dor e gritou:

— Não! Não!!!

Daniel acordou agoniado, soluçando. Levantou-se de um salto. Um sonho! Fora apenas um pesadelo. Um horrível pesadelo que havia dilacerado seu coração. O que estaria acontecendo com ele? Seria um aviso para não fazer o que eles pretendiam? Por que sonhara com aquela mulher duas vezes? Não a conhecia, entretanto sentia que a amava com loucura. Estaria perdendo o juízo?

Olhou o relógio: quatro horas. O dia estava amanhecendo. Deitou-se novamente, porém não conseguiu mais dormir. Sentia o peito oprimido por grande tristeza. Tentou reagir. Era loucura ficar tão impressionado por um simples sonho. Nada disso havia acontecido. Mas a emoção forte continuava presente como se tudo estivesse acontecendo naquela hora.

Ficou se remexendo na cama, esforçando-se para convencer-se de que a verdade era muito diferente de seu sonho, mas aquela sensação desagradável e forte reaparecia, deixando-o inquieto.

Levantou-se muito cedo e chegou ao escritório antes das oito. Rubinho chegou meia hora depois e olhando para ele perguntou:

— Aconteceu alguma coisa? Você está com uma cara!

— Não aconteceu nada.

— Está doente?

— Não. Mas alguma coisa esquisita está se passando comigo. Ando impressionável, inquieto, tendo pesadelos.

— Aquela mesma história com Alberto?

— Não. Agora é com uma linda mulher. Não a conheço e tive dois pesadelos com ela. Em um acusava-me. Ontem sonhei que ela estava morrendo e que eu a amava muito. Acordei angustiado, não pude mais dormir, e até agora ainda não me livrei daquela sensação dolorosa. Não consigo entender.

Rubinho balançou a cabeça, dizendo:

— Isso me parece coisa do passado. Você está revivendo cenas de outra vida.

— Você já disse isso mas eu não acredito. É muito fantasioso para ser verdade.

— Eu mesmo também não tenho certeza de nada. Mas me ocorre que é a única forma de explicar o que está lhe acontecendo. Você sonha com uma pessoa que não conhece, sente que a ama, sofre por ela. De onde tirou esses sentimentos? Como apareceram com tanta força dentro de você? Para mim, isso é mais fantástico do que a crença em vidas passadas.

Daniel balançou a cabeça interdito. Por fim disse:

— Só sei que essas emoções são muito fortes. Não consigo esquecê-las. Sinto remorso não sei de quê, tristeza, dor. Estarei ficando louco?

— Você não tem nada de desequilibrado. É lúcido, tem bom senso.

— Às vezes penso que tem alguma coisa a ver com Alberto. Os pesadelos começaram um pouco antes de ele aparecer em minha vida. Até então eu nunca havia tido nada disso. Será que é para eu não me envolver com o caso dele?

— Não foi isso que você falou, lembra-se? Foi até aconselhado a aceitar o caso.

— Não consigo entender.

— Se você estiver tendo reminiscências de suas vidas passadas, ele pode ter se relacionado com você naqueles tempos.

Daniel passou a mão pelos cabelos inquieto.

— Não sei. Parece-me loucura acreditar em uma coisa dessas.

— Não é, não. Tenho visto pessoas de cultura envolvidas com o estudo desses assuntos. Garantem que têm provas concludentes de que isso é verdade. Já pensou que coisa extraordinária? Como nossa vida mudaria se pudéssemos ter essa certeza?

— Se isso fosse verdade, revolucionaria a sociedade. Ninguém fala nada. Acho que não existem essas provas.

— Em todo caso, vou telefonar para Júlio. Ele estuda isso e poderá nos esclarecer melhor. Passaremos em seu consultório quando sairmos daqui.

— Está certo. Preciso resolver esse problema, acabar com isso. Talvez como médico ele tenha alguma explicação melhor.

— Nenhuma outra conseguiria explicar o que lhe aconteceu.

— Jonas já chegou?

— Já. Está nos esperando.

Jonas entrou e depois dos cumprimentos foi direto ao assunto.

— Trago novidades.

— Vá falando — disse Rubinho.

— Conforme combinado, tenho seguido Bóris e descobri que ele mantém contato com a ama em São Paulo. De quando em quando manda-lhe dinheiro. Quem faz a remessa é Pola, a amante dele. Mas ela não tem posses, vive do que ele lhe dá. Logo, é ele quem manda o dinheiro, certamente a mando do Dr. José Luís.

— Isso significa que essa mulher continua a chantageá-los — tornou Daniel.

— É o que parece. Por que ele haveria de dar-lhe tanto dinheiro? Bom, eu fui a São Paulo e fiz amizade com a criada de Eleutéria, por sinal um pedaço de morena.

— Acha que pode confiar no que ela lhe diz? — indagou Rubinho.

— Acho. Demo-nos muito bem. Está apaixonada por mim. Depois, ela não gosta da patroa. Diz que é grossa e muito mandona. Pretendia deixar o emprego, mas eu lhe pedi que não o fizesse.

— Não lhe contou por quê — disse Rubinho.

— Não. Só lhe disse que um cliente havia me incumbido de investigar a vida dela, que se ela me ajudasse não iria arrepender-se.

— Ela pode dar com a língua nos dentes — sugeriu Daniel.

Jonas retrucou:

— Respondo por ela. Garanto que está do meu lado. Está interessada em nosso futuro. Se ela trabalhar direitinho, posso até pensar nisso.

— É sério, então? Está caído pela morena? — indagou Rubinho.

— Reconheço que ela é uma tentação. Mas é cedo para dizer. O que sei é que está totalmente do meu lado. Foi ela quem me contou que todos os meses é depositado dinheiro na conta de Eleutéria e que ela fala nisso abertamente com o marido, mencionando que deveria aumentar a remessa, dizendo que afinal eles são ricos e podem pagar. Chega a dizer que enquanto eles estão brilhando na alta sociedade, ela está lá, tendo que arrancar o sustento da loja.

— Ela disse isso? — perguntou Daniel.

— Disse. O que comprova completamente a história de Alberto. Ela está chantageando o Dr. José Luís e a cada dia fica mais exigente. Como todos os chantagistas, sempre acha que pode obter mais.

— Essa criada concordaria em depor se fosse preciso?

— Não sei. Talvez. Marilena é corajosa e não gosta deles. Posso ver o que consigo com ela.

— Tenho certeza de que, se conseguisse isso, Alberto seria reconhecido quando recebesse o dinheiro.

— Ela me conseguiu alguns extratos bancários de Eleutéria contendo os depósitos efetuados e percebi que eram realizados uma vez por mês, sempre na mesma data. Aqui estão eles.

— Eleutéria não vai dar pela falta?

— Não. Ao que parece ela não é organizada com seus papéis. Tem pequeno escritório em casa, onde deixa tudo espalhado pelas gavetas. Marilena garante que ela nem vai perceber. Deixei-a encarregada de telefonar-me se acontecesse alguma coisa diferente e voltei para cá. Queria ver quem fazia o depósito do dinheiro. Ontem foi o dia previsto. Algo me dizia que Bóris tinha algo a ver com isso. Fiquei de tocaia em casa do Dr. José Luís. Eram mais de meio-dia quando ele saiu e fui atrás. Foi diretamente à casa de Pola, ficou lá meia hora. Saiu e eu resolvi esperar. Se ele fosse fazer o depósito, teria ido direto ao banco. Meu palpite estava certo. Cinco minutos depois, ela saiu e segui-a. Foi direto à agência bancária. Entrei junto com ela, como se fosse também fazer um depósito. Vi quando ela preencheu a papeleta com o nome de Eleutéria, pegou um maço de notas e fez o depósito.

— Em dinheiro — disse Rubinho.

— Sim. Foram duzentos mil cruzeiros.

— Tudo isso?

— Sim.

— Em dinheiro, para não deixar nenhuma prova — comentou Daniel. — Eles nem imaginam que estamos investigando. Essa Eleutéria nunca vai querer depor a favor de Alberto. Primeiro porque seria enquadrada como cúmplice, segundo porque mataria a galinha dos ovos de ouro.

— Já esperava por isso — ajuntou Rubinho. — Em todo caso, parece que agora não temos mais dúvidas. Podemos dar entrada na petição.

— Vamos chamar Alberto para conversar a respeito — disse Daniel. — Jonas vai continuar com as investigações. Falta-nos descobrir o paradeiro da verdadeira mãe do menino que foi enterrado no lugar de Marcelo. Alberto nunca conseguiu localizá-la.

— Talvez tenha morrido. Mas se conseguirmos encontrá-la viva, será difícil convencê-la a depor. Foi cúmplice e certamente será também responsabilizada — argumentou Rubinho.

Jonas interveio:

— Se conseguirmos encontrá-la, não poderá furtar-se a prestar declarações à justiça. Poderemos conseguir a exumação do corpo.

— É muito tempo, e a exumação não trará muitos esclarecimentos ao caso — opinou Daniel.

— Poderemos tentar. Hoje em dia a perícia está muito adiantada — disse Rubinho.

Jonas saiu e os dois se dedicaram inteiramente em trabalhar na petição de abertura da ação contra a família Camargo. Nela estavam relatados todos os fatos que conseguiram descobrir, com nomes e endereços, inclusive com os comprovantes de depósitos bancários feitos à ex-ama de Marcelo. Era um trabalho de fôlego, que exigia deles o melhor que pudessem obter. Chamaram Alberto para que ele tomasse conhecimento dos documentos que eles haviam redigido e verificar se estava tudo de acordo com os fatos que ele vivenciara.

Faziam questão absoluta de manter-se dentro da verdade, narrando os fatos que por si só constituíam-se em um libelo terrível contra os Camargo.

Eles queriam cuidar bem de todos os detalhes. Dentro de dois ou três dias as cartas seriam lançadas e não haveria mais como recuar.

Capítulo 8

Daniel chegou ao escritório de volta do almoço e logo notou que algo inusitado estava acontecendo. Na sala de espera havia um burburinho, e alguns fotógrafos logo se aproximaram dele enquanto outros faziam perguntas. Ele entrou o mais rápido que pôde, sem dizer nada. Rubinho esperava-o um pouco agitado.

— Estourou a bomba! — disse Daniel excitado.

— É. Há vários jornais querendo detalhes do caso.

— Você falou alguma coisa?

— Não. Prometi-lhes uma entrevista. Estava esperando você chegar.

— O que vamos dizer?

— Bom, nós não podemos entrar em detalhes. Vamos sugerir que Alberto fale com eles. O que lhes interessa é a história.

— É. Só vamos confirmar a veracidade do fato e pronto. O resto fica com ele. Como souberam?

— Um advogado do fórum contou-lhes. Eles sabem até a data em que o Dr. Camargo foi intimado a comparecer para prestar declarações.

A secretária entrou dizendo com ar preocupado:

— Eles estão me crivando de perguntas. Está difícil impedir que eles entrem aqui.

— Está certo — decidiu Rubinho. — Diga-lhes que podem entrar.

Segundos depois eles entraram e Rubinho foi logo dizendo:

— Estamos prontos a prestar esclarecimentos. O que desejam saber?

— É verdade que o neto do Dr. Camargo está vivo e deseja reaver seus bens?

— É — respondeu Rubinho calmo.

— Por que só agora, depois de tantos anos, ele apareceu?

— Por que não o pôde fazer antes.

— Quero crer que vocês, cujas famílias pertencem à melhor sociedade, devem ter provas convincentes do que estão afirmando. Que provas são essas?

— Estão sendo apresentadas em juízo — disse Rubinho. — Não desejo falar sobre elas antes da decisão da justiça. Em todo caso, como vocês estão muito interessados, vou falar com nosso cliente. Se ele concordar, marcaremos uma entrevista com vocês em que ele contará toda a verdade.

— Isso seria ótimo. Precisa ser logo. No fórum não se falava em outra coisa hoje. É o escândalo do momento — disse outro repórter.

— Não estamos interessados em alimentar escândalos — disse Daniel. — Infelizmente trata-se de pessoas muito conhecidas. Não podemos evitar os comentários. Mas o que queremos é devolver, pelo menos em parte, a nosso cliente, o que lhe pertence por direito e que lhe foi tirado.

— Isso mesmo — reforçou Rubinho. — Mesmo que ele agora veja reconhecidos seus direitos e receba sua fortuna de volta, quem poderá devolver-lhe o carinho da família, o amor do avô que morreu de desgosto, a companhia dos pais que nunca teve?

— Por que vocês não contam logo toda essa história? — disse outro repórter.

— Não podemos fazer isso. É um direito de nosso cliente. Ele só o fará se quiser. Portanto vocês precisam aguardar uma resposta dele — respondeu Rubinho.

— Não pode ligar para ele e conseguir que venha aqui agora?

— Terão que esperar até amanhã cedo — disse Daniel.

— Amanhã o jornal já estará na rua.

— É amanhã ou nada — garantiu Rubinho.

— Está bem — disse o repórter que perguntara mais. — Voltaremos amanhã cedo.

Depois de algumas tentativas de descobrirem mais alguma coisa, vendo a determinação dos dois em não ir além do que haviam dito, finalmente foram embora. Depois que eles saíram, Rubinho ligou para Alberto contando-lhe tudo. Ele ficou de ir para lá imediatamente a fim de combinarem o que ele deveria dizer na entrevista do dia seguinte.

Tanto Rubinho quanto Daniel achavam importante criar uma atmosfera favorável na imprensa. Se a opinião pública ficasse do lado deles, seria uma pressão a mais para ganhar a causa. Não seria difícil conseguir isso.

A história de Alberto casava-se bem ao sentimentalismo das pessoas. Quem ousaria ficar contra o pobre menino que fora impedido de viver com a família, segregado em um colégio distante e lesado em sua fortuna? Eles contavam com isso para ganhar a causa. Depois, um escândalo desses era um prato cheio para a maldade dos que nunca haviam conseguido sair da mediocridade e se alegravam com a queda de alguém que brilhava na sociedade.

O telefone tocou e Rubinho atendeu:

— É para você. Seu pai.

Daniel atendeu:

— Alô.

— Que história é essa que estão comentando? Que loucura você e Rubinho estão fazendo? Perderam o juízo?

— Não, pai. Estamos cuidando dos direitos de nosso cliente.

— Onde você pensa que vai, atacando dessa forma nossos amigos, pessoas de nossa melhor sociedade? José Luís me ligou e eu fiquei de cara no chão. Onde já se viu? Ele sempre foi nosso amigo, apoiou minhas campanhas políticas, é pessoa de bem. Como pôde fazer uma coisa dessas?

— Não tenho nada contra o Dr. Camargo como pessoa de nossa amizade, mas nosso cliente foi espoliado e estamos apenas defendendo seus direitos.

— Pois você vai agora mesmo retirar essa queixa da justiça, alegar que estava enganado e que nada há contra José Luís.

— Não vou fazer isso, pai. Sinto muito se ele é seu amigo, mas temos provas suficientes para ganhar essa causa e não vamos desistir.

— Você está sendo ingênuo. Provavelmente foi iludido. Eu e sua mãe fomos ao enterro de Marcelo e não acredito que ele possa estar vivo. Vocês estão envolvidos em uma fraude. Saia disso enquanto é tempo. Você vai ser riscado da profissão, terá seu diploma de bacharel cassado compactuando com uma leviandade dessas.

— Não vou desistir, pai. A justiça será feita. O Dr. Camargo terá que devolver a Marcelo tudo que lhe tirou. Ainda assim, estará fazendo pouco, uma vez que nunca poderá dar-lhe o carinho da família e tudo quanto ele perdeu quando o levaram embora do Brasil e esconderam-no na Inglaterra.

Apanhado de surpresa, Antônio hesitou um pouco ao responder:

— De onde tirou essa idéia? De algum romance de folhetim?

— Não, pai. Foi o próprio Marcelo quem nos contou tudo quanto fizeram com ele.

— E você acreditou! Que ingenuidade! Pois eu o proíbo de continuar com esse caso que está colocando nosso nome no ridículo. Você vai já retirar essa queixa e dizer aos jornais que estava enganado.

— Não vou fazer isso de forma alguma. Estamos convencidos da veracidade dos fatos e nada nos fará recuar agora. Pensamos muito antes de aceitar essa causa. Tanto eu quanto Rubinho questionamos exaustivamente. De um lado uma família da sociedade, com a qual nossas famílias mantêm as melhores relações; de outro a pessoa injustiçada, espoliada, de quem tudo foi roubado. Optamos por defender o fraco, o oprimido, e fazer justiça. Não foi para isso que nos bacharelamos e prestamos nosso juramento?

— O que você diz me assusta. Como pode ser tão inocente? Não vê que José Luís vai contratar o melhor advogado e que vocês serão massacrados por ele? Acha que dois principiantes como vocês vão poder desafiar os mestres do Direito e ganhar?

— Estamos com os fatos. Vamos ganhar porque estamos do lado da verdade!

— Vocês estão enganados. Precisamos conversar. Venha para casa com Rubinho e vamos resolver essa questão de uma vez antes que aconteça coisa pior.

— Podemos conversar quando quiser. Mas nada nos fará mudar de idéia agora. Estamos determinados. Iremos até o fim.

— Se fizer isso, não vai contar comigo! Corto sua mesada e as nossas relações. Não quero compactuar com sua decadência. Quero que fique bem claro para todos que não estou de acordo com suas atitudes. Vou ficar do lado de José Luís, doa a quem doer.

— É um direito seu. Posso compreender sua atitude, entretanto eu esperava que você, sempre se colocando como um defensor do povo, dos pobres e dos oprimidos, ficasse do nosso lado. Entretanto você prefere o outro lado. Espero que nunca venha a se arrepender dessa atitude.

Antônio irritou-se:

— Pare com esse pieguismo barato! Não admito que fale dessa forma comigo e que me desobedeça. Você vai acabar com essa história o quanto antes!

— E se eu não quiser?

— Não mais o terei como filho.

— Sinto muito, papai, que pense assim. Hoje à noite passarei em casa para apanhar minhas coisas.

— Pensou bem no que está fazendo?

— Pensei.

— Pois continue pensando até a noite. Ainda pode mudar de idéia. Estarei esperando.

— Está bem, papai.

Ele desligou e Rubinho considerou:

— A carga já começou. Pelo jeito vamos ter que nos mudar mesmo. Meu pai vai tomar a mesma atitude.

— Já esperava que ele fosse reagir dessa forma. Ele não entende nossa postura. Sempre cuidou muito das aparências, preocupa-se em conquistar a amizade das pessoas influentes e poderosas. Se eu não desistir, vai cortar a mesada e as relações comigo.

— O que vai fazer?

— Se ele continuar fazendo essas exigências, hoje à noite vou apanhar todas as minhas coisas e me mudar para um hotel. Amanhã procurarei um pequeno apartamento para alugar.

— Algo está me dizendo que terei que fazer o mesmo. Meu pai também não vai acreditar que possamos vencer essa parada.

— Ele ainda não ligou.

— Vai esperar eu chegar em casa para conversar pessoalmente. Sei como ele age. Vai tentar convencer-me a desistir. Como não vou fazer o que ele quer, vai pressionar da mesma forma que seu pai e terei que sair de casa também.

— Seja como for, estamos jogando tudo e não podemos desistir de forma alguma.

— Isso. A razão e a verdade estão de nosso lado. Vai dar tudo certo.

Antônio desligou o telefone nervoso.

— É verdade mesmo? — perguntou Maria Alice preocupada.

— É. Ele está cego. Imagine você que quer enfrentar José Luís na justiça! Vão fazer picadinho deles, dois ingênuos e inexperientes moleques. O pior é que ele me enfrentou. Chegou até a questionar minha plataforma política, cobrando atitudes de campanha. Imagine você como ele está desorientado! Ah, mas eu não deixei por menos. Hoje à noite ele terá que desistir dessa loucura.

— E se ele não quiser?

— Acha que terá como me enfrentar? Corto a mesada, ponho-o na rua por alguns dias e logo verá que toda sua arrogância desaparece. Vai fazer tudo que eu quiser!

Maria Alice olhou-o e não escondeu a preocupação. Sabia que Daniel era dócil e fácil de levar, mas que, quando queria uma coisa, ninguém conseguia demovê-lo.

— Daniel é impulsivo. Sua política está sendo muito radical. Com jeito poderia conseguir mais dele.

— Tive muita paciência. Aliás foi você quem me convenceu a esperar quando ele começou com essa idéia maluca junto com aquele descabeçado do Rubinho. Se eu tivesse tomado uma atitude drástica logo no início, as coisas não teriam chegado a este ponto. Sinto muito, Maria Alice, mas desta vez vou fazer do meu jeito. Ele terá que me obedecer.

— Ele já é um homem. Não é mais um menino que você pode mandar e ele terá que obedecer.

— Sou seu pai. Terá que me ouvir. Estou resolvido. Se ele não quiser desistir dessa idéia maluca de processar José Luís com essa história inventada por algum malandro, vou esquecer que ele é meu filho.

— Você não fará isso!

— Farei, sim. E você não vai impedir-me.

Lanira na outra sala ouvia com interesse. Sabia que isso teria que acontecer, esperava que seu pai reagisse dessa forma e torcia para que Daniel se mantivesse firme. Apesar disso, pensava em Gabriel e sentia um aperto no coração. Como ele reagiria a essa história? Apegado à família, apaixonado pela mãe, cortaria as relações com ela?

Durante aqueles meses Lanira aprendera a admirar Gabriel. Gostava dele. Esforçava-se para não misturar as coisas. Acreditava que Alberto estivesse falando a verdade e que Daniel e Rubinho estavam certos em defendê-lo, mas não queria magoar Gabriel. Se ficasse provada a culpa de José Luís, seu nome ficaria manchado e essa situação certamente atingiria toda a família. Lanira ficava dividida. De um lado queria que Daniel vencesse; de outro não queria que Gabriel sofresse. Teve vontade de telefonar para ele, porém conteve-se. Melhor fingir que não sabia de nada e esperar que ele ligasse.

Passava das oito quando Daniel chegou em casa. Maria Alice, preocupada, tentou conversar:

— Meu filho! Seu pai está arrasado. Pense bem no que está fazendo!

— Já pensei, mamãe. Minha decisão está tomada. Não voltarei atrás. Sinto muito se vocês não compreendem minha posição. Sou um profissional. Aceitei a causa e terei que ir até o fim.

— Logo contra nossos amigos? E se estiver enganado? E se, como seu pai pensa, estiver sendo vítima de um malandro? Vai nos expor ao ridículo e acabar com sua carreira. Por que se arriscar em uma causa tão difícil sem estar preparado suficientemente?

— Não se preocupe, mãe. Sei o que estou fazendo. Já pensei bastante. Tenho consciência do que está em jogo. Tenho provas suficientes para ganhar essa causa. Pode ter certeza disso.

— Mas eles são pessoas de nossa amizade! Seu pai deve favores ao Dr. José Luís. Como ficaremos diante dele?

— Sinto muito colocá-los nessa situação, porém dentro da profissão não podemos ser pessoais. Há um cliente espoliado, que confia em nós e com o qual assumimos compromisso de defendê-lo na justiça e o faremos da melhor forma.

Antes que Maria Alice respondesse, Antônio, que entrara na sala sem ser notado, interveio:

— Você não vai fazer isso. Não permitirei.

Daniel voltou-se para ele:

— Gostaria que se interessasse pelo caso, esquecesse que se trata de pessoa conhecida, compreendesse minha posição. Marcelo foi roubado, privado do convívio da família, tido como morto. Nada mais justo que deseje reaver o que lhe pertence por direito.

— Você fala como se essa história fosse verdadeira! Está cego! O que lhe disseram para acreditar nisso? Não posso permitir que continue nessa farsa. José Luís é um homem íntegro, respeitado; sua esposa, uma dama caridosa e estimada na melhor sociedade do Rio de Janeiro. Onde pensa que vai com essa calúnia? Acha que alguém lhe dará ouvidos? Não percebe a loucura que está cometendo? Não vê que vai acabar no ridículo e na repulsa de todos os nossos amigos?

— Estou decidido, pai. Nada do que disser vai me demover de levar este caso à frente. Tenho certeza do que estou afirmando e não vou desistir até provar tudo na justiça. Eu e Rubinho consideramos minuciosamente todos os riscos. Temos consciência do poder do Dr. José Luís, de seu dinheiro e de sua fama. Resolvemos aceitar essa parada e ir em frente. Nada nos fará mudar de idéia.

Antônio irritou-se:

— Está me enfrentando? Eu ordeno que pare com isso. Amanhã mesmo você vai encerrar o caso.

— É inútil, papai. Não faremos isso.

Antônio indignou-se:

— Está me forçando a tomar uma atitude que eu não queria.

— Já sei, papai. Quer que eu saia desta casa.

— Se não me obedecer, não o reconheço mais como filho. Não o quero mais em minha casa.

— Lamento que pense assim. Vou lá em cima arrumar minhas coisas.

Pálida, Maria Alice interveio:

— Seu pai não quis dizer isso. Está nervoso. Você o desacatou. Vá para o quarto, pense melhor. Amanhã voltaremos ao assunto.

Daniel foi para o quarto, apanhou uma mala, colocou-a sobre a cama e começou a juntar todas as suas coisas. Sentia-se emocionado, nervoso. Pensara nessa possibilidade. Porém, agora que estava realmente acontecendo, sentia-se angustiado.

Apesar disso, reconhecia que seu pai não tinha o direito de decidir o que ele deveria ou não fazer em sua vida profissional. Era sua carreira que estava em jogo. Eram seus princípios, sua dignidade. Ele queria cuidar da própria vida; se errasse, assumiria as conseqüências. Desejava ser o dono de seu destino. Não queria ser como o pai, levar uma vida de aparência, escravo das conveniências, fechando os olhos e aferindo vantagens com a desonestidade alheia. Ele queria construir sua própria vida, do seu jeito.

Lanira bateu na porta levemente e entrou. Vendo-o fazer as malas, abraçou-o emocionada:

— Você vai mesmo! Já pensou bem?

— Já, Lanira.

— Sentirei sua falta!

— Nós nos veremos sempre. Nada vai mudar entre nós.

— As coisas deveriam ser diferentes. Acho que papai poderia ser mais compreensivo.

— Ele é como é. Temos que aceitar essa verdade.

— Sinto muito. Por que não deixa para ir amanhã? Pode ser que ele mude de idéia.

— Não espere dele o que ainda não pode dar. Sei cuidar de mim, não se preocupe.

— Para onde vai?

— Um hotel. Amanhã procurarei apartamento para alugar.

— E Rubinho?

— Talvez faça o mesmo.

Lanira ajudou Daniel a arrumar tudo. Quando terminaram, ele a abraçou com carinho.

— Adeus, Lanira. Assim que tiver o endereço, telefono.

Abraçaram-se e ela o ajudou com as malas. Desceram as escadas e Maria Alice deixou o marido na sala e aproximou-se aflita:

— Meu filho! Você não pode ir embora!

— Não se preocupe, mãe. Estarei bem.

— Pense melhor! Não se precipite.

Daniel abraçou-a com carinho, dizendo:

— Adeus, mãe. Assim que estiver instalado, mando o endereço.

— Vá falar com seu pai antes de ir. Tente demovê-lo!

— Não vou fazer isso. Ele foi muito claro.

— Vai sair sem lhe dizer nada?

Daniel hesitou, depois foi até a sala onde Antônio lia um jornal e, dirigindo-se a ele, disse:

— Adeus, pai. Embora não me reconheça mais como filho, eu ainda o reconheço como pai. Quando voltar atrás dessa decisão, estarei esperando com o carinho de sempre.

Antônio não respondeu. Por seus olhos passou um brilho de emoção. Sentiu vontade de abraçar o filho e impedi-lo de sair. Mas dominou-se. Ele precisava impor-se como pai. Não podia fraquejar. Embora com o coração apertado e o peito oprimido, não disse nada enquanto Daniel saía da sala e apanhando as malas deixava a casa paterna.

Vendo seu carro afastar-se, Maria Alice, esforçando-se para dominar a emoção, procurou Antônio dizendo:

— Por que o deixou ir? Por que não o impediu de fazer essa loucura?

— Foi ele quem escolheu. Não posso tolerar em casa um filho que me enfrenta, que não acata minhas ordens. Tenho dignidade. Não posso permitir que ele abuse de minha autoridade.

— Não precisava ser tão radical! Poderia ter esperado um pouco. Pode ser que eles reconheçam o erro e mudem de idéia.

— Daniel é teimoso. Vai quebrar a cara e voltar com o rabo entre as pernas. Você vai ver! É só questão de tempo!

— Ele não vai voltar. Não depois do que você lhe disse.

— Bobagem. A vida lá fora não é esse mar de rosas que ele tinha aqui. Em sociedade temos visto inúmeros casos como esse. Eles sempre voltam para casa quando o dinheiro acaba. Daniel não está acostumado a ficar na miséria.

— Meu Deus! O que será dele sem dinheiro? O que dirão nossos amigos?

— Dirão que estamos dando-lhe uma lição. Quando a ilusão acabar, ele voltará e fará tudo quanto eu disser. Você verá.

Lanira, no quarto, sentia-se triste. Gabriel não lhe telefonara como havia prometido. E se ele não a procurasse mais? Sentiu um aperto no coração. Sobressaltou-se. Estaria apaixonando-se por ele? Claro que não. Ela não queria amar ninguém e acabar se transformando em uma dona de casa, com filhos, cheia de obrigações. Não. Ela gostava de Gabriel, mas não era amor. Apenas uma boa companhia.

E se ele cortasse relações com ela? Bem, se ele agisse assim não seria digno de sua amizade. Ela não era Daniel e ele deveria saber separar as coisas. O que faria se ele tocasse no assunto? Não seria hipócrita. Diria a verdade. Contaria que Daniel acreditava mesmo que Alberto fosse Marcelo.

Sentiu-se mais calma depois de tomar essa decisão. Não se sentia culpada de nada. Não tinha por que temer. Esperaria os acontecimentos serenamente.

Deitado na cama do hotel, Daniel pensava na decisão que fora forçado a tomar. Não achou oportuno ligar para Rubinho. Preferiu conversar na manhã seguinte no escritório.

Deixar a casa paterna não fora tão fácil como havia pensado. A emoção que a mãe tentava conter, a tristeza de Lanira, a dureza do pai e principalmente as lembranças da infância e da adolescência que lhe vieram à mente enquanto fazia as malas fizeram brotar em seu peito um sentimento de perda, uma sensação de insegurança. Entretanto, depois que colocou as malas no carro e saiu à procura do hotel, começou a sentir uma força interior como antes nunca havia sentido. Um calor no peito, uma agradável sensação de liberdade, de confiança no futuro, que lhe devolveram o otimismo, causando extremo bem-estar.

— Amanhã é outro dia — pensou. — Daqui para a frente, só farei as coisas do meu jeito.

No dia seguinte Daniel foi para o escritório bem cedo. Agora mais do que nunca precisava estudar o caso para que nenhum detalhe fosse negligenciado. Às dez horas Alberto daria uma entrevista a alguns repórteres, conforme o combinado.

Antes das oito, quando Rubinho chegou, já encontrou Daniel estudando o caso.

— E então, como foi? — indagou ansioso.

— Como eu previa, tive que me mudar. Ontem mesmo fui para um hotel.

Rubinho sentou-se, ficou alguns segundos pensativo, depois disse:

— É o diabo.

— Conhecendo meu pai, era de se prever.

— Não tentou convencê-lo?

— De que forma? Ele não acredita na veracidade dessa história nem em nossa capacidade para enfrentar na justiça o poder dos Camargo. Exigiu que retirássemos a queixa. Como recusei, apontou-me o caminho da rua.

— Deve ter sido duro para você.

— Eu sabia que poderia acontecer, mas, na hora que aconteceu, não nego que fiquei apreensivo, nervoso, triste. Mamãe, apesar de durona, estava pálida, angustiada; Lanira, triste. Apesar de nossas diferenças de pontos de vista, não nego que tive uma vida muito boa em família. Saí com o coração apertado. Entretanto, depois que me afastei, uma gostosa sensação de liberdade, de auto-suficiência tomou conta de mim. Senti-me mais forte, encorajado, disposto.

— Vamos ver como será comigo.

— Você também?

— Meu pai pensa igualzinho ao seu, mas tem outros métodos de persuasão. Não impõe. Quando cheguei, chamou-me para conversar. Não criticou nossa atitude. Ele gosta do tom amigável. Aconselha. Quis ouvir toda a história.

— Ele é mais tolerante.

— Está enfurecido, mas finge que compreende. Fez força para controlar-se. No fim, disse que tem um amigo que lhe ofereceu sociedade em uma empresa de consultoria jurídica. Um negócio de muito dinheiro. Ele não pode aparecer como sócio, mas queria que eu aceitasse. Eu ficaria milionário, travaria relações com pessoas de alto nível. Mas teria que abandonar nossa causa para dedicar-me inteiramente ao novo negócio.

— É uma oferta tentadora.

— Se eu estivesse apenas visando dinheiro. Meu pai tentou me corromper. Acha que eu aceitaria? Sempre fui contra os conchavos em que ele está sempre metido e nos quais ganhou sua fortuna. Recusei e ele ficou vermelho de raiva. Mas dissimulou. Deu-me dois dias para pensar.

— O que pensa fazer?

— Pelo que conheço dele, vamos procurar um apartamento hoje mesmo. No começo não temos muito dinheiro e vamos dividir as despesas conforme combinamos.

— Acha que vai precisar fazer isso?

— Acho. Assim que ele tiver certeza de que não vai poder me comprar com essa sociedade, cortará minha mesada, minha mãe terá crises do coração, meu irmão André tentará intervir e me "colocar na linha". O único que vai me apoiar será Betinho. É o mais mimado, mas adora contrariar o resto da família. Minha vida se tornará um inferno e não terei serenidade para trabalhar. Por isso, antes que tudo piore, resolvi me mudar o quanto antes.

— Eu comprei o jornal para procurar. Pretendia fazer isso depois da entrevista de Alberto.

— Vamos alugar um com dois quartos. Não deve ser muito caro.

— Podemos encontrar um mobiliado.

— Desde que o preço nos convenha.

Eram nove horas quando Alberto chegou. Juntos eles combinaram os detalhes da entrevista. Quinze minutos antes da hora marcada, já os repórteres esperavam. Elza os fez entrar na sala de Rubinho, onde Alberto estava ao lado dos dois advogados. Quando eles se acomodaram, Rubinho apresentou Alberto dizendo:

— Este é Marcelo, o neto do Dr. Antônio Camargo de Melo.

Eles o olharam com curiosidade.

— O que querem saber? — perguntou Daniel.

— A história toda desde o começo — disse um deles.

Alberto começou a falar. Contou a mesma história que inicialmente contara a seus advogados, omitindo as investigações que estavam procedendo e as provas que estavam juntando.

Eles fizeram várias perguntas, tiraram fotos, pediram para repetir alguns trechos e saíram impressionados com o que ouviram.

— Será destaque de primeira página — comentou Daniel.

— Eles estavam muito interessados! É uma matéria e tanto, bem a gosto popular. Um escândalo em sociedade é um prato cheio! Vai render comentários por um bom tempo.

— Só espero que não atrapalhem as investigações — comentou Alberto. — O que me interessa mesmo é reaver o que me pertence por direito. Eles se aproveitaram de mim quando eu era pequeno e não tinha como me defender. Agora estou aqui para cobrar. Eles terão que devolver tudo.

— Vamos ganhar! — disse Rubinho.

— Temos que ganhar! — completou Daniel.

Capítulo 9

Na sala de espera do consultório de Júlio, Daniel e Rubinho esperavam. Estava escurecendo e eles haviam combinado sair para jantar. Rubinho pretendia conversar com ele sobre os sonhos de Daniel.

A porta do consultório se abriu e o último cliente saiu acompanhado de Júlio, que, vendo-os, abraçou-os com prazer.

— Desculpe a demora — disse depois dos cumprimentos.

— Atender bem o cliente é sempre o mais importante — considerou Rubinho.

— Tem razão. Vamos entrar um pouco. É a primeira vez que Daniel vem aqui. Gostaria de mostrar-lhe o consultório.

Eles entraram na sala em que Júlio atendia. O ambiente era moderno, alegre, com leve aroma de um anti-séptico que Daniel conhecia sem saber o nome. Havia rosas brancas em um vaso de cristal sobre um aparador elegante e confortáveis poltronas ao redor da escrivaninha.

— Na sala ao lado procedo aos exames de rotina. Sentem-se. Ainda é cedo para jantar, não acham?

— É — concordou Daniel.

— Desejam ir a algum lugar antes? — indagou Júlio atencioso.

— Preferimos conversar. Aliás, eu telefonei porque Daniel anda tendo alguns sonhos intrigantes. Como estudioso dos assuntos espirituais, talvez você possa nos ajudar a entender o que está acontecendo.

— Foram alguns pesadelos. Impressionaram-me bastante. Minha vida mudou muito. Pode ser que eu tenha ficado preocupado.

— Conte-me o que aconteceu — disse Júlio com naturalidade.

Daniel contou todos os sonhos que tivera e a emoção que sentira. Júlio ouviu atentamente. Quando ele terminou, disse:

— Você está tendo reminiscências de vidas passadas.

— Eu não disse que era isso? — disse Rubinho satisfeito.

— Sim, você disse, mas eu não sei... Parece-me uma hipótese tão inusitada!

— Talvez porque você não conheça o assunto. Esses fenômenos são mais comuns do que você poderia supor. Muitas pessoas têm tido essas experiências.

— Confesso que nunca me detive para pensar em reencarnação. Essa hipótese parece-me tão fantasiosa!

— Por quê? Nunca questionou por que em um universo tão perfeito como o nosso, onde tudo se equilibra, mantendo a vida com precisão tanto no micro como no macrocosmos, há tantas diferenças físicas, sociais entre os homens como as que existem no mundo? Se Deus é perfeito e só age no bem, como entender essa aparente disparidade?

— Longe de mim questionar a perfeição de Deus — disse Daniel. — Mas é difícil conciliar a bondade de Deus com as injustiças e os sofrimentos no mundo.

— Se você pensar que só vive uma vida na Terra, fica impossível compreender mesmo — esclareceu Júlio. — Entretanto, se aceitar que o mesmo espírito volta várias vezes a renascer na Terra para aprender a controlar a mente e desenvolver a consciência, arcando com os resultados de suas atitudes ao longo do tempo, perceberá que tudo está certo. Que cada um nasce dentro da experiência que precisa para desenvolver seus potenciais de espírito eterno.

— É uma filosofia interessante! — tornou Daniel interessado.

— Não é apenas uma filosofia. É uma realidade. Muitas pessoas passaram por experiências concludentes. É possível, através da hipnose, fazer regressão e recordar fatos vivenciados em vidas passadas. Há cientistas estudando o assunto e chegando a provas inquestionáveis.

— Gostaria de ler essas pesquisas — interessou-se Daniel.

— Posso emprestar-lhe alguns livros. Há um em especial que me impressionou. Chama-se *O Caso de Bridey Murphy*. Foi escrito por um corretor de imóveis que após algumas experiências de hipnotismo conseguiu que uma amiga sua voltasse à encarnação anterior, prestasse valiosas informações que depois foram pesquisadas e confirmadas.

— Como assim? — indagou Rubinho.

— Ela deu o nome, o endereço de onde viveu na encarnação anterior, o nome do marido, etc. Fizeram pesquisas e encontraram nos cartórios todos os documentos. Aquela pessoa havia existido e as informações estavam certas.

— Que coisa extraordinária! — comentou Daniel. — Gostaria de ler esse livro.

— Posso emprestá-lo.

— Será que esse escritor não estava tão fanatizado com a reencarnação que acabou impressionando a moça? — considerou Rubinho.

— De forma alguma. Ele não acreditava em reencarnação quando começou suas experiências com hipnotismo. Quando a amiga que ele hipnotizava em suas pesquisas falou em reencarnação, ele ficou tão chocado que abandonou a hipnose por mais de um ano, voltando às pesquisas pressionado por alguns fatos de sua vida.

— Interessante! — comentou Daniel. — Se meus sonhos têm a ver com alguma vida passada, como poderei saber?

— Você tem tido reminiscências espontâneas. Pode ser que continuem. Por alguma razão você entrou em um processo que está mexendo com problemas de seu passado e precisa se recordar de alguns fatos. Mas podemos também tentar a hipnose e induzir a fim de que descubra alguma coisa mais.

— Não é um processo perigoso? — indagou Daniel.

— Não, desde que seja utilizado por pessoa capacitada. Se quiser tentar, poderemos fazer alguns testes.

— Você sabe como?

— Há anos estudo o hipnotismo e tenho aplicado em alguns pacientes. É uma experiência fascinante.

— Gostaria de me informar melhor antes de tentar qualquer coisa — tornou Daniel. — Se me emprestar esse livro a que se referiu, lerei com prazer.

— Eu também vou ler — interveio Rubinho. — Vai ser bom desviar um pouco a atenção de nossos problemas.

— Pelo que li nos jornais e tenho ouvido dos amigos, vocês mexeram em um vespeiro. Em todos os lugares que vou não se fala em outra coisa.

— O povo gosta do escândalo — respondeu Rubinho. — Infelizmente não pudemos evitar isso. As pessoas envolvidas são muito conhecidas.

— Além do que muito respeitadas em sociedade. Meus pais duvidaram da história que leram nos jornais.

— Os meus também — concordou Daniel. — Entretanto as provas que possuímos são irrefutáveis. Eles não só mentiram, substituíram o corpo de Marcelo pelo de um menino que havia morrido naquele dia e ficado com o rosto irreconhecível, como levaram-no para a Inglaterra, de onde ele nunca deveria voltar.

— É uma história de arrepiar. Principalmente por saber que toda a família morreu em menos de dois ou três anos depois do acontecimento — completou Rubinho.

Júlio sacudiu a cabeça pensativo:

— Pode ter sido coincidência, mas esse fato dá o que pensar!

— Por enquanto estamos investigando a fraude, mas também estamos inclinados a crer que os fatos podem ter sido piores. Afinal, a morte de toda a família favoreceu a posse da herança que o Dr. José Luís tanto queria — disse Rubinho.

— Não nego que vocês são corajosos. Diante dos fatos, poucos teriam peito para enfrentar os Camargo de Melo na justiça, levando-se em conta que eles são muito considerados e possuem amigos até entre a alta magistratura do país.

— Por causa disso meus pais acham que vamos ser massacrados — tornou Daniel. — Mas nós acreditamos na justiça. Diante das provas, nenhum juiz deixará de reconhecer Marcelo como o verdadeiro herdeiro de tudo.

— Vocês devem estar bem calçados para enfrentar essa briga.

— Além das provas que Marcelo tem, estamos investigando e já descobrimos novas evidências. Daniel esteve a ponto de recusar a causa, e só não o fez por causa daquele detalhe do sonho.

— É verdade. Você sonhou com seu cliente antes de conhecê-lo. Depois que precisava aceitar essa causa. Não foi isso? — lembrou Júlio.

— Foi.

— Está claro que você, além de recordar fatos de outras vidas, recebeu ajuda espiritual.

— Como assim?

— Antes de nascer neste mundo nós estávamos vivendo em outra dimensão e é para lá que voltaremos quando nosso corpo de carne morrer. Embora nossas lembranças desse mundo tenham sido apagadas para facilitar nossa vida na Terra, temos muitos amigos em nossa pátria de origem e todas as noites, enquanto nosso corpo dorme, podemos ir até lá, conversar com eles.

— Foi isso que aconteceu comigo?

— Foi. Essa pessoa que o aconselhou a aceitar a causa deve conhecer os fatos de suas vidas passadas que se relacionam com Marcelo. Eu acredito que defendê-lo, refazer passados enganos, deve ter sido uma aspiração de seu espírito quando estava no astral, antes de reencarnar. Por isso ele procurou avivar sua memória para que não perdesse a chance de fazer o que você queria.

— Então terei mesmo tido outra vida e conhecido Alberto, isto é, Marcelo?

— Quanto a isso não tenho dúvida. Como poderia ter sonhado com ele antes mesmo de conhecê-lo? Juntar vocês dois, ou talvez até os três, já que Rubinho também está envolvido no caso, parece-me coisa do destino, da vida, que tudo sabe e age pelo melhor. Ela juntou vocês porque está na hora de resolver os assuntos não resolvidos no passado.

— De que forma? — indagou Rubinho interessado.

— Não sei. Mas, com certeza, aceitando essa causa estão no caminho certo. Algo me diz que essa história é mesmo verdadeira e que vocês precisavam fazer o que estão fazendo.

— Eu senti isso desde o primeiro dia — concordou Rubinho.

— Eu também, apesar de um vago receio não sei bem do quê, que me incomoda quando olho para Alberto.

— Nesse processo vocês precisam do bom senso. Sabem como proceder com ética e principalmente você, Daniel, que eu sinto estar mais envolvido nesta história, não pode se deixar levar pelas emoções do passado que forçosamente vão emergir dentro de você. Precisa ponderar suas atitudes e não se impressionar. Seja o que for que aconteceu entre vocês, já passou. Acabou. Se agora a vida reuniu-os, foi porque existe a chance de conviverem de uma forma melhor.

— O que me assusta são as emoções que não posso explicar — ponderou Daniel. — Nunca fui de me impressionar com pessoas. Com ele é diferente.

— Reencontrá-lo acionou os mecanismos de suas vidas passadas e por isso o impressionou tanto. Por seu sonho dá para perceber que o encontro de vocês foi programado mesmo antes de sua reencarnação, o que faz crer que será muito bom para todos essa convivência.

— Por quê? E se ele trouxer desgraça? Eu nunca havia me sentido assim antes.

— Você está assustado, revivendo intimamente emoções fortes de outras vidas. Não precisa temer. Como eu disse, o passado acabou. Seja o que for que aconteceu naqueles tempos, não vai voltar mais. Vocês mudaram, o tempo passou, o mundo mudou. A vida só trabalha pelo melhor, só faz o que é bom para todos os envolvidos. Se ela juntou vocês, tudo pode dar certo. Ela não joga para perder.

— Se perdermos essa causa, estamos liquidados profissionalmente — considerou Rubinho.

— Seja o que for que acontecer, vocês estarão ganhando. Pelo menos vão aprender muito.

— Não tenho medo de perder — disse Daniel. — Temos que ganhar, mas, se não der, perder uma causa não significa perder a vida. Afinal a experiência tem seu preço.

— Assim é que se fala! — considerou Júlio. — Desejo sinceramente que vocês ganhem. Não tenho nada contra o Dr. José Luís. Mas a causa de um menino espoliado sempre mexe com nossos valores de justiça. Depois, como estudioso da reencarnação, sinto que será muito interessante poder acompanhar esse caso e descobrir o que se esconde atrás dos acontecimentos de hoje. Para mim, toda esta história teve início em vidas passadas.

— Você fala com tanta certeza! — disse Daniel.

— Para mim não há mais dúvida. A reencarnação, a existência de outros mundos de onde viemos e para onde vamos depois da morte do corpo é a única forma de explicar os fenômenos e os problemas que observamos à nossa volta. Quanto mais estudo, observo, penso, mais sinto que não poderia ser diferente. Além disso, há pessoas que se recordam claramente de fatos vivenciados em outras vidas. Elas aparecem em todas as culturas, entre pessoas de crenças e religiões diferentes, e as características são as mesmas.

— Não deixa de ser intrigante — comentou Daniel.

— Você poderia tentar descobrir o que aconteceu em outras vidas fazendo uma regressão — sugeriu Rubinho. — Seria uma forma de testar essa possibilidade.

— Não estou ainda preparado para uma experiência dessas — respondeu Daniel

— Do que tem medo? Se fosse comigo, faria logo e pronto. Estou curioso — disse Rubinho.

— Por que não tenta você? Afinal, também faz parte do mesmo processo. Não foi o que Júlio disse?

— Porque é você quem está tendo sonhos estranhos e sensações diferentes. Eu não estou sentindo nada.

— De fato, Daniel está mais sensível e talvez fosse mais indicado começar por ele. Mas você também pode tentar. Em uma regressão, nunca se sabe o que pode acontecer — disse Júlio.

— Vou pensar nisso — respondeu Rubinho.

Continuaram conversando mais alguns minutos e depois, ainda comentando o assunto, saíram para jantar.

Sentada em sua cama, Lanira olhava para o telefone pensativa. Sentia vontade de ligar para Gabriel, mas tinha receio. Fazia mais de vinte dias que ele não lhe telefonava, e ela sabia que ele se afastara desde que Daniel abrira a ação contra seus pais.

Ela preferia que ele a houvesse procurado ainda que fosse para criticar seu irmão, ou para manifestar sua contrariedade. Mas ele simplesmente desaparecera. Ela gostaria muito de ter se posicionado com ele sobre o assunto e conhecido também seus sentimentos.

Claro que seu desaparecimento indicava o quanto ele se magoara com o processo, incluindo-a indiretamente. E era isso que ela não queria aceitar. Não era justo que ele a incluísse sem lhe dar nenhuma chance de posicionar-se.

Decidida, apanhou o telefone e discou. Uma voz de mulher atendeu e ela pediu:

— Quero falar com Gabriel.

— Ele não está. Quem está falando?

— Uma amiga dele da faculdade — mentiu ela. — A que horas ele volta?

— Ele está viajando. Tirou férias e viajou. Não sabemos quando ele regressará.

— Poderia dar-me o endereço para que eu possa escrever-lhe?

— Ele não tem lugar fixo.

— Obrigada.

Lanira desligou preocupada. Aquela não era época de férias. Gabriel teria deixado a faculdade? Remexeu-se na cama inquieta. Teria a situação se tornado tão insustentável que ele se ausentara?

À noite, depois do jantar, ao invés de recolher-se como de hábito, Lanira apanhou uma revista e afundou em uma poltrona na sala de estar. Sempre que desejava saber alguma coisa, ela fingia ler e procurava ouvir o que seus pais conversavam.

Eles tinham o hábito de se sentar na sala após o jantar e conversar. Nunca se davam conta de que ela estava por perto e falavam sem reservas. Ela fingia ler e não perdia nada do que eles diziam.

Após falarem sobre política, Maria Alice comentou:

— Angelina me ligou chorando. Rubinho também saiu de casa. Ernesto fez de tudo para que ele desistisse da malfadada ação. Mas ele não quis.

— Então Ernesto mandou-o embora de casa.

— Isso mesmo. Ela chorava, mas ele não voltou atrás.

— Até que ele foi muito tolerante. Eu resolvi logo a questão. Soube que José Luís não vai comparecer à audiência e mandou o Dr. Loureiro. Já pensou? Um dos melhores e mais respeitados advogados do país. Aliás, quando José Luís procurou-me indignado, me posicionei bem claro. Dei-lhe todo o apoio. Inclusive disse-lhe que havia expulsado Daniel e não o considerava mais como filho.

— Pelo menos para isso valeu sua atitude.

— Mostrei-me ferido, triste. Infelizmente eu nada posso fazer para impedir essa barbaridade. Daniel é maior de idade. José Luís garantiu que Daniel está se deixando levar por um impostor, que naquela ocasião ele mesmo viu o corpo de Marcelo e o examinou. Não há nenhuma hipótese de o menino ter sobrevivido ao acidente. Conforme eu pensava, Daniel está sendo enganado grosseiramente e não percebe isso.

— Não haveria um jeito de fazê-lo entender?

— Bem que eu tentei. Mas ele está obstinado. Quero ver o que fará quando perder a ação e ficar desmoralizado.

— Não posso entender. Como ele, sempre tão ponderado, foi entrar em uma coisa dessas?

— Para você ver. Estamos vivendo em um tempo terrível. Os filhos hoje não ouvem mais os pais.

— O que mais José Luís disse?

— Bom, ele estava indignado. Era de se esperar. Qualquer um teria tido essa reação se estivesse em seu lugar.

— Apesar disso, eles continuam freqüentando a sociedade como se nada estivesse acontecendo. Ainda ontem estavam na festa de quinze anos da filha do Dr. Hortênsio.

— Por que deveriam agir diferente? Eles estão sendo vítimas, não têm por que se afastar. Ao contrário, as pessoas estão demonstrando-lhes sua solidariedade.

— Na frente deles. Mas eu vi: quando eles viravam as costas, as pessoas faziam comentários em voz baixa. Sabe de uma coisa? Eu acho até que muitos gostariam que fosse verdade só para vê-los humilhados.

— Que bobagem. Eles são estimados, ricos.

— Por isso mesmo. Os invejosos e os medíocres gostam de ver cair os que estão por cima.

— Infelizmente você tem razão. Sinto isso até entre os correligionários de nosso partido. Há alguns que gostariam de me derrubar. Só não o fazem porque não podem. Eu sou mais esperto e mais forte do que eles.

Abaixando a voz, Maria Alice tornou:

— Você não percebeu que Gabriel se afastou de Lanira? Nunca mais saíram juntos. Teria sido por causa de Daniel?

— Com certeza. A loucura dele está prejudicando até a irmã. Aliás, entre os jovens esses assuntos impressionam mais. Eu percebi que os filhos de José Luís como que desapareceram de nossas rodas. Você os tem visto?

— Não. Gabriel não era muito assíduo, mas Laura nunca deixava de ir a uma festa. É verdade, eles não apareceram mais em público depois da malfadada ação.

— Para você ver a situação que a irresponsabilidade de Daniel criou. O pior é que ele está convencido de estar fazendo uma grande coisa. Um ato heróico de justiça!

— Concordo. Não posso permitir isso. Vou procurar Daniel e tentar demovê-lo.

— Você pode tentar. Mas não creio que ele atenda.

— Amanhã à tarde irei procurá-lo.

Mudaram de assunto. Lanira deu-se por satisfeita e foi para o quarto. Ela precisava falar com Daniel, saber como as coisas estavam caminhando.

Daniel chegou em casa cansado. Passara a tarde toda com Rubinho estudando. Na tarde do dia seguinte teria lugar a primeira audiência do Dr. José Luís para ouvir a queixa e prestar os primeiros esclarecimentos sobre o assunto. Nesse primeiro encontro, eles não estariam presentes. Se o juiz entendesse que as provas eram irrelevantes, era possível que indeferisse o pedido e tudo terminasse aí. Ainda o Dr. José Luís poderia processá-los por difamação e calúnia e eles teriam que pagar todas as custas, inclusive os honorários do advogado dele, que deveriam ser altos.

Apesar disso, Daniel sentia-se confiante. Quanto mais estudava o caso de Alberto, mais as provas pareciam-lhe irrecusáveis. Se o juiz não se impressionasse com o nome nem com a fortuna de José Luís e fosse imparcial, teria que pelo menos dar prosseguimento à ação a fim de que se esclarecesse melhor o assunto. Conseguido isso, eles teriam maiores chances de investigar e buscar mais provas.

Deitou-se e repassou mais uma vez todas as providências legais concernentes ao caso e, satisfeito, adormeceu.

Sonhou que estava em uma sala antiga examinando atentamente alguns papéis. Estava mais velho e de luto fechado. Sentia-se angustiado, triste. A porta abriu-se e surgiu um homem um pouco mais jovem do que ele. Inquieto, Daniel reconheceu Alberto. Um pouco diferente do que era agora, mas tinha certeza de que era ele.

Levantou-se aflito. O outro aproximou-se fitando-o rancoroso.

— Vim para lhe dizer que você vai pagar por tudo quanto fez a ela!

— Não tem esse direito. Sabe que eu a amava mais do que tudo no mundo!

— É mentira! Ela o odiava! Saiba disso. Não descansarei enquanto você não pagar por seu crime. Você a matou!

— Não seja louco!

— Você, sim. Tenho a certeza de que provocou o acidente. Estava com raiva porque era a mim que ela amava! Era a mim que ela queria! Nunca se deu conta de que ela se casou com você para obedecer aos pais e que o teria deixado se você não a tivesse obrigado a viver de seu lado. Você não a amava. Casou-se com ela por causa do dinheiro!

Daniel levantou-se e ameaçou agredi-lo. Mas parou. Fez tremendo esforço para conter-se.

— Vá embora daqui antes que eu acabe com sua vida! Não está contente com o que fez? Deseja mais?

— Vou dar queixa de você na justiça. Você a matou para herdar todo o dinheiro dela. Não vou consentir que depois de tudo fique em liberdade usufruindo da fortuna que lhe roubou! Assassino! Assassino!

Os olhos dele fitavam-no acusadores e cheios de ódio e Daniel sentiu seu coração descompassar, quis fugir.

— É um pesadelo! — pensou fazendo força para acordar. Abriu os olhos ainda ouvindo a voz de Alberto repetindo:

— Assassino! Assassino!

Acendeu a luz e sentou-se na cama. Estava banhado de suor. Levantou-se e foi à cozinha tomar um copo de água. Por que esse pesadelo teria voltado? Estaria ele tão preocupado com a audiência que provocara aquele sonho desagradável?

O pior era que tudo aquilo parecia-lhe ter acontecido realmente. Alguma coisa dentro dele sabia que aquelas cenas eram verdadeiras. Como explicar? Júlio teria razão? Teria ele vivido outras vidas em que Alberto teria participado?

Se isso fosse verdade, eles haviam sido inimigos. Por que agora ele o escolhera para defendê-lo na justiça? Como ele se sentiria ao vê-lo? Teria alguma sensação desagradável?

Se Alberto antipatizara com ele, não demonstrava. Aliás estava colocando seu futuro, todas as suas esperanças em suas mãos. Por quê? Eram perguntas que o faziam duvidar da veracidade de tudo quanto Júlio dissera. Apesar disso, não conseguia esquecer o sonho. Por mais que repetisse que isso não passava de um pesadelo criado pela tensão da audiência, a sensação de angústia reaparecia. A lembrança daquela mulher que morrera em seus braços o comovia e entristecia.

Reconheceu que fatos estranhos estavam acontecendo com ele. Iria procurar Júlio para tentar esclarecê-los. Não podia continuar sentindo-se mal desse jeito. Precisava de toda a sua calma para estudar e levar a bom termo o caso. Eles estavam jogando tudo nesse trabalho. Rubinho confiava e ele queria fazer seu melhor.

Quando Rubinho levantou-se, já o encontrou na cozinha tomando café. Haviam alugado aquele apartamento e estavam morando juntos há duas semanas.

— Você levantou cedo! Não conseguiu dormir?

— Dormi, mas tive o pesadelo de novo.

Rubinho meneou a cabeça negativamente:

— É o diabo! Bem que Júlio avisou que poderia acontecer.

Enquanto Rubinho se sentava para o café, Daniel narrou o sonho, finalizando:

— Não sei o que pensar. A presença de Alberto provoca em mim uma certa inquietação, algo desagradável que não sei explicar. Mas, segundo o que Júlio disse, ele teria sido um inimigo meu. Em meus sonhos está sempre me acusando. Eu noto que ele não sente o mesmo por mim. Nunca deixou transparecer nenhum sentimento desagradável. Ao contrário, me escolheu como seu advogado. Tudo isso não será apenas uma fantasia de minha parte?

— Por que é que você quando sonha fica com a sensação de que está acontecendo de verdade?

— É isso que me intriga. Sinto as emoções, fortes, vivas, como se tudo fosse mesmo verdade. Mas além disso, naquele momento, eu "sei" que tudo aconteceu mesmo.

— A dúvida surge quando você acorda. Aí entra seu raciocínio e, como não acredita em vidas passadas, duvida de tudo.

— Se fomos inimigos, por que ele confia em mim e não me odeia? Alguma coisa não bate nessa história.

— Se eu fosse você, procuraria Júlio e tentaria descobrir o que é. Se não levar a nada, pelo menos você pode ter certeza de que foi fantasia sua mesmo.

— É. Vou fazer isso. Vamos para o escritório? O dia hoje vai custar a passar.

— É mesmo. O melhor será falar com Alberto. Temos que estar preparados para o caso de o juiz deferir a ação e instaurar o processo.

— Jonas vai chegar hoje. Vamos ver se tem novidades.

Terminaram o café e foram juntos para o escritório. Haviam marcado com Alberto uma reunião às dez horas. Enquanto esperavam, mergulharam no trabalho.

Lenira decidiu faltar às duas últimas aulas e ir falar com Daniel. Estava preocupada. Quando entrou no prédio, um rapaz aguardava o elevador. Estava bem vestido e cumprimentou-a. A princípio Lanira não o reconheceu, mas quando entraram no elevador e ele apertou o mesmo número que ela, lembrou-se. Era Alberto.

— Desculpe — disse ela. — Não o reconheci.

Ele sorriu.

— Vimo-nos muito rapidamente naquele dia, mas não esqueci seu rosto. Como vai, Lanira?

— Bem. Vejo que guardou meu nome.

— Eu tinha certeza de voltar a vê-la! Esperava este momento com ansiedade.

Ele a fixava com admiração e Lanira sentiu-se aliviada quando chegaram ao destino. Alberto abriu a porta esperando gentilmente que ela saísse.

Ela não era tímida. Por isso olhou-o nos olhos dizendo com voz firme, em que havia uma ponta de malícia:

— Você melhorou sua aparência, veste-se melhor, na moda. Está gastando por conta da herança?

Ele riu bem-humorado, mostrando duas fileiras de dentes alvos e bem distribuídos.

— Não. Ainda não. Arranjei um emprego melhor.

Vendo-os entrar juntos na sala de espera do consultório, a secretária convidou Alberto a sentar-se enquanto Lanira dirigiu-se à sala de Daniel, que, surpreendido, abraçou-a com carinho.

— Que bom vê-la! Cabulou a aula?

— Precisava falar com você. Mamãe vai procurá-lo logo mais à tarde para fazer uma tentativa de convencê-lo a desistir.

— Terei prazer em recebê-la. Ela nunca veio aqui.

— Sua visita não será de cortesia.

— Eu sei. Mas mesmo assim será bem-vinda. Tenho esperança de que um dia ela vai me compreender.

— Esse dia está muito distante.
— Como vão as coisas lá em casa?
— Como sempre. Tudo dentro das regras e dos horários.
— Parece um pouco aborrecida.
— Entediada, talvez.
— Tem visto Gabriel?
— Ele desapareceu desde que o caso veio a público. Nunca mais me ligou. Deve estar sentido.
— Sinto muito. Você apreciava sua amizade. Mas eu avisei. A atitude dele era de se esperar.
— Você não o conhece. Ele é diferente. Eu esperava que ele conseguisse separar as coisas.
— Nunca mais o viu?
— Nunca. O Dr. José Luís e D. Maria Júlia têm freqüentado todos os lugares de sempre, ido a festas, como se nada houvesse. Mas Laura desapareceu e Gabriel também. Dizem que está viajando. Penso que largou a faculdade. Não é época de férias ainda.

Daniel passou a mão nos cabelos pensativo. Depois disse:

— É uma pena que pessoas inocentes sejam envolvidas. Você compreende que nós precisávamos fazer o que estamos fazendo.
— Claro. Você tem uma causa, e como advogado precisa atender os interesses de seu cliente. Depois, o que eles fizeram com Marcelo não se justifica de maneira alguma.
— Ainda bem que você sabe separar as coisas.
— Encontrei-me com Alberto na entrada do prédio e subimos juntos no elevador. Está mudado! Elegante, bem vestido. Nem parece o mesmo. O que faz a roupa! Parece até que aumentou de estatura.
— Ele está trabalhando em uma companhia inglesa. Conseguiu um cargo importante junto à diretoria. Foi educado em um bom colégio na Inglaterra e isso o ajudou.
— Como vai o caso? A audiência é hoje!
— É. Estamos em um momento decisivo. Vamos ver o parecer do juiz. Por isso marcamos essa reunião com Alberto. Estamos esperando Jonas também.
— Gostaria muito de acompanhar o caso.
— Pode ficar e assistir à nossa reunião.
— Não vou atrapalhar?
— Não. Vai ser até bom. Você não está tão dentro do assunto como nós e poderá nos dar opinião.

— Nesse caso, eu fico. Rubinho não vai se incomodar?

— Tenho certeza de que não. Afinal você nos ajudou desde o começo desse caso.

Rubinho entreabriu a porta e, vendo Lanira, abraçou-a com prazer. Ela lhe perguntou se poderia ficar para assistir à reunião e ele não só concordou como achou ótimo.

Assim, eles se dirigiram à sala de Rubens para repassar os fatos mais uma vez, esperar Jonas e verificar o que mais ele havia conseguido descobrir.

Capítulo 10

Jonas chegou pouco depois e encontrou-os reunidos à espera.

— E então, como vão as coisas? — indagou Rubinho logo que o viu acomodado.

— Fervendo. Marilena ouviu uma conversa de Eleutéria com João, o marido. Ela reclamou dizendo que havia conversado com Bóris. O Dr. José Luís não iria mandar o dinheiro enquanto não resolvesse o caso na justiça. Ela disse:

— "O que ele está pensando que é? Isso é desculpa. Ninguém sabe nada sobre o que aconteceu. O idiota do Alberico já morreu. Ninguém pode provar nada."

— "Tem certeza? E se esse moço for mesmo o neto do velho?"

— "Não acredito. Na ocasião o Dr. José Luís afirmou que se livraria do menino para sempre. Que ninguém nunca saberia de nada. Desconfio até que ele o matou. Por isso, esse caso não vai dar em nada."

— "Se ele apagou mesmo o menino, como esse moço poderia conhecer essa história? Será que isso foi coisa da mãe do menino morto? Ela sumiu e vocês nunca mais a viram."

— "Não creio. Que interesse ela teria nisso?"

— "Arranjar um impostor, receber a fortuna. Pode bem ser."

— "Hum!... Acho que não. Se essa história vier a público, ela irá para a cadeia. Não. Não acredito que tenha sido ela. Acho que deve ter morrido."

— "Se não foi ela, então só pode mesmo ser o verdadeiro herdeiro."

— "Isso é que não. O Dr. José Luís não seria tão ingênuo para deixar esse menino vivo depois de tudo! Mas, seja como for, se ele pensa que vou me conformar em ser posta de lado por causa do problema dele, está muito enganado. Ao contrário, agora que ele vai precisar dobrar a bolada. Se eu abrir a boca, ele perde tudo que tem. Acha que ele vai facilitar?"

— "Mas você pode ir presa como cúmplice."

— "Ele não vai deixar as coisas chegarem a tanto. Vai querer salvar a pele. Agora é hora de pedir o quanto quisermos. Ele vai pagar, você vai ver."

— Pelo jeito eles vão querer tirar partido da situação — comentou Daniel.

— Eis a prova de que eu sempre disse a verdade! — comentou Alberto emocionado.

— Isso nos dá coragem para continuar até que todos esses fatos sejam esclarecidos — respondeu Rubinho.

— Estamos lidando com gente da pior espécie. Precisamos ter cuidado — disse Daniel.

— Por que diz isso? — tornou Rubinho.

— Eles farão tudo para salvar a pele. Alberto precisa se precaver — alertou Daniel. — Eles podem tentar alguma coisa contra ele.

— Não tenho medo. Que venham. Assim poderemos esclarecer esse assunto de vez.

— Nada disso. Queremos fazer tudo dentro da lei, sem violência — contrapôs Rubinho.

— Eu também acho — tornou Daniel. — Tenho certeza de que eles nunca o atacariam pela frente. Mas nunca se sabe o que fariam pelas costas. Só falei para que Alberto fique atento. Tome cuidado. Seria bom que não facilitasse andando por ruas desertas à noite, etc.

— Daniel tem razão — considerou Jonas. — Pelo que tenho observado, eles são perigosos. Depois, tenho experiência. Para encobrir um crime, o assassino não se importa em cometer outros. Eu estive pensando: talvez possamos armar uma cilada para Eleutéria e o marido.

Todos o olharam com interesse. Rubinho indagou:

— Como?

— Com um gravador de som escondido. Seria uma boa gravar as conversas dos dois.

— Acha que Marilena saberia fazer isso? — perguntou Daniel.

— Posso ensiná-la. Tenho um amigo que sabe direitinho como fazer. Uma vez ele gravou uma conversa de um chantagista fazendo a extorsão. Foi sopa depois fazer ele confessar.

— Isso seria excelente. Pode cuidar disso. Acha que Marilena vai concordar? — indagou Rubinho.

— Vai. Ela está revoltada com o que tem ouvido. Agora está muito interessada em ajudar Alberto e a justiça.

— Nesse caso, vamos tentar. Vai ficar muito caro para montar tudo? — perguntou Daniel.

— Não. Acho que não. Meu amigo tem a aparelhagem. Pode deixar que sei como fazer isso.

— Pode ter certeza de que, quando eu receber o que me pertence, não vou me esquecer de todos que estão me ajudando agora — garantiu Alberto emocionado.

— É bom continuarmos a vigiar Bóris e Pola. Eles podem dar uma boa pista — tornou Rubinho.

— Claro. Preparo todo o material e levo para Marilena amanhã mesmo. Enquanto ela cuida das gravações, eu volto e vou vigiar Bóris.

— Seria bom que arranjasse alguém para ficar vigiando enquanto você estiver fora. Algo me diz que não devemos deixar Bóris sem vigilância — disse Rubinho.

— Eu também acho. Falarei com um amigo e faremos tudo. Qualquer novidade, eu entro em contato.

Ele se despediu e saiu. Alberto sentia-se nervoso, inquieto:

— Gostaria que esse dia acabasse logo e pudéssemos saber o resultado da audiência. O juiz despacha na hora?

— Nem sempre. Ele pode querer estudar melhor os fatos e demorar para dar o despacho — esclareceu Daniel, que também se sentia ansioso.

— Nesse caso, como vamos saber?

— Calma, Alberto — esclareceu Rubinho. — A partir de amanhã iremos todos os dias ao fórum tentar descobrir.

Ele passou a mão pelos cabelos num gesto nervoso.

— Vai ser difícil esperar.

Lanira aproximou-se dele, dizendo:

— Como não tem outro remédio, que tal tentar não se atormentar e procurar confiar na justiça?

— Diante do que tem acontecido, eu diria que seria bom confiar em Deus.

Lanira olhou Daniel admirada. Ela nunca o ouvira mencionar Deus. Ele era retraído com religião. Não se conteve:

— Por que diz isso?

— Por nada.

— Nós temos conversado com Júlio sobre espiritismo. Ultimamente temos pensado no assunto — esclareceu Rubinho.

— Não diga! Deixe mamãe saber disso!

— Você não vai dizer nada. Chega já os problemas que tenho arranjado com ela.

— Claro que não. Para dizer a verdade, sempre tive curiosidade. Tia Josefa sempre me falava que via os espíritos. Você sabia que ela faz sessões em casa com alguns amigos? Eu queria ir assistir, mas ela nunca deixou por causa da mamãe.

— Tia Josefa? Tem certeza?

— Tenho. Ela sempre conversa comigo a respeito. Ela conversa com vovô Augusto e com tia Norma. Eles contam a ela coisas que vão acontecer.

— E acontecem? — indagou Rubinho interessado.

— Ela diz que sim. Júlio nunca me disse nada sobre isso. Ele faz sessões também?

— Ele faz regressão. Através da hipnose a pessoa volta no tempo e se recorda de fatos de outras vidas — esclareceu Daniel.

— Mesmo? Puxa! Que interessante. Por que é que vocês nunca me contaram nada? — considerou Alberto.

— Não pensei que se interessasse — justificou-se Daniel.

— Eu me interesso muito por esse assunto. Na Inglaterra há grandes pesquisadores. Desde o século passado eles vêm fazendo experimentações com médiuns, com resultados maravilhosos. Quando eu morava lá, freqüentava sessões em casa de amigos muito sérios e cultos.

Os três olharam-no surpreendidos. Alberto continuou:

— Para dizer a verdade, se resolvi voltar ao Brasil, procurar reaver o que me pertence, foi inspirado por alguém que já não é mais deste mundo.

Vendo que os três o observavam com interesse, ele continuou:

— Quando eu era ainda adolescente, costumava sonhar com um senhor muito bondoso que vinha me buscar no quarto, passava o braço por minha cintura e me levava para lugares maravilhosos. Eu sentia uma sensação incrível de leveza, bem-estar, enquanto deslizávamos por lugares, como se estivéssemos voando, sobre cidades cujas luzes acesas eu podia ver lá do alto. Eu acordava com pena, sentindo que meu corpo era pesado e muitas vezes lhe dizia que gostaria de ficar lá com ele para sempre e não acordar mais. Ele, porém, não concordava e respondia: "Não é sua hora. Você tem ainda muito o que fazer no mundo".

— Sei o que quer dizer. É um sonho diferente dos outros — tornou Daniel.

— Isso mesmo. É muito diferente. Às vezes eu falava sobre isso com algum colega ou com algum professor, mas eles repetiam que era só um sonho e que eu não deveria me impressionar tanto. Quando deixei o colégio e ingressei na universidade, conheci alguns colegas que conheciam esses fenômenos e me convidaram a estudá-los com eles. Compareci às sessões que se realizavam uma vez por semana e os fatos que aconteceram comigo fizeram com que eu acreditasse na continuidade da vida após a morte e na comunicação dos espíritos.

— Você acha que quem já morreu pode vir e se comunicar conosco? — perguntou Daniel.

— Tenho certeza. Certa vez eu compareci a uma sessão e, quando começou, uma médium me disse que estava vendo um homem de meia-idade perto de mim que desejava falar comigo. Pela descrição dela, reconheci o mesmo homem com o qual eu sonhava e, emocionado, disse que estava pronto a ouvi-lo. Ele se aproximou da médium e falou comigo por intermédio dela.

— O que foi que ele disse? — indagou Lanira.

— Disse que se chamava Antônio, que me amava muito e que estava sempre comigo. Que éramos ligados por laços muito fortes do passado e que iria me ajudar. Que eu tivesse confiança e continuasse indo às sessões, que ele voltaria a falar comigo. Naquela hora, senti uma emoção incontrolável. As lágrimas caíam de meus olhos sem que eu pudesse conter. Nossos encontros se repetiram e ele me falou do passado, dizendo que estava na hora de eu voltar ao Brasil, onde eu tinha coisas importantes a realizar. Eu não queria voltar antes de me graduar, mas quando parei de receber dinheiro fui forçado a interromper os estudos. Ele insistiu que eu nada mais tinha a fazer na Inglaterra e que deveria voltar ao Brasil. Eu não queria também interromper as sessões, nas quais recebia tanta ajuda espiritual, tanto conforto. Uma vez no Brasil, como poderia conversar novamente com ele? Mas ele disse que nunca me abandonaria e eu acabei aceitando e voltando. Mesmo sem ir às sessões, tenho certeza de que ele tem cumprido a promessa. Às vezes sinto sua presença a meu lado, inspirando-me. Para ser franco, sinto que sem ele eu não teria descoberto a trama de meu passado. Agora eu sei que ele é o espírito de meu avô que sempre me amou e com o qual eu tenho grande afinidade espiritual.

Daniel ouvia calado, pensativo. Começava a pensar que seus sonhos deveriam ter algo a ver com essa situação, uma vez que eles haviam começado quando Alberto apareceu em sua vida. Não disse nada, mas pelo olhar de Rubinho percebeu que ele estava pensando a mesma coisa.

— Tenho uma idéia! Vamos falar com tia Josefa, contar-lhe tudo. Podemos ir às sessões em casa dela, tentar conversar com esse espírito. Do jeito que as coisas estão, vamos precisar muito da ajuda dele — sugeriu Lanira.

— Ele poderá nos orientar — disse Rubinho.

— Não sei se faremos bem envolvendo-nos com essas coisas — respondeu Daniel.

— Eu acho bom. Desde que voltei ao Brasil não fui procurar ajuda espiritual com os espíritos porque não queria que ninguém soubesse de meu caso antes da hora. Depois, aqui as pessoas praticam um espiritismo diferente do que eu estava acostumado. Em Londres, as sessões eram sempre de estudos, pesquisa, visando aprender alguma coisa. Aqui, cuidam mais de atender espíritos sofredores e ninguém faz pesquisa. Não era esse meu objetivo.

— Júlio é um estudioso e faz trabalho de pesquisa — informou Rubinho.

— Isso é interessante. Ajudar espíritos sofredores que incomodam pessoas, doutriná-los, é uma ajuda passageira. O bom é ensinar as pessoas a lidar com as próprias emoções, com os desafios da vida, para que se equilibrem. Desta forma se libertam para sempre das influências de espíritos sofredores. Na Inglaterra, há médiuns de cura, mas eles trabalham apenas com imposição das mãos. Não recebem nem doutrinam espíritos perturbados. Dizem que é preciso melhorar a sintonia e ligar-se com os espíritos superiores — esclareceu Alberto.

— Estou vendo que você conhece o assunto — tornou Lanira com interesse. — Tia Josefa é pessoa muito equilibrada e isso sempre me impressionou. Mamãe vive dizendo que essa história de espíritos é perigosa e leva à loucura. Nunca acreditei nisso. Dizem que a tia é médium desde criança, e, pelo que tenho observado, é a pessoa mais tranqüila e serena que já vi. Muito mais do que mamãe, papai e até que nós todos.

— É sinal de que ela se ligou com espíritos superiores e sabe o que está fazendo. A mediunidade é uma porta preciosa para a conquista da sabedoria e da paz. Mas é preciso aprender a usar — explicou Alberto. — Se vocês conseguissem combinar com ela, eu gostaria muito de ir assistir a uma sessão.

— Eu prefiro tratar do assunto com Júlio — disse Daniel.

— Vamos fazer o seguinte, hoje mesmo falarei com tia Josefa. Vocês me autorizam a contar o que se passa? — perguntou Lanira.

— Seria melhor você dizer a ela que estamos estudando a comunicação com os espíritos e gostaríamos de ir a uma sessão em sua casa — sugeriu Alberto.

— Não seria melhor contar-lhe tudo? — interveio Rubinho.

— Não. O melhor é não dizer nada e esperar pelos acontecimentos. Os espíritos falam o que precisamos ouvir. Eles sabem ler nosso pensamento, e são mais espontâneos quando o médium ignora o assunto — esclareceu Alberto.

— É verdade. Se ela ficar conhecendo toda a história com antecipação, tudo quanto os espíritos disserem a respeito vai nos parecer opinião dela — tornou Rubinho.

— Por isso é melhor não dizer nada e deixar acontecer. Sei por experiência própria que eles, quando querem, fazem coisas incríveis que acabam com todas as nossas dúvidas — disse Alberto.

— Então está combinado. Falarei com ela e depois darei a resposta — tornou Lanira.

— O que você vai lhe dizer? — perguntou Rubinho.

— Que queremos estudar o assunto. Apenas isso. Preciso contornar a situação de família. Ela sabe que mamãe não gosta e pode negar permissão.

— Tenho certeza de que você saberá convencê-la — disse Alberto olhando-a nos olhos. — Você sempre consegue o que quer!

Daniel olhou-o surpreendido. Como ele podia saber desse traço de Lanira? Concluiu que, como toda pessoa que fala pouco, Alberto era muito observador.

— Tem razão. Lanira consegue mesmo.

— Então — tornou Rubinho — contamos com você.

— Pode deixar. Sei como fazer isso.

Eles riram alegres. Lanira notou que Alberto mudava completamente a fisionomia quando sorria e seus olhos perdiam aquele brilho duro, sofrido que por vezes fazia-a desviar os olhos quando ele a fitava.

— Tenho que ir trabalhar agora. — Alberto tirou um cartão do bolso e deu-o a Lanira, dizendo: — Aqui tem meu telefone. Assim que combinar tudo, pode ligar. Estarei esperando com ansiedade. É muito importante para mim ir a essa sessão.

Lanira pegou o cartão e guardou-o na bolsa prometendo avisar assim que tivesse a data. Depois que Alberto se despediu e saiu, Rubinho não se conteve:

— Daniel, aqui tem o dedo de Deus. Não é possível! Quem poderia imaginar que Alberto estivesse tão ligado aos espíritos? Você pensou o que eu pensei?

— Claro. Tudo começou um dia antes de meu contato com Alberto. Começo a achar coincidência demais. É perturbador.

— O que está acontecendo que eu não sei? — perguntou Lanira.

Rubinho olhou para Daniel:

— Coisas de seu irmão.

— O que é?

— Você agora não vai me dar paz enquanto eu não contar. Essa história começa a me incomodar.

— Não é melhor contar logo? — sugeriu Lanira.

Em poucas palavras Daniel contou o que estava acontecendo com ele. Quando ele finalizou, Lanira não se conteve:

— Estou toda arrepiada! Puxa! E você ainda duvida? Eu já teria ido ao consultório de Júlio fazer uma regressão para descobrir a verdade. Essa de sonhar com Alberto antes mesmo de conhecê-lo é demais! Como pode acontecer isso?

— Não sei... Isso pode ser apenas uma coincidência. Preocupação com o caso. Por mais que eu queira negar, minha vida mudou radicalmente nos últimos tempos. Deixei a família, estou enfrentando um caso profissional difícil, todos estão contra nós, a vitória é incerta. Tudo isso pode ter me impressionado e feito com que eu tivesse aqueles pesadelos.

Lanira sacudiu a cabeça negativamente:

— Não acredito. É coincidência demais. Depois, Alberto está envolvido com o espírito do avô. Ele parece estar interessado em fazer justiça. Em devolver ao neto tudo quanto lhe foi roubado. Isso sim faz sentido para mim. Estou pensando que, se vocês estão sendo ajudados por espíritos interessados em mostrar a verdade, vocês vão ganhar esta causa, por mais poder que o Dr. José Luís tenha.

— Agora quem está arrepiado sou eu — disse Rubinho. — É verdade. Contar com uma ajuda dessas dá coragem.

— Vamos ver o que o juiz vai determinar. Nosso caso pode acabar aqui.

— Não seja tão pessimista, Daniel. Nunca vi ninguém ganhar nada acreditando na derrota.

— Lanira tem razão, Daniel. Precisamos conservar o otimismo. Logo agora que Jonas vai tentar obter uma grande prova! Começo a pensar que você tem tanto medo de confrontar o passado em uma regressão que prefere perder a causa, acabar logo com essa história para poder ficar em paz.

— Sempre ouvi dizer que ninguém pode segurar uma verdade quando é hora dela. Você vai sofrer e tudo vai continuar. Quem pode lutar contra a força das coisas?

— Vocês dois estão exagerando. Já é tarde e estou com fome. Vamos almoçar? — propôs Daniel.

— Está bem. Vamos. Mas depois irei embora. Mamãe vai vir ao escritório e não quero que saiba que tenho vindo aqui.

— É melhor mesmo — concordou Daniel. — E que ela não saiba também dessa história de sessão espírita. Senão vai ter uma crise.

— Pode deixar que eu sei como fazer as coisas.

Eles riram e conversando animadamente saíram para o restaurante. Almoçaram e estavam na sobremesa quando Lanira sentiu um baque no coração. Gabriel veio do fundo do salão, passou por eles e saiu. Ela o viu de costas, mas reconheceu-o imediatamente.

Ele passara por eles e não os cumprimentara. Ele os teria visto e evitado cumprimentar? O restaurante estava lotado. Era possível não tê-los visto. Mas ela não tinha certeza. Quando ele teria voltado?

— O que aconteceu? Nem fomos à sessão e você está com cara de quem viu fantasma — disse Daniel.

— Você não viu? Gabriel acabou de passar por aqui.

— Não vi. Também, há tanta gente...

— Será que ele não nos viu ou não quis cumprimentar? — indagou Lanira.

— É difícil dizer. Assim como eu não o vi, ele pode não nos ter visto — respondeu Daniel.

— Você está apaixonada por ele? — indagou Rubinho.

— Por que diz isso?

— Por sua expressão. Ficou pálida, triste, mudou de fisionomia — explicou Rubinho.

— Não. Apaixonada, não. Gosto dele, isso sim. Como um bom amigo. Até como um companheiro. Ele é muito especial, inteligente, bom. Apesar de tudo, eu tinha esperança de que ele soubesse separar as coisas e continuássemos amigos. Mas parece que ele não quer mais a minha amizade.

— Não seja precipitada. Por que não conversa com ele francamente? Se preza tanto sua amizade, deve brigar por ela. Tenho aprendido que com as pessoas que queremos bem não devemos deixar assuntos mal explicados, coisas não resolvidas. Se conversar com ele, mostrar que valoriza sua amizade, ele vai dizer o que pensa e você vai poder avaliar os fatos com clareza. Saber a verdade.

— É, vou pensar. Vamos ver.

— Ele pode estar envergonhado com o escândalo e ter se afastado por causa disso imaginando que você o esteja desprezando — sugeriu Rubinho.

— Você acha que ele pode estar sentindo isso? — disse ela assustada.

— Por que não? Qualquer um sentiria vergonha diante de um problema desses. Mesmo que ele não acredite que seja verdade.

— Rubinho está certo. Se eu fosse filho deles, desapareceria do mapa até que tudo ficasse esclarecido. Já pensou os comentários que devem estar circulando à boca pequena? Infelizmente não podemos evitar isso.

— Estou começando a pensar que vocês têm razão. Ele pode mesmo estar se escondendo. Deixou a faculdade. Certamente por causa dos falatórios.

— Nesse caso o melhor seria ele ter ficado e enfrentado os fatos com coragem. Se fosse comigo, eu os teria enfrentado. É melhor do que fugir. Depois, ele é ele, os pais são os pais. Ele não é responsável pelos atos deles. Acho engraçado como as pessoas pensam. Elas se envergonham pelos que bebem, pelos viciados, pelos desbocados, pelos desonestos. Carregam nas costas o peso do comportamento de toda a família. Não é loucura? Quem pode ser responsável pelos atos dos outros? Só porque você tem parentes, precisa responder por tudo quanto eles fazem? — considerou Rubinho.

— Isso é verdade. Meus pais se envergonharam de mim só porque resolvi cuidar de minha vida de outra forma e assumir o caso contra os Camargo. Para mim, fiz o melhor e o que me parece certo.

— Aí é que está, Daniel. Quem se embriaga, joga, está fazendo o que acredita que seja bom para si. Pode estar equivocado em sua forma de perceber, mas tem todo o direito de experimentar aquele caminho. Quando saí de casa, foi pelo mesmo motivo. Meus pais também disseram-se envergonhados por nossa atitude profissional. Mas eu continuo achando que foi a melhor coisa que fiz na vida. Gostaria que eles compreendessem, mas apesar disso sinto-me melhor fazendo o que eu acho certo do que fechando os olhos só porque os Camargo são pessoas importantes. Depois, estou cuidando de minha vida do meu jeito. Nunca pensei em envergonhá-los. Eles se envergonharam porque estão iludidos com as aparências, cultivando amizades falsas, gastando tempo em futilidades, a ponto de não perceber certos valores importantes da vida. Eu desejo mais do que isso. Tenho visto pessoas da sociedade, ricas, bem-postas, que acabam vazias por dentro, sem objetivos, mergulhadas no tédio e na desilusão.

— Tem razão. Eu não quero isso para mim — concordou Daniel. — Pode ser que eu não consiga ser mais feliz do que eles. Entretanto, estou tentando um outro caminho, já que eu tenho certeza de que não desejo acabar como eles.

— Eu concordo. Também não quero isso. Só que ainda não sei como fazer — disse Lanira pensativa.

— Deixe o tempo correr. Ele é sábio e traz tudo na hora mais adequada. Você é muito jovem. Pode esperar — tornou Rubinho.

Continuaram conversando mais alguns minutos e depois de deixarem o restaurante separaram-se. Lanira foi para casa pensativa. Ela deveria tentar se aproximar de Gabriel? E se ele se recusasse a vê-la? Ele teria viajado mesmo ou estaria em casa sem querer atender o telefone? Mil perguntas cruzavam seu cérebro. Sentia vontade de ligar para ele.

Foi para seu quarto e lá resolveu. Apanhou o telefone e ligou. Uma voz feminina atendeu.

— Gabriel está?

— Quem deseja falar?

— Lanira.

— Vou ver se ele está.

Lanira esperou sustendo a respiração.

— Ele saiu cedo e ainda não voltou.

— Obrigada.

Lanira desligou decepcionada. Ele não queria falar com ela. Precisava render-se à verdade. Ele a estava evitando. Sendo assim, não mais o procuraria. Resolveu esquecer aquele assunto.

Quando Maria Alice chegou em casa no fim da tarde, Lanira, que lia um livro sentada na sala de estar, olhou-a curiosa. Como teria sido seu encontro com Daniel?

À mesa do jantar ela não tocou no assunto, como de hábito. Lanira sabia que ela nunca conversava os assuntos de família diante dos criados. Por isso, foi para o quarto depois do jantar e desceu em seguida com o livro e sentou-se calmamente no lugar de sempre, de onde podia ouvir o que eles conversavam na outra sala.

— Conforme falei, fui ver Daniel — começou Maria Alice.

— Por sua cara já sei que não conseguiu nada — respondeu Antônio

— É. Ele está determinado. Fala com tanta certeza sobre a culpa dos Camargo! Você acha que ele pode estar falando a verdade?

— Qual nada! Ele está mais é sendo iludido por algum aventureiro.

— Ele tem várias provas! Não sei, não. Fiquei na dúvida. O neto do Dr. Camargo pode estar vivo mesmo.

— É muita imaginação. Fomos ao enterro, lembra-se?

— Com o caixão lacrado. Quem pode afirmar que o corpo do menino que estava naquele caixão era o de Marcelo?

— Ora, ele foi reconhecido pelas pessoas da família!

— Daniel disse que foi apenas pela ama e pelo chofer. O Dr. Camargo estava chocado e os pais do menino também. Não quiseram olhar.

— Claro que eles devem ter reconhecido Marcelo. É fácil dizer isso agora que todos eles estão mortos.

— E se eles não olharam direito? E se essa história for mesmo verdadeira? Daniel pode estar certo!

— O que é isso, Maria Alice? Você foi tentar convencê-lo e ele a convenceu? Pelo jeito, Daniel está se revelando um bom advogado. Como você é ingênua! Aliás, acho que se deixou enganar só para justificar o comportamento dele. Pensa que não observei? Desde que ele foi embora que você não tem a mesma alegria de antes. Vive pensando nele. Às vezes surpreendo-a olhando-me de maneira estranha. Tenho a impressão de que está me culpando por ele ter saído de casa.

— Não é nada disso. Eu lamento que ele tenha tomado essa atitude, sinto sua falta. Ele sempre foi meu orgulho. E fique sabendo que não sou tão ingênua como você acredita. Por vezes posso fingir que não sei, que não vejo, porque me convém, para não ter que tomar nenhuma atitude e para levar nossa vida para a frente. Mas eu vejo tudo que acontece à minha volta.

Antônio remexeu-se na poltrona. O que ela queria dizer com isso? Estaria se referindo a ele?

— Por que está irritada? O que quer dizer com isso?

— Melhor ficarmos por aqui. Não me agrada discutir com você. Somos pessoas educadas.

Ele mudou de tom:

— Não tive a intenção de ofendê-la. É que Daniel quase conseguiu convencê-la daquele absurdo.

— Não falemos mais nisso.

— Ele lhe pediu dinheiro?

— Absolutamente. O escritório é simples mas agradável, e ele estava bem vestido, como sempre. Deve estar ganhando o suficiente para viver.

— Você está dizendo isso só para me contrariar. Eu sei que ele deve estar lutando com dificuldades.

— Não foi o que me pareceu. Vamos mudar de assunto. Estou cansada e vou subir.

Maria Alice deixou a sala, passou por Lanira sem vê-la e subiu para o quarto. A moça esperou alguns minutos e depois também foi para seu quarto. A atitude da mãe surpreendeu-a. Sempre pensou que ela e seu pai vivessem muito bem. Entretanto, ela sentiu perfeitamente o ódio velado e a insinuação a alguma coisa desagradável entre os dois. O que seria? Alguma coisa referente à política? Lanira sabia que por trás de tudo quanto ele fazia havia um jogo de interesses. Mas o tom que ela usara fora muito pessoal. Haveria alguma coisa que ela não sabia?

Sua mãe era muito fechada e nunca falava de seus sentimentos. Pela primeira vez Lanira começou a se perguntar como seria a mulher que se escondia atrás daquela postura sempre discreta, serena e de classe. O que haveria sob o verniz das aparências?

Por outro lado, sabia que Maria Alice era perspicaz, muito mais inteligente do que seu pai, e se ela começava a acreditar em Daniel, era muito provável que outras pessoas, até o juiz, fizessem o mesmo.

Apesar de se preocupar com Gabriel, ela se sentia feliz por pensar que o irmão estava certo, fazendo as coisas do seu jeito, sem ouvir ninguém. Se sua mãe não era feliz com seu pai e escondia sua infelicidade, sujeitando-se a fingir só para manter as aparências, estava sendo covarde, pagando um preço muito alto pela posição social que ocupava.

Pela primeira vez pensou na mãe com tristeza. Ela não era nada daquilo que lutava para aparentar. Estava oprimida, revoltada, infeliz. Até quando conseguiria ocultar seus verdadeiros sentimentos? Lanira resolveu ficar alerta e observar.

Capítulo 11

Gabriel entrou em casa aborrecido. O encontro com Lanira no restaurante transtornara-o. Ele estava apaixonado por ela. Seu rosto bonito, seu olhar inteligente, suas atitudes, diferentes das moças que conhecia, haviam-no impressionado a princípio e, depois, com a convivência, sentira-se atraído, acabando por descobrir que pela primeira vez estava enamorado.

Habituado a ser muito paparicado pelas mulheres que circulavam à sua volta disputando sua preferência, Gabriel vivia sempre procurando maneiras de escapar delas, a fim de garantir sua privacidade. Com Lanira não acontecera isso. Ela agia com naturalidade, sem os joguinhos e circunlóquios, colocando francamente suas idéias.

Não fora a atitude dela esclarecendo que não desejava namorar e ele já teria se declarado. Ao lado dela, quase não resistia ao desejo de tomála nos braços, de beijar sua boca carnuda, de perguntar se ela sentia alguma coisa por ele.

Percebia que ela gostava de sua companhia, que a seu lado sentia-se à vontade, olhando-o com carinho e prazer. Gabriel tinha esperanças de vir a conquistá-la vencendo a barreira que ela havia colocado.

Foi na faculdade que ouviu alguém comentar sobre o escândalo envolvendo seu pai. Imediatamente comprou o jornal e o que leu deixou-o estarrecido. Nunca se dera bem com o pai. Apesar de ele tentar se aproximar, acabavam sempre não se entendendo.

Gabriel admirava apaixonadamente a mãe. Quando menino, ouvira uma conversa entre ela e o pai e descobrira que eles não viviam bem. José Luís tinha negócios com os quais sua mãe não concordava. Ouvirao claramente ameaçá-la.

— Se você abrir sua boca, nunca mais verá seu filho.

— Você não fará isso! Não seria capaz!

— Experimente me desafiar! Garanto que vai se arrepender.

— O que você pode fazer?

— Você sabe que tenho meios de separar você dele! Não me obrigue a fazer isso. Se for razoável, continuaremos nossa vida e ninguém saberá de nada.

Escondido atrás da porta, Gabriel ouviu que o pai saiu enquanto sua mãe chorava copiosamente. Ficou com medo de ser castigado pelo pai e não teve coragem de sair de seu esconderijo. Mas a partir daquele dia começou a observar o pai e notou que ele não amava sua mãe como parecia. Diante das pessoas ele mudava completamente, tratando-a com carinho e deferência. Assim que ficavam a sós, mal se falavam. Maria Júlia assumia aquela fisionomia triste e Gabriel percebia que ela sofria. Nunca teve coragem para conversar com ela sobre o assunto, mas rodeava-a de carinho, na tentativa de compensar a frieza do marido.

No dia em que os jornais publicaram as declarações de Daniel, Rubinho e Alberto, seu pai fechara-se no escritório com sua mãe e Bóris, durante muito tempo. Maria Júlia havia saído de lá pálida, enquanto José Luís, com ar preocupado, saíra com Bóris.

Gabriel aproximara-se de Maria Júlia, com o jornal nas mãos.

— Mãe, isto é verdade?

Ela o olhou assustada.

— Você acha que seríamos capazes disso?

Gabriel hesitou.

— Não sei. Você, não. Mas... papai...

Ela se aproximou dele colocando a mão em seu braço.

— Seu pai não faria isso. Esqueça essa história.

— Nesse caso, por que estão tão preocupados? Vocês ficaram no escritório mais de duas horas.

— Sabe como é, um escândalo desses é sempre preocupante. A maldade das pessoas, os invejosos vão atirar lama em nossa família. Temos que nos defender.

— Será fácil provar que isso é uma calúnia. Vocês devem possuir todos os documentos, testemunho de pessoas, tudo.

— Já faz muito tempo. As pessoas que poderiam testemunhar dispersaram-se. Seu pai vai falar com o Dr. Loureiro. Ele vai imediatamente dar um basta neste assunto.

— Por que será que Daniel e Rubinho prestaram-se a esse papel? Nossas famílias são amigas. Houve algum problema entre vocês?

— Absolutamente nenhum. Seu pai vai imediatamente conversar com Antônio e Ernesto para exigir que os filhos retirem essa queixa.

— Quer dizer que é uma calúnia?

— Claro! Como pode acreditar em uma coisa dessas?

Gabriel acalmou-se um pouco, entretanto na faculdade os comentários maldosos incomodavam-no. E Lanira, o que estaria pensando? Estaria do lado do irmão? Teria acreditado naquela história? Sentiu vontade de falar com ela, mas não teve coragem. Resolveu esperar para ver como as coisas se sucederiam.

Dali a alguns dias, o jornal relatou minuciosamente a história de Alberto com todos os detalhes, e, lendo-a, Gabriel começou a juntar algumas lembranças de sua infância. Muitas vezes saía com a mãe a pretexto de fazer compras, e ela ia a uma agência de correio em que despachava um envelope para a Inglaterra. Ele lera o endereço e ela lhe pedira que não contasse a ninguém.

— Esse será nosso segredo — dissera. — Ninguém pode saber que escrevi esta carta.

— Por quê?

— Trata-se de uma amiga muito querida que mora na Inglaterra. Brigou com nossa família, mas eu continuo a me relacionar com ela. Precisa de ajuda e eu lhe mando dinheiro. Se seu pai descobrir, vai brigar comigo. Ele a odeia. Por isso, peço-lhe que guarde segredo!

Gabriel estremeceu ao se recordar. E se ao invés dessa amiga ela mandasse dinheiro para sustentar o neto do Dr. Camargo? Não podia acreditar que sua mãe tivesse participado de um negócio desses, mas por que ela mandaria dinheiro para a Inglaterra, escondido do marido? Seria muita coincidência.

Sabia que Maria Júlia não gostava de Bóris. Entretanto suportava sua presença. Ele percebia o quanto o russo era intrometido e ousado. Usufruía de regalias que nenhum mordomo que ele conhecia tinha. Notara que até seu pai contemporizava com Bóris, submetendo-se a seus caprichos.

Pensando nisso, Gabriel sentia aumentar suas suspeitas. Bóris estava na casa desde aqueles tempos. Teria alguma coisa a ver com essa história? Estaria seu pai sendo chantageado pelo criado?

A cada dia suas suspeitas aumentavam. A firmeza dos dois advogados que enfrentavam tudo para apoiar aquele caso fazia-o desconfiar que eles possuíam dados e provas conclusivas.

A cada dia notava que seu pai ficava mais nervoso com o assunto e muitas vezes fechava-se com Bóris no escritório por largo tempo.

Se ele tivesse certeza de que seu pai era inocente, teria enfrentado todos os comentários sem se preocupar. Mas, pensando na culpa deles, perdia toda a coragem. Como proceder se ficasse provada a culpabilidade de seu pai?

Não podendo suportar a situação, Gabriel trancou a matrícula e afastou-se da faculdade.

Sua mãe chorou, mas compreendeu que ele preferia esperar tudo passar para voltar a estudar. Gabriel foi para o barco e durante mais de quinze dias circulou pelas praias das pequenas cidades vizinhas, ancorando aqui e ali, para abastecer, voltando à sua solidão. Fazia dois dias que havia regressado. Recebera os recados de Lanira, mas não se sentia com coragem de conversar com ela. O que lhe diria?

Sua irmã, Laura, não escondia sua revolta para com os dois advogados. Chamava-os de invejosos e oportunistas, querendo fazer carreira a custo do sensacionalismo barato. Tinha certeza de que logo eles seriam desmascarados e tudo voltaria a ser como antes. Apesar disso, tinha resolvido dar um tempo, não aparecer em público, para não ter que discutir com as pessoas, nem suportar sua curiosidade.

Maria Júlia, vendo Gabriel entrar com ar preocupado, aproximou-se:

— O que foi, Gabriel? Você parece aborrecido. Aconteceu alguma coisa?

— Nada de mais. Estava acabando de almoçar quando Rubinho, Daniel e Lanira entraram no restaurante.

— Você falou com eles?

— Não. Eu estava no fundo e eles não me viram. O restaurante estava cheio e fiz de conta que não os tinha visto. Saí logo.

— Não foi agradável. Você gostava de sair com Lanira. Estavam namorando?

— Não, mãe. Era apenas amizade. Ela acha que é cedo para namorar.

— Naquele tempo cheguei a pensar que estivesse apaixonado por ela. Seus olhos brilhavam quando falava nela.

Gabriel suspirou, ficou silencioso por alguns segundos, depois disse:

— Eu gosto dela. É diferente das moças que tenho conhecido. Inteligente, alegre, tivemos bons momentos juntos.

— Vocês continuam saindo? Ela tem ligado para você.

— Não. Não há clima. Eu não saberia o que lhe dizer.

— É uma situação constrangedora. Por isso ficou triste?

Gabriel abraçou-a com carinho:

— O que posso fazer? Enquanto essa situação não ficar devidamente esclarecida, não sei o que falar com ela. O que diz o Dr. Loureiro? Que providências tomou para acabar com isso?

— Seu pai não foi à audiência, mandou o Dr. Loureiro. Ele levou os documentos que comprovam a morte de Marcelo, e tudo o mais. Estamos esperando a decisão do juiz. Com certeza vai indeferir a queixa e encerrar o caso.

— Tem certeza?

— Claro. Não há nada que prove o contrário.

— Mãe, e se não for assim? E se o juiz der andamento ao processo?

Maria Júlia estremeceu:

— Isso não vai acontecer. Eles nunca poderão provar que esse moço é Marcelo.

Gabriel ficou calado por alguns instantes. Por fim, não resistiu e disse à queima-roupa:

— Mãe, por que é que você mandava sempre aquele dinheiro para a Inglaterra?

Ela se sobressaltou:

— Psiu! Não fale nisso, por favor. Seu pai não pode saber nunca, principalmente agora.

— Por quê?

— Ele não concordaria. Já lhe disse, era para uma amiga. Ela brigou com nossa família. O que está querendo insinuar?

— Marcelo viveu na Inglaterra. Não era para sustentá-lo que você mandava aquele dinheiro?

Maria Júlia empalideceu e teria caído se Gabriel não a tivesse abraçado assustado:

— Mãe, o que foi? Você está pálida!

— Por favor, meu filho! Nunca mais repita isso! Já pensou se alguém o escuta? Seu pai nunca pode saber disso. Jure que nunca vai contar!

— Eu juro. Não vou contar nada. Acalme-se! Sente-se no sofá.

Ela se sentou e, segurando as mãos dele, disse nervosa:

— Nunca mais repita isso, peço-lhe. Jure que nunca mais voltará ao assunto!

— Fique tranqüila, não vou falar com ninguém.

— Jure.

— Mãe, eu toquei neste assunto porque algumas lembranças estão me preocupando desde que começou esta história. Percebo que há alguma coisa que eu não sei e que você não quer me contar. Eu preciso saber. Seja o que for que tenha acontecido, eu estou do seu lado, farei tudo que puder para ajudá-la. Mas tenho que saber a verdade. Todos esses anos tenho observado seu sofrimento. Sei que tem sido ameaçada por papai, e sinto que até Bóris pode estar envolvido.

— Você me assusta. Não queria que meus filhos se envolvessem nessa história. Peço-lhe, fique fora disso!

— Não posso, mãe. Por que não me conta tudo? Do que tem medo? Esse moço pode mesmo ser Marcelo?

Maria Júlia, torcia as mãos nervosamente quando disse:

— Eu pensei que tudo tivesse acabado! Meu Deus! Estou sendo castigada!

— Então é verdade? Marcelo está vivo?

Maria Júlia levantou-se e olhando-o nos olhos tornou:

— Prometa que nunca mais falará sobre isso aqui em casa! Por favor! Eu prometo que quando puder contarei toda a verdade. Não aqui. As paredes têm ouvidos. Vamos, prometa.

— Está bem, prometo. Mas você tem que me dizer tudo.

— Direi, desde que atenda meu pedido.

— Quando?

— Tem que esperar. Ninguém pode saber que você sabe de alguma coisa. Entendeu?

— Entendi. Poderemos nos encontrar fora daqui e conversar. Não agüento mais esperar.

— Às vezes é melhor não saber.

— Tudo é melhor do que a dúvida.

— Precisa ser em um lugar sossegado, onde ninguém possa nos ouvir.

— Deixe comigo. Sei como arranjar tudo.

— Sinto-me cansada...

— Você está abatida.

— Vou para o quarto me arrumar um pouco.

Quando ela saiu, Gabriel sentou-se pensativo. Era evidente que havia um segredo e era muito provável que Marcelo estivesse vivo mesmo. A atitude de sua mãe não deixava margem a dúvida. Por que seu pai não podia saber que ela mandava o dinheiro para a Inglaterra? Ardia de curiosidade para conhecer a verdade.

Não acreditava que sua mãe fosse culpada. Era uma mulher de princípios. Se ela ajudara o marido encobrindo essa farsa, foi por ter sido ameaçada de alguma forma. Talvez até para salvar os filhos. Não ouvira o pai ameaçá-la de tirar-lhe os filhos? Era difícil acreditar que um pai ameaçaria a própria família. Seria verdade o que ele ouvira quando criança?

Resolveu que naquele dia mesmo daria um jeito para sair com a mãe sem despertar suspeitas. No jantar, comentou diante de todos que a estava achando um pouco abatida, ao que ela respondeu:

— Estou um pouco adoentada. Não é nada.

— Você precisa de ar puro. Ninguém consegue respirar mais nesse Rio de Janeiro. Amanhã cedo vamos dar uma volta de barco. Quero mostrar-lhe algumas mudanças que fiz. Garanto que o ar do mar lhe fará bem.

— Não posso, meu filho. Temos alguns compromissos.

— Sua saúde é mais importante. Suspenda os compromissos e vamos passear um pouco. Garanto que lhe fará bem, que voltará mais corada e disposta.

— Gabriel tem razão. Você tem estado muito deprimida. Um pouco de ar puro fará bem a você — tornou José Luís.

— Está bem, iremos.

— Isso mesmo, mãe. Passaremos o dia inteiro no mar. Voltaremos ao entardecer.

Na manhã do dia seguinte, Gabriel levantou-se cedo. Estava ansioso, mas teve que esperar a mãe despachar seus compromissos. Eram mais dc dez horas quando finalmente saíram.

O motorista deixou-os no cais, onde o barco estava ancorado. Na embarcação estava apenas o encarregado de cuidar de tudo, que muitas vezes acompanhava Gabriel em suas viagens, dividindo o leme e fazendo a manutenção.

— Bom dia, João — disse Gabriel entrando no barco. — Está tudo em ordem? Podemos zarpar?

— Bom dia. Podemos sim. Bom dia, D. Maria Júlia.

— Bom dia, João.

— Estou feliz por ter a senhora a bordo.

— Minha mãe precisa respirar um pouco de ar puro. Vamos passear o dia inteiro. Tem comida?

— Tem, sim. Podemos ir até Angra. Gostaria de fazer um almoço gostoso para D. Júlia.

— Está bem, João. Por enquanto, vamos dar uma volta.

Era um barco muito bonito, com duas cabines embaixo e uma boa sala de estar em cima, no meio do convés. Maria Júlia guardou a bolsa na cabine, trocou de roupa. Fazia tudo maquinalmente. Não queria dar a perceber o quanto estava nervosa.

Gabriel serviu um refrigerante à mãe, colocou salgadinhos na bandeja, apanhou um copo de cerveja, sentou-se a seu lado na pequena saleta dizendo:

— Relaxe, mãe. Veja que dia lindo.

— É verdade. Estou tão agoniada que nem reparei.

— Eu queria trazê-la aqui para que renove suas energias. Não gosto de vê-la triste, abatida. Seja o que for que houver acontecido, ficarei do seu lado. Farei tudo para que fique bem.

Maria Júlia suspirou:

— Obrigada, meu filho. Quanto mais você me dá carinho, mais eu me arrependo do que fiz. Pode ter certeza de que estou sendo muito castigada por minha fraqueza.

Gabriel segurou as mãos frias da mãe, apertando-as com força:

— Eu estou aqui, mãe. Do seu lado. Pronto para defendê-la de tudo, contra todos.

— Obrigada, meu filho.

— Agora, fale.

— Tem certeza de que João é de confiança?

— Absoluta. De onde ele está, não pode nos ouvir, e, mesmo que pudesse, garanto que faria tudo para nos ajudar. Não é apenas um empregado, é um amigo dedicado que tenho.

— Está bem. O que quer saber?

— Tudo. Desde o começo. Você se casou por amor?

— Não. Mas seu pai era um homem bonito, galante, atencioso e eu o aceitei. Mas não é de nossa vida que eu quero falar.

— Eu noto que vocês não se dão bem.

— Essa é uma outra história. Vim aqui para falar sobre Marcelo.

— O que aconteceu realmente? Esse moço pode estar dizendo a verdade?

Maria Júlia olhou para o filho agoniada. Era-lhe muito difícil falar nesse assunto.

— Eu gostaria muito que você me poupasse e esquecesse o assunto.

Ele meneou a cabeça negativamente.

— Não posso, mãe. Seja o que for que tiver acontecido, eu já disse: vou ficar do seu lado, dar meu apoio, mas eu quero a verdade. Tenho o direito de saber. Do que tem medo?

— Não é por mim que temo. Incomoda-me perceber sua animosidade com seu pai.

— Ele não se importa, mãe. Aliás, nunca se preocupou com o que eu sinto.

— É porque você o ignora.

— Não viemos aqui para falar de meu relacionamento com papai. Você sabe que não concordo com a maneira que ele a trata na intimidade. Afasto-me para não brigar com ele em respeito a você, para não desgostá-la. Mas agora não se trata mais de nossa intimidade. Fatos graves estão sendo levados a público e não posso contemporizar. Tenho que saber a verdadc, ainda que ela seja dura, para poder preservar nossa dignidade. Não posso fechar os olhos e fingir que nada está acontecendo.

Maria Júlia ficou silenciosa por alguns instantes, depois disse:

— Pensei que tudo estivesse acabado. Nunca imaginei que depois de tantos anos a vida viesse nos pedir contas.

— Então é verdade. Esse moço pode ser Marcelo mesmo.

— Pode, meu filho. E seu pai nunca poderá descobrir minha participação nessa história, senão vai acabar comigo.

Gabriel levantou-se e abraçou-a com carinho.

— Nunca permitirei que ele toque em você, seja o que for que tenha feito. Estou aqui para defendê-la. Você pode contar comigo incondicionalmente.

— Obrigada, meu filho — disse ela com voz que a emoção embargava. — Eu sei que posso contar com você. Vou contar-lhe tudo. Na verdade, não agüento mais manter esse segredo.

Emocionada, Maria Júlia iniciou seu relato:

— Como você sabe, sempre tratei nossos empregados com respeito e consideração. Logo que nos casamos tivemos uma empregada que nos serviu durante alguns anos. Veio para nossa casa com quinze anos. Era dedicada e eu gostava muito dela. Porém apaixonou-se por um dos amigos de seu pai que freqüentava nossa casa. Sem pensar em nada, entregou-se a ele e ficou grávida. Ele pertence a uma família muito importante e, claro, exigiu que ela fizesse um aborto. Mas Maria recusou-se e a família dele, quando descobriu, passou a ameaçá-la, exigindo que deixasse seu filho em paz. José Luís ficou muito irritado. Mantinha boas relações com essa família, não se conteve e exigiu que Maria fizesse o aborto. Pressionada, ela me procurou pedindo ajuda e eu condoída dei-lhe dinheiro para fugir. Ela foi para Petrópolis e eu a ajudei até que nascesse o menino e ela pudesse trabalhar. A criança nasceu alguns dias depois de Marcelo. Era um lindo menino. Ela arrumou emprego em uma fábrica e foi vivendo. José Luís descobriu que eu a ajudava e ficou muito zangado comigo. Foi ele que uma noite atendeu o telefonema de Maria desesperada. O menino havia caído de uma janela do segundo andar, onde ela morava, e havia morrido. Ela não tinha dinheiro para o enterro.

— Era noite e eu, chocada, decidi viajar para Petrópolis para socorrê-la. José Luís não queria, mas, como eu disse que iria de qualquer forma, mandou Bóris me levar. Fiquei contrariada, sempre achei que ele me vigiava, mas, naquelas circunstâncias, o que eu queria era ver Maria e fazer o possível para ajudá-la.

— Fomos. Chegando lá, o corpo do menino ainda não havia sido liberado do hospital. Bóris foi vê-lo e não me deixou entrar, dizendo que ele caíra com o rosto nas pedras e ficara completamente irreconhecível. Tratei de confortar a mãe e quando o dia amanheceu conseguimos liberar o corpo para o enterro.

— Quando saímos, estranhei. Quem estava nos esperando era o carro do Dr. Camargo com Alberico, o motorista dele, na direção. Maria estava tão abalada que nem percebeu. Em vez de irmos para a casa de Maria, fomos direto para a mansão dos Camargo. José Luís nos esperava na entrada, o que muito me surpreendeu.

— A família estava passando as férias de verão em Petrópolis, como faziam todos os anos. Marcelo estava dormindo, os pais haviam ido ao Rio para uma recepção. Na casa estavam apenas Eleutéria, a ama de Marcelo, e Alberico, o motorista.

— Entramos e eu não me contive:

— "O que estamos fazendo aqui? O que está acontecendo?"

— "Tenho um plano que vou pôr em ação. Estou cansado de ficar em segundo lugar enquanto eles desfrutam do bom e do melhor. Meu pai sempre me dizia que havia sido lesado por tio Antônio na herança de família. Chegou a hora de ter de volta com juros o que me pertence."

— Assustada perguntei:

— "O que você vai fazer?"

— "Vou cuidar de tudo e você vai fechar a boca. Se abrir, vai se arrepender."

— "Onde está Maria?"

— "Dei-lhe um calmante e está dormindo. Estava muito nervosa. Quando acordar estará melhor."

— "E o enterro?"

— "Deixe por minha conta. Vai ser o maior enterro que você já viu. Com tudo de primeira."

— Eu estava cansada. Havia passado a noite em claro e resolvi descansar um pouco. Tio Antônio nos oferecia a casa sempre que quiséssemos, por isso fui para o quarto de hóspedes e deitei um pouco tentando dormir.

— Não consegui. Estava muito tensa. Ouvi vozes no quarto ao lado, levantei-me e apurei o ouvido.

— Alberico e Eleutéria conversavam.

— "É pegar ou largar. É a chance de nossas vidas. O menino já morreu mesmo. Não vamos matar ninguém" — dizia Eleutéria.

— "Não sei, não. Vai ser uma tragédia. O Dr. Antônio é louco pelo menino. Vai sofrer muito. Não é justo fazer isso com ele" — respondeu Alberico.

— "Qual nada. Gente rica logo esquece. Isso passa. E nós vamos ficar ricos! Sem falar que nossa fortuna nunca vai acabar. Eles vão ter que pagar sempre para nos manter com a boca fechada. Você vai poder comprar aquela casa que andava namorando. Já pensou?"

— Fiquei assustada. O que eles estavam tramando? Custou, mas Eleutéria convenceu Alberico.

— "Vamos levar Marcelo para a casa de D. Diva. Quando ela viajou, deixou a chave comigo para molhar as plantas e cuidar dos passarinhos."

— "O que vão fazer com ele? Não quero que nada de mal aconteça."

— "Não vão fazer nada. Só sumir com ele."

— "Sumir como?"

— "Sei lá, homem. Isso não me interessa."

— Fiquei horrorizada. Fui procurar José Luís. Ele estava reunido com Bóris a portas fechadas. Entrei na sala ao lado e tentei ouvir o que diziam:

— "Vai dar tudo certo, você vai ver" — dizia Bóris.

— "Não sei, não. Estou preocupado com minha mulher. Nunca vai aceitar uma coisa dessas. Pode dar com a língua nos dentes."

— "Ela sempre faz o que você quer. Use o mesmo argumento de sempre. Ela ficará calada. Depois, vai usufruir de tudo também. Será cúmplice e nunca abrirá a boca."

— "É. Você está certo. Mas e o menino? O que faremos com ele?"

— "O melhor é acabar com ele."

— "Isso, não. É uma criança. Repugna-me fazer isso. Vamos levá-lo a um lugar de onde nunca poderá sair."

— "Mas ele tem quatro anos. Fala e pode nos delatar. O melhor é mesmo acabar com ele. Para vencer é preciso ter coragem. Já combinei com Eleutéria e Alberico, que levarão Marcelo para uma casa cujos donos viajaram e ela tem a chave. Lá veremos quem vai cuidar de sumir com ele."

— "Não quero mais gente metida nisso. Ninguém mais pode saber de nossos planos."

— "E quanto a Maria?"

— "Vai dormir por algum tempo. Quando acordar, informá-la-emos que enterramos o menino."

— "Ela vai querer saber onde. Eu posso arranjar isso no cemitério local. Só preciso do nome todo dele."

— "Temos no atestado de óbito."

— Eu estava apavorada. Percebi que a vida de Marcelo corria perigo. Mas eu ainda não havia entendido o que eles iam fazer. Esperei Bóris sair da sala para que eles não desconfiassem de mim e abordei José Luís.

— "Quero saber o que vocês estão tentando fazer."

— "Não precisa. Só tem que ficar calada."

— "Estou metida nisto e tenho o direito de saber."

— "Está certo. Você vai ter que cooperar mesmo. Marcelo acaba de morrer em um acidente de carro. O corpo ficou irreconhecível. Eleutéria e Alberico vão testemunhar e eu vou dar o atestado de óbito. Por acaso nós viemos hoje a Petrópolis e ao chegar soubemos da tragédia. Tentamos socorrê-lo, mas a morte foi instantânea. Bateu o rosto nas pedras."

— "Isso é uma loucura! Ele está vivo!"

— "Vamos enterrar o corpo do filho de Maria como sendo ele."

— "Isso nunca dará certo. É um horror! Já pensou na dor da família? O que espera ganhar com isso? Com a morte dele você não herda nada. Ainda há Cláudio e Carolina! Só uma cabeça doente poderia pensar uma coisa dessas!"

— "Você vai calar e fazer tudo direitinho, senão já sabe o que vai lhe acontecer."

Gabriel não se conteve:

— Por que ele domina você desse jeito? Do que tem medo?

— Trata-se de um segredo de minha família que não posso revelar. Prefiro morrer a que alguém descubra.

— Por causa disso você concordou em fazer o que ele queria!

— Foi. Concordei. Só Deus sabe como foi horrível. Fizeram tudo de tal forma que ninguém desconfiou de nada. Eu estava atormentada. Sabia que Bóris era perverso e eu temia pela vida de Marcelo. Depois do enterro do corpo como sendo o de Marcelo, procurei Alberico sem que ninguém soubesse. Ele gostava muito do menino.

— "Você tem que me ajudar. Marcelo corre perigo. Nós temos que salvá-lo."

— "D. Maria Júlia, não quero levar isso na consciência. Já chega o que eles fizeram."

— "Você sabe onde ele está?"

— "Sei. Mas eles podem tirá-lo de lá."

— "Precisamos agir depressa. Se me ajudar, não se arrependerá."

— "O que quer fazer?"

— "Salvar Marcelo. Levá-lo para longe, onde ninguém possa fazer-lhe mal."

— "Deixe comigo."

— Depois ele me contou que se comprometera com Bóris a matar o menino, na intenção de protegê-lo. Recebeu dinheiro por isso e ficou satisfeito de poder enganá-los. Escondeu-o de todos alguns dias. Eu, pretextando abalo nervoso, convenci José Luís de que queria ficar algum tempo no convento das irmãs onde eu fora educada e ele concordou de bom grado. Temia que eu não suportasse e acabasse pondo tudo a perder. Combinando com elas a pretexto de ver uma amiga doente na Inglaterra, ajudaram-me a preparar a viagem sem contar para minha família.

— Essa é a mesma história que você me contava quando mandava dinheiro.

— Isso. Alberico me ajudou levando Marcelo ao aeroporto na hora do embarque. Fizemos tudo de tal jeito que ninguém desconfiou. Deixei-o no melhor colégio da Inglaterra, recomendando uma educação esmerada. Era o mínimo que eu podia fazer por ele depois de haver compactuado com aquela infâmia.

— Você lhe salvou a vida!

— Graças a Deus. Apesar de tudo, é isso que me conforta. Mandei-lhe dinheiro durante muitos anos. Ele estava já na universidade quando Bóris descobriu que eu remetia esse dinheiro e José Luís me pressionou para saber por que e para quem eu o mandava. Fiquei apavorada. Se eles soubessem o que eu havia feito, certamente me castigariam. Suspendi a remessa do dinheiro. Eu havia deixado um recado para que ele nunca voltasse ao Brasil. Agora vejo que ele não atendeu.

Gabriel, pálido, segurava as mãos da mãe penalizado. Ela se arriscara para salvar a vida de Marcelo.

— Mãe, ele tem o dircito de reivindicar sua herança. Vocês lhe roubaram tudo, o amor da família, os bens, até o país. Tenho a impressão de que ninguém vai poder impedir agora que a verdade apareça. Vocês não vão poder fazer nada! E Maria? O que houve com ela? Tomou conhecimento do que aconteceu?

— Não. José Luís, a pretexto de poupá-la, internou-a em um hospital psiquiátrico onde fez sonoterapia por um mês. Saiu de lá arrasada, visitou o túmulo em Petrópolis cuja lápide tem o nome de seu filho e sumiu.

— Você sabe onde se encontra?

— Não. Ela desapareceu. Nunca mais soube dela.

Maria Júlia segurou as mãos do filho apertando-as com força e olhando-o emocionada:

— Está decepcionado comigo, meu filho?

— Não, mãe. Você foi mais vítima do que culpada. Só não entendo por que se submete a ele. Conheço seu coração nobre, sua postura ética, seus sentimentos bons. Que segredo é esse que a acovarda desse jeito, fazendo-a suportar uma situação tão contra seus princípios?

— Sinto muito, meu filho, mas não estou ainda preparada para falar sobre isso.

— Só quero ajudar. Estou e sempre estarei do seu lado. Eu a amo incondicionalmente. Por que não confia em mim?

— Um dia, talvez. Agora não posso falar. Estou esgotada.

— Estou pensando... uma desconfiança começou a me incomodar.

— O que foi?

— A morte de Marcelo não era suficiente para fazer papai receber a herança. Tio Antônio era vivo e havia seu filho e a nora, que eram herdeiros diretos. O que eles tinham em mente quando fizeram isso? Será...

Maria Júlia sobressaltou-se tapando a boca de Gabriel com a mão:

— Não diga isso. Essa suspeita tem me incomodado a vida inteira. Tenho pesadelos com ela, não quero pensar que possa ser verdade.

— Claro, mãe. Quando eles planejaram essa fraude, pensaram também em eliminar os outros herdeiros.

— Não, meu filho. Seria demais!

— Seria muita coincidência pensar que todos os três morreram em menos de dois anos.

— José Luís não seria capaz disso. É médico!

— Um médico tem muitos recursos para acabar com quem quiser. Ele era o médico de tio Antônio.

Maria Júlia mergulhou a cabeça nas mãos arrasada. Gabriel continuou pensando alto:

— Claro. Teria sido fácil acabar com a saúde de alguém que já estava deprimido.

Maria Júlia levantou a cabeça:

— Mas e os outros dois? Eles morreram em um acidente de barco na Itália. Seu pai estava comigo em Paris e nunca se ausentou.

— E Bóris, onde estava?

— Ele viajou conosco para Europa.

— Esteve o tempo todo com vocês?

— Não. Ele tinha alguns amigos russos e foi passar algum tempo com eles.

— Você consegue se recordar se ele estava fora quando aconteceu esse acidente?

— Deixe-me ver... sim, estava. Você acha que ele...

— Pode perfeitamente ter se ausentado para "providenciar". Que tipo de acidente foi?

— O motor do barco explodiu e incendiou-se. Os policiais disseram que foi um curto-circuito na parte elétrica.

Gabriel segurou as mãos da mãe dizendo pálido:

— Mãe, essa situação é muito suspeita. Se eles cometeram todos esses crimes, temos que descobrir.

— Isso, não. Se isso for verdade, o que será de nós? Podemos ser arrolados como cúmplices. Eu sabia que Marcelo estava vivo e fiquei calada. Posso ser presa por causa disso. Eu não quero ser presa. Prefiro morrer a passar essa vergonha. Seu nome e o de sua irmã estariam para sempre na lama. A sociedade não perdoa.

— Mãe, não importa o que a sociedade pensa. Minha consciência não consegue calar diante dessa suspeita.

— Prometa que não vai fazer nada. Vai esquecer isso e pronto.

— Não posso, mãe.

— É apenas uma suspeita. Não podemos levar isso adiante.

— Uma suspeita muito justificada. Tanto que se encaixa perfeitamente aos fatos. Entretanto, concordo que antes de qualquer coisa temos que descobrir a verdade.

— Isso é impossível. Bóris é perigoso. Se desconfiar, sua vida corre perigo.

— O que não podemos é ficar à mercê de um assassino que a qualquer momento pode querer nos matar para salvar a pele.

— Meu filho, nunca deveria ter contado.

— Ao contrário, mãe. Agora estarei de olho neles para defendê-la.

— Prometa que não fará nada sem falar comigo antes.

— Prometo. Não pretendo fazer nada de mais. Apenas observar e investigar. Se tudo o que imagino for verdade, papai também está nas mãos desse marginal. Eu já suspeitava que Bóris estivesse fazendo alguma chantagem. Nunca vi nenhum mordomo ter tantas regalias e fazer o que ele faz. Praticamente manda em tudo e em todos. Nem você faz o que quer dentro de sua própria casa.

— Se eu pudesse, já o teria despedido. Mas seu pai não quer nem ouvir falar nisso.

— Claro. Tem medo de que ele dê com a língua nos dentes.

— Pensando nisso sinto o coração apertado. Meu Deus, aonde nos levará essa desgraça?

— Não será compactuando com os erros que eles fizeram que nós vamos nos livrar. Penso até que está na hora de dar um basta e ir para o lado oposto.

— Não está pensando em fazer isso!!

— Não, mãe. O que eu quero é ir para o lado do que é certo e justo. Oprime-me ficar conivente com a maldade deles.

— A mim também.

— Nesse caso, vou investigar. Se tudo que suspeitamos for verdade, tomarei providências.

— O que pensa fazer?

— Ir viver minha vida longe daqui. Eu, você e Laura poderíamos ir morar em outra cidade e sair da vida dos dois.

— E nos separarmos de seu pai? Ele jamais vai concordar.

— Não faz mal. Iremos assim mesmo. Ele não vai poder fazer nada.

— Será um escândalo. Não podemos fazer isso. Toda a sociedade vai falar.

— A nossa felicidade vale mais do que o falatório dos desocupados. Mãe, se eles praticaram esses crimes, como poderemos viver lá com esse peso no coração? Não me sinto capaz. Você tem sofrido ao lado dele durante todos esses anos. Não se queixa, mas eu sei. Por que quer continuar um relacionamento que só lhe causa dor?

Maria Júlia apertou as mãos com força. Havia infinita tristeza em sua voz quando disse:

— Se eu pudesse, há muito teria feito isso. Infelizmente, não dá para fazer.

Gabriel ia retrucar, mas ela continuou:

— Você nunca gostou de seu pai, não é? Desde pequeno não o suporta. Ele tem se esforçado em conquistar sua estima, mas nunca conseguiu. Por quê?

— Não sei explicar. A proximidade dele me causa sensação desagradável. Nós não temos nenhuma afinidade. — Ele fez ligeira pausa, abraçou a mãe com carinho e prosseguiu: — Já com você é diferente. Gosto de ficar a seu lado, sentir seu perfume, beijar seu rosto, abraçá-la. Compreendemo-nos.

Maria Júlia apertou o filho nos braços com amor:

— Você é meu tesouro. Por mim, você nunca tomaria conhecimento dessas coisas.

— Não sou ingênuo. Cresci, mãe. Sou um homem, quero estar a par de tudo, defendê-la como merece, cuidar de sua felicidade. Seja o que for que acontecer, nunca a deixarei.

Os dois permaneceram silenciosos, abraçados, sentindo-se bem dentro do afeto que os unia.

Capítulo 12

Daniel entrou no escritório eufórico.

— Elza, conseguimos. O juiz deferiu nosso pedido.

Rubinho apareceu na porta de sua sala:

— Verdade? Você leu o parecer?

— Li. Marcou prazo para apresentação das provas em juízo para serem analisadas.

— Puxa! Finalmente. Não agüentava mais esperar. Temos que avisar Alberto. Ele vai ficar radiante.

— Vou telefonar a Lanira.

— Faça isso. Agora temos que seguir adiante. Se Jonas obtiver aquelas provas, estamos feitos.

— Ele deu notícias?

— Por enquanto, não. Vou telefonar a ele para contar a novidade e saber como vão as investigações.

— Se ele tivesse conseguido as provas, já teria nos procurado.

— É. Mas não custa tentar.

Na hora do almoço, quando os dois conversavam com Alberto, Lanira apareceu:

— Vim almoçar com vocês para comemorar.

— Faço questão de pagar esse almoço — disse Alberto.

— Não posso sair agora. Marquei com um cliente. Vão vocês — respondeu Rubinho.

— De modo nenhum. Sem você, nada feito — disse Lanira.

— Nesse caso, convido-os para um jantar, onde quiserem.

— Pretendia sair com Marilda — respondeu Rubinho. — Ela está com uma amiga que chegou do exterior e combinamos jantar juntos.

— Se não se importa, poderemos levá-las conosco. Fica por minha conta — sugeriu Alberto.

— Não teremos liberdade para falar de nossos assuntos — comentou Daniel.

— Vamos conversar agora. À noite poderemos ir a um lugar alegre, dançar, ouvir música. Estou precisando espairecer, aliviar a tensão — tornou Alberto.

— Boa idéia — interveio Lanira. — Vocês têm trabalhado muito e terão ainda muito mais a fazer daqui para a frente. Marilda é a filha do Dr. Edmundo?

Foi Daniel quem respondeu:

— É. Ela anda dando voltas à cabeça de Rubinho.

— Ela dá voltas à cabeça da maioria dos rapazes do Rio de Janeiro. É muito bonita, elegante, mas muito reservada. Nunca conversei com ela — considerou Lanira.

— É muito agradável. Temos nos encontrado algumas vezes, como amigos — esclareceu Rubinho.

— Fale a verdade — disse Daniel sorrindo.

— Estou dizendo. Por enquanto somos só amigos.

— Bem, eu gostaria muito — disse Alberto. — Acho que seria bom aparecer publicamente. Ainda ontem, na empresa onde trabalho, um amigo do diretor quis conhecer-me. Quando fui apresentado ele disse: "Fui amigo do Dr. Camargo. Você me recorda muito ele. Seu sorriso, seu jeito de olhar, seu andar. Estou impressionado". Meu avô tinha muitos amigos. Era querido, admirado. Essa semelhança é uma prova de que sou mesmo Marcelo.

— Acho que tem razão. Aliás, muitos amigos meus têm pedido para conhecê-lo. Estão morrendo de curiosidade. Muito bem. Falarei com Marilda. Se ela concordar, iremos.

Marilda concordou e combinaram jantar em uma boate. Às oito, Daniel foi buscar Lanira em casa. Não entrou para não encontrar o pai. Mandou a criada avisá-la e Maria Alice ficou olhando atrás da cortina quando Lanira, linda em seu vestido verde-escuro, saiu e entrou no carro. O marido não havia chegado ainda. Daniel poderia ter entrado para abraçá-la. Sentia o coração oprimido.

Essa situação era insustentável. Sentiu raiva do marido. Ele não tinha moral para expulsar o filho de casa. Era um homem de aparência. Por fora, irrepreensível; por dentro, cheio de hipocrisia. Ela estava cansada de tolerar aquela ligação com a secretária. Todo o Rio de Janeiro sabia que eram amantes. Ela fingia ignorar na tentativa de conservar a dignidade. Mas sentia-se humilhada, deprimida, desvalorizada. Até quando suportaria?

Tinha uma filha para casar. Precisava manter as aparências para não prejudicá-la. Depois, enquanto fingia não saber, não era obrigada a tomar nenhuma atitude. Era uma vítima e eles é que eram os culpados.

Ela estava torcendo para Daniel ganhar aquela causa só para ver a cara de Antônio. Ele ficara contra o filho, do lado errado. Se isso acontecesse, ele com certeza procuraria Daniel para prestigiá-lo e usufruir do sucesso dele.

Suspirou angustiada. Sentia-se só e deprimida. O que seria de sua vida quando Lanira se casasse e deixasse a casa? Onde encontrar forças para manter um casamento fracassado como o seu? As lágrimas estavam prestes a cair e Maria Alice reagiu. Não queria que nenhum dos criados a visse chorar. Respirou fundo, apanhou uma revista e acomodou-se no sofá tentando ler.

Quando Daniel e Lanira chegaram na boate, Alberto já estava lá, muito elegante. Lanira admirou-se:

— Como você está elegante! — comentou.

Ele sorriu e ela notou que mesmo sorrindo seus olhos continuavam tristes.

— Para sair com vocês eu precisava caprichar. Você está bonita como sempre.

Daniel olhou-os surpreendido. Vira um brilho de admiração nos olhos de Alberto e inquietou-se um pouco. Ele estaria interessado em Lanira? Não gostaria que ela se envolvesse com ele. Arrependeu-se de haver concordado com esse jantar. Porém Alberto adotara uma postura discreta e Daniel acalmou-se. Ele estava apenas sendo educado.

O lugar era fino e bonito. Iluminação discreta, música ao vivo, ambiente requintado e agradável. Alguns pares dançavam na pista.

— Que bom estar aqui! — comentou Lanira.

— Vamos dançar? — pediu Alberto.

Ela concordou e saíram dançando enquanto Daniel deixava-se ficar ouvindo a beleza do *blues* e tomando seu aperitivo. Estava tão absorto em seus pensamentos que só percebeu a chegada de Rubinho acompanhado das duas moças quando ele tocou levemente seu ombro. Levantou-se imediatamente, cumprimentando Marilda.

— Quero apresentar-lhe minha amiga Lídia Vasconcelos.

Daniel fixou os olhos nela e o sangue fugiu de seu rosto. Estaria sonhando? A mulher de seu sonho estava diante dele. Mais jovem, mas os mesmos cabelos dourados, os mesmos olhos verdes. Atordoado, balbuciou:

— Como disse?

— Esta é Lídia, minha amiga de infância.

Daniel respirou fundo tentando dominar-se. O mesmo nome! Estaria enlouquecendo?

— O que foi? — estranhou Rubinho. — Você parece que viu fantasma. Aconteceu alguma coisa?

— Não. Nada. Desculpe. Estava distraído. Muito prazer — disse ele estendendo a mão que ela apertou olhando-o nos olhos.

— Não nos conhecemos de algum lugar? — perguntou admirada.

Daniel estremeceu:

— Não. Acho que não.

— Você já esteve em Nova York? Eu morei lá durante muitos anos.

— Conheço Nova York, mas não tive o prazer de encontrá-la.

— Tenho a sensação de conhecê-lo.

Sentaram-se. O coração de Daniel batia descompassado. O que estava acontecendo com ele? Por que o destino colocara a seu lado aquela mulher que era igual à de seu sonho? Ela dissera odiá-lo. E se fosse verdade a história de vidas passadas? E se a Lídia de seus sonhos existisse mesmo e tivesse reencarnado?

Tentou dissimular sua inquietação e conversar normalmente, embora as perguntas continuassem em sua mente sem encontrar resposta. Haviam se sentado, e, depois de pedirem bebidas, Rubinho e Marilda foram dançar. Daniel ficou sozinho com Lídia.

Sentia-se emocionado. Ele era um homem de sociedade, habituado ao convívio com moças bonitas e educadas. Ficava muito à vontade com elas e tinha completo domínio de si. Entretanto, diante dessa, não sabia o que dizer nem fazer.

Ela estava linda em seu vestido cor de prata deixando ver as formas perfeitas de seu corpo, e usava um perfume delicado e tão agradável que Daniel aspirou deliciado. Tentou reagir. Ele estava exagerando. Era apenas uma coincidência. Tentou conversar:

— Quantos anos você morou no exterior?

— Saímos do Brasil quando eu tinha sete anos e estou voltando agora. Ficamos quinze anos fora. Meu pai é diplomata e tem servido no Itamarati. Agora conseguiu transferência para o Brasil. Minha mãe queria muito voltar. Temos família aqui.

— Fica difícil depois de tantos anos. Você deixou amigos e talvez até algum apaixonado lá.

— Deixei amigos, sim. Mas quando a saudade bater vou até lá. No momento preciso me ambientar aqui. Depois de tanto tempo fora, ninguém me conhece mais.

— Marilda conservou a amizade.

— É. Nossas famílias são muito amigas. Eles nos visitavam e Marilda passava férias em minha casa.

Eles continuaram conversando e Daniel chegou a esquecer os dois casais que dançavam olhando-os surpreendidos quando se sentaram à mesa novamente e a conversa generalizou-se. Rubinho só tinha olhos para Marilda, enquanto Alberto e Lanira dançavam com animação.

— Para quem foi educado na Inglaterra você dança samba muito bem — comentou ela.

Alberto sorriu.

— Acho que está no sangue. Apesar de viver longe, sempre me interessei por tudo que se refere ao Brasil. Adoro nossa música.

— O que pretende fazer quando esse seu caso acabar?

— Quando eu ganhar e tiver em mãos os bens de meu avô, pretendo cuidar de tudo como ele gostaria que eu fizesse.

— Você fala nele como se sempre tivesse estado com ele.

— Gosto muito dele. Depois, ele sempre esteve comigo, mesmo quando eu não sabia nada sobre o passado.

— Você fala isso com tanta certeza!

— É difícil explicar. Mas eu sei que ele continua me ajudando, protegendo, amando, e isso me comove.

— Não será sua necessidade de afeto que o faz criar essa ilusão para fugir de sua solidão?

— Não. Eu o vi várias vezes e sei que ele está comigo. Ilusão é pensar que quem morre acaba. A vida continua e eu tenho provas disso.

— É um assunto delicado. Poucas pessoas acreditam nisso.

— Engana-se. Muitos crêem, mas não falam por medo dos preconceitos sociais.

— Pode ser mesmo. Nossa sociedade é muito preconceituosa. As aparências é que importam. A verdade é sonegada, encoberta, a tal ponto que chega uma hora em que ninguém mais sabe distinguir o falso do verdadeiro.

— Quando resolvi reclamar meus direitos, pensei nisso e achei que a minha verdade seria também uma contribuição para desmascarar essa hipocrisia.

— É, você já balançou a vida de muita gente. Até eu acabei entrando na berlinda.

— Você? Por causa de seu irmão haver saído de casa?

— Não. Por causa de Gabriel. O filho de D. Maria Júlia. Éramos muito amigos. Depois do escândalo ele cortou relações comigo.

— Você estava namorando-o?

— Não. Mas apreciava sua amizade. É um rapaz inteligente, culto, muito diferente dos almofadinhas que andam por aí.

— Está apaixonada por ele?

— Não. Mas prezo sua amizade.

— Um escândalo desses atinge a família inteira. Os filhos não são culpados pelo que os pais fizeram. Acho mesmo que não sabiam de nada. Quando decidi mover a ação, sabia que isso seria inevitável. Ele falou com você sobre o assunto?

— Não. Simplesmente afastou-se, sem dizer nada. Quando telefono, nunca está. Gostaria de ter conversado com ele, dizer que continuo prezando sua amizade. Esperava que ele soubesse separar as coisas.

— Ele pode estar chocado, envergonhado.

— É. Daniel disse a mesma coisa.

Rubinho conversava com Marilda enquanto dançavam:

— Muito bonita sua amiga. Daniel ficou em estado de choque.

Marilda sorriu:

— Ela não é só bonita. Tem outros atributos. Tenho certeza de que sua presença marcará época em todo o Rio de Janeiro. Estou até vendo. Dentro de pouco tempo os admiradores não vão dar-lhe sossego.

— Daniel terá que ser rápido.

— Ele está apenas sendo gentil. Aliás, ele tem fama de ser sempre amável, mas de escapar de todas sem se envolver.

Quando voltaram à mesa, Rubinho não se conteve:

— Vocês não dançam?

Daniel estremeceu e olhou o amigo admirado. Ele havia se esquecido completamente do lugar onde estavam. Estava sendo deselegante com a moça.

— Estávamos conversando. — Virando-se para ela: — Você gosta de dançar?

— Gosto de conversar também — respondeu ela sorrindo. — Não se preocupe. Se eu quisesse dançar, teria dito.

Daniel perdeu o jeito. As moças que conhecia jamais teriam dito isso. Marilda sorriu com um brilho malicioso no olhar.

— Em Nova York os costumes são diferentes. As mulheres são mais naturais. Dizem o que querem sem rodeios.

— Daniel desejou cumprir o protocolo social. Comigo não precisa. Meu conceito de respeito é outro, vai além do formalismo de salão. Não estávamos com vontade de dançar, por que haveríamos de fazer isso?

— É sempre franca desse jeito? — perguntou Daniel.

— Sou. Sempre faço as coisas do meu jeito, como eu gosto.

Lanira chegou com Alberto e a conversa generalizou-se. Passava das três quando eles resolveram ir embora. No carro com Lanira, Daniel estava pensativo. Ela se admirou:

— Você está tão calado... não gostou do jantar?

— Ao contrário. Foi uma noite muito agradável.

— Pois não parece. Está com uma cara esquisita...

— A vida está brincando comigo. Ainda não voltei a mim da surpresa. Parece que não aconteceu. Lídia é a mulher que tem me aparecido em sonhos.

— O quê? Estou toda arrepiada! Meu Deus, isso é coisa do outro mundo!

— Só pode ser coincidência. Quando olhei para ela, não sabia o que dizer. Até o nome é o mesmo. No sonho ela se chamava Lídia.

— Coisas estranhas estão se passando conosco. Alberto jura que vê a alma do avô perto dele. Você sonha com a moça antes de conhecê-la. Isso só pode ter uma explicação sobrenatural. Amanhã mesmo falarei com tia Josefa.

— Não sei se devemos...

— Claro que sim. É coincidência demais, você não acha?

— Bom, não nego que é intrigante.

— No outro dia conversei com ela e pedi para nos deixar assistir a uma sessão espírita. Mas ela desconversou, alegando que mamãe pode não gostar.

— Nisso ela tem razão. Ela nunca vai concordar.

— Ela não precisa saber. Somos adultos para decidir o que queremos ou não fazer. Depois, em casa de tia Josefa, o que pode nos acontecer?

— Está certo. Trate de convencê-la e iremos.

— Vamos convidar Alberto e Rubinho.

— Para quê?

— Eles estão interessados nesses assuntos. Depois, se o avô de Alberto está mesmo com ele, vai ter uma chance de se comunicar. Estou curiosa para ver como é isso.

— Converse com tia Josefa. Diga-lhe que estamos muito interessados em estudar esse assunto. Tenho certeza de que ela concordará.

Despediram-se. Daniel foi para casa, deitou-se, mas o sono não vinha. Não conseguia esquecer o rosto expressivo de Lídia. E ao recordar-se dela, seu coração batia descompassado. Ela o atraía intensamente. Estaria impressionado pelo sonho? Não era possível estar apaixonado por alguém que acabara de conhecer. Mas apesar de lutar contra, sentia que desejava estar com ela, abraçá-la e tê-la junto de si. Era madrugada quando, vencido pelo cansaço, finalmente adormeceu.

No dia seguinte no escritório, Rubinho não se conteve:

— Confesse, você ficou sem fôlego ao conhecer Lídia. Nunca o vi tão emocionado.

— Pudera, ela é a moça que me apareceu em sonhos!

Rubinho olhou-o assustado:

— Tem certeza? Ela acabou de chegar ao Brasil.

— Eu sei. Isso está me intrigando muito. Tenho certeza de que era ela. Até o nome é o mesmo!

— Vamos falar com Julinho.

— Resolvi ir a uma sessão espírita em casa de tia Josefa.

— Gostaria de ir.

— Se ela concordar, tudo bem. Lanira quer convidar Alberto também, por causa do avô dele.

O telefone tocou e Rubinho atendeu. Era Jonas, que havia chegado de viagem e queria passar no escritório logo após o almoço.

Passava das duas quando ele entrou na sala em que Daniel e Rubinho conversavam.

— E então? — indagou Rubinho.

— Boas notícias. Marilena está trabalhando bem. Gravou uma conversa interessante entre Eleutéria e João.

Animados, os dois dispuseram-se a ouvir.

— "Ele não pode fazer isso comigo" — dizia ela.

— "Estamos tendo paciência demais."

— "Ele alega que não pode despertar suspeitas. Que, se alguém souber do dinheiro que ele me manda, vai desconfiar. Que no momento é também de meu interesse ficar calada. Fez questão de dizer para eu não esquecer que também estou atolada até o pescoço nessa história. Que se eu falar vou me arrepender."

— "O cachorro pode dizer que você fez tudo e que ele não sabia de nada! Sabe como é, ele tem o dinheiro, tem poder. É a palavra dele contra a sua. Acho que estamos de mãos amarradas mesmo."

— "Isso não vai ficar assim. Não tenho medo dele. As coisas que eu sei sobre ele valem muito dinheiro. Pola me contou uma porção delas."

— "O que Pola sabe?"

— "Conversas que ela ouviu entre Bóris e algumas pessoas. Se ele quiser me azarar, vai ver só uma coisa."

— "O que você sabe que eu não sei?"

— "O que ele fez com o neto do Dr. Camargo foi pouco perto do que ele fez depois."

Ruído de uma campainha.

Jonas desligou a fita.

— Acabou aí. Foi bastante revelador, não acham?

— O que será que ela queria dizer? — indagou Daniel pensativo.

— Eu tenho minhas suspeitas — tornou Jonas. — Tenho experiência. Um criminoso, quando tem um objetivo, afasta todos os obstáculos do caminho. Ele queria a herança. Havia pessoas entre ele e seu objetivo. Ele as eliminou.

— Acha que ele poderia ter matado os pais de Marcelo? — indagou Rubinho.

— É provável. Quando ele decidiu fazer aquela farsa com o menino, sabia que precisava fazer mais para conseguir o que queria. E ele fez. É a isso que Eleutéria se refere.

— Por mais incrível que possa parecer, Jonas tem razão — concordou Daniel.

— Nesse caso, não se trata apenas da usurpação da herança, mas de assassinato — tornou Rubinho.

— Temos que investigar mais. Se as provas aparecerem, tomaremos providências. A situação pode ser pior do que pensávamos. Em todo caso, Marilena está trabalhando bem — disse Daniel.

— Minha intuição não falha. Eu disse que ela era inteligente. Ela vai continuar investigando. Também conversei com um amigo meu da polícia internacional. Ele tem conhecidos e ficou de investigar o acidente que matou os pais de Marcelo.

— Isso será ótimo. Sabe que agora não temos dinheiro para grandes pesquisas — esclareceu Rubinho. — Quando vencermos, todos serão gratificados.

— Meu amigo está investigando outro caso e a pista que tem levou-o até Bóris. Quando lhe contei que o estávamos vigiando, prontificou-se em nos ajudar em troca das informações que temos sobre Bóris.

— Esse caso teria alguma coisa a ver com o nosso? — perguntou Daniel.

— Parece que não. Trata-se de algo que ele fez na Europa, antes de vir para o Brasil. Meu amigo é agente internacional.

— Nosso homem é perigoso — tornou Rubinho.

— Percebi isso desde que o vi. Precisamos ter cautela — disse Jonas. — Marcelo tem que ser protegido. Eles tiraram do caminho todos os obstáculos à fortuna que desejavam. Marcelo agora é o único que falta.

— Acha que ele pode tentar alguma coisa contra Alberto? — perguntou Daniel.

— Acho. Seria prudente ter alguém protegendo-o.

— Não temos dinheiro para isso. É muito caro — disse Rubinho.

— Converse com ele. Não deve sair à noite e andar por lugares ermos. Verei se posso fazer alguma coisa — disse Jonas. — Quanto à fita, guarde-a no cofre. Vamos ver se conseguimos algo mais.

Quando Jonas saiu, Daniel comentou:

— Jonas pode estar certo. Bóris pode ter causado o acidente que vitimou os pais de Marcelo. Ele entendia de barcos, trabalhou em um.

Rubinho ficou pensativo durante alguns instantes, depois disse:

— Estou pensando no que Jonas disse. Se eles causaram o acidente do barco, teriam provocado a morte do Dr. Camargo? Ele também era um obstáculo.

— Dessa forma todas as peças do quebra-cabeças se completam. Só assim o que eles fizeram com o menino poderia ter sentido. Ao substituir o corpo, eles já tinham decidido assassinar os demais.

— Que horror, Daniel! Mas o que você diz tem lógica. Só assim iriam obter os resultados desejados. O que de fato aconteceu.

— Como é que vamos encontrar provas para botar esse pessoal na cadeia?

— Essa é a parte que nos cabe.

— Vamos investigar a morte do Dr. Camargo.

— Jonas disse que iria fazer isso. Podemos recorrer aos jornais da época.

Lanira bateu levemente, abriu a porta, enfiou a cabeça e indagou:

— Posso entrar?

— Entre. Chegou em boa hora — disse Rubinho.

Ela entrou e depois de abraçá-los foi dizendo:

— Vim para dizer que tia Josefa concordou. A sessão é amanhã às oito.

— Posso ir também? — indagou Rubinho.

— Você e Alberto.

Colocada a par das novidades, ela não se conteve:

— Puxa! A coisa pode ser pior do que pensávamos. Acham mesmo que ele poderia ter assassinado toda a família?

— A lógica aponta essa suspeita. Precisamos de provas — respondeu Rubinho.

— Já se passaram muitos anos. Como pensam consegui-las?

— Vamos tentar — esclareceu Daniel. — Se nossas suspeitas se confirmarem e conseguirmos provas, iremos apresentá-las na justiça.

Lanira ficou pensativa, depois perguntou:

— Uma coisa me intriga nesta história. Se eles mataram todo mundo, por que não acabaram com Marcelo?

— Já me fiz essa pergunta — respondeu Daniel. — O fato é que D. Maria Júlia levou o menino para o colégio e sustentou-o durante anos, permanecendo no anonimato.

— Ela disse à diretora do colégio que a vida do menino corria perigo — lembrou Rubinho.

— Teria ela feito isso para salvá-lo? Nesse caso, nem o marido nem Bóris sabiam. Ela fez isso por conta própria — disse Lanira.

— E quando eles desconfiaram por causa do dinheiro que ela mandava todos os meses, ela parou de mandar. Faz sentido, Lanira — disse Daniel. — Por que não pensamos nisso antes?

— Sempre tive de D. Maria Júlia uma boa impressão. Foi um choque descobrir que ela era cúmplice do marido nessa história. Pensando bem, se ela salvou a vida de Alberto, começo a me perguntar: teria ela sido cúmplice mesmo ou uma vítima? — disse Rubinho.

— Ela estava com eles naquela noite em que tudo começou — lembrou Daniel. — Se ela fosse honesta, não teria permitido. Ficou calada, ajudou. Não, Rubinho, ela é cúmplice.

— Seja como for, ela levou Marcelo para longe e isso impediu que eles o matassem.

— Puxa! Não vejo a hora em que tudo se esclareça. É uma história e tanto.

Lanira despediu-se combinando com Daniel para apanhá-la em casa na noite do dia seguinte.

Na noite seguinte, quando Lanira desceu arrumada para sair, Maria Alice perguntou:

— Onde vai, Lanira?

— Sair com Daniel. Ele ficou de passar aqui às sete meia.

— Aonde vão?

— A casa de alguns amigos.

— Antes vocês nunca saíam juntos. Depois que ele se mudou, vocês estão sempre juntos. Você está namorando Rubinho?

Lanira riu gostosamente:

— Rubinho? Que idéia, mamãe. Não estou namorando ninguém.

— Pensei que estivesse namorando Gabriel.

— Pensou errado. Éramos apenas bons amigos.

— Ele não telefonou mais. Deve estar sentido por causa de Daniel. Por falar nisso, como está a situação do Dr. José Luís?

— Não sei, mamãe. Não me envolvo no trabalho de Daniel. Saio com eles porque gosto da companhia. Ouvi um carro parar, acho que eles chegaram.

Ela apanhou a bolsa que estava sobre a cadeira e foi saindo. Maria Alice tornou:

— Não volte tarde. Amanhã você tem aula cedo. Diga a Daniel que eu ainda estou viva. Ele pode entrar quando passar por aqui.

Lanira não respondeu. Quando entrou no carro, Daniel perguntou:

— O que você disse a mamãe?

— Que iríamos visitar alguns amigos. Ela está intrigada com o fato de estarmos saindo juntos. Perguntou sobre o caso de Alberto. Claro que eu despistei.

— É melhor ser discreta — concordou Rubinho. — Por enquanto, temos que ser cautelosos para não prejudicar as investigações.

— Não vejo a hora de poder gritar a verdade aos quatro ventos — disse Alberto.

— Calma — aconselhou Rubinho. — Sua hora chegará, se Deus quiser.

— É que durante tantos anos me senti um enjeitado, sem família, sem origem, e me emociona muito assumir o lugar que é meu na sociedade.

— Infelizmente, mesmo vencendo a causa, você continuará sem família — tornou Daniel.

— É verdade — ajuntou Lanira. — Os mais chegados morreram, e os que ficaram são seus inimigos. Mesmo vencendo, você estará só.

— Um dia ainda terei minha própria família. Garanto que saberei valorizá-la.

— Jonas está preocupado com você. Acha que nossos inimigos são muito perigosos e farão qualquer coisa para tirá-lo do caminho. Pediu que tenha cuidado, não ande por lugares ermos à noite.

— Sei que se eles pudessem acabariam comigo — respondeu Alberto. — Mas tenho confiança na proteção espiritual que recebo. Meu avô me protege e nada de mal vai me acontecer.

— Sei — objetou Rubinho —, mas apesar disso nunca é demais tomar cuidado.

A casa de tia Josefa era um sobradão antigo, sem jardim, com altas janelas dando para a calçada, com caixilho de vidro por fora e portas de madeira abrindo para dentro. Uma entrada lateral para garagem e o portão social, alguns degraus de mármore branco e o pequeno terraço onde havia a porta principal.

Foram recebidos carinhosamente por tia Josefa, uma mulher elegante, de cabelos castanhos cortados curtos e naturalmente ondulados, bonita, desembaraçada, cheia de classe. Beijou os sobrinhos, foi apresentada aos outros dois e conduziu-os a uma sala onde já havia algumas pessoas às quais foram apresentados.

Conversaram durante alguns minutos, chegou mais uma pessoa e por fim Josefa levantou-se dizendo:

— Passemos para a outra sala. Está na hora.

Ela os conduziu a uma sala onde havia uma mesa grande, coberta por uma toalha bordada e sobre ela uma rica bandeja de prata com alguns copos, uma jarra de água e alguns livros.

Além dos rapazes e Lanira, havia mais seis pessoas. Todos sentaram-se ao redor da mesa com Josefa na cabeceira.

— Antes de começarmos, devo esclarecer a vocês que vêm pela primeira vez que permaneçam em silêncio e nos ajudem com suas orações. Os espíritos que virão conversar conosco são pessoas como nós, já viveram aqui e agora estão morando em outro lugar, em um mundo diferente do nosso. Por isso, vamos recebê-los com naturalidade e respeito. Eles podem ler nossos pensamentos, enxergar dentro de nossos corpos, perceber coisas que não vemos. Algumas pessoas têm sensibilidade e conseguem vê-los, perceber sua presença, conversar com eles. São os médiuns. Os bons espíritos vêm até nós para nos esclarecer e ajudar. Vamos recebê-los com alegria e serenidade.

Ela apagou a luz e deixou acesa apenas uma pequena luz vermelha em um abajur. Josefa explicou:

— A luz vermelha favorece a que eles se aproximem e possam manipular o ectoplasma, que é a energia que possibilita que eles obtenham efeitos físicos. A luz branca queima grande quantidade de energia e dificulta a comunicação.

Ela proferiu uma prece, solicitando a presença dos espíritos amigos. De repente, Daniel sentiu-se dominado por uma sensação muito agradável. Apesar da sala fechada, ele se sentiu envolvido por uma brisa leve, suave. Ao mesmo tempo foi dominado pelo sono. Ele nem notou que sua cabeça pendeu e ele adormeceu.

Lanira olhava-o preocupada, mas Josefa, imperturbável, disse:

— Continuemos orando.

Daniel viu-se em uma sala muito espaçosa, mobiliada com gosto, e um homem de meia-idade, sentado atrás de uma escrivaninha, lia uma carta com atenção. De onde o conhecia? Vendo-o entrar, o homem levantou-se dizendo:

— Há muito o esperava. Ainda bem que veio. Sente-se, precisamos conversar.

Daniel obedeceu, fixando seus olhos nos dele, perguntando-se o que estava acontecendo. Ele se sentou por sua vez e continuou:

— Você não vai lembrar-se do passado agora. Chamei-o aqui porque preciso de sua ajuda. Há muitos anos demos ouvidos a uma intriga que nos trouxe muita infelicidade. Você expulsou de sua casa seu filho adotivo, e eu tirei-lhe todos os bens. Mais tarde arrependemo-nos e o remorso é a maior tortura que nosso espírito pode sofrer. Querendo nos libertar dele, resolvemos juntar nossas forças para tentar refazer nossas vidas e reaver todo o bem que atiramos fora. Você, a mulher amada, eu, a família e o respeito próprio. Está entendendo o que estou falando?

Daniel queria responder mas não conseguia articular palavra. O outro continuou:

— Quero que preste muita atenção para se lembrar de tudo quando voltar ao corpo. Muitas coisas vão acontecer. Você já reencontrou Lídia, e os outros já estão todos à sua volta. É preciso que não se deixe levar pelas emoções e que desta vez consiga bom senso para fazer o que combinamos. Foi muito penoso para mim ter suportado o que suportei tendo que acreditar que meu neto querido estava morto, e depois, quando cheguei aqui, descobrir que havia sido enganado cruelmente pela mesma pessoa que eu havia perdoado e desejado ajudar. Devo dizer que fracassei em meus propósitos de reajustar o passado. Você não pode querer fazer com que os outros mudem só porque você se dispôs a perdoar seus erros e pretendeu esquecer. Eu confiei em quem ainda não estava maduro para uma vida digna e acabei aqui, lamentando minha ingenuidade. Além disso, fui obrigado a presenciar os crimes que eles cometeram sem que eu pudesse intervir. Confesso que não esperava isso. Pensei que minha boa intenção, meus propósitos do bem, seriam suficientes para fazê-los mudar, mas não consegui. Por causa disso, hoje a situação tornou-se ainda mais complicada. Quando tudo acontecer, eu queria que você se lembrasse de que, seja o que for que houver, deve ajudar Maria Júlia e Gabriel. Eles precisam muito de nosso apoio.

Daniel, surpreendido, queria falar, mas não conseguiu.

— Você não está conseguindo responder, mas eu posso ler seus pensamentos. Quer saber por que estou lhe pedindo isso. Porque eles continuam vitimados por José Luís e já têm condições de se libertar. Se quer levar a bom termo esse caso de Marcelo, tem que procurar pelos dois e conversar.

Daniel pensou que nunca faria isso. Eles não iriam confiar. O Dr. Camargo continuou:

— Não julgue pelas aparências. Eles estão em dificuldade. Você é a porta da libertação deles. Chamei-o aqui para pedir-lhe que os ajude. Só você pode fazer isso. Não se esqueça: só você pode fazer isso. Essa é sua parte. Não se esqueça.

Daniel sentiu como se estivesse caindo. Seu corpo ficou pesado. A luz da sala se acendeu e ele abriu os olhos. A sessão havia terminado e as pessoas olhavam-no. Ele endireitou o corpo e tentou recordar-se de onde estava. As últimas palavras do homem ainda ecoavam em seus ouvidos.

Ele passou a mão pelos cabelos e remexeu-se na cadeira. Fundo suspiro saiu de seu peito.

— Desde quando você percebe que sai do corpo? — indagou Josefa com interesse.

— Eu saí do corpo? — respondeu ele assustado.

— Saiu. Desde quando vem sentindo essas sensações? — repetiu ela.

— Há algum tempo tenho tido sonhos esquisitos.

— Esquisitos, como?

— É melhor contar — interveio Lanira.

— Se ele não quer, não precisa. O que eu desejo é que Daniel perceba que tem essa capacidade. Que pode deixar o corpo, encontrar-se com pessoas, deste mundo e do astral, e lembrar-se depois. O que aconteceu esta noite? Não precisa explicar, só contar o que foi.

Daniel inquietou-se um pouco:

— Explicar eu não saberia mesmo. Dormi e sonhei que estava em uma sala onde encontrei...

— Quem? — indagou Josefa com naturalidade.

— Bem, por mais estranho que possa parecer, com o Dr. Camargo.

Alberto estremeceu. Ele bem que sentira a presença do avô. Daniel continuou:

— Ele disse coisas estranhas que não entendi muito bem. Disse que eu não estava me lembrando do passado.

— É natural. Você está reencarnado. Não se preocupe com as explicações. Descreva só as palavras que ouviu.

— Não sei se devo. Ele tratou de um assunto muito particular que envolve outras pessoas e que eu não me sinto autorizado a falar.

— Nesse caso — disse Josefa —, o melhor é você apanhar uma folha desse papel e escrever tudo que se lembra. Não omita nada. É provável que muitas coisas que ele lhe disse você esqueça amanhã. Faça isso apenas para fixar a memória. Enquanto isso, passemos para a outra sala, vamos tomar nosso café.

Enquanto eles se dirigiram à sala ao lado, Daniel apanhou o papel e o lápis, procurando lembrar-se do que ele dissera. Foi fácil. Pareceu-lhe estar novamente naquela sala e ouvir tudo de novo. Escreveu tudo, dobrou o papel e guardou-o no bolso.

Embora Marcelo, Rubinho e Lanira estivessem curiosos para saber o que o Dr. Camargo tinha dito, tiveram que esperar até que todos os presentes se despedissem. Quando se viram a sós com Josefa, Marcelo pediu:

— Agora conte o que disse meu avô.

— Nesse caso, vou até a cozinha — disse Josefa.

— Prefiro que fique — tornou Marcelo. — Conto com sua ajuda para nossa causa.

— Ele tem razão. Precisamos da opinião de quem entende desse assunto — concordou Rubinho.

— Tia Josefa é perfeita para nos ajudar — confirmou Lanira.

Daniel tirou o papel do bolso, leu tudo e finalizou:

— O mais engraçado é que eu queria falar e não podia, mas ele sabia tudo que eu estava pensando e respondia. Chegou a falar de Lídia. Isso me emocionou muito. Ele disse que eu era a porta para a libertação de D. Maria Júlia e de Gabriel. Não acreditei, mas ele confirmou várias vezes.

— Eu senti que D. Maria Júlia podia não ser cúmplice — lembrou Rubinho.

— Eu gosto muito de Gabriel. Ele é uma pessoa especial — declarou Lanira.

— Mas continuo não entendendo por que eu. Ele quer que eu me aproxime deles. Depois que abrimos o caso na justiça, eles estão contra mim. Não vão confiar, por mais boa vontade que eu tenha. Ele pediu, mas não vai dar certo.

— Se ele pediu — interveio Josefa com voz firme —, é porque vai ajudar. Quando os espíritos querem, eles fazem acontecer. Não duvide. Fique atento. Quando chegar a hora, não perca a oportunidade.

— Só se for um milagre — tornou Daniel.

— Vocês aqui em uma sessão já é um milagre. Daniel com essa mediunidade! Que beleza!

— Preferiria não ter que passar por essas emoções. Fico inseguro, não consigo controlar.

— É natural. Você foi criado dentro de regras e de conceitos racionais. Tem medo de tudo que sua cabeça não consiga explicar. Quando estudar melhor a natureza, descobrir os potenciais do espírito, suas possibilidades, perceberá a riqueza da vida e como você é privilegiado por já estar maduro a ponto de desfrutar desses conhecimentos.

Eles continuaram conversando um pouco mais e combinaram voltar na semana seguinte e participar de outra sessão. Nessa noite, Daniel, deitado em sua cama, rememorando tudo quanto havia acontecido, percebeu que a vida era muito mais do que ele acreditava que fosse.

O passado, embora esquecido, ainda repercutia no presente Atitudes antigas ainda se repetiam atraindo os problemas não resolvidos. Pessoas e fatos novos apareciam em seu caminho, desafiando suas emoções, obrigando-o a rever conceitos, modificar crenças, confrontar sentimentos. Mas apesar de tudo isso, ele sentia que era um caminho sem volta que, uma vez aberto à sua frente, ele teria que trilhar.

Capítulo 13

Alberto saiu do escritório da empresa em que trabalhava e olhou o relógio. Passava das oito. Tivera uma reunião importante com os membros da diretoria e, apesar de cansado, sentia-se muito satisfeito. Fora promovido e além do salário bom havia ainda a possibilidade de progredir muito.

Sentiu vontade de dividir com alguém aquela alegria. Pensou em Lanira. Ela o atraía muito. Bonita, elegante, alegre, inteligente. Tinha todas as qualidades que ele desejava em uma mulher.

Chegou em seu apartamento dez minutos depois e ligou para ela convidando-a para dar uma volta.

— Eu vou. Só que não posso voltar tarde. Está bem?

— Está. Passarei em sua casa dentro de dez minutos.

Ela foi se arrumar. Seus pais haviam ido a uma recepção e só estariam de volta depois da meia-noite. Ela pretendia chegar antes deles para não ter que dar explicações. Sabia que eles não concordariam que ela saísse com Alberto. Principalmente o pai, que o tinha como falsário.

Uma vez no carro com ele, Lanira disse:

— Hoje estou como cinderela. Terei que voltar antes da meia-noite.

Ele riu alegre. Ela continuou:

— Você deveria rir mais. Fica muito melhor sem aquele ar de tragédia que costuma ter.

— É que estou alegre. Fui promovido hoje. Vou poder comprar aquele carro novo que eu queria.

— Parabéns! Por isso quis sair.

— Foi. Queria dividir com alguém minha alegria. Sempre fui tímido, nunca tive com quem compartilhar minhas emoções. Vocês são meus únicos amigos.

— Deve ter sido duro para você ter vivido toda a sua vida sozinho, sem família.

— Foi. Durante muitos anos acreditei ter sido rejeitado por meus pais. Isso me tornou retraído, desconfiado. Apesar de tudo, fiquei aliviado ao descobrir a verdade.

Ao lado de Lanira, Alberto sentia vontade de falar de sua vida, de seus sentimentos. O olhar dela como que penetrava nele de tal sorte que ele se sentia seguro o bastante para fazer confidências como nunca fizera com ninguém antes.

Lanira sentia que ele se posicionava com sinceridade e isso a emocionava. Sentia que podia confiar nele. Desde que começaram a ir todas as semanas às sessões em casa de tia Josefa, eles haviam se aproximado mais. A tia os convidava para o chá nas tardes de domingo ou para conversar aos sábados à noite quando reunia em casa alguns amigos.

Como Daniel não comparecia e Rubinho preferia sair com Marilda, apenas Alberto e Lanira gostavam desses encontros em que se podia conversar de tudo, principalmente de assuntos espirituais.

Naquela noite eles conversaram muito não só sobre o trabalho dele como também sobre sua forma de ver a vida. Percebendo o interesse dele, que várias vezes segurara sua mão e fizera menção de abraçá-la e até de beijá-la, Lanira resolveu conversar.

— Gosto muito de você — disse de repente. — Mas não estou pronta para namorar.

— O quê? — disse ele surpreendido.

— O que você ouviu. Gosto de você, mas não pretendo namorar ninguém. Tenho horror ao casamento, pelo menos por enquanto. Noto que você está sentindo atração por mim. Não desejo que nossa amizade acabe.

— Quer dizer que se eu quiser namorar você, acaba nossa amizade?

— Se você se apaixonar, vai querer controlar minha vida, insistir, e não vai dar mais para sermos amigos. Eu quero manter nossa amizade.

Sem que ela esperasse Alberto abraçou-a e beijou-a longamente nos lábios. Apanhada de surpresa, Lanira sentiu o coração disparar e um forte rubor subiu-lhe nas faces. Ele a largou, respirou fundo, depois abraçou-a novamente, beijando-a apaixonadamente.

Lanira não soube o que dizer. A surpresa paralisara-a. Nunca ninguém fizera isso com ela. Ficou sem ar e não conseguiu articular palavra. Alberto apertava sua mão e iria beijá-la de novo quando ela conseguiu dizer:

— Por que fez isso?

— Porque não consegui me controlar. Desde que a conheci, desejava beijá-la.

— Você não devia ter feito isso. Não ouviu o que eu disse? Não pretendo namorar.

— Se não quer me namorar, o que posso fazer? O que eu não pude foi olhar para você sem beijá-la.

Olhando-a nos olhos, ele fez menção de beijá-la novamente. Ela o empurrou dizendo:

— Vamos embora. Leve-me para casa. Você não deveria ter feito isso.

Ele ligou o carro e levou-a para casa. Foram em silêncio durante todo o trajeto.

— Você está zangada?

— Estou.

— Não tem razão — apanhou a mão dela e levou-a aos lábios com carinho. — Não quis ofendê-la. Foi mais forte do que eu. Ainda agora sinto uma vontade louca de beijá-la de novo.

— Vou entrar. Boa noite.

Ela abriu a porta do carro e saiu apressada. Seu coração batia forte e ela correu para dentro sem olhar para trás.

Alberto suspirou fundo. Aquele beijo deixara-o excitado e ele intimamente sentiu que faria tudo para ter aquela mulher. Acionou o carro pensando no que faria para conquistar definitivamente o amor de Lanira. Ia tão distraído que nem percebeu que seu carro estava sendo seguido.

Ao chegar diante do prédio de apartamentos em que morava, colocou o carro na garagem e foi esperar o elevador quando, de repente, surgiram dois homens mascarados apontando um revólver e agarraram-no. Um deles disse:

— Fique calado senão você morre! É um assalto.

Alberto sentiu um arrepio de medo.

— O que vocês querem? Podem levar o dinheiro.

— Nós queremos você. Vamos andando.

Empurraram-no e um deles imediatamente colocou um capuz na cabeça de Alberto, que, atordoado pela surpresa, foi jogado para dentro de um carro que arrancou em alta velocidade.

Rodaram durante algum tempo em silêncio, sem responder as perguntas que Alberto de quando em quando fazia. Por fim pararam e ele foi puxado para fora. Entraram em uma casa e ele sentiu um cheiro forte de mofo. Tiraram seu capuz e um deles o empurrou para dentro de um pequeno aposento, fechando a porta pelo lado de fora.

Alberto passou os olhos pelo quarto. A casa era antiga. Havia uma janela de madeira, com uma trava de ferro e um cadeado. Uma cama de solteiro, um criado-mudo com um abajur barato, o mesmo cheiro desagradável de mofo. Havia outra porta que Alberto abriu. Era um pequeno banheiro. No alto um pequeno vitrô que ele imediatamente abriu para que entrasse um pouco de ar.

A noite estava quente. Alberto tirou o paletó e a gravata, abrindo a torneira da pia e molhando o rosto na tentativa de refrescar um pouco.

Quem seriam aqueles homens? Se fosse um assalto, teriam levado seu carro, seu dinheiro, até subido a seu apartamento para roubar. Mas não. Angustiado, ele se lembrou do pedido de Jonas para que tivesse cuidado.

Por que não lhe dera ouvidos? Aqueles homens só podiam ser mandados por José Luís e Bóris. Se isso fosse verdade, sua vida estava correndo sério perigo. Eles fariam tudo para livrar-se dele. Se não o mataram à queima-roupa foi porque pretendiam fazê-lo de forma a não despertar nenhuma suspeita.

Tentou forçar a porta do quarto, mas foi inútil. Ele ouvira o ruído do carro saindo. Eles o haviam deixado só. Foi até a janela, mas não tinha como abri-la.

Em sua angústia, lembrou-se do avô. Ajoelhou-se ao lado da cama e rezou pedindo ajuda. Só Deus poderia socorrê-lo naquela hora difícil.

Lanira entrou em casa nervosa. Até então Alberto havia sido comedido, respeitoso. O que dera nele para beijá-la daquele jeito? Apesar de tudo, ela sentia o coração bater descompassado quando recordava aqueles beijos. Sempre se julgara imune à tentação e ria quando os rapazes lhe dirigiam galanteios.

Deveria ter reagido com mais força. Mas ao mesmo tempo estremecia lembrando-se do brilho dos olhos dele, do beijo carinhoso em sua mão. O que estaria acontecendo com ela? Estaria ficando fraca?

Deitou-se mas custou a dormir. A lembrança dos beijos de Alberto não a deixava e ela se inquietava, virando na cama, tentando encontrar uma explicação para o que estava sentindo.

Na manhã do dia seguinte Rubinho procurou Daniel dizendo:

— Estou esperando Alberto para fazermos aquela reunião sobre a audiência e ele não apareceu. Liguei para o escritório dele: não foi trabalhar.

— Ligou para o apartamento?

— Ninguém atende.

— Estranho. Ele nunca faltou a nenhuma reunião nossa. Tem certeza de que ele sabia que era hoje?

— Tenho. Ontem falei com ele para confirmar.

— Vou ligar para o apartamento novamente.

Daniel tentou mas o telefone tocou, tocou e ninguém atendeu.

— Vai ver que ele saiu. Logo deve estar chegando.

Mas chegou a hora de almoço e ele não apareceu. Rubinho ficou preocupado:

— Vou até a casa dele.

— Vou com você.

Chegaram ao prédio onde Alberto morava e falaram com o porteiro. Ele só vira Alberto sair para o trabalho no dia anterior.

— Eu fui bater no apartamento porque achei a chave do carro dele no chão da garagem, perto do elevador. Mas ninguém atendeu. Como o carro dele está na garagem, pensei que ele deve ter saído com algum amigo e nem percebeu que derrubou a chave.

Os dois advogados olharam-se assustados.

— Tem certeza de que o carro dele está na garagem?

— Tenho. Vocês podem ver.

Os três foram ao subsolo e viram o carro.

— O zelador tem as chaves dos apartamentos. Somos os advogados dele. Achamos que ele está correndo perigo de vida. Vamos examinar o apartamento.

O zelador imediatamente abriu o apartamento, mas lá não havia ninguém.

— O que faremos? — disse Daniel. — Vamos chamar a polícia?

— Vamos avisar Jonas.

Dali mesmo ligaram para Jonas informando-o do ocorrido. Em menos de meia hora ele estava no apartamento de Alberto com um investigador. Examinaram tudo e não encontraram nada.

— Ao que parece ele não entrou em casa. Tudo indica que chegou aqui, colocou o carro na garagem e quando ia tomar o elevador deve ter sido agredido e levado para algum lugar — concluiu o investigador.

— Espero que não o tenham matado — disse Jonas. — Eu preveni. Estamos lidando com assassinos da pior espécie. Nós o vigiamos, mas nem sempre pudemos estar ao lado dele.

— O que faremos? — perguntou Daniel inquieto.

— Marcos vai avisar no departamento dele para que dêem uma busca. Precisamos de fotos.

Eles procuraram no apartamento e encontraram algumas em um álbum.

— A audiência será dentro de uma semana. Foi por causa disso que eles agiram — lembrou Rubinho.

— Se ele não comparecer, o trabalho será prejudicado — comentou Daniel.

— Se ele estiver morto, eles serão indiciados. Isso eu prometo. Com as provas que tenho, nós os colocaremos na cadeia — disse Jonas.

— Se ele estiver vivo em algum lugar, nós o acharemos. Estou começando a implicar com esses malvados. Depois de tudo quanto fizeram com o moço, ainda querem dar cabo dele. Vou me empenhar, vocês vão ver.

— Vou redobrar a vigilância em Bóris. Não podemos perder um minuto. O Dr. José Luís nunca faria nada pessoalmente. Bóris é quem dá as cartas para ele. É nele que precisamos centrar nossa atenção.

— Você está certo, Jonas — concordou Daniel. — A amante dele também tem que ser vigiada.

— Pode deixar — garantiu Jonas. — Vamos embora. Nada mais temos que fazer aqui.

Deu um cartão ao zelador, dizendo:

— Qualquer coisa estranha que aconteça, ligue para nós. Qualquer pista pode ser a chave para salvar Alberto.

Rubinho e Daniel voltaram ao escritório preocupados. Daniel ligou para Lanira e contou-lhe o que havia acontecido.

— Estivemos juntos ontem até as onze e meia — disse ela assustada.

— Verdade? Seria bom que viesse até aqui para nos contar tudo.

— Irei. Pode esperar.

Naquela tarde, Maria Júlia procurou Gabriel.

— Queria que você me acompanhasse a uma visita a Carolina.

Ele a olhou admirado, mas ela lhe fez pequeno sinal e ele respondeu:

— Está certo. Quando quer ir?

— Agora. Prometi estar lá antes das quatro.

Quando se viram no carro, ela disse:

— Precisamos conversar. Estou preocupada.

— Aconteceu alguma coisa?

— Aconteceu. Ouvi José Luís conversando com Bóris. Eles pretendem resolver definitivamente o caso com Marcelo.

— Como assim? Ele vai dizer a verdade?

— Nada disso. Eles querem acabar com ele.

Gabriel parou o carro dizendo nervoso.

— Um crime? Com isso nós não podemos consentir. Temos que dar parte na polícia.

Maria Júlia agarrou o braço do filho dizendo aflita:

— Isso não! Você não vai fazer isso.

— Mãe, não podemos permitir que eles tirem a vida de uma pessoa. Isso é crime e não estou disposto a carregar esse peso.

— Polícia, não. De forma alguma. Temos que arranjar outro jeito.

— Tem certeza do que está dizendo? O que você ouviu?

— Eles estavam falando em voz baixa. Não me viram. Eu ia ao cabeleireiro, cheguei a ir até o carro, mas mudei de idéia, voltei e sentei-me na poltrona do *hall* para descansar um pouco. A porta do escritório estava aberta e eles conversavam. Bóris dizia:

— "Ele já está preso lá. Temos que decidir como vamos fazer. Ele não pode comparecer à audiência de jeito nenhum. Estive lendo os autos. Eles têm inúmeras provas. Temos que agir depressa. Vou falar com Antunes e faremos tudo de jeito que pareça acidente."

— "Não quero mais gente metida nisso. Você pode fazer tudo sozinho."

— "Não dá. Antunes ajudou-me a apanhar o pato, não vai abrir o bico. Tem mais interesse em ficar calado do que nós. Depois, ele gosta muito de dinheiro."

— "Esse é meu medo. Dinheiro. Ele pode querer chantagear, como Eleutéria."

— "Antunes não fará isso. Já tem trabalhado para nós e fez tudo direitinho. Aceita o dinheiro e pronto. Nunca fez chantagem."

— "Está bem. Faça isso. Mas não quero que ninguém desconfie."

— Então, meu filho — finalizou Maria Júlia —, eu saí dali e fui esconder-me no quarto.

— Mãe, é fora de dúvida que eles pretendem acabar com o moço. Temos que ir à polícia. Não podemos deixar isso acontecer. Estou chocado. Ele ameaçou você! Quer vingar-se. Temos que denunciá-lo.

— Prometa que não fará isso. Pelo amor de Deus!

— Por que tem tanto medo assim, mãe? Há alguma coisa que não me contou?

— É que, quando a polícia descobrir a verdade, serei presa como cúmplice. Fiquei calada durante todos esses anos.

— Arranjaremos bons advogados. Você foi coagida. Teve medo.

— Ainda assim, não quero que vá à polícia.

Ela apertava o braço dele desesperada. Vendo sua aflição, ele não insistiu.

— Acalme-se. Vamos pensar em outra coisa. Você não pode deixar que eles saibam que escutou a conversa. Tenho medo de que se voltem mais ainda contra você. Vamos nos acalmar e pensar em outra solução.

— Isso sim.

— Enquanto isso procure se acalmar. Trate de controlar-se para que em casa ninguém note nada.

Gabriel fez o que pôde para que Maria Júlia ficasse mais calma, entretanto ele se sentia preocupado, aflito.

— Seria bom que você fosse mesmo ao cabeleireiro, porque assim ninguém desconfiaria de nada.

— Não estou com disposição para isso.

— Por isso mesmo. Vai fazer-lhe bem e não despertará suspeitas. Deixá-la-ei lá e mais tarde virei buscá-la.

Depois de deixá-la no cabeleireiro, Gabriel entrou no carro preocupado. Ele precisava fazer alguma coisa. Mas o quê? Sua mãe temia a polícia. O jeito era tentar encontrar Marcelo e libertá-lo. Mas para onde o teriam levado? Precisava descobrir.

Inquieto, não conseguia deixar de pensar, tentando encontrar uma solução satisfatória. A cabeça doía-lhe, e quanto mais pensava menos encontrava saída. A única coisa que ele sabia era que não queria que esse crime se consumasse. Precisava fazer alguma coisa, mas o quê?

Passava das seis quando apanhou a mãe no cabeleireiro e voltaram para casa. Ele, recomendando-lhe calma, foi para o quarto. Precisava pensar, encontrar uma alternativa. Precisava vigiar Bóris. Ele estava em casa, ficaria atento, não iria dormir. Se ele saísse, iria atrás sem que ele notasse.

Apesar disso, Gabriel não conseguia acalmar-se. De repente um temor o assaltou. E se Antunes fizesse tudo sem Bóris, para não despertar suspeitas? Levantou-se da poltrona e começou a andar de um lado a outro do quarto. Ele não podia esperar. Um minuto poderia ser tarde demais. Tinha que fazer alguma coisa.

Decidido, apanhou o telefone e ligou para Lanira. Pouco depois ela estava ao telefone:

— Alô.

— Como vai, Lanira?

— Gabriel!!

— Sim. Desculpe incomodá-la, mas preciso conversar com você urgente. Por favor.

— Está certo.

— Vou passar aí dentro de dez minutos. Obrigado por me atender.

— Estarei esperando.

Ela desligou e Maria Alice aproximou-se interessada:

— Era o Gabriel?

— Era. Vamos dar uma volta. Ele quer conversar.

— Vai ver que se arrependeu e deseja reatar a amizade.

— Pode ser, mamãe.

Lanira não disse que percebera o nervosismo dele. Sua voz estava trêmula. O que ele desejaria? Teria alguma coisa a ver com Alberto?

Quando ele passou, ela já estava no portão esperando. Ele desceu do carro e, depois de cumprimentá-la, disse:

— Vamos dar uma volta.

Ela entrou no carro e ele tornou:

— Estou muito angustiado e, nesse momento, a única pessoa que eu senti que poderia ajudar-me é você. Por isso, apesar de tudo resolvi procurá-la. Você ainda sente alguma amizade por mim?

— Claro. Devo lembrar que telefonei várias vezes e foi você quem nunca quis me atender.

— Eu sentia vergonha. Entretanto, hoje, em minha angústia, você não me saiu do pensamento. Eu preciso que me ajude. Eu queria ir à polícia, mas minha mãe não quer de forma alguma. Ela tem medo. E eu não quero que nada de mal lhe aconteça.

— Você sabe alguma coisa sobre o desaparecimento de Alberto?

— Sei o suficiente para ficar apavorado. Temos que fazer alguma coisa. Impedir que eles cometam esse crime.

— Temos que pedir ajuda para Daniel e Rubinho. Sozinhos não podemos fazer nada. É bom que saiba... que estamos lidando com criminosos... — ela parou com medo de magoá-lo.

Ele finalizou:

— Perigosos. Ninguém mais do que eu sabe disso. Antes eu nada sabia, mas, agora que eu sei, não desejo de forma alguma ser cúmplice desse crime. Temos que impedir, e não sei como. É melhor não falar com Daniel e Rubinho. Eles irão à polícia e tudo estará perdido. Minha mãe não vai suportar.

— Não há outro jeito. Infelizmente sua mãe foi cúmplice deles e por causa disso você não pode deixar que outro crime aconteça. Ela precisa reconhecer isso.

— Ela não foi cúmplice. Foi coagida por eles. Ameaçada. Arriscou a própria vida para salvar Marcelo da morte e cuidou de seu bem-estar enquanto lhe foi possível.

— Nesse caso, ela deveria juntar-se a nós e não defender esse homem que infelizmente é seu pai.

— Nunca nos demos bem. Apesar das aparências, ele sempre maltratou minha mãe. Ela suportou tudo. Estou sempre me perguntando por quê. Se ela tivesse querido separar-se dele, eu a teria apoiado. Mas não sei, às vezes chego a pensar que existe algum segredo, alguma coisa que a impede de fazer isso e que a obriga a suportar tudo que ele quer.

— Pode ser. Nunca tentou descobrir?

— Minha mãe e eu nos damos muito bem. Ela confidencia muitas coisas, mas quando toco nesse ponto ela se retrai. Nunca consegui nada.

— Rubinho acertou. Outro dia ele aventou essa hipótese.

— Verdade?

— Sim. Mas é difícil para nós saber como as coisas se passaram realmente. Ele sempre admirou sua mãe e tem dificuldade em aceitar que ela houvesse sido cúmplice desses crimes.

— Desses crimes?

Lanira mordeu os lábios. Não desejava que Gabriel se sentisse ainda mais por baixo, relatando as suspeitas de que eles teriam acabado com a família inteira. Por isso disse:

— É. Afastar Marcelo da família, tirar a herança, etc.

— Ah!

— Nós devemos procurar Rubinho e Daniel. Depois, há Jonas, um detetive particular nosso amigo que pode nos ajudar a encontrar onde eles esconderam Alberto antes que seja tarde. Alguma coisa me diz que não podemos facilitar.

Gabriel ficou pensativo e Lanira continuou:

— O que poderíamos fazer nós dois? Juntos podemos nos dividir. Jonas pode seguir Bóris.

— Há Antunes. Alguém precisa vigiá-lo.

— Garanto que faremos tudo discretamente. A polícia não incomodará sua mãe.

Ele resolveu:

— Está bem. Alguma coisa tem que ser feita. Não consigo ficar com isso sem tomar providências.

Lanira colocou a mão sobre o braço de Gabriel com carinho:

— Gosto muito de você, Gabriel. Pode contar comigo, aconteça o que acontecer.

Ele olhou para ela emocionado, olhos brilhantes, aproximou-se e beijou-a nos lábios demoradamente. Lanira sentiu que forte emoção tomava conta de seu coração. Apertou-o nos braços com força, retribuindo o beijo. Depois, separou-se dele dizendo:

— Vamos até a casa de Daniel. Não podemos perder tempo.

Daniel recebeu-os surpreendido. Lanira foi logo dizendo:

-- Gabriel precisa de ajuda.

— Entrem, por favor.

— Rubinho não está?

— Não. Ele saiu com Marilda. Sentem-se, por favor.

Gabriel sentou-se no sofá olhando Daniel sem coragem para falar. Estava arrasado e Lanira tentou ajudá-lo.

— Ele e D. Maria Júlia estão desesperados. Ela ouviu uma conversa entre Bóris e o Dr. José Luís. Fale sem rodeios, Gabriel. Daniel vai fazer tudo para ajudar.

— Isso mesmo, Gabriel. Conte o que sabe. Nós queremos a verdade.

— A verdade — começou ele com voz trêmula — só fiquei sabendo há pouco tempo, quando o escândalo estourou e minha mãe, angustiada, me contou como as coisas haviam acontecido. Preciso dizer que ela não foi cúmplice deles e tudo fez para salvar Marcelo e foi através da ajuda de Alberico, o motorista, que ela conseguiu fazer isso. Eles armaram um plano e ela o levou para a Inglaterra, esperando que um dia pudesse desmascarar os culpados e fazê-lo voltar para sua família. Mas as mortes do Dr. Camargo e dos pais de Marcelo impediram-na de fazer isso.

— Por que ela não foi à polícia? Se tivesse feito isso, não seria arrolada como cúmplice.

— Eis o que ainda não posso compreender, Daniel. Minha mãe tem muito medo de meu pai. Ele a domina completamente. Nunca suportei a maneira como ele a trata na intimidade. Nunca nos demos bem. Se ainda não deixei a casa, foi para ficar perto dela e defendê-la, principalmente de Bóris, a quem não toleramos e que goza de todas as regalias, chegando a mandar em tudo, até em meu pai.

— Temos informações de que é um aventureiro da pior espécie — esclareceu Daniel. — Ele ajudou seu pai no caso de Marcelo e deve ter feito muitas outras coisas. É um sujeito perigoso. Você sabe alguma coisa sobre o desaparecimento de Alberto?

Daniel relatou tudo que tinha acontecido, finalizando:

— Estamos desesperados. Não podemos permitir que esse crime ocorra. Minha mãe tem medo da polícia. Lanira não me saía da cabeça. Conhecê-la foi a melhor coisa que aconteceu em minha vida. Por isso, procurei-a e ela me garantiu que você pode ajudar-nos. De minha parte, quero colaborar. Farei qualquer coisa para salvar Alberto, mas preciso proteger minha mãe. Eles a ameaçaram. Se descobrirem que ela ouviu tudo e me contou, poderão maltratá-la. E isso não posso permitir.

— Compreendo, Gabriel. Você tem razão quanto ao perigo que estão correndo. Teria condições de sair de casa com ela, viajar para algum lugar sem que eles suspeitassem? Assim, estariam protegidos.

— Gostaria de vê-la longe deles mesmo. Não sei se ela vai aceitar. Laura não sabe de nada e se deixar a faculdade vai despertar suspeitas. Não gostaríamos de deixá-la sozinha com eles, principalmente por causa de Bóris. Ele é capaz de tudo. Quanto a mim, prefiro ficar por perto e ajudar a esclarecer tudo. Seja o que for que tiver que enfrentar na justiça, é melhor do que esta sensação de vergonha, culpa, cumplicidade.

— O mais urgente é descobrir o paradeiro de Alberto. Os minutos são preciosos levando-se em conta que eles podem agir de uma hora para outra — ponderou Daniel.

Apanhou o telefone e ligou para Jonas, pedindo-lhe que fosse imediatamente a seu apartamento. Enquanto esperavam, Lanira preparou um café e Daniel tentou acalmar Gabriel, que estava muito nervoso.

Jonas chegou quinze minutos depois e inteirado de tudo imediatamente telefonou para o investigador que estava acompanhando o caso e pediu-lhe que vigiasse Antunes.

Quando desligou o telefone, tornou:

— Esse malandro do Antunes tem ludibriado a polícia durante muitos anos. Acho que chegou a hora de o colocarmos atrás das grades. Se o apanharmos em flagrante, não terá como escapar. O danado tem as costas quentes. Políticos importantes protegem-no porque, se ele abrir o bico, muitas cabeças poderão rolar, a julgar pelo que se diz por aí, à boca pequena...

— Nesse caso será inútil prendê-lo. Logo estará de novo em liberdade — concluiu Daniel.

— Não se tivermos provas concludentes. Seqüestro é crime, e se o apanharmos com a boca na botija, não haverá influência de nenhum "padrinho político" que o liberte.

Dirigindo-se a Gabriel, Jonas prosseguiu:

— Você foi corajoso, meu rapaz. Garanto que não se arrependerá de haver-nos procurado.

— Farei tudo para poupar minha mãe. Nisso tudo ela tem sido mais uma vítima. Quanto a mim, estou disposto a ajudar. Quero salvar Alberto e devolver-lhe o que lhe é de direito. Não quero nada desse dinheiro que foi conseguido de forma tão vil.

Jonas olhou-o admirado. E não se conteve:

— Não tem receio de ficar pobre? Sempre viveu no luxo.

— Sou jovem e posso trabalhar, recomeçar minha vida de maneira digna. Tenho certeza de que conseguirei sustentar minha mãe e minha irmã.

Lanira aproximou-se e segurou a mão de Gabriel, apertando-a com força. Tinha os olhos úmidos. Daniel sentiu-se comovido também com a atitude digna que ele conseguia assumir em um momento tão difícil como o que estava enfrentando. Aproximou-se dele, abraçando-o e dizendo:

— Você tem todo o nosso respeito. Estamos orgulhosos de contar com sua confiança. Pode ter certeza de que tudo faremos para defender D. Maria Júlia. Além da ajuda profissional, gostaria de ser seu amigo.

Gabriel retribuiu o abraço de Daniel, sentindo os olhos marejarem. Fez grande esforço para conter as lágrimas.

Jonas pigarreou tentando esconder a comoção e disse com voz que se esforçou para tornar firme:

— Sua ajuda nos será de grande valia. Quero que vigie Bóris, procure ouvir tudo quanto ele fala com seu pai, ou ao telefone, etc. Qualquer novidade, comunique-nos. Vou dar-lhe os números de telefone de contato em que pode ligar para mim ou para Marcos. Se não estivermos, deixe o recado. Tome cuidado. Eles são perigosos. Agora eu vou indo.

Depois que Jonas se foi, Lanira tornou:

— Precisamos telefonar para tia Josefa. Ela pode nos ajudar. — Voltando-se para Gabriel, continuou: — Ela faz sessões espíritas em sua casa. Nós temos ido assistir. É pessoa de muita fé. Alberto afirma que o espírito de seu avô o tem seguido e ajudado. Podemos tentar falar com ele. Talvez nos conte onde Alberto está.

— Você acha isso possível? — indagou Daniel.

Foi Gabriel quem respondeu:

— É possível, sim, se ele puder responder.

— Você acredita nos espíritos? — disse Lanira surpresa. — Nunca me disse nada.

— Só falo nesse assunto quando as pessoas mencionam-no. É assunto delicado e controverso. Só para os que entendem.

— Você parece que é um deles — tornou Daniel admirado.

— Desde criança sinto a presença dos seres de outras dimensões. Quando era adolescente, minha sensibilidade aumentou e eu me senti muito perturbado. Ia da euforia à depressão, passava mal sem que os médicos conseguissem diagnosticar a doença. Por fim, conheci uma pessoa que me ajudou muito explicando o que estava acontecendo comigo, indicando-me livros sérios para que eu estudasse o assunto. Isso me ajudou e consegui me equilibrar. Eu sei que todos nós somos bombardeados por energias das pessoas que estão à nossa volta e também pelos espíritos dos que já morreram. Tive inúmeras provas. Vamos conversar com sua tia. A ajuda espiritual é fundamental em um caso como o nosso.

Daniel sacudiu a cabeça e sorriu. Aquela era a noite das surpresas.

— Já passa das dez. Não é tarde para falar com ela? — objetou.

— Não — contrapôs Lanira. — Tia Josefa nunca dorme antes da meia-noite.

— Nesse caso, faça isso — concordou Daniel.

Lanira ligou para Josefa como o objetivo de colocá-la a par dos últimos acontecimentos.

— Hoje mesmo vou telefonar para os médiuns e pedir orações. O momento é de fé e de confiança. Amanhã é dia de nossa reunião. Traga também Gabriel. Sinto que esse moço está realmente abalado. Vamos confiar em Deus, que tudo dará certo.

Lanira combinou fazer o possível para comparecer à sessão na noite seguinte. Gabriel lembrou:

— Talvez eu tenha que ficar em casa vigiando os passos de Bóris. Será que ele saiu hoje?

— Não se preocupe com isso agora. Bóris está sendo vigiado. Se ele saiu, foi seguido. Quanto a Antunes, precisamos torcer para que ele não tenha feito nada até o momento em que você nos procurou e Marcos colocou uma pessoa para segui-lo.

— É melhor eu ir embora. Vamos, Lanira, eu a deixarei em casa.

Eles saíram e Daniel, pensativo, sentou-se no sofá. A vida tinha surpresas e ele se perguntava o que viria ainda. Lembrou-se da primeira sessão em casa de tia Josefa, quando o Dr. Camargo lhe pedira para proteger Maria Júlia e Gabriel. Ele não atendera seu pedido e não fora procurá-los, mas ele acabou sendo procurado. O espírito do Dr. Camargo teria alguma coisa a ver com isso? Era muito provável que sim.

Não pôde deixar de pensar em Lídia e nas emoções que a presença dela lhe causava, nos misteriosos sonhos que tanto o impressionaram e, principalmente, no sentimento de amor que, embora Daniel fizesse muito esforço para reprimir, teimava em descompassar seu coração quando pensava nela.

Levantou-se e procurou o papel em que anotara as palavras do Dr. Camargo. Com ele nas mãos, sentou-se no sofá e leu novamente. Conforme dissera Gabriel, Maria Júlia deveria ser vítima do marido para que o Dr. Camargo intercedesse em seu favor.

Ela deveria ser inocente, e, nesse caso, ele deveria mesmo defendê-la dali para a frente. Pensou no espírito do Dr. Camargo e pediu-lhe ajuda para que encontrasse a maneira mais adequada de fazer isso.

Capítulo 14

Gabriel chegou em casa preocupado. Procurou pela mãe.

— Você está bem?

— Preocupada com você. Aonde foi?

— Depois eu conto. Aqui tudo está em paz?

— Está.

Maria Júlia fez-lhe pequeno sinal para que não dissesse nada. Ela vivia atormentada. Bóris sempre descobria tudo que ela fazia ou dizia dentro de casa. Às vezes desconfiava que ele houvesse colocado alguma escuta nos aposentos só para vigiá-la. Ele sabia que ela não concordava com o que eles faziam. Sabia que ela era sua inimiga e que gostaria de vê-lo pelas costas.

Gabriel assentiu de leve com a cabeça, apanhou um papel na gaveta e escreveu:

"Venha a meu quarto à noite quando todos estiverem dormindo. Temos que conversar."

Ela leu, concordou com a cabeça e ele amassou o papel e guardou-o no bolso.

Já jantou?

— Não, mas estou sem fome.

Mas Maria Júlia insistiu e levou-o à copa, onde preparou um lanche, forçando-o a comer. Conversaram de assuntos triviais e depois cada um foi para seu quarto.

Passava das duas da madrugada quando Maria Júlia procurou Gabriel em seu quarto. Aproximou-se do leito dizendo baixinho:

— Gabriel.

— Estou acordado, mãe. Não consigo dormir.

— Afaste-se. Vou deitar a seu lado.

Depois de acomodar-se, ela pediu:

— Conte tudo.

Em poucas palavras Gabriel contou o que havia feito e Maria Júlia assustou-se:

— Meu filho! Não podia ter feito isso! Se eles descobrem, nem sei o que farão!

— Foi preciso, mãe. Não podemos pactuar com um crime. Lanira é minha amiga de verdade e Daniel é um homem de bem. Compreendeu nossa situação e vai nos ajudar. Jonas é investigador particular e amigo da polícia. Farão tudo discretamente.

Maria Júlia estava apavorada. Tremia e esfregava as mãos aflita.

— Calma, mãe. Fiz o que tinha que ser feito. Nada nos acontecerá. Eu sei. Deus vai nos ajudar. Nós estamos do lado do bem.

— A vergonha, o descrédito... Nosso nome na lama...

— Infelizmente não é nossa culpa. Sempre temos sido pessoas de bem. É melhor suportar a maldade alheia do que praticá-la. Só peço a Deus que ainda haja tempo de salvar Marcelo e que não tenhamos que lamentar e carregar o peso desse crime.

Maria Júlia rompeu em soluços e Gabriel abraçou-a fortemente, tentando confortá-la:

— Mãe, não fique assim. Tudo vai dar certo.

— Teremos que deixar esta casa, devolver o dinheiro, suportar a vergonha, a pobreza. Não sei se resistirei vendo vocês passarem por tudo isso.

— Claro que resistirá. Vamos superar este momento difícil. Sou jovem, forte, posso trabalhar. Garanto que nada vai faltar a vocês.

— Sonhei para você um brilhante futuro!

— Eu sei, mãe. Mas com paciência e honestidade chegaremos lá. Tenho certeza de que tudo vai passar e nós três reconstruiremos nossas vidas. Podemos nos mudar para outra cidade, outro país, viveremos felizes e livres. Nossa consciência estará em paz. Vamos, não chore mais. Quer que eles desconfiem? Conto com sua ajuda. Chegou a hora de nos livrarmos de Bóris e das maldades de meu pai.

Maria Júlia suspirou profundamente. Apertou Gabriel nos braços, dizendo:

— Seja o que for que venha a acontecer, lembre-se de que eu amo muito você e sempre fiz tudo para vê-lo feliz.

— Eu sei, mãe. Eu também amo você e não gosto de vê-la sofrer. Vamos, enxugue as lágrimas e trate de se acalmar. Tudo vai dar certo, você vai ver. Quero que me ajude a vigiar os dois e me conte tudo que observar. Depois que eu saí, percebeu alguma coisa diferente?

— Não. Bóris foi para o quarto e José Luís para a clínica. Laura para o quarto. O que fará quando souber?

— Por enquanto vamos deixá-la fora disso. É melhor poupá-la.

— Concordo. Fui para meu quarto, apaguei a luz e esperei que José Luís se recolhesse para o quarto dele. Quando tudo estava silencioso, vim para cá.

— Agora, vá descansar. Vou tentar dormir. Quero levantar cedo amanhã para observar. Não esqueça: qualquer coisa diferente, um telefonema, uma conversa entre eles, comunique-me imediatamente.

Ela se levantou, beijou o rosto de Gabriel com carinho.

— Durma bem, meu filho.

— Está mais calma?

— Estou. Com você do meu lado, está tudo bem.

— Sempre estarei do seu lado, aconteça o que acontecer. Procure descansar. Amanhã é outro dia.

Depois que ela se foi procurando não fazer barulho, Gabriel levantou-se, entreabriu a porta e ficou olhando o corredor, até a mãe entrar no quarto e fechar a porta. Quando ia deitar-se, novamente sentiu sede e no escuro foi até a cozinha para tomar água. Notou que a luz do quarto de Bóris estava acesa. O que estaria fazendo àquela hora da madrugada?

Precisava saber. Encostou o ouvido na porta e ouviu que ele conversava ao telefone, mas por mais que se esforçasse não conseguiu entender o que dizia. Pé ante pé, abriu a porta da cozinha, deu a volta pelo jardim até a janela do quarto de Bóris e encostou o ouvido na veneziana.

— Precisamos fazer bem-feito — dizia ele. — Ninguém pode desconfiar de nada. Por causa da audiência, vão suspeitar de José Luís. Isso não pode ocorrer. Tem que parecer acidente.

Ele fez uma pausa, depois continuou:

— Eu sei... eu sei... Está certo. Vou ajudar. Bem que você podia fazer tudo sozinho. Afinal, pelo dinheiro que estamos pagando... Não... não. Não quero ninguém mais na jogada. Eu sei... eu sei... Está bem. Melhor ser no fim de semana. Claro... Está certo. Estarei lá para conversar. Pode esperar. Vê se não me liga para cá. Sabe como é. Não convém. Ela anda muito nervosa. Se desconfiar, tudo pode ir por água abaixo. Eu sei... Mas só em último caso. Está bem. Irei, sim. Agora vou desligar.

Ele ouviu o ruído de desligar o telefone e em seguida a luz se apagou. Procurando não fazer ruído, Gabriel foi para o quarto, fechou a porta, coração batendo forte. Era evidente que falavam de Alberto. Sentiu-se aliviado. Ele estava vivo! Havia tempo de salvá-lo.

Imediatamente ligou para Jonas, que atendeu com voz de sono. Deu um salto quando entendeu que era Gabriel.

— Tenho novidades. Ouvi uma conversa de Bóris ao telefone. Alberto ainda está vivo!

— Boa notícia! Conte tudo.

Gabriel contou e Jonas anotou tudo e garantiu:

— Com certeza ele conversava com seu cúmplice, Antunes. Serão vigiados o tempo todo. Vamos pegá-los. Bom trabalho, Gabriel.

— Minha mãe está muito nervosa.

— Ela não pode deixar que eles notem nada. Entendeu? É fundamental para nosso sucesso e para a segurança de vocês.

— Eu sei. Pode confiar, ela sabe controlar-se muito bem diante deles.

— Está certo. Cuide-se. Trate de descansar. Poupe suas forças. Ele não vai fazer nada por enquanto. E quando sair, estaremos seguindo-o.

— Está certo. Boa noite.

— Boa noite.

Gabriel desligou e respirou fundo. Estirou-se no leito, mas estava tenso. As emoções das últimas horas não o deixavam relaxar. Precisava serenar o espírito. Lembrou-se de Deus e, fechando os olhos, começou a rezar pedindo ajuda.

Aos poucos foi se acalmando e já estava quase pegando no sono quando viu um homem de meia-idade ao lado de sua cama olhando-o com carinho. Tentou abrir os olhos mas não conseguiu:

— Estou fora do corpo — pensou ele.

O homem aproximou-se dele dizendo com voz firme:

— Obrigado, Gabriel. Deus o abençoe.

Emocionado, Gabriel lembrou-se do retrato do Dr. Camargo que havia visto no escritório da empresa que pertencera a ele e que seu pai vendera quando de posse da herança. Era ele!

— Ajude-nos, por favor! — pediu Gabriel em pensamento.

— Acalme-se. Sou muito grato a Maria Júlia por tudo quanto fez a Marcelo. Confie em Deus. Não tema.

Gabriel tentou falar e abriu os olhos acendendo a luz do abajur. Dr. Camargo havia desaparecido. Teria sonhado? Estaria tão preocupado com o que estava acontecendo que teria fantasiado isso?

A imagem dele voltou-lhe à lembrança e Gabriel sentiu que ele estivera ali para inspirar-lhe confiança e dizer que estava satisfeito com o que ele fizera. Respirou aliviado. Agradeceu a Deus pela ajuda que estava recebendo, deitou-se novamente e desta vez adormeceu.

Na manhã seguinte acordou assustado. Olhou o relógio e levantou-se imediatamente. Passava das dez. Arrumou-se rapidamente e desceu preocupado. Maria Júlia esperava-o na copa.

— Sente-se, meu filho, vou mandar servir o café.

— Perdi a hora. Desejava levantar cedo. — Percebendo a presença de Bóris na outra sala, completou: — Havia combinado ir ao clube com alguns amigos.

— Talvez ainda tenha tempo.

— Não sei... vamos ver.

Ele tomou o café enquanto conversavam sobre assuntos triviais. Gabriel apanhou um papel, um lápis e escreveu:

— Notou alguma novidade?

Maria Júlia leu e fez leve sinal negativo com a cabeça.

— Hoje está um dia calmo, bonito. Estou pensando em dar uma volta, talvez ir às compras. Chegaram algumas novidades na Casa Cintra.

— Pois eu acho que ficarei em casa. Está calor e estou com preguiça. Se o tempo continuar bom, talvez amanhã eu saia com o barco.

Apesar de estar atento, Gabriel não observou nada diferente durante o dia inteiro. Passava das seis quando ligou para Lanira a fim de combinar a hora em que deveriam ir a casa de Josefa.

Passou pela casa de Lanira para apanhá-la e Maria Alice vendo-o chegar ficou um pouco apreensiva. Pelo apuro com que Lanira se vestira, desconfiava que ela estaria interessada em Gabriel. Fosse antes, teria ficado alegre, mas agora, com o escândalo, tudo era diferente. Era verdade que o Dr. José Luís continuava bem-visto, apesar de tudo, e a maioria das pessoas preferiu fingir que ignorava a ação que corria na justiça. A princípio, ela também não acreditara naquela história, mas depois que falara com Daniel, que o juiz deferira a petição inicial, pedindo provas, ela sentira abalar sua confiança.

E se ele fosse culpado mesmo? E se as provas que Daniel possuía fossem convincentes e o juiz as acatasse como verdadeiras? Nesse caso, o José Luís desacreditado, preso, obrigado a devolver toda a fortuna, seria execrado pela sociedade. Não tinha nenhuma dúvida quanto a isso. Gabriel, além de ficar pobre, seria coberto de vergonha. Não, ela não queria que sua filha corresse o risco de namorá-lo. Essa relação podia trazer-lhe futuros aborrecimentos.

Procurou o marido, que, sentado na sala, lia com prazer um discurso que deveria proferir na tarde seguinte. Alícia redigira-o e ela era magistral. Sabia valorizar seus dons de oratória, bem como as frases de efeito que comoviam a platéia.

— Antônio, estou preocupada com Lanira.

Sem levantar os olhos da leitura, Antônio respondeu:

— Com quê?

— Pare um pouco de ler. Temos que conversar.

— Estou estudando meu discurso. É muito importante.

— Eu sei. Mas a felicidade de Lanira é muito mais.

— O quê? — desta vez ele olhou para ela admirado.

— Ela saiu com Gabriel. Reataram a amizade.

— Não estou entendendo. Onde quer chegar?

— Estive pensando. Se José Luís for condenado, além de ficar pobre ele pode ser preso e ficará desonrado. Lanira não pode se envolver com o filho dele.

Antônio olhou-a com ar de incredulidade:

— O quê? Vai me dizer que entrou na fantasia de Daniel? José Luís está sendo vítima da ambição de um falsário. Tenho certeza disso. Todos em nossa roda dizem isso.

— Não sei, não. Daniel me garantiu que tem provas convincentes, e depois o juiz deferiu o pedido deles, o que significa que tudo pode ser verdade.

— Deferiu? Tem certeza?

— Tenho. Lanira me contou que Daniel e Rubinho estavam radiantes e convidaram-na para comemorar.

— Quem será esse juiz? Você sabe o nome dele?

— Não. Mas que importância tem isso? Eles conseguiram, não é? Já pensou que tudo isso pode ser verdade?

— Não. Não creio. Infelizmente ainda há juízes cretinos neste país. Algum idiota que quis aparecer nos jornais, graças ao nome de José Luís. Só pode ser isso. Amanhã vou ligar para Mendes e pedir que interceda. Ele é desembargador.

— Eu achava bom você não se envolver. E se tudo for verdade e você for visto defendendo um criminoso? Já pensou como seria ruim para seu prestígio? O povinho com certeza vai ficar do lado do "pobre moço" órfão, espoliado, sem família... É uma história e tanto para a gentinha.

— Você acha mesmo que ele pode ser culpado?

— Não sei. Mas por via das dúvidas é melhor esperar as coisas ficarem mais claras. Nunca pensei que a justiça fosse deferir o pedido deles. Agora tudo pode acontecer. É prudente não aparecer tomando partido.

— É, nisso você tem razão. Nunca se sabe o que pode acontecer. A opinião pública adora essas histórias em que o rico é o vilão. Numa dessas, José Luís pode até entrar de bode expiatório.

— Seja como for, você deve ter cautela e aguardar os acontecimento. Enquanto isso, Lanira não deve sair mais com Gabriel. Você deveria conversar com ela.

— Eu? Ela nunca me dá ouvidos! Essas coisas de namoro competem a você, que é a mãe. É melhor falar logo antes que eles se envolvam mais.

— Tentarei.

Faltavam dez para as oito quando Lanira chegou com Gabriel em casa de Josefa. Cumprimentou os conhecidos, abraçou a tia, apresentando Gabriel.

— Seja bem-vindo, meu filho — disse ela estendendo a mão.

— Obrigado por permitir que eu participe da reunião — disse ele depois de retribuir ao cumprimento.

— Acomodem-se, por favor.

Daniel e Rubinho chegaram, acompanhados de Marilda e Lídia. Naquela tarde, Rubinho pedira a Daniel que perguntasse a tia Josefa se as duas poderiam acompanhá-los.

Daniel surpreendeu-se:

— Vamos tratar de assuntos pessoais e sigilosos. Não acho uma boa idéia levá-las. Depois, minha tia pode não gostar.

— Marilda convidou-me para uma reunião e eu lhe disse que estava comprometido. Nós estamos namorando, ela ficou com ciúme. Zangou-se. Então contei-lhe que era uma sessão espírita. Aí ela se conformou, mas contou a Lídia, que ficou entusiasmada. Ela costumava freqüentar sessões e desde que chegou ao Brasil não tinha aonde ir. Elas querem ir conosco hoje à noite.

— Não acho uma boa idéia.

— Em todo caso, telefone para sua tia e peça-lhe permissão. Marilda é curiosa, mas Lídia é uma estudiosa desses assuntos. Se sua tia disser não, nós respeitamos. Mas pelo menos consulte.

A contragosto, Daniel telefonou à tia, que para sua surpresa concordou imediatamente.

Além deles havia mais seis pessoas, e às oito em ponto já estavam todos sentados em volta da mesa. Josefa fez ligeira prece e pediu que se concentrassem. Logo um médium começou a falar, saudando os presentes e dizendo:

— Finalmente conseguimos reuni-los aqui esta noite. Há muito esperávamos por esta oportunidade e queremos agradecer a Deus por nos ter permitido essa tão esperada reunião. Vamos orar porque a graça divina é abençoada e pródiga em bondade e luz.

Ele continuou falando, mas Daniel sentiu uma sonolência incontrolável. Esforçou-se para reagir, mas não conseguiu. Sua cabeça pendeu e ele se debruçou sobre a mesa e adormeceu.

Josefa pediu que continuassem orando e não se preocupassem com ele. Daniel, de repente, viu-se andando por uma rua diferente. Sentia o coração oprimido, como se alguma coisa ruim estivesse para acontecer.

Chegando em frente a uma casa, parou. Entrou. Tudo ali era-lhe familiar. Foi direto ao quarto, onde procurou ansiosamente por alguém e não encontrou. A cama de casal estava vazia.

Angustiado, sentou-se em uma cadeira e de repente recordou-se: Lídia havia partido para sempre. Ele estava só com sua dor. O que fazer de sua vida dali em diante? Como suportar a solidão na casa vazia e triste?

Lágrimas corriam pelo seu rosto. Ele se levantou e começou a andar de um lado a outro. Foi quando Alberto entrou no quarto olhando-o com raiva e dizendo:

— Você foi o culpado pela morte dela. Assassino. Vai pagar por tudo que fez a ela!

Daniel olhou-o admirado. Apesar de estar vivenciando esses fatos, ele estava perfeitamente consciente da atualidade e por isso indagou:

— Por que me acusa? O que aconteceu entre nós no passado? Por que sonhei com você mesmo antes de conhecê-lo? Como explicar o que sinto ao lado de Lıdia?

Alberto imediatamente desapareceu e Daniel viu-se transportado para uma sala clara e agradável. Olhou em volta e não havia ninguém. Sentou-se na poltrona macia sentindo uma brisa leve e perfumada acariciando-lhe o rosto.

Fechou os olhos e respirou deliciado. Quando os abriu, uma mulher de meia-idade, rosto sereno, estava diante de si. De onde a conhecia?

— Você não vai se lembrar — disse ela.

— Eu a conheço.

— É verdade. Temos pouco tempo. Vamos aproveitá-lo.

— Você sabe o que está acontecendo comigo? Por que esses sonhos?

— São recordações de suas vidas passadas. No momento você não tem como se lembrar de tudo.

— Sinto que o cerco ao meu redor está apertando. Que preciso fazer alguma coisa importante mas não sei o que seja.

— Não se preocupe. Tudo caminha muito bem. Confie na vida, que sempre faz o melhor. O importante é procurar ligar-se com o espiritual.

— O que é ligar-se com o espiritual? Não sou religioso.

— Não falo de religião. Falo da essência das coisas. Falo dos valores eternos do espírito. De conhecer a força imutável que rege o universo. Estar nela é estar seguro, preservar sua serenidade, recompor seu caminho de progresso, encontrar felicidade e paz.

— Neste instante estou sentindo uma alegria que há muito não tenho sentido. Sua presença está me fazendo muito bem.

— Não é minha presença, mas o encontro de sua alma com a verdade espiritual. Este lugar é o paraíso, o nirvana, a felicidade eterna. É a essência divina que está dentro de você e que pode dar-lhe essa alegria sempre que você se refugiar nela. Por isso eu disse: confie na vida e ligue-se com seu eu espiritual. Esse é o segredo da serenidade e da paz.

— Desejo saber por que a presença de Lídia me emociona e a de Alberto me oprime.

— Reflexos de um tempo que já passou. Agora vocês estão juntos novamente para experimentarem renovação e progresso. Não se deixe dominar pelo emocional. O passado está morto. O que aconteceu naqueles tempos não vai acontecer de novo. Tudo mudou. Vocês aprenderam, renovaram-se, entenderam-se. Portanto siga em frente e não tema. Ligue-se com o espiritual. Se continuar vindo aqui, vai encontrar todas as respostas que deseja. Agora vá. Lembre-se: quando sentir uma emoção desagradável, repita essas palavras: o passado acabou. O que aconteceu naqueles tempos não vai acontecer de novo. Hoje tudo é diferente!

Daniel estremeceu e acordou sentindo ainda o perfume gostoso e a sensação deliciosa daquela presença.

— Não vá embora! — implorou ele ainda envolto na magia daquele encontro.

Ouvindo o som de sua voz quebrando o silêncio da sala às escuras, Daniel respirou fundo um pouco assustado.

— Agradeça a Deus a dádiva que você recebeu — disse Josefa.

Em seguida fez ligeira oração de agradecimento e encerrou a sessão. As luzes foram acesas enquanto as pessoas comentavam entre si algumas passagens da reunião.

Daniel passou a mão nos cabelos dizendo:

— Desculpe, tia, mas eu adormeci. Não ouvi nada do que aconteceu aqui.

— Você saiu do corpo. Ou melhor, foi conduzido em espírito a um lugar muito especial. Como se sente?

— Muito bem.

— Ao chegar aqui você estava angustiado, preocupado. Recebeu ajuda.

— Foi maravilhoso. Nunca senti emoção igual. Gostaria que nunca se acabasse.

— Hoje você se encontrou com uma pessoa que o quer muito bem e o tem ajudado muito.

— É estranho, mas quando a vi senti que a conhecia. Como pode ser isso? Eu nunca a tinha visto antes.

— Nesta encarnação, não. Mas vocês são velhos conhecidos de outras vidas.

— Que mulher! Nunca conheci ninguém assim!

— Ela era bonita? — perguntou Lanira.

— Linda. Era um misto de suavidade e energia, de força e delicadeza, fica difícil explicar.

— É um espírito lúcido — esclareceu Josefa.

— Você a conhece? — perguntou Daniel.

— É uma amiga espiritual que tem nos ajudado muito. Seu nome é Norma.

A conversa generalizou-se. Uma senhora serviu um pouco de água da jarra para cada pessoa e Daniel ficou olhando admirado as borbulhas que havia em seu copo.

— É água energizada — esclareceu Josefa sorrindo. — Beba, vai fazer-lhe bem.

Lídia aproximou-se deles dizendo:

— Desejo agradecer-lhe haver permitido minha presença. Estava sentindo muita falta desses encontros espirituais. Estou me sentindo alimentada.

— Você está ligada ao nosso grupo. Fico feliz que esteja conosco — respondeu Josefa.

Daniel olhou Lídia e recordou-se da emoção que sentira momentos antes, pensando nela, como se houvesse morrido. Sentiu vontade de abraçá-la, de dizer-lhe o quanto sentira sua falta e o quanto a amava. Conteve-se. Ela não sabia de nada. Iria julgá-lo louco.

Percebendo seu olhar emocionado, Lídia colocou a mão no braço dele perguntando:

— O que você viu quando saiu do corpo?

— Norma disse que voltei no tempo e vi pedaços de minhas vidas passadas.

— Não vai nos contar? — pediu ela.

Daniel perdeu o jeito. Como falar o que se passava dentro dele desde que a conhecera?

— Não foram lembranças agradáveis. Sofri a perda de alguém que muito amava e ao recordar senti de novo todo o sofrimento daqueles tempos. Com a ajuda de Norma passei da dor à alegria.

— Pergunto porque durante todo o tempo em que esteve adormecido não consegui desviar meu pensamento de você. Senti que precisava ir ter com você e dizer-lhe algo, que não sei o que seja. Fiquei ansiosa e só ao pensar nisso sinto uma energia inquietante.

Josefa olhou-os e sorriu. Depois esclareceu:

— Daniel também pertence a nosso grupo astral, assim como você. Não tenho dúvidas em afirmar que já se conheceram em outras vidas.

Daniel não disse nada, mas seus olhos brilharam emocionados. Lídia estremeceu ligeiramente e respondeu:

— Quando nos encontramos pela primeira vez, senti que já o conhecia antes.

Lanira aproximou-se, perguntando à tia:

— Não falaram nada quanto a Alberto. Viemos para pedir ajuda.

— Não mencionaram o nome dele, porém a mensagem da noite foi sobre confiança. Estou certa de que eles estão cuidando. Vamos manter o otimismo e a alegria.

Gabriel, que se aproximara, interveio:

— Apesar disso estou ansioso, preocupado. Minha mãe está passando por um problema muito difícil. Eles não disseram nada com relação a nosso caso.

— O que significa que estão trabalhando e que ainda não havia nada para dizer. Pelo que observei, sua mãe está tendo a ajuda de uma mulher clara, de cabelos ligeiramente ondulados, magra, de pele delicada e sorriso doce. Não deu o nome. Sua mãe sabe quem ela é. Quanto a você, está acompanhado pelo Dr. Camargo. Esse eu conheci bem. Ele os estima muito e está ajudando. Pediu que lhe desse o recado: que tudo está sob controle. Pede que cooperem mantendo pensamentos positivos.

Gabriel emocionou-se. A atitude do Dr. Camargo ajudando-os era uma indicação segura de que ele perdoara a fraqueza de sua mãe mantendo segredo sobre a morte de Marcelo, e não a culpava.

— Ele está me dizendo — continuou Josefa — que é muito grato à sua mãe por ter salvo a vida de Marcelo. Que podem contar com ele e que fará o que puder para que sejam felizes.

Gabriel lembrou-se da visão que tivera na qual ele lhe dissera as mesmas palavras. Sentiu um nó na garganta e não conseguiu responder. Lanira pegou a mão dele e apertou-a com força.

As pessoas foram se despedindo e Gabriel prontificou-se a levar Lanira para casa. Depois que eles se foram, Lídia despediu-se dizendo a Rubinho:

— Podem ir que eu vou tomar um táxi.

— De forma alguma — objetou ele. — Viemos juntos e terei prazer em deixá-la em casa.

Ela sorriu e ia responder quando Daniel interveio:

— Quem deseja ter esse prazer sou eu.

— Nesse caso, tudo bem — concordou Rubinho trocando disfarçadamente um olhar intencional com Marilda.

Quando se viu sentado no carro ao lado de Lídia, Daniel respirou fundo. A proximidade dela, seu perfume, mexia com sua emoção como nunca se lembrava de haver sentido diante de uma mulher.

Ela deu o endereço e ele ligou o carro, andando devagar.

— É adorável sua tia Josefa. Não me recordava bem de como ela era.

— Minha mãe é muito católica e nunca aceitou a crença da tia. Assim, privou-nos de conviver mais com ela. Somente agora, por causa de alguns acontecimentos especiais, foi que recorremos a ela.

— Eu pretendo continuar freqüentando essas reuniões. A mediunidade, quando exercida com conhecimento, torna-se uma maravilhosa ferramenta de ajuda espiritual para quem a cultiva.

— Você tem mediunidade?

— Intuição. Sinto quando devo ou não fazer as coisas. Ao conhecer pessoas, sei se são confiáveis ou não.

— Como acontece?

— Não me pergunte, porque não sei. Sinto e pronto. É. Nunca dá errado. Sempre que eu sinto o que devo fazer e não faço, me arrependo. É difícil explicar, mas isso é muito forte em mim.

— Às vezes também tenho essa sensação. Mas controlo. Fui educado para racionalizar, agir de acordo com as regras. E muitas vezes o que você sente vontade de fazer é completamente contra todas elas.

— Nunca experimentou agir de acordo com o que sente?

Daniel encostou o carro e parou, olhando-a nos olhos. Sua proximidade, seu perfume embriagavam-no e ele não se conteve:

— Você acha que eu posso?

— Por que não?

Daniel não esperou mais, abraçou-a com força, apertando-a de encontro ao peito, beijando-a nos lábios. A emoção de seu sonho reapareceu, num misto de sofrimento e alegria, de deslumbramento e paixão.

Lídia retribuiu seus beijos e durante alguns minutos eles se beijaram tentando controlar um pouco a tremenda emoção que os acometeu, assustados com o volume inusitado do que sentiam.

Entre um beijo e outro Daniel disse baixinho:

— Eu amo você. Nunca senti isso por mulher nenhuma.

— Eu também o amo. Sei que você é o amor de minha vida.

Ficaram abraçados, sem falar, sentindo apenas a emoção que fluía dentro de seus corações, beijando-se de vez em quando, esquecidos de tudo e de todos, tendo apenas aquele sentimento imenso gritando dentro de si.

Capítulo 15

Gabriel parou o carro em frente a casa de Lanira.

— Você falou pouco, está pensativo. Não está bem? — indagou ela.

— Não nego que estou preocupado. Eu esperava que os espíritos falassem mais claro sobre Alberto.

— Você está ansioso. A situação é mesmo delicada. Eu também esperava uma resposta mais clara. Mas o Dr. Camargo está do nosso lado, ajudando. Isso me parece bom.

— Muito bom. Contudo, só em pensar que Alberto pode ser morto e que nós não temos como fazer nada para impedir deixa-me nervoso.

Lanira colocou a mão sobre o braço de Gabriel num gesto carinhoso:

— Não fique assim. Você fez tudo quanto podia. Está se arriscando para salvá-lo. Precisa manter a calma.

— Obrigado, Lanira. Se não fosse por você, eu teria cometido alguma loucura.

Passou a mão pelo rosto dela com carinho:

— Você é linda! Tem tudo quanto eu aprecio em uma mulher!

— Você também. É bonito por fora e por dentro.

Ele a abraçou, apertando-a de encontro ao peito.

— Perto de você sinto paz. Queria poder levá-la comigo esta noite e ficar assim, abraçado, sentindo seu coração bater junto ao meu, o pulsar de seu corpo, seu hálito quente, o perfume delicioso de seus cabelos.

Gabriel começou a beijar os cabelos dela, depois sua face, até encontrar seus lábios entreabertos.

— Lanira — disse baixinho —, vem comigo. Eu preciso de você. Fica comigo nesta noite.

Emocionada, ela retribuía os beijos apertando-o de encontro ao peito. Ela também desejava ficar com ele, fosse onde fosse, e queria que aquela noite nunca acabasse.

De repente, ele ligou o carro saindo em alta velocidade. Chegou no ancoradouro de seu barco. Parou e pegando Lanira pela mão conduziu-a para dentro. Uma vez lá, abraçou-a, beijando-a repetidas vezes.

Sem pensar em mais nada, levou-a até a cabine e juntos entregaram-se ao sentimento que não conseguiam conter.

Uma hora depois, deitados um ao lado do outro, Gabriel abraçou Lanira, beijando-a levemente na face, dizendo:

— Perdoe-me. Não consegui me conter.

— Eu vim porque quis. Não tem do que se culpar.

— Eu amo você. Quando tudo isso passar, podemos nos casar.

Ela se sentou na cama.

— Casamento não estava em meus planos tão cedo.

— Eu também não havia pensado nisso. Porém, agora...

— Sou adulta e mulher o suficiente para arcar com a responsabilidade pelo que fiz. Você não precisa casar comigo por causa do que aconteceu esta noite.

— Você nunca tinha tido uma relação. Depois, há sua família.

— Esqueça, Gabriel. Não desejo casar porque você me deflorou, nem porque minha família pode descobrir. Se um dia me casar, terá que ser por amor. Só por amor.

— Eu amo você. Falei em casamento por amor.

— Não foi o que me pareceu.

— Você não me ama?

— Eu gosto de você. Nesta noite você me fez sentir emoções que nunca havia sentido. Não sei se isso é amor. Só não quero que se sinta obrigado a casar comigo por causa das convenções sociais. Isso, não. Jamais me transformarei em uma matrona como há muitas por este Rio de Janeiro. Bonecas sociais, a serviço das futilidades e das intrigas.

— Você nunca será uma delas.

— Não serei mesmo. Nós não planejamos o que aconteceu esta noite. Vamos deixar assim. Precisamos de tempo para perceber o que realmente desejamos. Eu quero ser feliz e tenho a certeza de que serei. Se essa felicidade for ao seu lado, será bom; mas se estiver em outro lugar, quero descobrir.

— Você é uma mulher diferente. Nunca conheci ninguém como você.

Ela sorriu alegre:

— Vamos embora. Já passa das duas. Preciso dar um jeito de entrar em casa sem que mamãe perceba.

Eles se vestiram e saíram. Uma vez no carro, fizeram o percurso sem conversar, cada um imerso nos próprios pensamentos. Quando pararam em frente a casa de Lanira, Gabriel pegou a mão dela dizendo comovido:

— Obrigado, Lanira. Eu estava inquieto, nervoso, indisposto. Você me devolveu a calma. Estou me sentindo muito melhor. Você fez por mim nesta noite o maior bem que poderia ter feito. Eu amo você!

Ela sorriu e beijou-o levemente na face, saindo do carro. Na porta de casa, tirou os sapatos, enfiou a chave na fechadura, abriu a porta, acenou e entrou. Gabriel ligou o carro e saiu, sentindo-se bem como há muitos dias não se sentia.

A casa estava às escuras e Lanira não acendeu a luz. Pé ante pé foi para seu quarto. Tirou a maquiagem, tomou um banho e se deitou. Então rememorou tudo quanto havia acontecido naquela noite.

Ela gostava de Gabriel. Mas casar era outra coisa. Tinha receio de que com o tempo ele se transformasse como seu pai. Ela tinha horror de tornar-se igual à sua mãe, uma figura de aparência, sem emoções, representando um papel.

Com ela não aconteceria isso. Não desejava confundir seus sentimentos. Gabriel atraía-a fisicamente. Era um belo homem. Porém ela desejava descobrir por que se entregara a ele. Fora por amor ou por desejo sexual? As emoções confundiam-se dentro dela e Lanira não conseguia perceber claramente.

Contudo, sentia que agira certo não tomando nenhuma decisão de compromisso. O tempo diria a verdade. Era preciso deixar acontecer. Tendo decidido isso, ajeitou-se na cama e adormeceu.

Gabriel chegou em casa, entrou sem acender nenhuma luz, tentando não fazer ruído. Uma vez em seu quarto, fechou a porta, acendeu a luz e preparou-se para dormir. Ia deitar-se quando bateram levemente na porta.

Quando ele abriu, Maria Júlia entrou rápido, fechando a porta atrás de si.

— Você demorou! Estava ansiosamente esperando.

— Aconteceu alguma coisa?

— Bóris saiu e não voltou até agora. Terá ido atrás de Marcelo?

— Pode ser. Vou ligar para Jonas. Temos que avisá-lo.

Apanhou o telefone e discou. Uma voz de mulher atendeu. Gabriel tornou:

— Desculpe a hora. Preciso falar com Jonas. É urgente.

— Ele saiu a trabalho. Você tem o outro telefone?

— Tenho. Desculpe. Pensei que ele estivesse em casa.

Gabriel desligou, procurou seu caderno de anotações, localizou o número e discou. Desta vez uma voz de homem atendeu e Gabriel perguntou por Jonas:

— Ele não está.

— É urgente. Tenho que encontrá-lo imediatamente.

— Deixe o recado e verei o que posso fazer.

— Diga-lhe que Bóris saiu.

— Mais ou menos às nove horas — completou Maria Júlia, inquieta.

— Eram nove horas — repetiu Gabriel. E continuou: — Ele sabe do que se trata.

— Está bem. Darei o recado.

Gabriel desligou pensativo.

— E então?

— Não sei, mãe. Pode ser que ele esteja justamente tratando do caso neste momento.

— E se não estiver? E se eles fizerem alguma coisa a Marcelo?

— Não adianta agora ficar nervosa. Nós fizemos tudo quanto nos foi possível fazer para evitar essa tragédia. O momento é de confiar em Deus e esperar.

— Não consigo ficar calma. Estou agoniada.

— Papai está em casa?

— Está dormindo.

— Sente-se aqui, mãe, vamos rezar. É o que podemos fazer agora.

— Já nem sei como se reza, Gabriel. Deus não vai ouvir uma pecadora como eu.

— Não diga isso. Por que se subestima? Você deseja o bem tanto quanto eu.

— Depois de tudo que eu fiz?

— A culpa não vai ajudar em nada. Por que só vê o lado ruim? Você arriscou sua vida para salvar Marcelo. O espírito do Dr. Camargo disse que é muito grato a você por isso e que está nos ajudando.

— Ele não está com raiva de mim?

— Não, mãe. Ele está do nosso lado. É por isso que eu confio na ajuda espiritual. Nós estamos do lado do bem. Deus está conosco e os bons espíritos também.

Maria Júlia não respondeu. A comoção não a deixava falar. Gabriel segurou sua mão e com voz comovida conversou com Deus, pedindo ajuda para eles todos e proteção para Marcelo.

As lágrimas desciam pelos olhos de Maria Júlia, tocada pelas palavras confiantes do filho. Quando ele se calou, ela se sentiu aliviada.

— Obrigada, meu filho. Sinto-me melhor agora. Acho que vou me deitar. Seu pai pode acordar e desconfiar.

— Isso mesmo, mãe. Procure descansar. Vou tentar fazer o mesmo.

Depois que ela se foi, Gabriel deitou-se e tentou dormir. A lembrança de Lanira não lhe saía do pensamento. Que mulher! Apesar do que acontecera entre eles, ela recusara compromisso. Ele sentia que estava apaixonado. Não desejava perdê-la. Decidiu que daquele dia em diante tudo faria para conquistá-la definitivamente.

Daniel chegou em seu apartamento passava da uma. Lídia não lhe saía do pensamento. Ao recordar-se de seus beijos, seu coração se descompassava e ele estremecia de prazer. Deitou-se, mas não conseguia pegar no sono. As emoções daquela noite foram muito fortes. Tinha que se render à evidência. Algum dia, em algum lugar, de alguma forma, ele conhecera Lídia e a havia amado.

A reencarnação! Seria mesmo verdade? Era a única explicação possível para os fatos que estavam acontecendo em sua vida. Ele já havia vivido antes com Lídia, amado, sofrido.

Lembrou-se da cena em que ela morria, de seu desespero, e sentiu um aperto no coração. As palavras de Norma voltaram-lhe à memória:

— "O que aconteceu naqueles tempos não vai acontecer de novo!"

— Espero que agora tudo seja diferente. Se acontecesse de novo, não conseguiria suportar aquela dor. Tenho que me acalmar. Não posso me deixar envolver pelo emocional. Foi o que ela me recomendou.

Lembrou-se da sensação gostosa que sentiu naquela sala ao lado de Norma. Era assim que gostaria de sentir-se sempre. Firmou o propósito de voltar às sessões em casa de Josefa.

Rubinho chegou procurando entrar sem fazer ruído e foi para seu quarto. Daniel tentava pegar no sono quando o telefone soou. Atendeu:

— Daniel? É Jonas. Prendemos o pássaro com a boca na botija. Está tudo bem.

— E Alberto?

— Está aqui na delegacia prestando declarações. Você precisa vir agora. Há algumas formalidades.

— Iremos imediatamente. Ele está bem?

— Abatido, é claro. Mas inteiro.

Daniel pulou da cama e foi ter com Rubinho:

— Acorde, Rubinho! Jonas prendeu o homem. Temos que ir à delegacia.

Rubinho levantou-se de um salto:

— Não diga! E Alberto?

— Está bem. Vamos embora logo.

Os dois vestiram-se apressados e dirigiram-se à delegacia, onde Jonas esperava-os:

— E então? — indagou Daniel assim que o viu.

— Está tudo bem. Estamos formalizando a queixa, o flagrante. Alberto está prestando declarações para abertura do inquérito.

— Podemos vê-lo? — perguntou Rubinho.

— Claro. São seus advogados. Vamos entrar.

Jonas conduziu-os a uma sala onde o delegado fazia as perguntas, Alberto respondia e o escrevente anotava. Vendo-os entrar, Alberto levantou-se emocionado.

— São os advogados dele — esclareceu Jonas ao delegado.

Depois das devidas apresentações, Alberto abraçou-os comovido.

— Fiquei com medo de nunca mais ver vocês — disse.

— Felizmente você está aqui — disse Rubinho abraçando-o.

— É um alívio vê-lo, Alberto! — tornou Daniel juntando-se no mesmo abraço.

— O que aconteceu? — perguntou Rubinho.

— O escrivão vai ler as declarações que Alberto fez, para vocês tomarem conhecimento.

Ele começou a ler e eles souberam como ele havia sido seqüestrado e conduzido àquela casa onde estava preso.

— Ele vai continuar o relato. Vocês podem sentar-se.

Vendo-os acomodados, o delegado perguntou:

— Você chegou a ver o rosto de alguém enquanto ficou naquela casa?

— Era sempre o mesmo que aparecia de vez em quando para trazer algum alimento. Mas sempre usava máscara. Apesar disso, eu o reconheci depois que me libertaram. Sua voz, a estatura, os cabelos, tudo.

— Você acha que eram apenas dois os seqüestradores?

— Acredito que sim. Não vi mais ninguém. Hoje à noite, ouvi quando eles chegaram. Conversavam em voz baixa, não consegui entender o que diziam. Depois ouvi fortes batidas na porta da rua e alguém gritando: "Polícia! Abra em nome da lei!" Eles arrastaram móveis, depois ouvi passos, acho que eles estavam correndo tentando escapar. Meu coração batia tão forte que parecia querer sair pela boca.

Jonas interveio:

— Eu gritei na porta de entrada, mas tinha quase certeza de que eles iam tentar fugir pelos fundos. Foi o que eles fizeram. Saíram, mas meus homens estavam escondidos e os prenderam.

— Fizeram um bom trabalho — disse o delegado.

— Com licença, doutor?

— Entre, Nestor. Então, o que descobriu?

— Bom, um é Antunes, nosso antigo conhecido. Desta vez está enroscado. O outro é um estrangeiro. Estamos levantando a ficha dele. Trabalha para um tal de Dr. José Luís Camargo de Melo.

— Trancafie os dois.

— Antunes exige que procuremos pelo senador Medeiros. Bóris mostra-se indignado e diz que estamos enganados. Nega participação no seqüestro. Chama pelo Dr. José Luís, alegando que trabalha como secretário dele.

— Deixe-os gritar e prenda-os. Quanto a chamar seus padrinhos, veremos amanhã. Desta vez Antunes está encrencado e nenhum político poderá ajudá-lo. O outro também. Foram presos em flagrante. Não há defesa.

Nestor saiu. O delegado tornou:

— Para vocês esse fato foi concludente. Vale como uma confissão do Dr. José Luís a respeito da herança. Vocês tiveram muita sorte. Eles mesmos se condenaram.

— Apesar do susto, agora reconheço que foi bom ter acontecido — acrescentou Alberto.

— Dentro de mais algum tempo, vocês vão ganhar essa. Parabéns. Vai ser uma bomba na sociedade! Poucos advogados teriam coragem de fazer o que vocês fizeram. Eu mesmo ouvi muitos comentários contra vocês. Diziam que só aceitaram essa causa porque eram inexperientes. Iriam quebrar a cara. Nunca mais fariam carreira — disse o delegado. — Estou satisfeito com esse resultado. Essas pessoas que abusam do poder, que passam por cima de tudo, que se valem até do crime para ter dinheiro, precisam responder por seus atos.

— A lei vai resolver o assunto. Agora é com vocês — disse Jonas com satisfação.

Depois das providências legais, Alberto finalmente foi liberado. Na saída da delegacia, perguntou a Jonas:

— Como foi que descobriu onde eu estava?

— Bom, depois que Gabriel nos procurou, passamos a vigiar Bóris e Antunes mais de perto. Assim, hoje à noite, quando Bóris saiu e foi encontrar-se com seu comparsa, meus homens os seguiram. Suspeitaram e me avisaram. O resto você já sabe.

— Gabriel, filho de Maria Júlia? Ele nos ajudou? Ele sabia de alguma coisa?

— A mãe se abriu com ele. Contou tudo quanto aconteceu no passado. Ele ficou arrasado e procurou Lanira pedindo ajuda. Ela o aconselhou a procurar-nos — explicou Rubinho.

— Gabriel contou-nos que Maria Júlia não foi cúmplice do marido. Teve medo deles, mas ainda assim salvou sua vida. Eles pretendiam matá-lo. Ela tem muito medo deles — completou Daniel.

— Assim tudo fica mais claro. Nunca entendi a atitude dela. Por que ela suspendeu a mesada?

— Bóris descobriu e contou a José Luís. Ela, com medo de que eles descobrissem seu paradeiro e tentassem alguma coisa contra você, suspendeu o dinheiro.

— Puxa! Agora estou entendendo.

— Vamos deixá-lo em casa. Precisamos descansar. São cinco horas da manhã — resolveu Rubinho.

— É verdade. Hoje teremos um dia cheio — concordou Daniel.

— Nada antes do meio-dia — acrescentou Rubinho. — Precisamos dormir.

— É o que vou fazer agora — disse Jonas despedindo-se.

— Nunca esquecerei o que estão fazendo por mim — disse Alberto emocionado.

— Vamos embora — propôs Rubinho.

Os dois deixaram Alberto em casa e só se despediram depois de o deixarem dentro do apartamento. Estavam exaustos porém felizes. As coisas começavam a se esclarecer.

No dia seguinte Lanira acordou com o som do telefone. Ainda meio sonada, atendeu:

— Alô.

— Alô! Lanira?

— Gabriel? Aconteceu alguma coisa?

— Aconteceu. Estou preocupado. Bóris não dormiu em casa e não voltou até agora. Aonde terá ido? Será que Jonas recebeu nosso recado ontem?

Lanira pulou da cama:

— Não convém falar neste assunto pelo telefone. O melhor será irmos até o apartamento de Daniel. Você pode passar aqui agora?

— Dentro de dez minutos estarei aí.

Lanira desligou e tratou de arrumar-se. Antes dos dez minutos combinados ela já estava na copa, depois de olhar pela janela da sala e ver que Gabriel ainda não havia chegado.

Maria Alice olhou-a admirada:

— Aonde você vai tão cedo?

— Já passa das dez, mãe.

— Não vi a que horas você chegou ontem à noite. Passava da uma e você ainda não estava em casa.

— Estivemos com Daniel e alguns amigos. Esquecemos da hora.

— Tome seu café. Ultimamente você não tem se alimentado direito. Vive distraída, no mundo da lua.

Lanira engoliu uma xícara de café com leite e beliscou um pedaço de bolo. Acabara de ouvir a buzina de Gabriel. Levantou-se, apanhou a bolsa e foi saindo.

Maria Alice seguiu-a inconformada:

— Você não disse aonde vai. De novo com Gabriel? Não vai me dizer que estão namorando.

Lanira parou, olhou-a e respondeu:

— Não, mãe. Estamos apenas nos conhecendo melhor.

— Tinha que se envolver logo com ele? Já pensou se Daniel estiver certo?

— Daniel *está* certo, mas Gabriel não tem nada a ver com as atitudes do pai. É um moço de bem, pode ter certeza disso.

— Não me agrada que esteja se relacionando com ele. É melhor acabar logo com isso antes que a situação se complique. Eu e seu pai não queremos vê-la envolvida com pessoas duvidosas.

— Gabriel é pessoa digna e fora de qualquer suspeita, pode ter certeza disso.

— Afaste-se dele. Será melhor para todos.

— Não vou fazer isso. E digo mais: se um dia eu resolver que gosto dele o bastante, me casarei.

Maria Alice levou as mãos à cabeça:

— O quê? Anda pensando em casar-se com ele? Falarei com seu pai hoje mesmo.

— Não vou me casar com ele, mãe. Só disse que, se um dia eu vier a amá-lo, me casarei com ele. Por enquanto ainda não estou pensando nisso.

Ela saiu e fechou a porta antes que Maria Alice tivesse tempo de responder. Vendo-a entrar no carro de Gabriel e saírem, ela torceu as mãos aflita.

Ela sofrera a vida inteira para manter as aparências, conservar a família, pensando no futuro dos filhos. Engolira a amante do marido, seu desinteresse pessoal, trancara o coração ao amor e a seus anseios de mulher, tudo em nome dos filhos, para que eles fossem poupados da maledicência.

Se Lanira fizesse um casamento desastroso, de que teria servido seu sacrifício? Daniel recusara-se a seguir os passos do pai e preferira o confronto, a desobediência, pondo em risco o prestígio do nome que usava. Agora Lanira ameaçava-os com um casamento desonroso.

Aflita, telefonou para o marido. Precisava desabafar.

Alícia atendeu:

— D. Maria Alice? O deputado está em reunião com o secretário geral do partido. Quer deixar recado?

Maria Alice perdeu a calma. Para falar com o marido tinha que pedir permissão à sua rival?

— Passe a ligação a ele. Não perguntei com quem ele está agora.

Alícia estranhou. Nunca a vira sair da classe costumeira.

— Vou passar — respondeu com voz fria.

Ligou para Antônio e disse:

— D. Maria Alice ao telefone.

— Estou em reunião, você sabe. Diga-lhe que ligo depois.

— É melhor atender. É urgente. Ela me pareceu nervosa.

— Está bem. Alô... Aconteceu alguma coisa?

— Aconteceu, sim. Precisamos conversar urgente. Seria melhor você vir almoçar em casa.

— É assim tão urgente? Não pode esperar até a noite?

— Não. Se não pode vir até aqui, irei até aí. Temos que conversar.

— Eu tenho compromissos urgentes. Não poderei ir almoçar em casa.

— Nesse caso, passarei aí. Até logo.

Ela desligou e ele, embora quisesse convencê-la a não ir, não teve outro remédio senão desligar. O que teria acontecido?

Maria Alice chamou o motorista e preparou-se para sair. Meia hora depois estava entrando no escritório de Antônio. De repente, sentiu aumentar sua raiva contra Alícia e o marido. Estava cansada de fingir que ignorava a ligação deles e de reprimir seus sentimentos.

A atitude dos filhos, que ela considerava ingrata, havia ressaltado a inutilidade de seu sacrifício. Sentia no peito a frustração de perceber que todos os seus sonhos de mãe corriam o risco de naufragarem. Eles representavam seu porto de salvação no caos em que sua vida havia se transformado. Havia transferido para eles todos os seus sonhos e eles haviam alimentado sua sede de felicidade durante todos aqueles anos.

O que fazer agora se eles viessem a ruir? Onde se segurar depois que eles a abandonassem? Não. Ela não podia consentir em perder também com os filhos.

Havia se dedicado a eles toda a vida e merecia que eles correspondessem às suas expectativas. Se isso também desse errado, o que restaria?

Entrou na sala de Alícia e, vendo-a elegante, bonita e bem tratada, sentiu aumentar seu rancor.

Alícia levantou-se:

— Bom dia, D. Maria Alice. O deputado está com o Dr. Mendes. Sente-se um pouco. Vou avisar que a senhora está aqui.

Maria Alice respondeu o cumprimento com um leve aceno de cabeça e tornou:

— Não se incomode.

E de cabeça erguida dirigiu-se à porta da sala do marido.

Alícia tentou impedi-la:

— O deputado vai me repreender. Por favor. Deixe-me avisá-lo.

— Sente-se e não se meta. Não preciso de intermediários para entrar no escritório de meu marido.

Alícia abriu a boca e tornou a fechá-la. Sentou-se e ficou muda. O que teria acontecido? Ela teria descoberto tudo? Suas pernas tremeram e, vendo-a entrar na sala do marido e fechar a porta, apressou-se a ir apanhar um copo com água e beber tentando acalmar-se.

Algo de muito grave deveria ter acontecido para que Maria Alice saísse da costumeira classe e tivesse sido tão dura com ela.

Sentiu vontade de sair dali correndo. Se ela soubesse a verdade e viesse exigir satisfações, o que lhe diria? Não se sentia disposta a enfrentá-la.

Um agudo sentimento de culpa a acometeu. Tinha horror a disputas e a escândalos.

Vendo Maria Alice entrar, Antônio levantou-se surpreendido. Mendes levantou-se também com gentileza.

— Maria Alice! Por que não me avisou que havia chegado?

— Não preciso de sua secretária para falar com você.

Ele enrubesceu admirado pelo tom que ela usara:

— Claro... claro... Conhece Mendes, não?

— Como vai, Dr. Mendes? Estou sendo importuna? Interrompo algo importante?

Ele apanhou delicadamente a mão que ela lhe estendia e beijou-a cortesmente.

— Não interrompe nada, senhora. Sua presença é sempre um encanto. Nós já havíamos terminado nosso assunto.

— Ainda bem — disse ela.

— Eu já estava me despedindo. Tive imenso prazer em vê-la.

— Estamos combinados, então — disse Antônio.

— Estamos. Amanhã mesmo darei notícias.

Depois que ele saiu, Antônio olhou a mulher, que havia se sentado na cadeira em frente à sua escrivaninha.

— Agora você pode me explicar por que veio aqui desta forma inusitada e invadiu meu escritório sem respeitar minha privacidade?

— Achei que não tinha nenhum problema em falar com você. Se sua secretária estivesse aqui a sós com você, eu teria batido na porta antes de entrar. Mas como era um homem...

A surpresa fez Antônio emudecer. Ela teria descoberto sua ligação com Alícia? Tentou dissimular:

— O que quer insinuar?

— Nada que você não saiba. Mas o assunto que me trouxe aqui é relacionado com Lanira. Ela levantou cedo e saiu com Gabriel. Quando chamei sua atenção, respondeu que, se resolver casar com ele, ninguém vai poder impedir.

— Como é? Ela disse casar?

— Disse.

Ele se remexeu na cadeira tentando entender. De certa forma estava aliviado por desviar o assunto de sua secretária.

— Bom... ela está namorando-o?

— Disse que não, mas suspeito que as coisas estão mais adiantadas do que ela quer mostrar.

— Você está exagerando. Não vejo motivos de preocupação. Gabriel é moço de uma das melhores famílias do Rio de Janeiro.

— Em vias de ser transformada em um bando de ladrões.

Antônio abanou a cabeça negativamente:

— Isso a preocupa? Esse caso não vai dar em nada, pode crer. Se o louco do Daniel não tivesse dado ouvidos a Rubinho, não estaríamos nesta situação. Onde já se viu? Querer ser a palmatória do mundo! Eles vão quebrar a cara, você vai ver.

— Não é isso o que parece. Lanira afirmou categoricamente que Daniel está certo. Ela tem saído muito com ele e Rubinho. Sabe exatamente o que está acontecendo por lá.

— Seja como for, não vejo motivo para tanto alarde, nem para você perder a linha.

Maria Alice sentiu sua irritação voltar.

— Não vê? Mas eu tenho me questionado ultimamente se vale a pena continuar a ser uma pessoa de classe, guardar as aparências mesmo quando se tem vontade de gritar e espancar todo mundo.

Antônio olhou-a boquiaberto. A mulher que tinha diante de si não era a que estava habituado a ver. Era outra, olhos cintilantes de rancor, rosto contraído, boca arqueada em ricto de ironia. Tentou contemporizar:

— O que está havendo com você? Está doente? Nunca a vi tão nervosa. Acho melhor marcar uma consulta com o Dr. Malheiros.

— Não preciso. Do que se admira? O fato de eu controlar meus sentimentos não significa que eu esteja imune às emoções que brotam em meu coração. Já vivemos mais da metade de nossa vida e é duro perceber que não estamos indo a lugar nenhum. Que todos os sacrifícios que fizemos não tinham finalidade. Foram inúteis. Não passavam de ilusões sem sentido. Tenho medo de acordar e descobrir que perdemos tempo, que nossa vida toda foi um engano, um pulo no vazio, uma inutilidade.

Antônio assustou-se vendo o rosto dela determinado, abatido, seu corpo curvado ao peso dos próprios pensamentos.

Aproximou-se e passou o braço pelas costas dela tentando confortá-la. Maria Alice continuou sentada, parecendo não registrar a atitude dele, que não sabia o que dizer.

De repente, ela se levantou, olhou-o e ele notou que ela recuperara a postura de sempre:

— Antônio, você tem que falar com Lanira e exigir que ela deixe de ver Gabriel.

Ele não achou prudente contrariá-la.

— Verei o que posso fazer. Hoje à noite irei mais cedo para casa e conversaremos. Você quer que a acompanhe até em casa?

— Para quê? Já disse o que tinha a dizer. Não quero interromper seu dia de trabalho. O motorista está me esperando.

Ela se levantou e saiu. Passou por Alícia sem olhá-la sequer. Assim que ela fechou a porta atrás de si, a secretária foi ter com Antônio. Estava pálida:

— E então? O que foi que ela disse?

— Nada de mais. Queria falar sobre Lanira.

Alícia respirou fundo.

— Tive a impressão que ela ia me agredir. Nunca a vi desse jeito. Acho que ela sabe de tudo sobre nós.

Ele balançou a cabeça pensativo, depois disse:

— Pode ser. Em todo caso, não falou diretamente no assunto.

— Acho melhor dar um tempo... Só nos falarmos aqui...

Antônio abraçou-a com carinho:

— Que bobagem! Ela não sabe de nada. E se sabe vai fingir que ignora. Sei como ela pensa. As aparências em primeiro lugar.

— Pode ser, mas estamos nos arriscando muito. E se seus filhos descobrirem? Vou morrer de vergonha.

— Nem pense nisso. Você tem sido a luz de minha vida. Tem me apoiado, dado muitas alegrias. Não saberia mais viver sem você.

Apertou-a de encontro ao peito, beijando-a nos lábios com amor. Ela se deixou ficar ali, sentindo o medo e a culpa dentro do coração, mas sem ânimo de deixar a segurança à qual se habituara dentro daqueles braços carinhosos e protetores.

Capítulo 16

Lanira e Gabriel chegaram ao apartamento de Daniel e tocaram a campainha com insistência. Rubinho abriu a porta com cara de sono.

— Desculpe, acordamos você — foi dizendo Lanira. — Estamos preocupados porque Bóris saiu ontem e ainda não voltou para casa.

— Nem vai voltar tão cedo. Entrem.

Eles entraram enquanto Gabriel dizia:

— Você sabe o que aconteceu?

— Bóris foi preso durante esta madrugada. Está tudo bem. Alberto foi libertado.

Os dois bateram palmas de alegria.

— Puxa! Preso? — disse Gabriel

— Alberto está bem? — indagou Lanira.

— Está tudo bem. Não tivemos tempo de avisá-los. Chegamos em casa passava das cinco da manhã. Vamos até a cozinha. Vou fazer um café e contarei tudo.

Eles se sentaram e enquanto Rubinho servia o café foi relatando os acontecimentos. Finalizou:

— Como vê, você estava certo. Conseguimos salvar Alberto e prender aqueles malandros, graças à sua ajuda. Ele já sabe e está muito agradecido.

— Vou ligar e dar a notícia à minha mãe. Ela vai ficar aliviada e feliz.

Depois que ele falou com Maria Júlia, voltou à cozinha.

— Finalmente uma boa notícia! Ela ficou aliviada. Entretanto, não nego que por outro lado ela se preocupa com as conseqüências. Sabemos que agora a história toda vai vir a público.

Lanira segurou a mão de Gabriel tentando confortá-lo.

— Estamos do seu lado — disse.

— Nós também — concordou Rubinho. — Faremos tudo que pudermos para protegê-los.

— Seja como for, estamos livres de Bóris e do perigo que ele representa. Mas ainda temos que enfrentar a desonra de meu pai e da família.

— Infelizmente, quanto a isso nada poderemos fazer. Eles erraram e agora estão colhendo as conseqüências de suas atitudes — tornou Rubinho.

— Sei disso. Quando resolvemos apoiar Alberto, nós sabíamos das conseqüências.

— Esse é o maior mérito do que estão fazendo — disse Lanira.

— Não estou questionando o mérito. No momento estou mais interessado em escapar com um mínimo de dignidade de toda essa sujeira em que nos meteram, proteger minha mãe para que ela sofra menos.

— Infelizmente a situação é delicada. Não poderemos evitar o depoimento dela.

— Isso será terrível para ela — considerou Gabriel com tristeza.

— Reconheço. No entanto, há as atenuantes. Se ela se calou diante das ameaças do marido, fez tudo para evitar um mal maior. Protegeu a vida de Alberto sempre. Pode ter certeza de que faremos tudo para defendê-la em juízo e provar que não foi cúmplice.

— O medo que ela tem de Bóris e de meu pai por vezes parece-me exagerado. Eles têm enorme ascendência sobre ela.

— Podem estar fazendo alguma chantagem com ela. Alguma coisa que ela não deseja revelar com a qual eles a dominam.

— Essa sempre foi minha impressão. Você confirma o que tenho sentido nestes anos todos. Mas quando toco no assunto ela garante que estou enganado.

— Pode ser que ela não queira contar nem mesmo a você — aventou Lanira.

— Seja como for, na próxima semana teremos a audiência em que seu pai precisa apresentar sua defesa. Hoje mesmo formalizaremos os documentos com os últimos acontecimentos e a acusação de seqüestro para juntar aos autos. Além disso, o delegado instaurou inquérito, e como houve o flagrante, tudo correrá rapidamente. Hoje à tarde, enquanto dou entrada nos documentos, Daniel acompanhará o interrogatório dos prisioneiros. Nossa causa agora ganhou muito mais força.

— Vou para casa conversar com minha mãe. Não sei qual será a reação de meu pai quando descobrir que seus cúmplices foram presos e puseram tudo a perder.

— Pode ir. Eu pretendo ficar por aqui para ajudar no que precisar.

— O delegado vai intimar seu pai para comparecer hoje à delegacia e prestar declarações, uma vez que Bóris é seu empregado.

Gabriel suspirou preocupado.

— Não vai ser nada agradável para ele.

— Claro que não. Mas penso que ele irá tentar inocentar-se de qualquer suspeita. Vai fingir que ignorava tudo. Dizer que Bóris perdeu a cabeça por causa da calúnia que feria a honra da família que ele tanto ama e que o acolheu com tanto carinho. Vai lamentar e repreender o criado diante do delegado.

— Acho que ele fará isso mesmo. Resta saber o que ele fará em casa, com mamãe. Lá ele não tem tantos cuidados. Quero estar presente quando ele receber a notícia.

— A esta altura pode já ter recebido. Bóris queria que o acordássemos em plena madrugada.

— Ninguém ligou para casa até a hora em que eu saí.

— O delegado disse que preferiria esperar e fazer primeiro algumas investigações.

Gabriel despediu-se e saiu preocupado.

— Ele está sofrendo muito — considerou Lanira.

— É um moço de bem. Nunca poderia concordar com tanta desonestidade. É duro ver a família envolvida em tantos problemas.

Daniel entrou na cozinha dizendo contente:

— Estava pensando em ligar para você.

— Gabriel estava preocupado. Bóris não dormiu em casa e ele pensou que tivesse acontecido alguma coisa com Alberto. Viemos saber.

— Ele foi para casa. Deseja proteger a mãe — ajuntou Rubinho.

— Vamos ver o que o Dr. José Luís fará.

— Vai tentar se defender. Mas as provas que temos agora são muito fortes — acrescentou Rubinho.

— Eu suspeito que ainda teremos outras novidades nesse caso. Tenho pensado muito a respeito. A morte dos pais de Marcelo em um acidente no exterior enquanto eles estavam na Europa pode ter sido provocada. Além do caso de Alberto, pode haver ainda os outros crimes que com persistência poderemos desvendar.

Lanira surpreendeu-se:

— Você acha que isso é possível? Eles teriam chegado a tanto?

— Veja — esclareceu Daniel —, a morte do menino não lhes dava a posse da herança enquanto o avô e os pais estivessem vivos. É muito suspeito que em menos de dois anos todos eles tivessem morrido.

— O Dr. Camargo morreu do coração. É o que diz em seu atestado de óbito — lembrou Lanira. — Ele ficou muito desgostoso com a morte do menino. Laura me contou que ele não se alimentava, retirou-se da vida social, nunca mais foi o mesmo.

— Gostaria de ver esse atestado de óbito — disse Rubinho. — Aliás, não só o dele mas o dos pais de Marcelo.

— É fácil. Basta ir ao cemitério e ver a data do falecimento. Depois é só descobrir o cartório — ajuntou Daniel.

— Vou pedir a Jonas para ver se consegue isso — disse Rubinho pensativo. — Pode ser que tenhamos alguma pista nova. Vamos juntar aos autos o endereço da ama e indiciá-la como cúmplice de José Luís. Está na hora de Eleutéria ser chamada a depor.

— Vai ser um bomba — concluiu Lanira.

— Além daquela fita gravada, Marilena tem algumas provas que Jonas nos dará para juntar ao processo — lembrou Daniel.

— Sim: outras fitas que ela conseguiu gravar das conversas de Eleutéria com o marido. Além disso, já preparei um dossiê dos bens que ela adquiriu depois da morte do menino.

— Nesse caso, penso que tudo acabará mais depressa do que poderíamos supor — tornou Lanira com satisfação. — Com a solução do caso, muitas coisas voltarão à normalidade.

— É. Alberto toma posse do nome e da fortuna que lhe pertencem de direito, nós teremos conquistado credibilidade profissional e melhorado nossa situação financeira — disse Daniel com satisfação.

— Eu pretendo me casar. Não tenho como fugir. Estou apaixonado por Marilda e ela já deu o sim. Logo que eu melhorar de situação financeira, nos casaremos.

Os dois o abraçaram com alegria. Nos olhos de Daniel havia certa ansiedade. Ele também gostaria de se casar com Lídia. Sentia que seu amor por ela despontava forte e profundo. Mas ao mesmo tempo uma sensação de medo envolvia-o quando pensava nisso. Por quê?

Lanira pensou em seu envolvimento com Gabriel. Seria suficiente para casar? Gostava dele o bastante para abdicar de sua liberdade e assumir uma família? Não. Sentia que não estava pronta para isso.

Gabriel chegou em casa e foi direto ao quarto da mãe. Maria Júlia, vendo-o, levantou-se da cama onde se estendera esperando a volta do filho.

Preocupada, insone, levantara-se quando Gabriel saíra e não conseguira descansar. A cada ruído, seu coração se descompassava e ela temia a volta de Bóris.

Quando Gabriel telefonou informando que ele fora preso, sentiu imediato alívio, mas ao mesmo tempo outra espécie de medo a acometeu. O que aconteceria quando toda a trama do passado viesse à tona? O que seria de sua família, do nome conceituado dos seus? Como seus filhos enfrentariam uma situação dessas? Estava calma quanto a Gabriel, mas e Laura? Sempre fora muito voltada às rodas sociais, dando grande importância aos sobrenomes e às posições de cada um. Para ela seria um drama sem solução.

E se seu segredo viesse à tona? E se, descobrindo que ela ajudara o lado contrário, Bóris resolvesse falar? Como aparecer diante dos filhos como leviana e infiel?

Maria Júlia torcia as mãos angustiada. Rezar ela não conseguia mais. Só fazia pensar no que poderia acontecer dali para a frente. Era muito bonito Gabriel dizer que trabalharia para sustentá-las. Mas ele nunca havia trabalhado antes. Eles teriam que enfrentar a pobreza e isso a assustava também.

— E então? — perguntou ela aflita.

— Está tudo bem, mãe. Alberto está em segurança, Bóris e Antunes estão presos. Agora é só esperar pelas conseqüências.

— Estou nervosa, meu filho. O que nos acontecerá se seu pai for preso? Sem dinheiro, como vamos sobreviver? Laura vai se revoltar, ela não é como você.

Gabriel segurou as mãos frias da mãe tentando esquentá-las com seu carinho.

— Acalme-se, mãe. Nós estamos do lado certo, portanto Deus está do nosso lado. Em meio ao mal que nos circunda, temos que ficar no bem a fim de nos proteger. Encontraremos uma forma de resolver nossos problemas. Não tenho medo de nada. Não queria carregar o peso de um crime. Conseguimos evitá-lo. Só isso é motivo de alegria e de gratidão. Seja o que for que precisarmos enfrentar, estaremos juntos.

Maria Júlia abraçou o filho com carinho.

— Ainda bem que tenho você do meu lado nesta hora.

— Como é que estão as coisas aqui em casa? Papai já sabe que Bóris está preso?

— Não sei. Jacira me disse que ele tomou o café e fechou-se no escritório avisando que não queria ser interrompido. Se alguém telefonasse, era para dizer que ele não estava.

— Vou descer e perguntar a Jacira se alguém telefonou. Pode ser que o delegado ainda não tenha ligado. Ele havia decidido interrogar Bóris antes de chamar papai.

— Agora que ele está preso, posso falar. Espero que todos os seus crimes sejam descobertos e que ele nunca mais saia da cadeia.

— Você sabe de alguma coisa que possa incriminá-lo?

— Não. Durante estes anos de convivência, ouvi e vi muitas coisas, mas não posso provar nada. Espero que a polícia consiga mantê-lo preso.

— Acha que ele cometeu crimes mesmo depois que estava em nossa casa?

— Quando o conhecemos, ele era procurado pela polícia russa. Na Alemanha ele não podia entrar porque havia uma ordem de prisão contra ele. Usava nome falso e papéis que forjara com um traficante de drogas na França.

— Mesmo assim, papai trouxe-o para morar em nossa casa! Não lhe parece leviandade da parte dele?

— Não o teria trazido se não estivesse preso a ele por um negócio que fizeram juntos na Europa. Bóris fez chantagem e José Luís o trouxe. Depois, penso que estavam presos um ao outro pela cumplicidade, não só pelo que haviam feito antes como pelo caso de Marcelo. Eles o maquinaram juntos. Bóris levou muito dinheiro, mas preferiu ficar aqui, como mordomo, acobertado pela respeitabilidade de nosso nome.

— Ele nunca foi realmente um mordomo. Sempre mandou em nossos criados e até em nós. Na verdade, muitas vezes me pareceu que o patrão era ele.

— Tem razão. E agora?

— Não sei, mãe.

— Seu pai fará tudo para libertá-lo, a fim de impedir que ele dê com a língua nos dentes e incrimine-o. Tenho medo de que, quando ele perceber que está perdido, queira nos arrastar a todos em sua queda.

— Ele só conseguirá arrastar quem cometeu algum crime. Nós não fizemos nada. Você salvou Marcelo. Não se esqueça disso. Ele é muito grato a tudo quanto você fez, custeando seus estudos, cuidando de sua segurança. Ele irá defendê-la, não tema.

Vendo-a mais calma, Gabriel desceu e foi falar com a empregada. Ficou sabendo que uma pessoa havia telefonado, conversado com José Luís e que depois disso ele se fechara no escritório dizendo que não queria ver ninguém.

— Quem era no telefone?

— Não sei. Era uma voz de homem. Quando perguntei quem era, seu pai, que estava tomando café, ouviu e imediatamente veio atender sem deixar que eu falasse mais. Mandou-me sair e não ouvi mais nada.

Gabriel subiu ao quarto da mãe pensativo. Teria sido o delegado quem telefonara? O que seu pai estaria fazendo fechado no escritório sem querer atender ninguém?

— Alguém ligou para papai — disse Gabriel assim que entrou no quarto. — Foi depois disso que ele se fechou no escritório.

— Teria sido Pola?

— Não. Era voz de homem. Os dois estão presos. Só pode ter sido o delegado. Por que será que ele se fechou lá?

— Deve estar examinando tudo e destruindo qualquer papel ou prova que possa incriminá-lo. Ele guarda muitos documentos naquele cofre. Nunca consegui saber quais.

— Não adianta ele destruir papéis. Bóris foi preso em flagrante. Os advogados de Alberto têm muitas outras provas contra eles.

— O que faremos agora?

— Nada. Temos que esperar.

— Eu não quero que seu pai saiba que nós colaboramos com a prisão de Bóris.

— Quando a justiça nos chamar para depor no processo, ele saberá de que lado estamos.

Maria Júlia torceu as mãos nervosamente:

— Espero que esse tempo demore bastante.

— Do que tem medo? Bóris está preso e por certo ficará muito tempo na cadeia.

— Ele não terá nenhum escrúpulo em arrastar todos nós em sua queda. É perverso e vingativo.

Gabriel segurou as mãos da mãe apertando-as com força.

— Nós não fizemos nada errado. Você não deve ter medo de nada.

— José Luís fez.

— Infelizmente. Terá que responder por isso. Não vamos poder evitar que ele seja preso.

— Meu Deus! O que ainda falta nos acontecer?

— Seja o que for, estaremos juntos, enfrentaremos a situação de cabeça erguida. Você vai ser beneficiada pelos depoimentos de Alberto e a proteção dos advogados. Tenho certeza de que sairá livre de tudo isso.

— Não é por mim que eu temo. Penso em Laura. Ela não é como você. Não tem estrutura para agüentar o descrédito social, a pobreza.

— Terá que aprender os verdadeiros valores da vida. Tem a cabeça cheia de ilusões, prende-se às aparências.

— Ela vai sofrer.

— Vai tornar-se mais forte, amadurecer. É isso que a vida quer.

Algumas batidas na porta do quarto interromperam o diálogo. Gabriel foi abrir e José Luís estava diante deles.

— Preciso conversar com você, Maria Júlia, a sós.

— Já estava saindo, papai.

Gabriel retirou-se, José Luís entrou e fechou a porta, olhando-a sério.

— Sobre o que conversavam?

— Sobre os problemas de Gabriel com a namorada. Não sei se você sabe, mas ele tem saído com Lanira e parece que estão se gostando.

— Tinha que ser logo com ela, cujos irmãos estão me processando? O súbito interesse dessa moça por Gabriel é no mínimo suspeito. Tenho notado que nos últimos tempos ele não larga de você. Está sempre circulando, observando tudo quanto você faz.

— Pelo que sei dessa moça, ela não sabe de nada daquele caso. Você se esquece de que o deputado mandou o filho embora de casa? Gabriel se preocupa com minha saúde. Tem me acompanhado ao médico. Minha pressão não anda muito boa.

— Espero que seja só isso.

— O que mais poderia ser? Gabriel não sabe nada sobre o passado.

— Melhor para ele que continue ignorando. Mas o assunto que me trouxe aqui é outro. Bóris meteu-se em confusão e foi detido pela polícia.

— O que foi que ele fez?

— Nada de mais. Saiu com Antunes, acho que para fazer alguma coisa de um deputado. Não sei bem. Como é nosso empregado, o delegado ligou me chamando. Quero que durante minha ausência você não saia de casa para nada.

— Por quê?

— Aqueles advogados estão me irritando muito. Podem bem querer complicar nossa vida. Se eles aparecerem por aqui, não atenda nem deixe ninguém atender. Cuide para que Gabriel ou Laura não os receba.

— Vocês estão encrencados. Eles podem ter provas contra vocês.

José Luís segurou o braço de Maria Júlia, apertando-o com força. Seus olhos brilhavam rancorosos quando respondeu:

— Provas eles não têm. Agora, se você tentar alguma coisa contra mim, pode ter certeza de que saberei como agir.

— Você não me envolverá em seus negócios. Sabe muito bem que nunca tive nada a ver com suas falcatruas.

— Vai ser difícil provar que não é minha cúmplice. Se eu cair, não irei sozinho. Você e seu filho irão comigo.

— Deixe Gabriel fora disso. Ele não sabe de nada.

— Depende só de você. Cuide para que esses advogados de meia tigela não consigam nenhuma prova, caso contrário você verá.

— Deixe-me em paz.

— Quero que feche toda a casa e que os criados não atendam ninguém até minha volta. Essa ordem estende-se a Laura e Gabriel. Vou sair agora. Cuide para que tudo seja feito como eu quero.

— Está bem.

Maria Júlia ficou observando da janela e quando o carro do marido saiu ela foi ter com Gabriel para contar-lhe a novidade:

— Ele quer que a casa permaneça fechada até ele voltar da delegacia. Não quer que recebamos ninguém, seja quem for. Laura está em casa de uma amiga e eu esqueci de lhe dizer.

— Melhor ligar para ela e pedir que fique lá até a noite. Conforme forem as coisas, eu mesmo passarei lá para apanhá-la. Acho melhor ela ficar fora disso.

— É melhor, pelo menos por enquanto. O que direi a ela?

— Arranje alguma desculpa. Vou ligar para Lanira e contar-lhe como estão as coisas.

— José Luís está desconfiado de sua amizade com Lanira.

— Um dia ele terá que saber a verdade.

— Que não seja agora!

— Às vezes penso que você tem algum segredo e que ele a chantageia.

— Não se trata disso. Eles são muito cruéis. Tenho medo de que eles tentem alguma coisa contra vocês.

— Acha que papai seria capaz de fazer mal a seus próprios filhos?

— Não sei. Estou confusa. Às vezes não sei o que digo.

Gabriel abraçou-a tentando confortá-la.

José Luís chegou à delegacia e foi encaminhado para o delegado. Depois dos cumprimentos ele tornou:

— Fui informado que meu mordomo encontra-se detido nesta delegacia, juntamente com outro homem. O que aconteceu?

— O outro é Antunes. O senhor o conhece?

— Conheço apenas de vista um ex-policial que tem esse nome. Será o mesmo?

— É o mesmo. Bóris trabalha para o senhor?

— Sim. É esse o nome de meu mordomo.

— Eles foram presos em flagrante por seqüestro.

José Luís levantou-se exclamando:

— Não poder ser! Deve haver algum engano. Bóris trabalha para minha família há muitos anos e sempre foi um empregado exemplar.

— Não sei como conseguiu esse milagre. Pedi sua ficha na polícia internacional e posso assegurar que se trata de um perigoso aventureiro que responde por alguns crimes no exterior.

José Luís sentou-se novamente dizendo com voz que procurou tornar calma:

— Pelo que sei, ele sofreu muito durante a guerra. Teve toda a sua família morta. Ficou desequilibrado e cometeu alguns erros. Arrependeu-se. Quando o conheci, estava regenerado. Posso garantir que, durante os anos que viveu em minha casa, portou-se bem. Tenho certeza de que sua ficha no Brasil está limpa.

— Estava, doutor. Antes de cometer seqüestro. Quero advertir que mandei abrir inquérito e decretei a prisão, uma vez que houve o flagrante. O senhor terá muito trabalho para provar o que diz na justiça.

— Não entendo por que ele cometeu esse deslize. Não tem problemas de dinheiro.

— Bóris não fez isso por dinheiro. Ele pretendia resolver um problema do patrão. Isto é, do senhor.

— Meu? Não tenho nada a ver com esse caso.

— Ele seqüestrou Alberto, que está movendo na justiça um processo contra o senhor.

— Não é possível que ele tenha cometido essa loucura. Sua dedicação não tem limites.

— Ele estava sendo dedicado ou cumprindo uma ordem sua?

José Luís levantou-se de novo indignado:

— Como ousa pensar uma coisa dessas? Sou um médico. Uma pessoa de bem. Nunca iria compactuar com uma coisa dessas! Será que alguém vai dar crédito a esse aventureiro que está levantando essa calúnia? Meu nome e o de minha família estão acima de qualquer suspeita.

— Para a polícia só as provas têm valor. E confesso que esse seqüestro veio agravar muito a sua situação perante a justiça.

— O senhor está depreciando minha inteligência. Acha que eu seria tão idiota a ponto de seqüestrar esse rapaz e me incriminar?

— Eu não acho nada. Estou apenas falando da situação em si. O rapaz que foi vítima prestou depoimento em que contou que foi ameaçado por diversas vezes. Tinha certeza de que pretendiam matá-lo.

— Isso é mentira. Ele está tirando proveito da situação, pretendendo incriminar-me. O senhor não percebe o que aconteceu? Bóris é muito dedicado. Minha mulher e meus filhos andam envergonhados com toda essa publicidade em torno do caso e estão sofrendo muito. Bóris não agüentou ver minha tristeza com o sofrimento deles. Só pode ter acontecido isso. Sem me falar nada, ele resolveu dar um susto nesse rapaz para que ele desistisse dessa ação. Nunca pretendeu matá-lo, tenho certeza disso.

— Se foi só isso, o senhor terá que provar na justiça. Devo esclarecer que eles estão encrencados e será muito difícil libertá-los.

José Luís olhou-o nos olhos enquanto dizia:

— Se o senhor for compreensivo, nós poderemos resolver tudo agora. Saberei recompensar sua generosidade.

Sem desviar os olhos, o delegado respondeu:

— Não se trata de minha compreensão. Trata-se do cumprimento da lei. No que depender de mim, garanto que ela será cumprida. Será melhor o senhor procurar um bom advogado, porque os advogados de Alberto estão muito bem fundamentados.

— Gostaria de falar com Bóris.

O delegado chamou um funcionário e mandou que conduzisse José Luís até uma sala e que levassem o prisioneiro.

Uma vez a sós com Bóris, José Luís tirou um papel do bolso, no qual escreveu algumas palavras e mostrou a Bóris: "Podem estar ouvindo. Fique firme. Não conte nada. Vou tirá-lo daqui".

Em voz alta, fingia-se surpreendido e repreendia o mordomo por sua atitude, mas ao mesmo tempo sabia que ele fizera tudo por excesso de zelo. Entrando na farsa, Bóris chorou, disse estar arrependido, confessou ter feito tudo sem conhecimento do patrão. José Luís prometeu arranjar um bom advogado.

Quando ele saiu, encontrou-se com Alberto, Daniel e Rubinho, que conversavam com o delegado. Ignorando a presença deles, limitou-se a dizer ao delegado que mandaria um advogado tratar do caso e saiu.

Daniel e Rubinho leram as declarações de José Luís que o escrevente anotara.

— Ele está tentando salvar a pele — comentou Daniel.

— Com as provas que temos, será difícil — respondeu Rubinho.

— Para ganhar a causa, vocês precisam que essas provas sejam convincentes. A família dele tem prestígio e é muito conceituada — lembrou o delegado.

— Garanto que desta vez a justiça será feita — disse Daniel.

— Ele tentou me comprar. Deve pensar como muitos que todos os delegados são corruptos. Terei imenso prazer em mostrar a ele o quanto está enganado.

— Felizmente há muitos policiais honestos. Esses nem sempre aparecem nos noticiários — comentou Rubinho.

— E então — perguntou Daniel —, Bóris acrescentou alguma coisa às suas declarações de ontem?

— Não. Penso que não dirá mais nada — respondeu o delegado.

— Pelo menos enquanto pensar que está protegido pelo patrão — tornou Rubinho.

— Claro — concordou o delegado. — Ele sabe que seu patrão tem interesse em libertá-lo para se proteger. Ainda bem que foi feito o flagrante, senão eu não teria como decretar a prisão preventiva. Ele teria que esperar a sentença em liberdade.

— Nesse caso, poderia fugir — comentou Alberto.

— Bem, nós vamos embora, Dr. Marques. Se houver alguma novidade, por favor, telefone-me. Senão, amanhã cedo passaremos aqui — despediu-se Rubinho estendendo a mão ao delegado.

De volta ao escritório, eles estudaram os próximos passos. Fizeram uma petição para ser incluída nos autos do processo, denunciando Eleutéria como cúmplice de José Luís e solicitando que ela fosse chamada a depor. Juntaram também aos autos o boletim de ocorrência lavrado na delegacia sobre o seqüestro de Alberto e a prisão em flagrante dos dois envolvidos, e a queixa crime contra José Luís como mandante.

Naquela tarde mesmo eles deram entrada em justiça desses documentos, pedindo fossem anexados aos autos.

Um advogado presente quando Daniel registrou os documentos interessou-se e descobriu o que eles continham. A princípio, os outros advogados não estavam levando os dois jovens muito a sério. Entretanto, quando eles conseguiram a abertura do processo, passaram a interessar-se mais, principalmente por envolver pessoas de prestígio social.

Por isso, quando um deles apareceu contando as novidades, os comentários se espalharam como uma bomba. Aquele seqüestro era quase uma confissão.

O Dr. Eugênio Loureiro, advogado de José Luís e que fora contratado para libertar Bóris, foi procurá-lo em casa naquela noite. Fechados no escritório, ele foi logo dizendo:

— O que vocês fizeram foi uma loucura! No fórum não se fala em outra coisa. Seqüestrar esse rapaz foi seu maior erro.

— Isso foi coisa de Bóris. Eu não queria nada disso.

— Não precisa esconder, José Luís. Bóris me contou tudo. É um homem perigoso. Precisamos ser muito hábeis. Ele pode pôr tudo a perder.

— Ele está mentindo. Quer se aproveitar da situação para salvar a pele.

— Seja como for, a situação é grave. Os comentários estão fervendo. Muitos que não acreditavam em sua culpa no caso de Marcelo mudaram de opinião. O juiz pode ser influenciado. Sabe como é.

— Estou sendo vítima da burrice de Bóris. Ele nunca deveria ter feito nada a esse moço.

— Mas fez. Fez e você foi envolvido até o pescoço.

— Sou um homem de bem. Conceituado. Ninguém vai acreditar que eu estou envolvido nisso.

— Essa ocorrência é uma prova muito forte contra você. Amanhã irei ler o processo e estudar os documentos que foram acrescentados e que provocaram tantos comentários.

— Falta uma semana para a fatídica audiência e até lá precisamos encontrar jeito de provar que estou inocente.

— Como?

— Eles não têm nenhuma prova contra mim. Será minha palavra contra a deles.

— Eles têm várias evidências que juntaram ao processo. E agora o seqüestro.

— Estão querendo me destruir, ficar com meu dinheiro. Esse moço é um aventureiro.

Eugênio olhou-o sério. Ficou silencioso alguns segundos, depois disse:

— Eu ficaria mais tranqüilo se você me contasse toda a verdade.

— Você é meu amigo, meu advogado. Precisa confiar em mim.

Eugênio abanou a cabeça:

— Não sei, não. Esse moço parece muito com o Dr. Camargo. Minha mãe tem uma foto de família em que ele aparece muito jovem, em uma festa em sua casa. Confesso que fiquei chocado com a semelhança.

José Luís remexeu-se na cadeira inquieto.

— Ele é um impostor.

— Você tem uma foto de seu tio mais jovem?

— Não.

— Tenho pensado nesse caso. Estou empenhado em defendê-lo na justiça. Sou um profissional. Você me contratou e pretendo fazer jus à sua confiança. Entretanto, se não me falar a verdade, corro o risco de ser surpreendido por provas para as quais não estou preparado, e então minha defesa será ineficiente. Para seu próprio bem, peço-lhe que confie em mim e conte a verdade. Você fraudou documentos e afastou Marcelo para ficar com a fortuna?

— Se eu disser que sim, você continuará me defendendo?

— Claro. Sou seu advogado. Devo-lhe lealdade. Espero lealdade também de sua parte. Sabendo toda a verdade, estarei mais preparado para sua defesa.

— Está bem. Você tem razão. O que eles dizem é verdade.

— Agora, você vai me contar tudo quanto aconteceu naquele tempo. Recordar os fatos minuciosamente. Preciso saber com o que eles podem contar. Quais as armas que eles têm.

Eugênio pediu papel e, enquanto José Luís contava os fatos, ele tomava notas, perguntando alguns detalhes de vez em quando.

Quando José Luís falou da chantagem de Eleutéria, Eugênio não se conteve:

— Esse é o ponto fraco do processo. Se essa mulher resolver falar...

— Não vai. É muito ambiciosa e não vai querer perder o dinheiro que recebe todos os meses.

— Como é que faz esse pagamento?

— Em dinheiro, para não deixar nenhuma prova.

— Mesmo assim, isso é perigoso.

— Não acredito. Ela é cúmplice. Participou de tudo. Se falar, vai se complicar.

— Você não sabe o que uma pessoa pode fazer quando está sob pressão. A polícia pressiona de todo jeito.

— Ela não mora mais aqui no Rio e ninguém, a não ser Bóris e eu, sabe onde ela está. Por esse lado, não corremos nenhum risco.

— Espero que esteja certo. Se ela aparecer e confessar, você estará perdido. Não poderei fazer nada.

— Isso nunca acontecerá. Tenho certeza.

— Bem, tenho que ir. Amanhã irei ao fórum ver o processo e voltarei para estudarmos as próximas providências.

— A audiência é na próxima semana. Não gostaria de ir. Você, como meu advogado, pode me representar.

— Você pode alegar problemas de saúde, mas não acho bom fazer isso. Já faltou na primeira audiência e o juiz não gostou. Parece descaso com a justiça ou medo de enfrentar o problema. Em ambos os casos, só prejudica. Você precisa ir, mostrar-se interessado em prestar esclarecimentos. Provar que não tem nada a temer.

— Está certo. Irei.

— É melhor assim. Amanhã, assim que tiver o processo, virei procurá-lo para traçarmos a defesa.

— Acha que conseguiremos?

— Nada posso dizer antes de ler as alegações dos adversários e saber quais as provas que eles apresentam. Poderei dizer alguma coisa amanhã.

Depois que o advogado se foi, José Luís fechou-se no escritório e mergulhou a cabeça entre as mãos. Tudo parecia ir tão bem! Nunca imaginou que depois de tantos anos Marcelo aparecesse vivo. Tinha a certeza de que Alberico fizera o serviço, conforme o combinado. Pagara muito dinheiro por isso!

Levantou-se e começou a andar de um lado a outro da sala, nervoso. Se Alberico não tivesse morrido, acabaria com a vida dele. Bóris não perdia os dois cúmplices de vista e lhe contara que o motorista morrera na miséria em um asilo em São Paulo.

De repente tudo ficou claro em sua cabeça. Maria Júlia nunca concordara com o que eles haviam feito. Obrigara-a a aceitar, a calar, mas em seus olhos havia sempre uma reprovação. Fora ela que induzira Alberico a poupar a vida de Marcelo. Ela que o mantivera escondido na Inglaterra. As constantes remessas de dinheiro para aquele país eram para sustentar Marcelo. Por que não pensara nisso antes?

Trincou os dentes com raiva. Ela era culpada por ele estar naquela situação. Sempre com cara de vítima, chorando pelos cantos. Olhando-o como se ele fosse um monstro. Claro que diante dos outros representava seu papel de esposa com perfeição, mas na intimidade repudiava-o. A condenação que lia nos olhos dela irritava-o.

Há muito deixara de ter relações íntimas com ela. Amava-a com paixão. Fizera tudo imaginando que ela iria entender seus motivos e agradecer a fortuna que ele conquistara para que a família pudesse desfrutar de luxo e prazer.

Mas não. Ela o repudiara, mostrando-se horrorizada com o que ele fizera. Desprezava-o. Era-lhe penoso manter relações com ele. Essa situação levara-o ao desespero. Quanto mais ela o repudiava, mais ele a desejava, tornando a vida deles um inferno. Louco de ciúme, vigiava-a constantemente. Contudo, a conduta dela era exemplar. Ele nunca tivera nenhum motivo para duvidar de sua fidelidade.

Vendo-os juntos em sociedade, ninguém poderia imaginar o inferno que eles estavam vivendo. Ele buscara outros relacionamentos na tentativa de abrandar esse sentimento, mas foi inútil. A paixão ainda continuava lá.

Passou a mão pelos cabelos em um gesto desesperado. Tudo poderia ter sido muito diferente se ela não tivesse interferido. Marcelo era o último da família. Com sua morte, todos os obstáculos teriam saído de seu caminho e nenhuma ameaça colocaria em risco sua segurança.

José Luís mal conseguia controlar o ódio. A culpa era só dela. Ele havia sido muito paciente todos esses anos. Estava na hora de Maria Júlia pagar por tudo quanto o havia feito sofrer. Se ele fosse penalizado por causa dela, não iria sozinho. Ela iria com ele. Saberia arrastá-la na queda. Essa seria sua vingança e sua compensação.

Capítulo 17

De volta ao escritório, depois de darem entrada nos documentos nos autos do processo contra José Luís, Rubinho perguntou:

— Vou jantar esta noite com Marilda e Lídia. Você vem conosco?

— Não.

— Por quê? Vocês me pareceram tão interessados um no outro. Estarei enganado?

— Não. Lídia me interessa muito. Tanto que preciso pensar antes de encontrar-me com ela novamente.

— Pensar? Em amor, quanto menos pensar, melhor.

Daniel suspirou pensativo, depois respondeu:

— Tenho que tomar uma decisão a respeito.

— Você está levando isso a sério demais. Vocês se conhecem há pouco tempo. Viram-se algumas vezes. Não será melhor conviver um pouco mais para poder decidir alguma coisa?

— Agradeço o convite, mas hoje, não.

— Ela vai ficar triste. Marilda disse que está muito interessada. Só fala em você, desde aquela noite em que você a levou para casa.

— Foi maravilhoso. Nenhuma mulher me emocionou tanto quanto ela. Por isso, antes de me envolver mais, preciso ir com calma.

— Hum!... Acho que você está mais do que envolvido. E se ela perguntar?

— Não se preocupe. Vou ligar para ela e conversar.

— Está bem. Já estou indo embora. Amanhã teremos um dia cheio.

— Virei cedo.

Depois que Rubinho saiu, Daniel deixou-se cair em uma cadeira pensativo. O que estava acontecendo com ele era algo muito estranho. Não fora os sonhos tão dolorosos que tivera com Lídia, teria se entregado àquele relacionamento sem pensar em mais nada.

Mas havia em torno deles um mistério que, quanto mais pensava, mais se sentia intrigado. Teria mesmo a ver com vidas passadas, conforme dissera tia Josefa?

Precisava conhecer mais a respeito. Talvez ela pudesse esclarecê-lo. Tomou o telefone e ligou.

A criada atendeu e ele pediu para falar com a tia. Depois dos cumprimentos ele tornou:

— Tia, estou confuso com tudo que está acontecendo comigo. Gostaria de conversar com a senhora. Poderia me atender?

— Claro, meu filho. Quando quiser.

— Estou inquieto. Pode ser hoje mesmo?

— Claro. Venha jantar comigo e conversaremos.

Ele desligou satisfeito. Precisava entender o que se passava com ele. Por que tantas emoções, tanta angústia e receio? A voz de Alberto chamando-o de assassino incomodava-o. A cena da morte de Lídia fazia-o estremecer de dor e receio. Isso não era normal. Tinha que resolver esse mistério.

Apanhou o telefone e ligou para Lídia. Ela atendeu amável. Depois dos cumprimentos, Daniel tornou:

— Rubinho convidou-me para jantar com vocês hoje à noite. Infelizmente, tenho um compromisso e não poderei ir.

— Que pena. Nesse caso, jantarei em casa.

— Espero que não se prive desse prazer por minha causa.

— Não é por isso. Penso que eles se sentirão melhor sozinhos. Têm muito que conversar. Se você fosse, seria diferente, eu não estaria atrapalhando. Estava ansiosa para encontrá-lo depois daquela noite. Agora, pensando melhor, acho que para você não foi a mesma coisa.

— Foi mais do que você poderia pensar. Sinto vontade de ir correndo até você e apertá-la em meus braços, beijar sua boca, sentir seu corpo junto ao meu. Eu amo você, Lídia. Acho que a amei mesmo antes de conhecê-la.

— No entanto, percebo que me evita. Esperei que me ligasse no dia seguinte, no outro, e nada. Agora recusa-se a sair comigo. Seja sincero. Eu gosto de você. Confesso mesmo que nunca senti tanta emoção em um beijo. Notei que se emocionou também. Mas posso estar enganada. Você pode apenas ter ficado excitado, como ficaria ao contato com qualquer mulher.

— Não diga isso, por favor. Estou sendo sincero. Nunca senti por mulher nenhuma o que estou sentindo por você. Mas esse sentimento é tão intenso que me assusta. Tenho medo de assumir e sofrer.

— Eu prefiro arriscar. O medo inibe e infelicita. Só os que ousam conquistam a felicidade.

— Tem razão, Lídia. Se eu fosse fazer o que estou sentindo agora, iria correndo até aí e cobriria-a de carícias. Mas sinto que preciso me conter por enquanto.

— Tenho a impressão de que alguma coisa o incomoda e o segura. O que é?

— No momento, nem eu mesmo sei. Preciso pensar, encontrar a chave para os sentimentos desencontrados que estão dentro de mim. Peço-lhe um pouco de paciência. Não me julgue indiferente. Você é muito importante para mim. Pode acreditar.

— Está bem. Eu acredito. Você tem todo o tempo do mundo para avaliar e entender o que vai dentro de seu coração. Sinto que está sendo sincero. Aprecio sua atitude franca. Quando sentir que está na hora de me procurar para conversar, venha.

— Obrigado, Lídia.

Depois de desligar, Daniel ainda ficou alguns instantes pensando. Tudo em Lídia o emocionava. Sua voz, seu jeito de se expressar, as lembranças dos momentos que haviam desfrutado juntos faziam seu coração bater mais forte. A certeza de que era correspondido impulsionava-o a ir correndo para o lado dela.

Controlou-se. Sentia que antes de se entregar a esse relacionamento precisava encontrar as respostas para o que lhe acontecera. Tia Josefa esperava-o e talvez o ajudasse a compreender.

Foi com prazer que Daniel recebeu o abraço carinhoso da tia e informou-a do que estava acontecendo no caso de Alberto.

— Graças a Deus, meu filho. Eu sabia que nada de mal lhe aconteceria. O Dr. Camargo está sempre ao lado dele protegendo-o.

— Espero que ele nos ajude a ganhar essa causa.

— Chegou a hora da justiça. Tudo vai dar certo.

— Assim espero. Tia, tenho andado angustiado. Há muitas perguntas confundindo minha cabeça.

— O que o incomoda?

— Meus estranhos sonhos e meus sentimentos por Lídia.

— Já disse, meu filho. Você tem lembranças de alguns fatos de suas vidas passadas.

— Fica confuso. Sempre fui racional, equilibrado. Mas como entender haver sonhado com Alberto e com Lídia antes de conhecê-los?

— Eu não sei o que aconteceu com vocês no passado. Mas se a vida os uniu novamente despertando emoções mal resolvidas, renovando sentimentos, chamando-os a uma situação de conflito interior, é que está na hora de crescer, dar um passo à frente, identificar a atitude causadora dos problemas passados, para que, modificando-a, vocês obtenham resultados melhores e mais felizes.

— Sem saber o que de fato aconteceu fica difícil.

— Você se engana. Se prestar atenção às emoções que sente, conseguirá identificar o que o incomoda. Daí, é um passo para perceber quais atitudes suas ocasionaram os resultados desagradáveis.

— Esses sonhos são dolorosos. Alberto me chama de assassino. Diz que matei Lídia, entretanto fico desesperado porque ela está morrendo e não consigo evitar isso. Claro que não a matei. Ao contrário, sofro muito para evitar que ela morra. Depois, sinto muita dor, saudade, solidão. É difícil explicar.

— O que me parece é que vocês três estiveram estreitamente ligados em outra vida. Separaram-se conservando mágoas recíprocas, assuntos mal resolvidos. A natureza não gosta de coisas inacabadas. Está unindo-os para que vençam esse conflito.

— Aquela noite, quando saímos daqui, levei Lídia para casa. Não resistimos à atração que sentimos um pelo outro. Beijamo-nos com ardor. Senti que a amo e que sou correspondido. Mas ao mesmo tempo, ao pensar em levar adiante esse namoro, um medo terrível me sufoca como se algo horrível fosse acontecer. Então procuro dominar meus sentimentos e afastar-me dela.

— Está se atormentando à toa. Não percebeu ainda que você, Lídia e Alberto estão unidos pela força das coisas? Não adianta fugir, é preciso enfrentar. Não se recorda do que Norma disse-lhe naquela noite? "O que aconteceu naqueles tempos não vai acontecer de novo."

— É verdade. Ela disse isso.

— Então. É por causa desse seu medo. Vocês viveram experiências dolorosas. Você sofreu. Mas hoje tudo será diferente. Vocês mudaram, amadureceram. E se você está tendo esse desafio, é porque já tem condições de vencer.

— Você acha mesmo?

— Claro. A vida é bondosa e justa. Nunca colocaria em seu caminho uma situação em que fosse fatal você perder. Naturalmente terá que se esforçar, enfrentar seus medos, puxar para fora sua coragem. Mas se fizer isso, vencerá.

— Vai depender de mim.

— Isso mesmo. Tudo em sua vida só depende de você. Deus está dentro de cada um, à espera que a pessoa ande, perceba, queira, conquiste o próprio bem-estar e a própria felicidade.

— Todas as pessoas desejam ser felizes. Por que há tanto sofrimento no mundo?

— Por causa das ilusões, da vaidade, do medo de cuidar de si. Há em nossa sociedade uma inversão de valores tão grande que só podia dar no que deu. As pessoas correm, atropelam-se para cuidar dos outros e abandonam sua própria alma. Assim geram os conflitos, as depressões, as doenças, a infelicidade.

— As religiões ensinam que devemos trabalhar em favor dos outros. Amar o próximo como a si mesmo.

— As pessoas não amam a si mesmas, como podem amar o próximo? Ainda estão muito longe do amor verdadeiro. O que se vê no mundo é o bem por obrigação, pelo medo de ir para o inferno, é a vontade de ganhar alguns pontos diante da sociedade e de Deus. Contudo, a alma deles está abandonada, sem conforto, sem alegria, sem carinho, sem amor. Como alguém pode ser bom sem sentir amor? Como alguém pode dar aos outros o que não têm? É por isso que a violência, a crueldade andam soltas no mundo.

— É mesmo, tia. Por ter observado isso é que eu nunca me interessei pela religião. Nossos conhecidos vivem pregando o amor ao próximo, mas entregam-se à mesquinhez, à desonestidade. Por toda parte tenho visto o descaso com tudo que é de interesse público. Parece até que o que é da comunidade não é de ninguém. Pode ser destruído.

— Isso é falta de amor. Essa é a maior chaga da humanidade. O amor pressupõe o capricho, o trabalho bem-feito, o prazer de cooperar, o respeito pelo bem comum.

— O governo não coopera.

— Não é um problema do governo. É um problema de cada um. O que acontece na sociedade é reflexo do que vai dentro do coração das pessoas.

— Mas todos pregam o bem e as boas ações. Desde o colégio ouço falar nisso.

— Intelectualmente todos sabem, mas raros tentam fazer. Afundam na descrença. A pretexto de prevenir, salientam o mal; pensando valorizar a ciência, mergulham no materialismo, acabam frustrados e deprimidos, inseguros e alienados.

— Conheço várias pessoas assim.

— Nossa sociedade está doente e infeliz.

— É difícil consertar isso.

— Nada é difícil quando a vida quer. E ela trabalha para isso o tempo todo.

— De que forma?

— Fazendo cada pessoa colher os resultados de suas atitudes. Se a violência e a crueldade refletem a falta de amor dos corações, a dor, as tragédias, as doenças são meios que a vida usa para sensibilizar, abrir as consciências e mostrar os verdadeiros valores. Tenho a certeza de que um dia todos iremos aprender.

— Você fala com uma certeza que eu gostaria de possuir. Tenho me sentido inseguro, incapaz de lidar com minhas emoções. Como poderei recuperar o equilíbrio?

— Ficando atento, observando seus sentimentos. O conflito aparece quando você se reprime e não age de acordo com o que sente. Ainda agora reconhece que está amando Lídia, deseja estar com ela, trocar carícias, extravasar seu amor. Entretanto, ao invés de fazer isso você preferiu questionar o que sente, a pretexto de evitar um sofrimento que nem sabe se virá. Eis aí o que o está desequilibrando neste momento. Você estaria muito mais feliz se estivesse ao lado dela do que se perguntando o que esse relacionamento pode lhe trazer.

— Mas eu sinto esse medo.

— Não duvido. Mas ele não vem de sua alma, com certeza. Ela quer ser feliz e está disposta a pagar o preço. O medo é sempre resultado da repressão interior. De como você se violenta, sufocando sua verdadeira natureza, talvez para entrar no modelo que a sociedade convencionou como certo. Você rompeu um pouco com isso quando ousou defender Alberto nos tribunais. Mas ainda não conseguiu vencer o preconceito contra a espiritualidade. É-lhe difícil aceitar que o que viu e sentiu em sonhos foram recordações de suas vidas passadas.

— Reconheço que é difícil mesmo.

— Por isso não consegue seguir o conselho de Norma, separar o passado do presente.

— Está tudo misturado em minha cabeça.

— Esse é seu engano. Não é a cabeça que decide seu caso. Ela está demasiado cheia de racionalidade, de idéias e regras que aprendeu na sociedade. Você acredita que precisa resolver suas emoções por meio do raciocínio. Que isso é ter bom senso. Que fazer o que sente pode ser ruim. Não confia em si mesmo. Só acredita no que lhe disseram ser o melhor.

— Tenho receio de entrar na ilusão. Preciso ser racional, sensato.

— É verdade. Mas nunca conseguirá isso sufocando seus sentimentos.

— Minha vida decorria normal. De repente, emoções novas e fortes começaram a brotar dentro de mim. Isso me assusta. Não consigo compreender.

— Não adianta querer explicar sentimentos através do raciocínio. Emoções talvez possam ser entendidas, mas sentimentos, não. Eles surgem e não têm explicação. O amor, as afinidades e preferências, as vocações são manifestações da alma. Quando você tenta reprimi-las, anula-se, deprime, cria conflitos, empobrece.

— Como diferenciar emoções de sentimentos?

— Emoções são reações de pensamentos, refletem a maneira com que você vê e julga determinados fatos. Os sentimentos, não. Eles vêm da alma. Aparecem e extravasam simplesmente. Refletem-se no cultivo do belo, no capricho de fazer coisas, no carinho e na ternura por tudo e por todos. É o prazer exteriorizado. Quando você ama e expressa livremente esse sentimento, seu carisma envolve tudo que você toca e o prazer, a alegria que você sente faz sua felicidade.

— Deve ser maravilhoso poder se sentir assim.

— É. Às vezes, em alguns momentos, todos já nos sentimos. Precisamos aprender a manter continuamente esse estado de espírito.

— Quer dizer que as emoções desagradáveis que venho sentindo, esse medo de me entregar ao amor de Lídia, não representam um pressentimento? Uma previsão do futuro?

— Não. Se isso fosse verdade, Norma não o teria aconselhado a largar o passado. Quero crer que você passou por problemas dolorosos em outra vida, ao lado de Lídia e Alberto. Conservou impressões fortes desses acontecimentos.

— Mesmo depois de ter nascido de novo e esquecido esse passado?

— Mesmo assim. Você guarda no inconsciente o registro de todos aqueles fatos, e quando alguma coisa lembra esse tempo, as impressões dolorosas reaparecem.

— Isso tem lógica. Nesse caso, tia, o que fazer para melhorar?

— Fazendo exatamente o que teme. Enfrentando seu medo. Se fizer isso, descobrirá que nada do que temia aconteceu. As impressões dolorosas desaparecerão à medida que as boas e agradáveis irão se verificando.

— Acha mesmo que serei feliz ao lado de Lídia?

— Não sei. Vai depender de vocês. Mas levando em conta os sentimentos que percebo em ambos, acredito que dará tudo certo.

Daniel suspirou aliviado:

— Ouvindo-a falar assim já me sinto melhor.

— Preste atenção, perceba como você entra no medo do passado. Quando acontecer isso, repita a frase que Norma ensinou: "O que aconteceu naqueles tempos não vai acontecer de novo".

— Começo a entender por que ela disse isso.

Josefa sorriu e Daniel notou que ela ficava muito mais bonita quando sorria. Não se conteve. Levantou-se e beijou-a levemente no rosto.

— Obrigado, tia. Só não entendo uma coisa...

— O quê?

— Por que passei tanto tempo sem vir aqui em sua casa desfrutar de sua companhia?

— Ainda pode recuperar o tempo perdido. Venha sempre. Agora vamos jantar. Você deve estar com fome.

Daniel levantou-se oferecendo galantemente o braço para conduzi-la à sala de jantar.

Passava das onze quando Daniel voltou para casa. A conversa com a tia fizera-lhe muito bem.

Gostaria de falar com Lídia, abrir o coração. Apanhou o telefone e ligou. Reconheceu a voz logo que ela atendeu:

— Desculpe ligar a esta hora. Acordei você?

— Não.

— Acabei de chegar, não quis me deitar sem lhe desejar uma boa noite, dizer que a amo e que neste momento gostaria de estar a seu lado. Precisamos conversar. Posso passar aí amanhã à noite?

— Pode.

— Passarei lá pelas oito.

— Estarei esperando. Sente-se melhor?

— Sim. Estive em casa de tia Josefa. Nossa conversa fez-me um bem enorme.

— Ela é maravilhosa.

Os dois continuaram conversando e passava da meia-noite quando finalmente Daniel desligou e preparou-se para dormir. O dia seguinte seria de muito trabalho e ele precisava estar muito bem.

Na tarde do dia seguinte, o Dr. Eugênio procurou José Luís em casa e foram para o escritório. Depois de fechar a porta e sentar-se em frente ao advogado, perguntou ansioso:

— E então? O que descobriu?

— A situação está muito pior do que eu supunha. O que eu temia aconteceu. Eles pediram o depoimento de Eleutéria no processo.

José Luís levantou-se de um salto:

— Como? Eles sabem a respeito dela?

— Tudo. Juntaram aos autos o endereço de Eleutéria e um depoimento assinado do motorista em que ele confessa o embuste.

— Vou avisá-la e fazê-la desaparecer.

— Não vai dar para fazer isso. Eles investigaram tudo, os pagamentos que Bóris fazia a Pola e ela depositava no banco em nome da babá. As propriedades que ela comprou depois de sair do emprego. Tudo está lá documentado. Devo dizer-lhe que será muito difícil fazer frente a essas provas.

José Luís fez um gesto de desespero, passando a mão pelos cabelos e andando de um lado a outro. Por fim parou em frente ao advogado dizendo:

— Isso não pode ser verdade! Temos que dar um jeito. Você precisa achar uma solução!

— No pé em que as coisas estão, só vejo uma.

— Qual? Fale, farei qualquer coisa.

— Chamar Alberto e fazer um acordo com ele.

— Isso é impossível! Nunca farei isso. Será como confessar.

— É o único jeito que eu vejo de evitar a vergonha, talvez até a prisão. Podemos chamá-lo e tentar convencê-lo a retirar a queixa, até a dizer que estava enganado.

— Ele nunca aceitará isso.

— O dinheiro tem grande poder. Se oferecer a maior parte de sua fortuna, ele aceitará. Afinal, o que ele deve mesmo estar querendo é o dinheiro. Assim, evitaremos que ele se apresente na audiência e teremos chance de negar tudo perante a justiça.

— Acha que ele faria isso?

— Acho. Se me autorizar, procurarei os advogados dele para uma reunião.

— Com aqueles dois, não. Eles não vão querer aceitar. Estão em busca de notoriedade. Para eles interessa ganhar a causa. É com Marcelo que você precisa negociar sigilosamente.

— Tentarei. Vou procurá-lo hoje mesmo.

— Faça isso e depois me telefone. Conforme for, terei que arrumar meus papéis e ver de quanto poderei dispor para dar a esse aventureiro.

— Faça isso. Garanto que hoje mesmo resolveremos esse assunto.

— Está certo. Estarei esperando sua resposta.

Eugênio saiu e foi até o apartamento de Alberto, onde foi informado pelo porteiro que ele estava trabalhando e não sabia a que horas regressaria. Por isso, o advogado decidiu esperá-lo na porta do prédio em que ele trabalhava.

Assim que Alberto saiu, ele se apresentou dizendo:

— Sou o advogado do Dr. José Luís. Gostaria de conversar com você em um lugar discreto.

— Vou ligar para meus advogados para ver se ainda estão no escritório. Poderemos ir até lá.

— Não. O que tenho a conversar é só com você. Poderemos tomar alguma coisa em um bar.

— Há uma casa de lanches na esquina.

Uma vez acomodados em uma mesa discreta, pediram refrigerantes e quando se viram a sós Eugênio foi direto ao assunto:

— Vim agora da casa de meu cliente. Ele está muito aborrecido com essa situação. Quer propor um acordo.

— De que forma?

— Está muito arrependido do que fez no passado. Na verdade anda até doente. Reconhece que você tem razão. Que está reclamando o que tem direito. Entretanto, sua família não sabe de nada. Ele disse que prefere morrer a contar-lhes tudo. Particularmente, posso afirmar que ele está tão desesperado que me assusta. Se não houver acordo com você, tenho certeza de que ele dará cabo da vida.

— Ele não pensou em nada quando fez o que fez.

— É verdade. Ele estava louco. Mas agora está arrependido. Quer refazer o mal. Devolver toda a fortuna a você.

— A troco de quê?

— De retirar a queixa na justiça. De não levar adiante o processo. De não ir àquela audiência. Ele quer poupar a família. Não se importa em perder o dinheiro, que afinal não lhe pertencia, mas quer pelo menos que seu nome fique limpo. Por causa dos filhos. Da vergonha. Acha que sua esposa vai morrer de desgosto se essa história se confirmar.

Alberto não respondeu logo. Ficou pensativo, calado. Eugênio esperou alguns instantes depois perguntou:

— E então, aceita?

Alberto olhou-o e levantou-se dizendo com olhos brilhantes de tanta indignação:

— Você acha que depois de tudo quanto eu passei, de viver minha vida inteira longe de meu país, sem ninguém, de haver sido privado da companhia de minha família, do sofrimento de meus pais e de meu avô me julgando morto, eu faria um acordo desses? Depois de haver passado por humilhações e incertezas na busca de minha verdadeira identidade enquanto ele desfrutava tranqüilamente do produto que havia roubado de nós, eu iria pensar em poupá-lo da vergonha de assumir a responsabilidade por seus atos? Nunca farei com ele qualquer espécie de acordo. Ele deve é ir para a cadeia, pagar pelos crimes que cometeu. Eu quero meu nome de volta, limpo, como sempre foi. Diga-lhe isso, doutor.

Alberto afastou-se e o advogado tirou um lenço do bolso para limpar o suor que lhe escorria pelas faces. Reconhecia que a situação era difícil para seu cliente e começou a se arrepender de haver se metido naquele caso.

Quando o aceitou, nunca imaginou nem por um instante que José Luís fosse culpado. Seja pelos jovens advogados que não mereciam sua confiança, seja pela fama de pessoa de bem que o médico gozava perante a sociedade, ele acreditou que lhe seria fácil ganhar essa causa, à qual não dava muita importância.

Sabia que as pessoas ricas, famosas em sociedade, eram vítimas das artimanhas dos que visavam tirar-lhes dinheiro.

Julgara mal e agora via-se envolvido em uma causa à qual a opinião pública estava dando imensa importância. Além de perdê-la, seria visto como defensor de uma enorme falcatrua.

Não se sentia confortável. Se nada viesse a público, faria qualquer coisa. Já passara por situações delicadas e saíra-se bem. O que não podia era ver seu nome associado a uma patifaria dessas publicamente.

Falaria com José Luís para que encontrasse outro advogado. Ele substabeleceria o caso e pronto. Estaria fora.

Chegou em casa e ligou para José Luís. Assim que ele atendeu, foi logo dizendo:

— Ele não aceitou. Nem quis ouvir os detalhes. Faz questão de usar o nome da família e não está disposto a perdoar o que você lhe fez.

— Você não tentou convencê-lo? Estive fazendo as contas, posso dar-lhe muito dinheiro. Inclusive seus honorários serão elevados.

— Não adianta. Ele não quer mesmo. Ficou tão irritado que quase me agrediu. Saí de lá passando mal. Você não sabe, mas sou cardíaco. Minha pressão deve ter subido. Amanhã vou consultar meu cardiologista. Nem sei se poderei comparecer à audiência.

— Quer me deixar na mão! É isso.

— Não. Sou seu amigo. É que estou doente mesmo. Aconselho-o a procurar outro advogado o quanto antes.

José Luís desligou o telefone com raiva. Estava consumado. Diante dos fatos, ele não tinha mais esperanças de sair dessa. Mas ele havia planejado o que faria se tudo isso acontecesse.

Enquanto o Dr. Eugênio procurava Marcelo, ele avaliara todo o dinheiro com que poderia contar e fizera um plano para o caso de Marcelo recusar a proposta. Tinha ainda um prazo de dois dias para colocar esse plano em ação.

Sua cabeça doía e ele tentava controlar a raiva. Não iria ser preso nem viveria na pobreza. Ninguém poria as mãos nele.

No dia seguinte, quando Daniel chegou ao escritório, já encontrou Alberto.

— Temos novidades — disse Rubinho assim que ele entrou. — O advogado de José Luís procurou Alberto para fazer um acordo.

— É mesmo?

Foi Alberto quem respondeu:

— É. Ele quer dar-me o dinheiro com a condição de que eu desista da ação. Deu-me vontade de esmurrá-lo.

— Você não aceitou — tornou Daniel.

— Claro que não! Eu quero minha identidade, usar o nome que tenho por direito. Quero colocar tudo nos devidos lugares. Meu avô sempre me diz isso.

— Você fala com ele? — indagou Rubinho.

— Sim. Sinto sua presença e o que ele pensa a respeito. Sinto que ele ainda se angustia com o que nos aconteceu. Desejo que ele possa ficar em paz.

— Agiu muito bem. Essa proposta indica que José Luís está desesperado. Ele sabe que vai perder a causa, que pode ser preso. Ainda mais com Bóris na cadeia — disse Daniel.

— Quando Bóris descobrir que seu cúmplice não irá defendê-lo, vai jogar toda a responsabilidade em cima dele para tentar diminuir sua pena. José Luís sabe disso — garantiu Rubinho.

Continuaram conversando para ultimar alguns detalhes para a audiência dali a dois dias.

Quase na hora do almoço, Jonas apareceu:

— Tenho novidades. Marilena me contou que Eleutéria já foi intimada e ficou apavorada. Conversou com o marido e eles planejaram não comparecer à audiência e viajar para o exterior.

— Não podemos deixá-la fazer isso! Seu testemunho é fundamental! — disse Daniel preocupado.

— Ela tentou, mas não conseguiu. Conversei com o delegado e ele alertou a Polícia Federal, dando os dados do casal. Não conseguiram tirar passaporte. Foram barrados.

— Ainda bem — desabafou Rubinho. — Mas eles podem não comparecer e se esconderem dentro do país mesmo.

— Nada disso vai acontecer. Estão sendo vigiados. Meus homens me informam de todos os seus passos. Depois, Marilena está atenta. Se eles não comparecerem para prestar depoimento, a polícia irá buscá-los. Já arrumei tudo. O delegado está interrogando Bóris, mas já pediu abertura de inquérito, porquanto ele foi preso em flagrante. Trouxe este documento para vocês juntarem aos autos.

— Ótimo. Já relatamos esse fato e juntamos ao processo. Esse documento torná-lo-á inquestionável — disse Rubinho satisfeito.

— Nesse interrogatório, ele disse mais alguma coisa? — indagou Daniel.

— Sabe como é... Ele é esperto e não se deixa apanhar com facilidade. O delegado está acenando com sua proteção, caso ele conte a verdade, sugerindo que sua pena pode ser diminuída se ajudar a polícia a desvendar tudo. Mas ele está arisco. Nega tudo. Diz que fez isso porque não suportava ver o sofrimento da família de seu patrão. Não pretendia fazer mal a Alberto. Apenas assustá-lo.

— Quando me ameaçaram não estavam brincando. Tenho certeza de que, se vocês não tivessem me encontrado, eles teriam me matado.

— A polícia sabe disso. Se ele não confessar por bem, eles têm outros métodos. Garanto que ele vai falar — afirmou Jonas.

— O delegado pode fazê-lo acreditar que José Luís o abandonou — disse Rubinho

— Fica difícil, porquanto José Luís mandou seu advogado cuidar do caso dele e afirma que vai fazer tudo para libertá-lo — informou Jonas.

— Ele é esperto. Sabe que enquanto Bóris pensar que está fazendo tudo para ajudá-lo não dirá nada — tornou Daniel.

— Em todo caso, é apenas uma questão de tempo. Diante de tantas provas, não há como duvidar — disse Jonas. — Em breve tudo estará resolvido. Vocês ganharão a causa.

Alberto baixou a cabeça para esconder o brilho de algumas lágrimas que ele tentava evitar cair. E os outros três se entreolharam sentindo o reflexo daquela emoção e, naquele momento, guardaram silêncio. Nenhum deles sentia vontade de falar.

Capítulo 18

Na véspera da audiência, Daniel e Rubinho trabalharam o dia inteiro, revendo os pontos importantes. Se o juiz aceitasse as provas, além de determinar que Alberto fosse reconhecido como Marcelo Camargo de Melo e legítimo herdeiro de todos os bens de família, indiciaria José Luís instaurando processo crime com base no inquérito policial de seqüestro e nas provas apresentadas nos autos.

Daniel chegou em casa passava das oito. Apesar de cansado, foi com disposição que tomou um banho rápido, arrumou-se e foi encontrar-se com Lídia. Haviam combinado jantar juntos.

Depois da conversa com tia Josefa, Daniel sentira-se menos preocupado. O que ele sentia por Lídia nunca havia sentido por ninguém. Estar a seu lado era tão prazeroso que ele resolveu esquecer seus receios. Afinal, toda aquela história podia ser apenas uma fantasia de sua cabeça. Mas ainda que fosse verdade que eles tivessem vivido outras vidas, as palavras de Norma diziam para confiar no presente, porque o que aconteceu naqueles tempos não se repetiria.

Na noite anterior haviam saído juntos e conversado muito sobre os sentimentos que os unia. Ele se sentia feliz e alegre. Aquela causa iria darlhe credibilidade profissional e dinheiro. O entusiasmo de Rubinho falando de seu casamento com Marilda estimulava-o a fazer o mesmo. As coisas começavam a melhorar e ele fazia planos para o futuro.

O jantar decorreu agradável, depois foram para o carro. Daniel parou em uma rua tranqüila e deserta. Trocaram beijos, juras e carinhos, falando de seus sentimentos.

Passava da meia-noite quando Daniel chegou em casa. Rubinho já havia se recolhido. Ele se preparou e deitou. O dia seguinte seria decisivo e ele queria estar bem-disposto.

Embalado em seus pensamentos com Lídia, adormeceu. Viu-se entrando na mesma casa onde já estivera em sonhos, procurando por Lídia. Encontrou-a na sala, porém não estava só. Alberto estava a seu lado, segurando sua mão.

Daniel sentiu agudo ciúme apertar seu coração. Arrependeu-se de ter adotado seu afilhado quando o pai morreu. Ele era então uma criança, que Lídia ajudara a criar com muito carinho.

Ela não tivera filhos e dedicara-se ao menino com amor. Daniel achava que ela o mimava excessivamente, mas ela se desculpava dizendo que ele não tinha família e por isso precisava muito de proteção e afeto.

Agora ele tinha dezenove anos e cada dia estava mais agarrado a Lídia. Daniel vinha notando esse apego com preocupação. Naquele dia, notou que a atitude dele não era de um filho. Em seus olhos havia a admiração de um homem por uma mulher.

Louco de ciúme, escondeu-se e procurou ouvir o que conversavam. Ele dizia:

— Madrinha, não posso suportar mais esse sentimento. Sinto que é maior do que eu.

— Calma, meu filho. Você está confundindo as coisas. Chama de amor o que é apenas gratidão, amizade. Logo achará uma moça boa que o ame de verdade e perceberá que tudo isso não passou de uma ilusão.

— Não me chame de filho! Sou um homem que sente, e meu coração pulsa por você. Diga que me ama como eu a amo! Deixe-me mostrar-lhe o quanto eu a quero e como posso fazer a sua felicidade.

Alberto sem se conter abraçou-a e tentou beijar-lhe os lábios. Ela lutava para desvencilhar-se. Daniel não mais se conteve. Entrou na sala agarrando Alberto, sacudindo-o e dizendo:

— Miserável. Como ousa fazer isso? Nós o criamos com amor. Eu o protegi quando ficou só e sem um níquel. Paguei seus estudos, dei-lhe dinheiro, fiz de você nosso único herdeiro. Tratei-o como um filho!

— Mentira. A vida não deu filhos a vocês e me pegaram para satisfazer esse desejo. Vocês precisavam de alguém para serem uma família e eu vim a calhar.

Daniel olhou-o indignado:

— O que está dizendo? Depois de tudo que fizemos por você? Depois do amor e do carinho com o qual foi criado?

— Eu me apaixonei por ela desde o primeiro dia. Cada vez que você a abraçava eu quase morria de ciúme. Quantas vezes, imaginando o que vocês estavam fazendo sozinhos no quarto, bati na porta dizendo que estava com medo...

— Cale-se — disse Lídia. — Você não sabe o que está dizendo. Isso não pode ser verdade.

— É verdade — garantiu Alberto, olhando-a com olhos de adoração. — Eu sei que você também me ama.

— Nem mais uma palavra — gritou Daniel. — Junte todas as suas coisas e vá embora desta casa. Nunca mais quero vê-lo.

Lídia abraçou Daniel chorando e dizendo:

— Não faça isso. Ele está transtornado. Não pode mandá-lo embora. Não tem para onde ir.

— Depois do que ele disse, não vou tolerar mais sua presença aqui. Ele tem quinze minutos para deixar esta casa para sempre.

— Não quero mesmo ficar aqui. Mas eu volto. Vou sair, trabalhar e voltar para buscá-la. Tenho certeza de que irá comigo.

Subiu as escadas correndo enquanto Lídia chorava e pedia:

— Não o deixe ir. Por favor. Não posso vê-lo partir assim.

Angustiado, Daniel segurou o braço dela com força:

— Você o ama! Não quer que vá porque está apaixonada por ele!

— Vocês estão loucos. Não é nada disso. Vocês têm que se entender. Tudo isso é um mal-entendido. Por favor, não o deixe ir.

Alberto voltou segurando uma mala e Lídia vendo-o disse nervosa:

— Você não irá. Não o deixarei sair. Isso é uma loucura.

— Tenho que ir. Não suportaria mais ver você ao lado dele. Logo virei buscá-la. Ficaremos juntos para sempre.

Ela tentou segurá-lo, mas ele pegou a mala e saiu batendo a porta. Lídia aproximou-se de Daniel dizendo:

— Você não vai fazer nada para impedir? Vai deixá-lo ir?

— Ele já foi e nunca mais o deixarei entrar nesta casa.

Lídia olhou-o pálida. Seus olhos se fecharam e ela caiu ao chão. Daniel correu assustado. Ela parecia não respirar. Levantou-a e colocou-a no sofá. Sentia um aperto no coração e uma vontade muito grande de chorar.

Acordou angustiado e suando frio. Levantou-se, foi apanhar um copo de água e bebeu alguns goles. Dentro de seu coração tinha certeza de ter vivido essa cena e sua repetição fizera voltar o medo que sentia.

Seria mesmo verdade? Alberto havia sido seu afilhado e criado como um filho? Teria se apaixonado por Lídia como dissera? Ele sentia que a cada dia mais se juntavam as peças desse quebra-cabeças.

A impressão penosa que Alberto lhe causara quando o conhecera seria por causa daquele passado? Passou a mão pelos cabelos preocupado. E se Alberto se apaixonasse novamente por Lídia? Se naquele tempo ele fora pobre e muito mais jovem do que ela, agora a situação havia mudado.

Dentro de pouco tempo ele seria rico, teria um nome importante e era um pouco mais velho do que ela. Se ele se apaixonasse por ela de novo, poderia ser um sério concorrente a seu amor.

E ela? Como reagiria? O afeto que sentia por ele teria mudado? Daniel deitou-se novamente, mas não conseguiu dormir. Remexia-se no leito e aquelas cenas não lhe saíam do pensamento.

A angústia voltara e ele se sentiu atormentado. Decidiu reagir. Aquilo poderia ser apenas uma coisa de sua cabeça. Quem garantiria que acontecera mesmo? Contudo, por mais que tentasse negar a veracidade de seu sonho, ele sentia que já vivera aquela situação.

Então resolveu. Falaria com tia Josefa e iria assistir à próxima sessão espírita em sua casa. Talvez lá encontrasse as respostas que procurava.

José Luís, depois que desligou o telefone, fechou-se no escritório andando de um lado para outro preocupado. Não tinha outra saída. Reconhecia que havia sido derrotado. Tudo por causa de Maria Júlia.

Não iria pagar sozinho pelo que fizera. Era cômodo para ela fingir-se penalizada, mas durante todos aqueles anos usufruíra do conforto e do dinheiro que ele conseguira. Seu plano estava feito e a resolução, tomada.

Ninguém poria as mãos nele. Desde que esse processo surgira na justiça, ele fora colocando dinheiro no exterior para qualquer eventualidade. Só ficaram as propriedades e a empresa do velho Dr. Camargo, da qual ele tirou o que pôde.

Tinha tudo preparado, inclusive duas passagens para Roma. Uma vez lá, tomaria outro rumo e tinha certeza de que ninguém conseguiria encontrá-los. Maria Júlia iria acompanhá-lo. Tinha como obrigá-la.

Ela só saberia tudo na hora de sair para embarcar. Não podia correr nenhum risco. Nos últimos tempos Gabriel andava muito com ela. José Luís sabia que ele faria tudo para impedi-los de deixar o Brasil.

Foi a seus aposentos, arrumou uma mala de porte médio. Não queria dificuldades com bagagem. O dinheiro que tinha lá fora daria para comprar o que precisasse. Quanto a Maria Júlia, faria-a arrumar o estritamente necessário. Depois que lhe comunicasse sua decisão, ficaria a seu lado o tempo todo para evitar que ela o delatasse.

Tinha certeza de que ela ficaria contra essa fuga. Apesar do relacionamento entre eles há muito ter estado estremecido, ele não queria deixá-la. Uma vez longe e dependente dele para tudo, ela se tornaria mais dócil.

Na hora do jantar, já tinha tudo pronto. Partiriam naquela mesma noite. O vôo sairia de madrugada. Havia tempo para tudo. Foi com prazer que depois do jantar viu Gabriel sair. Laura estava em casa de uma amiga e só voltaria no dia seguinte. Ele estava livre portanto para fazer o que planejara.

Passava das onze quando José Luís bateu no quarto de Maria Júlia, que estava preparando-se para dormir. Vendo-o, ela estremeceu:

— O que deseja?

Ele entrou, fechou a porta a chave, dizendo com voz firme:

— Apronte-se, temos que sair.

— Sair? A esta hora?

— Sim. Vamos viajar.

— Viajar? Para onde?

— Para longe, até que essa onda passe.

— Eu não irei com você, José Luís. Vou ficar e enfrentar seja o que for que acontecer.

— Você é minha cúmplice e pode ser presa se ficar.

— Não importa. Fugir eu não vou. Será pior. O melhor é ficar, entregar a Marcelo aquilo a que ele tem direito e pronto.

José Luís olhou-a com raiva quando disse:

— Se você não tivesse se metido no meio salvando a vida daquele menino, hoje não estaríamos passando por esse vexame.

— Estamos passando por isso por culpa sua. Nunca concordei com o que vocês fizeram.

— Mas usufruiu de tudo até hoje.

— Você sabe que me calei por outro motivo.

José Luís aproximou-se dela olhando-a nos olhos com determinação e ordenou:

— Você vai já arrumar alguns pertences e vamos embora. Temos meia hora para sair daqui.

— Se quer ir, vá. Eu não irei com você.

Ele segurou o braço dela com força dizendo entre dentes:

— Ah, vai! Vai mesmo! Vamos depressa. Não temos muito tempo.

— Deixe-me ficar. Nós nunca nos amamos. Nosso casamento foi um engano. Não posso abandonar Laura e Gabriel para que assumam sozinhos o peso do escândalo. Preciso ficar com eles, apoiá-los.

— Eles que se arranjem. São adultos. Não podemos esperar para sermos presos e perdermos tudo. Isso, não.

— Que você faça isso com Gabriel, eu entendo. Você nunca o suportou. Mas com Laura! Ela é sua filha!

Por um instante um brilho emocionado passou pelos olhos de José Luís. Mas ele se controlou.

— Mais tarde mandarei buscá-la. Tenho meios para isso.

Maria Júlia olhou-o, respirou fundo e resolveu:

— Faça o que quiser, mas eu não irei.

Ele tirou um revólver do bolso, apontou-o e disse:

— É melhor que obedeça. Não vou deixá-la aqui sozinha, para entregar-se àquele conquistador barato. Ele agora está livre. Se não quiser me acompanhar, dou cabo de sua vida. Um crime a mais ou a menos já não importa agora. Depois escrevo uma carta contando toda a verdade a Gabriel. Ele precisa saber que espécie de mulher é sua mãe.

Maria Júlia empalideceu. Os olhos de José Luís estavam fixos e determinados. Ela sabia que ele cumpriria o que estava dizendo. Precisava contemporizar.

— Está bem — concordou ela com voz apagada. — Eu vou. Agora saia que eu preciso me vestir.

— Ainda bem que resolveu. Mas terá que suportar minha presença. Vou esperar. Só sairemos daqui juntos.

Maria Júlia percebeu que não tinha outra alternativa. Tratou de obedecer. Com mãos trêmulas procurou uma mala e começou a arrumar as coisas. O olhar dele seguia todos os seus gestos.

Gabriel saiu para encontrar-se com Lanira. Eles precisavam conversar. Depois do que acontecera entre eles, ela estava evitando-o. Ele estava arrependido de haver perdido a cabeça naquela noite. Não por haver se comprometido e agora sentir que precisava casar com ela. Amava-a, casar com ela era um prêmio. Mas havia o outro lado da questão. Depois que a verdade aparecesse, ele ficaria pobre e com o nome sujo. Certamente a família dela, importante e da melhor sociedade, opor-se-ia ao casamento.

Seria justo para ela um casamento com ele nas presentes circunstâncias? Sabia que se ela o amasse de verdade não se importaria com nada disso. Aliás, ela sempre o apoiara, porque sabia que ele era inocente nessa história toda.

Se ele não se casasse com ela, perderia a única mulher que amara e ainda ficaria com a consciência pesada. Se ela o aceitasse, estaria arrastando-a para uma vida difícil, que ele mesmo ainda não sabia como seria. Ainda havia sua mãe e sua irmã, que ele precisava ajudar a manter.

Logo que Lanira entrou no carro, percebeu que Gabriel estava angustiado. Depois dos cumprimentos, ele desabafou:

— Ainda bem que você veio, Lanira. Pensei que não quisesse mais sair comigo.

— Se isso fosse verdade eu teria dito logo. Você me parece nervoso. Aconteceu alguma coisa?

— Vamos procurar um lugar sossegado para conversar.

Gabriel parou o carro em uma rua tranqüila e Lanira tentou deixá-lo mais à vontade:

— Hum! Você está com uma cara...

— Estou preocupado com o que aconteceu entre nós. Agi mal.

— Eu não estou arrependida.

Ele a olhou com olhos brilhantes e respondeu:

— Verdade? Você não ficou pensando que abusei de sua amizade, de sua confiança?

Lanira passou a mão levemente pelo rosto dele, acariciando-o.

— Não. Sempre sei o que quero. E eu queria você naquela hora.

Ele a abraçou sentindo o perfume gostoso que vinha dela e beijou-a nos lábios com carinho. Depois disse:

— E agora, não me quer mais?

— Quero. Eu gosto de você. Sinto prazer em estar a seu lado, em trocar carícias, em beijá-lo.

Ele abaixou a cabeça triste. Ela prosseguiu:

— O que foi? Não acha bom eu gostar de você?

— O que você disse fez meu coração disparar de alegria. É tudo que eu queria ouvir de seus lábios.

— Então, por que está triste?

— Pela situação. Estamos em vias de perder tudo, até o nome honesto de nossa família. Meu pai vai ser preso, teremos que enfrentar a opinião pública, que, você sabe, não poupa ninguém. Os mesmos jornalistas que sempre nos prestigiaram, comeram em nossa mesa, brigavam para obter um convite para nossas festas, vão fazer desse escândalo alguma coisa maior do que é.

— Você precisa ser forte. Agora é hora de se unirem e enfrentarem a verdade.

— A opinião deles não me importa. Meu pai fez o que fez, merece ser responsabilizado pelas conseqüências. O que me dói é ver a angústia de minha mãe e de Laura, que ainda nada sabe. É tão orgulhosa de sua linhagem...

— Vocês não têm culpa do que seu pai fez.

— Mas vamos todos pagar por isso. Não tenho medo da pobreza nem de precisar trabalhar. Tenho certeza de que encontrarei um jeito de ganhar o sustento dos meus. O que me entristece é pensar que não posso oferecer nada a você. Queria que se casasse comigo, que ficasse a meu lado por toda a vida, mas não posso pedir-lhe esse sacrifício. Sua família nunca consentiria. Nem eu teria como tirá-la de sua casa, de seu conforto, e nem um nome honrado poder lhe oferecer.

Lanira ficou calada por alguns instantes, depois respondeu:

— Olha, Gabriel, casamento ainda não está em minhas cogitações. Estamos nos gostando, temos prazer em ficar juntos, o que aconteceu entre nós foi maravilhoso. Ainda estremeço quando me recordo daqueles momentos. Gostaria de repeti-los. Entretanto, manda a prudência que saibamos nos conter.

— É melhor assim, pelo menos por enquanto.

— Não se angustie pensando no que foi. Agimos pelo coração. Vamos guardar com carinho esses momentos. Vamos dar um tempo a essa questão. Você agora tem assuntos de grande importância para resolver.

— Você não vai mais querer sair comigo?

— Você não entendeu. Eu disse que vamos dar um tempo a esse assunto de casamento e controlar nossas emoções. Sairei com você sempre que quiser. Você está se portando com muita dignidade nessa história toda. Desejo apoiá-lo de todas as formas.

Ele tomou a mão dela e beijou-a com carinho:

— Obrigado, Lanira. Quanto mais a conheço, mais a admiro. Aconteça o que acontecer daqui para a frente, lembre-se de que eu a amo muito. Estou sendo sincero. Em mim, você terá sempre, além de todo o meu amor, um amigo dedicado.

— Eu sei — disse ela com voz suave, apertando com carinho a mão dele que segurava a sua.

Maria Alice andava de um lado para outro em sua sala de estar. Sentia-se angustiada, triste. Seu peito doía e ela já tomara um calmante sem nenhum resultado. Apanhou novamente a carta que amarrotara e tornou a ler:

"Enquanto você fica em casa tapando o sol com a peneira, seu marido está se deliciando com aquela secretária na suíte de um hotel de luxo em São Paulo. Na semana passada ele deu a ela um anel de esmeraldas. Consulte a joalheria e ficará assustada com o preço. Até quando vai ser cúmplice dessa falta de vergonha com o dinheiro público? Se tem um pouco de dignidade como parece, denuncie e acabe com essa pouca vergonha. Não seja conivente. Reaja!"

Estava sem assinatura. Maria Alice estava indignada. A vida toda ela fizera o possível para manter a dignidade da família, e agora o comportamento vergonhoso do marido já era do domínio público. Isso ela não poderia tolerar.

Enquanto ele havia sido discreto, ela havia se calado para manter a família unida. Acreditava que fosse uma aventura e que logo ele acabaria com aquela situação constrangedora.

Entretanto, isso não aconteceu. A cada dia ele parecia mais ligado a Alícia. Agora as pessoas estavam sabendo e isso era insuportável. Estava sendo vista como conivente, como covarde.

Precisava fazer alguma coisa. Mas o quê? Durante a vida inteira se submetera à sociedade, às regras, às conveniências.

De que lhe valera isso? Só conseguira se tornar uma escrava da carreira do marido. "A política exige isso", " A sociedade quer aquilo", "Temos que obedecer às regras", "O eleitor tem prioridade".

Aquela carta estava mostrando que o eleitor já sabia o que estava atrás do "bom comportamento" de Antônio. As pessoas estavam abrindo os olhos e não se deixavam mais enganar pelo faz-de-conta de seu marido.

Maria Alice sentia que estava no auge de sua indignação. Todas as coisas a que havia renunciado durante aqueles anos para entrar nas regras do marido passavam por sua cabeça e pela primeira vez começou a questionar:

O que estava fazendo com sua vida? Se o sacrifício de suas aspirações como pessoa não foi suficiente para preservar o ambiente familiar, teria valido a pena?

Não. Ela se anulara em vão. O filho, para poder fazer o que queria de sua vida, tivera que deixar a casa paterna. Lanira não parecia disposta a ser como ela. Há muito percebera que a filha, ao invés de valorizar o sacrifício da mãe, olhava-a com certa complacência. Tratava-a com delicadeza e respeito, mas Maria Alice percebia que Lanira tinha horror de um dia ser igual a ela.

Sentia-se só, muito só naquela hora. Todos os que amava haviam de uma forma ou de outra se afastado dela.

Sentou-se em uma poltrona e não se importou quando as lágrimas desceram por suas faces. Deixou-as cair como se estivessem lavando sua amargura. Sentia-se cansada. Muito cansada. Não tinha mais forças para fingir nem para sufocar o próprio coração oprimido e desiludido.

Deixou-se ficar ali, revendo toda a sua vida, e pouco a pouco percebeu com clareza como foi sepultando seus sentimentos, seus sonhos, suas aspirações. Fora uma moça cheia de vida, de alegria, de bondade no coração.

Desejava fazer de sua vida uma coisa boa, ter uma família amorosa, um marido justo, honesto, trabalhador. Não conseguira nada disso. Seu marido era um político mentiroso, cheio de negociatas ilícitas, mantinha a amante diante de todos e da própria família, viajava com ela. Colocava-se como um grande homem e era um ditador familiar, um vaidoso, um desonesto.

Ela compactuara com tudo isso. O que conseguira para si? Nada. O vazio do coração, a solidão, e agora até a fama de cúmplice das velhacarias dele. Nunca Maria Alice viu tão claro.

Nem percebeu o tempo passar e assustou-se quando Lanira entrou na sala dizendo surpreendida:

— Ainda acordada, mamãe? Aconteceu alguma coisa?

Maria Alice encarou a filha de frente. Lanira continuou:

— Mãe! O que foi?

Maria Alice tomou uma resolução. Levantou-se, pegou a mão de Lanira e disse:

— Sente-se aqui, minha filha. Quero conversar com você. Leia isso.

Apanhou a carta e entregou-a à filha. Lanira apanhou-a e à medida que lia sua fisionomia foi ficando preocupada. Quando acabou, olhou a mãe dizendo:

— É uma carta anônima. Não deve dar importância a isso.

— Pode ser anônima, mas é verdadeira. Há muito tempo eu sei que seu pai é amante de Alícia.

Lanira abriu a boca e fechou-a novamente. Sua mãe estava diferente. Não soube o que responder. Maria Alice prosseguiu:

— Estou decidida. Vou ter uma conversa muito séria com seu pai. Se ele não modificar sua maneira de ser, vou deixá-lo.

Lanira arregalou os olhos admirada. A firmeza de Maria Alice demonstrava que ela falava sério. Nunca a vira daquele jeito. Seus olhos tinham um brilho mais verdadeiro, mais humano, mais firme.

Ela se levantou, aproximou-se da mãe e abraçou-a dizendo:

— Você está certa. Tem todo o direito de colocar essa questão para ele.

— Obrigada, minha filha, por me apoiar. Sempre achei que para manter a dignidade da família tinha que ocultar meus sentimentos, valorizar as aparências. Estava enganada. Agora que eu sei, nunca mais farei isso. Quero ser verdadeira. Quem ficar a meu lado terá que respeitar o que sinto e o que eu acredito ser justo.

Lanira emocionou-se. Pela primeira vez Maria Alice falava de seus sentimentos, e sua sinceridade tocou seu coração. Aproximou-se dela e beijou-a na face, dizendo:

— Fico feliz que tenha acordado. Você é uma mulher maravilhosa. Digna, inteligente, honesta, de classe. Nunca entendi como podia suportar as futilidades de um mundo de aparências onde todos mentem e por isso ninguém confia em ninguém. Tem todo o direito de fazer o que sente e dar um basta a essa situação constrangedora.

— Obrigada, minha filha, pelo apoio.

— Aconteça o que acontecer, estarei do seu lado.

Maria Alice abraçou-a emocionada. Naquele momento sentiu que não estava mais só.

— Quando seu pai voltar depois de amanhã, terei uma conversa definitiva com ele. Agora falemos de você. Está apaixonada por Gabriel?

— Eu gosto dele.

— Em outros tempos não teria mencionado este assunto, mas não posso sepultar mais meus sentimentos. Esse namoro com ele tem me preocupado.

— Por quê? Gabriel é um moço bom, correto e cheio de qualidades.

— Não duvido. Mas pelo que Daniel tem me contado, seu pai está nas malhas da justiça. Além de perder tudo, pode até ser preso.

— Gabriel havia me pedido em casamento. Mas agora, diante desses fatos, ele discretamente espera que tudo se resolva. Ainda hoje me disse que me ama, mas que não tem coragem de casar comigo porque não tem nada para me oferecer.

— É o que se pode esperar de um moço de bem.

— Não é por causa da situação de sua família que eu não resolvi aceitar seu pedido. Se eu tivesse certeza de que o amava, me casaria com ele de qualquer jeito. Para mim, as qualidades de coração, os valores que ele tem são mais importantes do que tudo. Ele não sabia das falcatruas do pai, nem tem culpa de nada. Quando tudo acabar, terá que recomeçar a vida. E se eu perceber que o que sinto é amor, me casarei com ele.

— Pense bem, minha filha. Você está habituada ao conforto, ao luxo, será difícil enfrentar uma vida de pobreza.

— Você se casou por conveniência, com um homem fino, culto, rico, cheio de poder, e o que conseguiu?

Maria Alice baixou a cabeça sem saber o que responder.

Lanira prosseguiu:

— É meu pai, mas todos reconhecemos que seu comportamento demonstra que ele está carente dos valores verdadeiros, da ética de honestidade e respeito para com os compromissos que assumiu. Neste momento, para todos nós, seria mais importante poder reconhecer nele sentimentos bons, seríamos muito mais felizes se ele estivesse ao nosso lado, nos amando e sendo verdadeiro, do que tendo tudo quanto temos e recebermos uma carta como essa, principalmente porque fala verdades que não podemos refutar.

Maria Alice sentiu que novamente as lágrimas desciam por suas faces e as deixou correr sentindo que Lanira falava a verdade. Preferiria mil vezes ter menos posição, menos dinheiro, menos nome na sociedade, mas ser mais feliz, tendo um marido sincero, interessado no bem da família e da sociedade, honrando o mandato que o povo lhe conferira.

Depois de alguns segundos de silêncio, Maria Alice passou o lenço sobre os olhos e considerou:

— Você está sendo dura, mas tem toda razão. De nada vale o que os outros pensam se você por dentro está angustiada, infeliz, deprimida.

— Creia, mãe: quando eu me casar, será com alguém que eu ame de verdade. Alguém que eu possa respeitar, que me respeite, que seja sincero e verdadeiro.

— Tem razão, minha filha. As qualidades e o caráter valem mais do que qualquer outra coisa.

— Por isso, mãe, não se preocupe com meu relacionamento com Gabriel. Ele tem essas qualidades. Vou lhe contar algumas coisas para que perceba o quanto ele é nobre e sincero. Daniel, Rubinho e eu temos muita admiração por ele.

Maria Alice olhou-a surpreendida. Daniel e Rubinho? Lanira sentou-se ao lado da mãe e começou a contar tudo quanto eles sabiam sobre o caso, desde o princípio. Como ela ajudara Daniel a montar o escritório, o seqüestro de Alberto, a prisão de Bóris. Não omitiu nenhum detalhe.

Maria Alice ouvia com interesse. Em seu coração brotou um sentimento de orgulho e de admiração. Quando Lanira terminou, ela considerou:

— Estou orgulhosa de vocês. De fato, Gabriel é um moço digno. Se quer saber, diante do que me contou, não creio que Maria Júlia tenha sido cúmplice do marido nessa falcatrua.

— Nós também achamos isso. Contudo não podemos esquecer que ela guardou silêncio sobre os fatos. Diante da justiça ela também é responsável.

— Isso torna mais importante o fato de ela ter cooperado com vocês, apesar de saber que pode ser presa como cúmplice do marido.

— É, sem falar que ela salvou a vida de Marcelo. Daniel e Rubinho, até Alberto, vão fazer tudo para ajudá-la a sair livre.

— Foi muito bom ter conversado com você. Sinto-me mais calma e com coragem para fazer o que quero.

— Tem mais uma coisa que preciso contar-lhe.

— O que é?

— Temos ido a casa de tia Josefa.

— Josefa? Fazer o que lá?

— Temos freqüentado suas sessões espíritas.

Maria Alice levantou-se assustada:

— O quê? Isso é perigoso demais.

— Ao contrário. Para nós tem sido muito bom. Tem nos dado paz, bem-estar. Quando estávamos preocupados e a vida de Alberto corria perigo, foi lá que encontramos ajuda e conforto.

Maria Alice deixou-se cair novamente na cadeira, sem saber o que dizer. Parecia-lhe que de repente estava diante de outra realidade. Tudo estava diferente.

— Daniel e Rubinho também vão?

— Vão e adoram. Levaram Marilda, que está namorando Rubinho. Eles pretendem se casar logo.

— E Daniel? Está namorando?

Lanira sorriu, e havia um brilho malicioso em seus olhos quando respondeu:

— Ele está caidinho por Lídia, uma amiga de Marilda que vivia nos Estados Unidos e que agora voltou a morar no Brasil. Mas não sei se estão namorando.

— Acha que é sério? Daniel nunca se interessou por moça nenhuma.

— Não sei. O que tenho visto é que ele fica diferente quando está ao lado dela. Rubinho acha que ele está apaixonado mesmo.

— Como é essa moça? Você a conhece?

— Sim. Tem classe, cultura, é muito bonita e agradável. Para ser sincera, gosto dela.

Maria Alice deu um suspiro de alívio:

— Ainda bem. Desejo que vocês sejam muito felizes.

Lanira abraçou a mãe dizendo:

— Seremos, sim. Sente-se melhor?

— Sim. Decididamente essa conversa fez-me muito bem. Mostrou-me que ainda estou viva e que tenho tempo de participar com vocês das alegrias da vida.

— Assim é que se fala. Sinto que pela primeira vez estamos juntas e que assim ficaremos de agora em diante.

Maria Alice beijou a face da filha com doçura e respondeu:

— Bendita hora que essa carta me mostrou a verdade.

— Bendita hora que você resolveu enfrentar seus medos e buscar a sua verdade. Isso fez a diferença.

Capítulo 19

Gabriel chegou em casa pensando na conversa que tivera com Lanira. Sabia que ela estava dizendo a verdade. Se o amasse, casar-se-ia com ele em qualquer situação.

Subiu as escadas e bateu no quarto da mãe. Não obteve resposta. Girou o trinco, mas a porta estava fechada a chave. Ficou preocupado. Ela nunca fechava a porta a chave enquanto ele estava fora, principalmente depois que Bóris havia sido preso.

Ele nunca ia deitar-se sem antes ver como ela se sentia. Bateu várias vezes sem obter resposta. Alguma coisa havia acontecido. Talvez ela tivesse se sentido mal e não tivesse tido tempo de chamar ninguém.

Os quartos dos empregados ficavam fora da casa. Vendo que não obtinha resposta, foi até o quarto da arrumadeira e bateu várias vezes. Esperou que ela entreabrisse a porta assustada:

— O que foi? Aconteceu alguma coisa?

— Aconteceu, sim, Jazilda. Você tem a chave do quarto de minha mãe?

— Não. D. Maria Júlia nunca fecha a porta a chave quando eu tenho que arrumar.

— Sabe onde estão as chaves de reserva da casa?

— Acho que no escritório do Dr. José Luís.

Sem esperar mais, Gabriel foi ao escritório do pai, abriu a porta e começou a procurar. Como não encontrou foi até o quarto do pai e bateu. Não obtendo resposta, girou a maçaneta. Felizmente estava aberta. Porém José Luís não estava lá. A cama não fora desfeita.

Gabriel olhou o relógio. Passava da uma. Onde teriam ido? As gavetas da escrivaninha estavam fechadas a chave. Angustiado, Gabriel sentiu um aperto no coração. O que teria acontecido?

A camareira havia se vestido e apareceu na porta olhando-o curiosa. Vendo-a, Gabriel pediu:

— Ajude-me, Jazilda. Aqui aconteceu alguma coisa muito séria. Sinto que a vida de minha mãe corre perigo.

— E o Dr. José Luís?

— Não está. Ajude-me a procurar a chave do quarto dela. Temos que abrir aquela porta o quanto antes.

Ela começou a busca. Gabriel foi à cozinha, apanhou uma faca de ponta, foi até a escrivaninha e tentou abrir as gavetas. Finalmente conseguiu. As chaves não estavam lá. Foi abrindo as outras e finalmente encontrou uma caixa cheia de chaves.

Apanhou-a e foi até o quarto de Maria Júlia, experimentando uma a uma. Finalmente encontrou, ela girou e a porta abriu. Porém o quarto estava vazio. Maria Júlia havia desaparecido.

— Não pode ser — disse Gabriel nervoso. — Você viu alguma coisa? Viu se ela saiu com meu pai?

— Não vi, não, senhor. Depois do jantar ajudei a arrumar a cozinha e fomos nos deitar. Vai ver que ela saiu com o doutor para fazer algum passeio. Logo estarão de volta — respondeu ela querendo acalmá-lo.

Gabriel não sabia o que fazer. Se tivesse acontecido alguma coisa, ela não teria saído sem deixar alguma pista para ele. Começou a procurar. Abriu as gavetas, revistou tudo, nada encontrou.

Foi ao banheiro, abriu a gaveta de maquiagem e encontrou um lenço de papel escrito com um lápis preto. Apanhou-o e leu:

"Gabriel, seu pai está fugindo e obrigando-me acompanhá-lo. Está armado. Falou em aeroporto. Não sei para onde vamos. Assim que puder, escrevo."

Notava-se que ela usara esse recurso como medida extrema. Precisava fazer alguma coisa. Pensou na polícia. Ligou para Jonas, rezando para que ele atendesse.

Quando ouviu sua voz do outro lado do fio, sentiu um pouco de alívio:

— Jonas, é Gabriel. Meu pai fugiu e levou minha mãe com ele. Temos que fazer alguma coisa. Temo pela vida dela.

— Como soube?

— Minha mãe deixou um bilhete no banheiro escrito com *crayon*. Diz que ele está armado e falou em aeroporto.

— Tudo bem. Agora mesmo vou me comunicar com os aeroportos. Vamos ver se conseguimos pegá-los.

— Ele está desesperado e com raiva dela. Pode querer vingar-se. Tenham cuidado. Ele tem uma arma.

— Tomaremos cuidado. Fique calmo. Sei como fazer.

— Acho que vou até a delegacia. Estou muito nervoso.

— É melhor ficar aí. Ela pode encontrar jeito de se comunicar com você. Se eu tiver qualquer notícia, aviso.

— Está certo.

Jazilda aproximou-se de Gabriel dizendo:

— Vou fazer um chá para você. Está pálido. Vai ver que não aconteceu nada e logo estarão de volta.

— Não quero nada, não. Pode ir se deitar.

— Eu vou. Se precisar, chame-me.

Ela saiu e Gabriel pensou em Lanira. Estaria dormindo? Apanhou o telefone e ligou. Ela atendeu:

— Gabriel? O que foi?

— Acordei você?

— Não. Fiquei conversando com mamãe e iria deitar-me agora.

Gabriel contou-lhe o que tinha acontecido e finalizou:

— Falei com Jonas e a esta hora ele já está tentando localizá-los.

— Avisou Daniel?

— Não. Ele deve estar dormindo. E não vai poder fazer nada uma hora dessas. Acho melhor esperar amanhecer.

— Está certo. Mas se precisar nós os chamaremos. Estou pensando em uma coisa.

— O quê?

— Vou ligar para tia Josefa.

— É tarde. Não vamos incomodá-la. Sabe o que eu penso? Nós podemos falar com os bons espíritos e pedir ajuda.

— Tem certeza?

— Tenho. Eu vou desligar e rezar aqui. Você faça o mesmo.

— Quero que me prometa uma coisa. Depois de rezar, se não puder dormir, ligue novamente.

— Por mais que sinta vontade de ficar conversando com você, não farei isso. Você precisa dormir, e, depois, minha mãe pode querer se comunicar e tenho que deixar o telefone desligado.

— Eu compreendo. Mas quero que saiba que estarei pensando em você. Tenho certeza de que tudo vai dar certo. Qualquer notícia, me ligue seja a hora que for.

— Ligarei. Um beijo e obrigado.

Lanira desligou e ia deitar-se quando Maria Alice entreabriu a porta do quarto perguntando:

— Telefone a esta hora? Quem era?

— Gabriel.

Em poucas palavras Lanira contou o que havia acontecido, ao que Maria Alice comentou:

— Eu também vou rezar para eles. A fé quando sincera é muito poderosa. Quem sabe eu também possa aprender como é isso.

Lanira sorriu e deitou-se. Apesar dos problemas de seus pais, ela sentia que eles estavam tendo uma chance de mudar e melhorar sua maneira de viver.

Gabriel estirou-se na cama, ao lado do telefone no quarto da mãe, e rezou pedindo ajuda espiritual. Apesar disso, sentia-se inquieto. Por que saíra de perto dela? Para abandonar tudo e fugir, seu pai deveria ter perdido qualquer esperança de reverter a situação.

Ele era orgulhoso. Nunca aceitaria a humilhação, o descrédito, a prisão. Planejara a fuga e certamente tinha recursos no exterior. Como não pensara nessa possibilidade? Por que arrastara Maria Júlia com ele contra a vontade? Talvez na tentativa de incriminá-la também. De dividir a responsabilidade.

Sentiu uma onda de rancor contra ele. Nunca haviam se dado bem. Não havia nenhuma afinidade entre eles. Desde muito cedo Gabriel fazia tudo para fugir de sua companhia.

Percebia claramente o quanto ele controlava sua mãe, sufocando-a com suas exigências, usando-a para representar em sociedade o papel do marido exemplar, do pai de família extremoso. Ele sabia que era tudo fingimento.

Sempre que podia, atormentava Maria Júlia, cuja passividade sempre o deixava irritado. Por que ela não reagia? Percebia claramente que ela tinha medo do marido.

Era uma mulher forte e determinada em muitas coisas, só com ele anulava-se e tornava-se passiva. Várias vezes questionara isso com ela, mas percebendo que ela ficava muito triste depois dessa conversa, ele se continha.

As horas foram passando, o dia já estava clareando, e nenhuma notícia. Gabriel levantou-se e começou a andar pelo quarto. Jazilda apareceu na porta dizendo:

— Nenhuma notícia?

— Nada. Você não observou nada ontem depois que eu saí? Não ouviu nenhuma conversa entre eles, nem viu quando eles saíram?

— Não. D. Maria Júlia se recolheu logo depois do jantar. Eu ajudei Dermina com a cozinha. O Dr. José Luís estava no escritório. Bati na porta e perguntei se ele precisava de alguma coisa, como sempre faço antes de dormir.

— A que horas foi isso?

— Umas dez.

— Ele abriu a porta, isto é, estava lá?

— Sim. Como sempre. Disse que eu podia me deitar e que não precisava de nada.

— Você notou alguma coisa diferente nele?

— Não. Estava como sempre. Aí eu vi se estava tudo fechado e fui me deitar. Estava cansada e peguei logo no sono. Acordei quando você bateu na porta.

Gabriel suspirou pensativo. Jazilda continuou:

— Você passou a noite em claro. Vou preparar um bom café.

— Estou sem fome.

— Se aconteceu algum acidente com eles, você tem que estar firme. Precisa alimentar-se.

Gabriel olhou mas não respondeu. Ela saiu e ele olhou no relógio. Eram quase sete horas. O telefone tocou e ele atendeu de um pulo. Era Lanira:

— Alguma notícia?

— Nada. Estou muito aflito. O que estará acontecendo?

— Vou ligar para Daniel.

— Faça isso. Jonas pediu para eu ficar aqui. Não estou agüentando mais. Precisamos fazer alguma coisa.

— Deixe comigo. Vou falar com Daniel. Ele irá atrás de Jonas para saber como estão as coisas.

Lanira desligou e ligou para Daniel e relatou o que estava acontecendo. Ele deu um pulo da cama dizendo:

— Por que não me avisaram?

— Gabriel avisou Jonas. Ele já deve ter tomado providências. Pediu a Gabriel que ficasse em casa. D. Maria Júlia pode ligar.

— Vou avisar Rubinho. Iremos imediatamente à delegacia ver quais as providências que foram tomadas.

— Vou até a casa de Gabriel. Ele está muito nervoso. Teme pela vida da mãe.

— Diante do que sabemos a respeito, ele pode ter razão. Um homem que faz o que ele fez com uma criança, é capaz de qualquer coisa.

— Quando estiver na delegacia, ligue para casa de Gabriel. Estaremos esperando. Mesmo que não tenha nenhuma novidade. Ele precisa saber que vocês estão se movimentando.

— Está certo. Pode esperar.

Daniel desligou o telefone e acordou Rubinho, colocando-o a par do que havia acontecido. Resolveram ir imediatamente à delegacia.

Quando chegaram lá, o Dr. Marques já havia chegado. Vendo-os, foi logo dizendo:

— Parece que o pássaro bateu asas. Jonas me ligou logo cedo.

— Sabe se ele conseguiu alguma pista?

— Ainda não. Só sei que ele mobilizou alguns homens e estão investigando. A audiência não é hoje?

— É — respondeu Rubinho.

— Para vocês foi até melhor. Quer maior confissão do que a fuga?

— Ele obrigou a esposa a segui-lo contra a vontade. Estava armado — esclareceu Daniel.

— Vai ver que é cúmplice. Vocês podem estar se preocupando sem razão.

— Não é, não. Temos certeza de que ela é inocente. Tem sido vítima do marido e ameaçada por ele o tempo todo. Seu filho está muito preocupado. Ele garante que a mãe corre perigo — completou Rubinho.

— Se ela não é cúmplice, corre mesmo. Sabe demais.

— Seria bom interrogar Bóris novamente. Ele esperava que o patrão o defendesse. Como ficará quando souber da fuga? — lembrou Daniel.

— Bem lembrado. Vou apertar um pouco o homem.

— Ele sabe tudo sobre o Dr. José Luís — garantiu Rubinho. — Parece até que era ele quem comandava o patrão. Mandava e desmandava na casa.

— Chantagem. Vou tratar disso. Olhe Jonas chegando.

Jonas entrou na sala e vendo-os foi logo dizendo:

— Eles sumiram. Ninguém viu. Chequei todas as listas de passageiros dos vôos que haviam saído e todos os que saíram depois que estávamos lá. Nada. Pode ser que não tenham viajado.

— Pode ser que tenham usado passaportes falsos — disse Marques.

— Pensando nisso já contatei a Interpol. Precisamos de fotos dos dois. Fiquei de arranjar.

— Vou ligar para Gabriel e pedir — disse Daniel.

— Faça isso. Mandarei um homem buscar.

Daniel telefonou para Gabriel, que atendeu ao primeiro toque.

— Alô.

— Gabriel, até agora nada. Eles desapareceram sem deixar nenhuma pista. Jonas precisa de fotos recentes dos dois para rastrear a busca.

— Vai ver que saíram do país — disse ele nervoso. — Conheço meu pai. Ele não se arriscaria a ficar aqui depois de ter tomado uma atitude dessas.

— É possível que ele tenha viajado com falsa identidade. Acha que ele teria como fazer isso?

— Acho. Vou dar uma busca no escritório dele ver se acho alguma pista.

— Arrume as fotos. Isso é urgente.

— Está bem. Sei onde há algumas. Pode mandar buscar.

Daniel desligou prometendo que ligaria a qualquer notícia. Jonas conversava com o delegado:

— Vamos dar um aperto no malandro.

Daniel, que se aproximava, avisou:

— Gabriel disse que sabe onde estão as fotos. Pode mandar buscar. Disse também que vai dar uma busca no escritório dele.

— Vou mandar alguém que possa ajudá-lo nessa busca. Agora vamos ver como Bóris reage à traição do cúmplice.

Marques mandou levar o russo para uma sala onde fazia os interrogatórios. Jonas entrou com ele enquanto Rubinho e Daniel em outra sala ouviam a conversa que estava sendo gravada.

Ouviram o delegado dizer:

— Tenho uma péssima notícia para você.

Bóris olhou e não respondeu. Marques continuou:

— Acho melhor abrir o jogo. Seu patrão fugiu ontem à noite levando a mulher sob a mira de uma arma. Desapareceu. Suspeitamos que tenha viajado para o exterior. Abandonou você.

— Vocês estão mentindo. Não acredito em nada disso.

— Ligamos para o advogado dele, que respondeu que não tem mais nada a ver com ele e muito menos com você. Ele se retirou do caso.

— Isso não é verdade. Quero falar com meu advogado agora.

— Vou fazer-lhe a vontade. Tem aqui um telefone. Pode ligar.

Bóris apanhou o telefone que o delegado havia colocado sobre a mesa e discou.

— Quero falar com o Dr. Eugênio... é um cliente dele.

— Alô.

— Doutor Eugênio? É Bóris. Quero que venha aqui agora. O delegado está me contando uma história e eu não acredito.

— Sinto muito, Bóris, mas não sou mais advogado do Dr. José Luís. Retirei-me do caso.

— E eu?

— Também. Procure outro. Estou fora.

— Não pode fazer isso comigo!

— Quando aceitei o caso, não sabia tudo a respeito. Vocês mentiram. Tenho um nome honrado a zelar e não posso me envolver em um caso tão desastroso. Passar bem, Bóris. Faça o favor de não ligar mais para minha casa.

Bóris desligou o telefone com mãos trêmulas. Por mais que tentasse controlar-se, fingir, seu rosto estava pálido, em seus olhos havia um brilho de rancor.

— Acredita agora? — disse Jonas.

— Você está sozinho para levar a culpa de tudo. Não tem ninguém para defendê-lo. Vai pegar muitos anos de cadeia. Aliás, levantamos sua ficha e você cometeu vários delitos usando outras identidades. Chegou a hora de responder por seus crimes.

Bóris trincou os dentes com raiva. Aquele cachorro covarde tinha fugido sem pensar nele. Havia de pagar caro por essa traição.

— Se você confessar tudo que sabe sobre o Dr. José Luís, arranjaremos um advogado para você e tentaremos reduzir sua pena.

— Quando ele desapareceu?

— Ontem à noite.

— Deve ter viajado para o exterior.

— Não estava na lista de passageiros — disse Jonas.

— Ele tinha passaportes falsos.

— Você sabe em nome de quem?

— Não. Ele sabe onde conseguir um e deve ter feito isso. Ele sempre pensa em tudo. Planeja com detalhes e se prepara com cuidado para nada dar errado. A estas horas já deve estar chegando em outro país.

— O que o faz ter tanta certeza? — indagou o delegado.

— Sempre foi o plano dele. Se um dia a coisa estourasse, ele sairia do país, mudaria a identidade e ninguém nunca o encontraria.

— Você precisa cooperar e contar tudo que sabe. Nós temos que encontrá-lo.

— Ele só tem um ponto fraco: a paixão pela mulher. Sempre disse que isso iria levá-lo à loucura.

— Ele a obrigou a ir junto — disse Jonas.

— Ele deixaria tudo, menos ela. Depois, ela sabe muito.

— Gabriel acha que ela corre perigo. Ele seria capaz de maltratá-la?

— Ele fica furioso quando ela o despreza. É capaz de qualquer coisa nessa hora. Ele nunca deveria tê-la levado junto. Assim que ele descuidar, ela vai denunciá-lo. É agarrada aos filhos e tem raiva dele. É ela quem vai pôr tudo a perder. Bem feito! Sempre disse que ele não deveria confiar nela. Separar-se. Deixá-la seguir seu caminho. Se tivesse feito isso quando eu disse, nada disso teria acontecido.

— Agora é tarde para falar isso. Você está perdido. É melhor contar tudo que sabe.

— Já falei tudo.

— Lembra-se de Alberico e de Eleutéria? — perguntou Jonas.

— O que é que tem? Alberico era o motorista e já morreu, que eu sei. Quanto a Eleutéria, a ama do menino, desapareceu desde que ele morreu. Nunca mais soube dela.

— Deixe de ser mentiroso — interveio o delegado. — A audiência do caso vai ser hoje à tarde. Se quer que eu faça alguma coisa em seu favor, comece a falar de verdade.

— É bom saber que Eleutéria foi intimada pelo juiz a comparecer na audiência de hoje — interveio Jonas.

Bóris remexeu-se na cadeira inquieto:

— Como assim? Sabem onde ela está?

— Não só sei como tenho algumas provas contra ela.

Bóris levantou-se irritado:

— Não pode ser! Vocês estão querendo me enganar.

— Acho que estamos perdendo tempo com ele — disse o delegado a Jonas. — Vamos embora.

Os dois fizeram menção de sair. Bóris não se conteve:

— Esperem. Que provas têm contra ela?

— Todas — respondeu Jonas. — Levantamos a vida dela desde que deixou os Camargo. Ela vai ter que provar na justiça como arranjou tanto dinheiro. Além disso, ela fala muito com o marido. Temos algumas gravações dessas conversas que são muito claras. É bom dizer também que levantamos todos os depósitos em dinheiro que você leva à casa de sua amante Pola e que ela deposita na conta de Eleutéria todos os meses.

Bóris estava trêmulo e pálido. Foi naquela hora que tomou consciência de que estava perdido. Eles sabiam de tudo. Fora traído por José Luís. Estava sozinho naquela enrascada.

De repente Bóris foi acometido de um acesso de raiva. Seu rosto de pálido passou ao rubor e seus olhos fuzilavam de ódio. Gritou nervoso:

— Eles me pagam! Se eu cair, levo todos comigo! Não vai sobrar ninguém, nem a mulher intocável, a responsável por nossa desgraça.

— Fale. Conte tudo. Talvez eu possa diminuir sua pena — tornou o delegado.

Jonas aproximou-se dele e olhando-o nos olhos disse com firmeza:

— Sabemos quem ajudou a criar a identidade falsa do menino, mas Eleutéria disse para o marido que foi você quem matou os pais do garoto naquele acidente.

— Ela disse isso? Ela me paga! É bom saber que não fui eu quem fez isso. Foi ele quem planejou tudo nos mínimos detalhes. Eu só arranjei as pessoas para realizar tudo. Mas quem envenenou o Dr. Camargo foi ele. Foi ele! Ele matou o próprio tio para roubar a herança. Eu não fiz nada. Só cumpri o que ele mandou para salvar minha pele. Creia. Ele me chantageava. Eu cometi alguns erros no passado, ele sabia. Eu fui obrigado a fazer o que ele mandou. Senão ele dizia que ia me denunciar. Eu seria preso e talvez expatriado para a Rússia. Eu tinha medo!

— Saiba que tudo quanto você disse aqui foi gravado. Vou mandar tirar uma cópia dessa confissão e você vai assinar agora mesmo.

Bóris estremeceu e olhou-os assustado:

— Por que não me avisaram que estavam gravando?

— Isso não importa agora. Você disse o essencial. Se foi obrigado a fazer tudo quanto seu patrão mandou, se foi ameaçado, essa confissão servirá para atenuar sua culpa.

A um gesto do delegado, um dos policiais que estavam guardando a porta pegou o braço de Bóris, convidando-o a voltar para a cela.

Jonas e Marques saíram da sala satisfeitos e foram para a sala ao lado, onde estavam Daniel e Rubinho.

— Deu certo — disse o delegado. — Depois de hoje, Bóris não poderá mais negar nada. Que trama! Vários crimes!

— Há muito estávamos desconfiados de que a troca de identidade do menino era apenas uma parte da verdade. Só a morte do garoto não daria a José Luís a posse da tão cobiçada fortuna. Ele precisava ir mais longe. E ele foi!

— Ele envenenou o Dr. Camargo! — disse Rubinho admirado.

— Acabou com os pais de Marcelo! Eles morreram em um horrível acidente! Tudo programado por eles!

— Chegou a hora de esclarecermos todos esses crimes — garantiu Jonas com satisfação. — Essa história vai sacudir a alta sociedade do Rio de Janeiro. Vocês serão os heróis!

— Estou preocupado com a captura dele. Assim que a bomba estourar, a imprensa vai publicar em manchetes! Se ele souber, pode querer vingar-se em D. Maria Júlia. Em minha opinião ela tem sido uma vítima — tornou Daniel.

— Gabriel me disse que muitas vezes pensou na possibilidade de sua mãe estar sendo chantageada pelo marido. Ela ficava apavorada quando pensava em desobedecer a suas ordens — lembrou Rubinho.

— Se ele estiver fazendo isso, vamos descobrir. Estou sentindo que chegou a hora da verdade e que toda essa história vai ser desvendada — garantiu Jonas.

— Faro de policial! — comentou o delegado sorrindo. — Podem crer, nunca falha.

— Alberto precisa saber de tudo — disse Rubinho. — Precisamos vê-lo para preparar nossas providências para a audiência de hoje à tarde. Eleutéria pode não comparecer.

— Meus homens estão vigiando-a de perto. Se ela tentar fugir, eles darão voz de prisão — informou Jonas.

— Gostaria de ter uma cópia da confissão de Bóris — pediu Rubinho. — Vou entregá-la ao juiz durante a audiência e pedir-lhe que, após tomar conhecimento dela, inclua-a no processo.

— Acho que com isso vocês ganharam definitivamente esta causa. Só vão faltar as providências legais — disse Jonas.

— De posse dessa confissão, farei uma investigação completa sobre as mortes dos Camargo, solicitarei a abertura de um inquérito para apuração dos fatos e a punição dos culpados — completou o delegado.

— Enquanto isso, continuarei investigando o paradeiro dele — tornou Jonas.

O escrevente entrou e entregou algumas folhas de papel ao delegado. Ele apanhou, leu e tornou:

— Está tudo aqui. Agora vou lá para que ele assine.

— Deixe-me fazer isso — pediu Jonas —, quero conversar um pouco com ele a sós. Tenho impressão de que ele pode nos ajudar a encontrar nosso homem.

— É uma boa idéia — concordou Daniel. — Ele mentiu quando disse que estava sendo ameaçado pelo Dr. José Luís. Pelo que sei, era o contrário. Ele mandava e desmandava em casa do patrão e todos faziam o que ele queria, inclusive o dono da casa. Gabriel nos contou isso várias vezes.

— Ele é matreiro. Mesmo na crise de ódio em que se encontrava arrumou um jeito para tentar salvar a pele. Eu encorajei para que ele se abrisse, mas nunca acreditei nesse pedaço. Trata-se de um criminoso calculista, mau. Conheço o tipo. Todo cuidado com ele é pouco — tornou o delegado.

O investigador que fora buscar as fotos do casal entrou e entregou um grande envelope nas mãos do delegado, que abriu e colocou as fotos sobre a mesa.

— Pode escolher as que quiser. Vou mandar copiá-las para distribuir aos companheiros.

Jonas escolheu uma de cada um e respondeu:

— Vou reproduzir estas fotos para minha equipe e nossos contatos no exterior.

— Eu gostaria que Bóris assinasse essa confissão para irmos embora logo. Estamos sem tempo de esperar mais — pediu Rubinho.

O delegado respondeu:

— Vou com você, Jonas, pego a assinatura e saio. Você fica e conversa com ele.

Os dois foram e dentro de alguns minutos Marques voltou olhando os dois advogados com satisfação:

— Tudo pronto. Ele relutou um pouco, quis ler, mas no fim acabou assinando. Vou tirar cópias para vocês.

Alguns minutos depois eles saíram levando o precioso papel na pasta. Conforme o combinado, Alberto já deveria estar no escritório esperando para as últimas providências antes da audiência. Passava do meio-dia e não tinham tempo para almoçar.

— Vamos embora — disse Rubinho. — Pediremos a Elza que compre um lanche para nós.

Ouvindo os detalhes da confissão de Bóris, Alberto empalideceu e não conseguiu ocultar a emoção.

— Sempre suspeitei da morte de meus pais, contudo nunca pensei que ele tivesse envenenado meu avô. Essa revelação me choca e entristece. Que espécie de homem é esse, que foi capaz de tanta maldade?

— É difícil dizer — respondeu Daniel. — Principalmente tratando-se de um médico, que tem fama de caridoso, de homem bom, educado. Ele sempre foi muito respeitado na melhor sociedade do Rio de Janeiro. Era amigo de minha família! Meu pai tinha para com ele especial deferência.

— Tanto que você precisou deixar sua casa quando resolveu assumir minha causa.

— Para ver como eles estavam enganados — disse Rubinho. — Também fui pressionado por minha família para abandonar o caso.

— Ainda bem que escolhi vocês. Agora posso dizer que foi o espírito de meu avô, que tem me acompanhado e que aprovou essa escolha. Ele sabia que podia contar com a competência e com a honestidade de vocês.

Pode ter certeza de que não esquecerei o que vocês estão fazendo por mim. Não só quanto aos honorários, mas também com a amizade e gratidão. Têm em mim um cliente para sempre.

— Espero que não tenha mais nenhum crime para ser desvendado — brincou Daniel.

— Mas terei os negócios para assumir e a gestão da fortuna. Vocês vão me ajudar a fazer isso.

— Tudo bem — concordou Rubinho. — Agora vamos trabalhar. Temos a audiência logo mais. O tempo é curto.

— Vou ligar para Gabriel e Lanira. Contar como estão as coisas.

— Ela está com ele? — perguntou Alberto com interesse.

Daniel estava ao telefone e foi Rubinho quem respondeu:

— Está. Foi dar um apoio.

— Já notei que ele gosta dela. Estão namorando?

Rubinho olhou-o curioso e respondeu:

— Oficialmente, não. Por quê, também está interessado nela?

— Confesso que ela me atrai. Acha que tenho chance?

— Não sei. Lanira é uma incógnita para mim. Sempre foi muito cortejada, mas nunca a vi dizer que estava gostando de alguém. Só se refere a Gabriel como amigo.

— Não é o que ele quer. Seus olhos brilham quando se fixam nela.

— Já percebi. Eles saem muito juntos. Ela diz que gosta da companhia de Gabriel. Mas vamos ao nosso assunto. Temos pouco tempo.

Daniel telefonou para casa de Gabriel, que atendeu ao primeiro toque. Ouvindo a voz de Daniel, indagou:

— Alguma novidade?

— Sim. Conseguimos a confissão completa de Bóris.

— O que foi que ele contou?

— Agora não tenho tempo. Temos a audiência daqui a pouco. Quando eu voltar, passarei em sua casa e conversaremos melhor. Quanto à sua mãe, ainda não temos nenhuma notícia. Jonas pegou as fotos e vai distribuir para todos. Ele está tentando arrancar de Bóris alguma provável pista. Agora preciso ir. Assim que sair da audiência, irei à sua casa.

Daniel desligou e ficou pensando na situação de Gabriel. Não teve coragem para contar-lhe pelo telefone a extensão dos crimes que seu pai cometera. Sabia que ele estava deprimido e preocupado, não queria perturbá-lo ainda mais. Pessoalmente, com calma, revelaria a verdade.

Gabriel desligou o telefone e Lanira perguntou:

— E então?

— Bóris confessou, e acho que isso resolve o caso para Alberto e para Daniel e Rubinho. Quanto à minha mãe, nada ainda.

Lanira apanhou a mão dele, apertando-a com carinho e dizendo:

— Fique calmo. Tia Josefa disse que iria reunir os médiuns e fazer uma corrente espiritual. Ficou de ligar se tiver alguma orientação.

— Numa hora dessas, só Deus pode nos ajudar.

— Vamos confiar e esperar.

— Bóris confessou e por certo não poupou ninguém. Ele odeia mamãe porque ela sempre foi contra tudo quanto eles faziam.

— O que pode valer a palavra dele contra a do próprio Alberto? Ele é grato à sua mãe. Ela lhe salvou a vida e o sustentou, deu-lhe boa educação, custeou seus estudos e só não lhe deu um diploma universitário porque foi impedida. Depois, Daniel e Rubinho garantiram que tudo farão para defendê-la. Até Jonas está do lado dela.

Gabriel suspirou fundo e iria responder quando Laura entrou no quarto olhando-o assustada:

— O que estão fazendo no quarto de mamãe? O que está acontecendo aqui? Jazilda disse que papai e mamãe sumiram, que a polícia esteve aqui. Por que não me avisaram?

Gabriel pegou a irmã pelo braço e fê-la sentar-se. Respirou fundo e respondeu:

— Vou contar-lhe tudo. Infelizmente estamos vivendo uma tragédia.

— Aconteceu algum desastre com eles? Fale logo. O que Lanira está fazendo aqui?

— Lanira está nos ajudando.

— Acho que depois do que Daniel está fazendo contra nossa família, ela nunca deveria entrar nesta casa.

— Lanira não é culpada do que nosso pai fez. Ele, sim, é o responsável por tudo quanto estamos passando agora. Apontou uma arma e obrigou mamãe a acompanhá-lo. A polícia está à procura deles. Bóris está preso e confessou toda a culpa dele e de papai. Ele pode ser preso a qualquer momento.

Laura empalideceu, passou a mão pelos cabelos enquanto sacudia a cabeça negativamente:

— Não posso crer! Isso não pode ser verdade! Vocês estão todos enganados. É uma calúnia. Você não pode acreditar em uma coisa dessas.

— Eu gostaria que não fosse verdade Laura. Infelizmente é. A polícia descobriu tudo. A ama que ajudou a forjar aquela farsa, a confissão de

Bóris, e, como se isso não bastasse, a fuga de papai quando viu que estava perdido e que tudo viria à tona.

Laura começou a chorar e Gabriel abraçou-a com carinho dizendo:

— Laura, nós estamos juntos. Não temos culpa de nada. Ele fez o que fez, mas nós somos pessoas de bem. Vamos erguer a cabeça e seguir em frente. Temos que enfrentar essa situação com coragem. Deus há de nos ajudar.

Lanira olhou-os emocionada. As lágrimas rolavam por suas faces e ela se deixou ficar assim, olhando-os abraçados, sem saber o que dizer para confortá-los. Aquele momento era deles e ela respeitava sua dor. Esperava que, quando tudo passasse, eles pudessem refazer suas vidas e continuar.

Capítulo 20

Passava das seis quando Daniel chegou em casa de Gabriel. Lanira ainda estava lá tentando confortar Laura, que entrara em terrível depressão. Para ela, era difícil suportar a idéia da vergonha, da perda da posição de destaque que ocupavam na sociedade, do dinheiro e do poder.

Havia momentos em que voltava a dizer que todos estavam enganados e que seu pai haveria de aparecer com provas para desmascarar toda aquela farsa que estava sendo urdida contra ele.

Nesses momentos, Gabriel procurava convencê-la da inutilidade de conservar aquela ilusão. Ele tinha provas de que tudo quanto Alberto afirmara em juízo era verdade.

Quando Daniel entrou na sala onde os três estavam, ela o olhou com raiva e gritou:

— O que ele está fazendo aqui? Veio tripudiar sobre a nossa vergonha? Vangloriar-se da lama que está atirando sobre nossa família?

Apanhado de surpresa, Daniel não respondeu. Foi Gabriel quem disse:

— Cale-se, Laura. Você não sabe de nada. Mamãe corre perigo e Daniel está tentando nos ajudar a encontrá-la.

— Ela nunca correria perigo ao lado de papai. Vocês estão todos loucos!

— Ela só soube agora e ainda está em estado de choque — disse Gabriel. Voltando-se para Laura, continuou: — É melhor ir para seu quarto. Tenho que conversar com Daniel.

— Não. Quero ficar e escutar tudo que vão dizer. Você acreditou em tudo porque não gosta de papai. Eu sei que você tem raiva dele.

— Você não sabe o que está dizendo. Se quer ficar, fique, mas se não ficar calada ponho-a para fora da sala. O assunto é muito sério e não temos tempo a perder. Sente-se, Daniel, e diga. Tem alguma notícia deles?

— Por enquanto, não. Jonas está tentando. Esteve conversando com Bóris, que lhe deu algumas informações. Alguns dados sobre contas bancárias no exterior e sobre quem lhe teria fornecido passaportes falsificados. Nesta hora Jonas já deve ter feito contato com o falsário. Pode pelo menos saber os nomes que eles devem estar usando.

Laura, atenta, não perdia nada do que eles diziam e começou a sentir que realmente algo de muito grave estava acontecendo. Tudo aquilo seria verdade?

— Como foi a audiência? — indagou Lanira com interesse.

— Bem, levamos a confissão de Bóris e isso certamente deu força para resolver tudo. Como prevíamos, Eleutéria não compareceu e assim Jonas teve o pretexto para prendê-la. A polícia vai trazê-la de São Paulo, pelo menos para prestar declarações. O juiz ficou muito impressionado com a confissão de Bóris. Vai estudar os autos, dar a sentença quanto ao reconhecimento de Alberto como sendo Marcelo Camargo. Depois, vai abrir um processo-crime para apuração de todos os fatos relatados na confissão de Bóris. Aguarda apenas a conclusão do inquérito policial para isso.

— Ela ficará presa? — indagou Gabriel.

— Pouco tempo. Ainda não temos como prendê-la. Não tem ainda culpa formada e mesmo que tivesse é primária. Mas isso não importa. Durante o processo, sua culpa será provada e ela terá que responder pelo que fez.

— Se ficar em liberdade, ela pode tentar fugir — disse Lanira.

— Não conseguirá. A polícia está vigiando seus passos. Seria detida se tentasse deixar o país.

— Como conseguiram arrancar a confissão de Bóris? — perguntou Gabriel.

— Quando ele soube que seu patrão havia fugido, ligou para o advogado. O Dr. Eugênio abandonou o caso, alegando que quando assumiu desconhecia a culpabilidade do cliente. Em vista das provas contrárias ao que seu cliente lhe dissera, ele se julgava no direito de recusar-se a continuar defendendo-o. Estava pronto a subestabelecer a procuração. Então Bóris teve uma crise de raiva. Sentiu-se traído, abandonado, e contou tudo.

— Vocês acreditaram! — gritou Laura com raiva. — Ele, sim, é culpado. Papai fugiu de medo dele. Garanto que quem fez tudo foi ele.

— Ele não merece a confiança de ninguém — interveio Gabriel. — Mas nunca faria tudo isso sozinho. O que foi que ele contou?

— Sua confissão foi além de nossas expectativas. Disse coisas muito graves, que, se confirmadas, darão ao caso novas dimensões.

— O que foi que ele disse?

— Como Laura sugeriu — respondeu Daniel —, ele pode estar mentindo para vingar-se do Dr. José Luís. Portanto, vamos aguardar as investigações da polícia.

— Você está querendo nos poupar — tornou Gabriel, preocupado. — Sei que Bóris é perigoso, mas também sei que eles agiam de comum acordo. Ele pode estar dizendo a verdade. O que mais ele confessou?

— Deixemos isso para mais tarde. É melhor.

— Não, Daniel. Temos o direito de ser informados de tudo. Por favor. Conte-nos a verdade.

Daniel respirou fundo e depois decidiu:

— Está bem. Ele contou que o acidente que matou os pais de Marcelo foi provocado e que a morte do Dr. Camargo não foi natural.

Gabriel deixou-se cair em uma poltrona sem encontrar palavras para responder. Lanira interveio:

— Trata-se apenas de uma hipótese. Bóris não merece crédito.

— Tudo é possível — tornou Daniel. — Em todo caso, a polícia vai investigar. A verdade vai aparecer.

Gabriel passou a mão pela testa em um gesto desesperado. A situação poderia ser pior do que ele imaginara.

— Tantos crimes por causa de posição, dinheiro! E pensar que minha mãe está nas mãos dele! Temos que encontrá-la. Cada minuto pode ser precioso.

— Bóris disse que ele é apaixonado por D. Maria Júlia. Não terá coragem de fazer nada contra ela — disse Daniel.

— Só sei que a vida inteira ele a atormentou. O que você diz pode ser verdade, mas quando penso que ela está contra a vontade ao lado dele, fugindo, sinto um aperto no peito. É como se ela estivesse correndo um perigo iminente.

— Acalme-se — tornou Lanira. — Logo eles serão encontrados e ela estará de volta, você vai ver.

Laura olhava-os, pálida, sem saber o que dizer, em que acreditar. Aquilo só podia ser um pesadelo. Logo ela iria acordar e tudo estaria como antes.

Daniel levantou-se dizendo:

— Preciso ir. Se tiver alguma notícia, telefono. Você fica, Lanira?

— Só mais um pouco. Mamãe está me esperando. Papai está viajando e ela se sente muito só. Você tem andado muito ocupado. Mas se puder, passe lá para vê-la. Ela iria ficar muito feliz.

Daniel olhou para a irmã surpreso. Ela nunca se incomodara em fazer companhia para a mãe. Mas não disse nada. Despediu-se e saiu. Aquela noite pretendia encontrar-se com Lídia. Apesar de sua angústia quando pensava em Alberto, ele estava disposto a seguir os conselhos de tia Josefa e entregar-se ao amor completamente.

Alberto chegou em casa pensativo. Finalmente estava conseguindo tudo quanto desejara na vida. Logo deixaria de ser filho de pai desconhecido e de mãe solteira e assumiria seu nome verdadeiro. Teria dinheiro, seria respeitado.

Entretanto, apesar de todo o esforço para chegar até ali, não se sentia realizado completamente. Em seu peito havia um vazio que lhe parecia difícil de preencher.

Quem lhe devolveria os dias de convivência familiar que ele perdera, o aconchego do avô querido, a companhia de amigos que ele nunca tivera?

Ele seria rico, respeitado, mas seria feliz? Poderia reconstruir sua vida, esquecer a tragédia que vitimara seus entes queridos?

Durante anos ele se alimentara da esperança de desmascarar seus inimigos, de recuperar o que lhe fora tirado, mas agora, que não tinha mais nada para lutar nem para esperar, como seria sua vida?

A tão esperada vitória não lhe proporcionara a alegria esperada. Ao contrário. Naquele instante sentiu que a tristeza tomava conta de sua alma, e, colocando a cabeça entre as mãos, deixou que as lágrimas corressem por suas faces livremente. Ele chorava a perda dos entes queridos, os anos de orfandade sem carinho nem aconchego, os momentos de incerteza e de dúvida, que embora tentasse esquecer ainda o machucavam.

Pensou em Lanira. Gostaria de tê-la ali, naquela hora. Havia tanta vida nela que a seu lado ele se renovava. Sentia vontade de viver, de ficar de bem com a vida. Ela estaria apaixonada por Gabriel?

Que bom se ele pudesse estar com ela, dividir seus sentimentos e suas incertezas. Nunca sentira vontade de confidenciar seus problemas a ninguém, mas com Lanira era diferente. A seu lado tudo se modificava.

Apanhou o telefone e ligou para casa de Lanira. Maria Alice atendeu. Ela não estava. Alberto desligou desanimado. Ela estava ao lado de Gabriel. Nem sequer se interessara em falar com ele sobre a audiência.

Tentou reagir. Sentou-se em sua poltrona favorita, apagou a luz e deixou-se ficar na penumbra. Sentia-se só naquele momento tão importante de sua vida. Recostou-se e aos poucos foi relaxando.

De repente percebeu uma claridade à sua frente e viu-se diante do espírito de seu avô. Quis falar, mas não conseguiu. Os olhos dele o fitavam com imenso carinho. Aproximou-se, passando ligeiramente a mão sobre seus cabelos. Depois disse:

— Por que se atormenta, meu filho? Agora que tudo está se resolvendo e sua vida vai tomar um rumo definido, é hora de ser feliz. Não deixe que o passado o atormente. Ele está morto e nunca mais voltará. Daqui para a frente você vai viver uma nova vida. Por que escolhe a tristeza e a infelicidade? Tudo acabou. Dentro em breve os culpados estarão respondendo por seus atos perante a justiça dos homens e de Deus. Não permita que as mágoas do passado machuquem seu coração e perturbem sua vida. Perdoe. Esqueça. Liberte-se da dor. Deixe o passado ir embora.

Alberto pensou:

— Eu gostaria de esquecer. Como seria bom se pelo menos você pudesse estar aqui comigo! Estou me sentindo tão só!

— Não se deixe envolver pelo vitimismo. Note como você tem sido protegido pela vida. Frente a criminosos da pior espécie, sua vida foi poupada. Teve estudos, conviveu com pessoas boas e cultas, aprendeu muitas coisas. O patrimônio que me esforcei para deixar a você agora vai ser colocado em suas mãos. É jovem, saudável. Tem uma vida proveitosa e feliz pela frente. Não destrua suas possibilidades lamentando o passado.

— Bóris confessou que o acidente que matou meus pais foi provocado por eles. Que José Luís envenenou-o! Como esquecer o que eles fizeram?

— Quem está contra a vida só atrai infelicidade. Eles começam a experimentar os resultados de suas atitudes. Você não fez mal algum. Não se envenene com a maldade deles. Liberte-se delas, perdoando-os.

— Como posso fazer isso? Eu amo vocês e não me conformo com o que lhes fizeram.

— Gostaria que soubesse que no universo não existe vítima. Cada um responde pelas escolhas que faz.

— Não concordo! Eles são maus.

— Ainda são. Mas poderiam ter escolhido outras pessoas para praticar suas maldades. Por que nos escolheram? Por que a vida permitiu que eles nos atingissem?

— Não sei...

— Porque todos nós precisávamos enfrentar esse desafio, essa dura experiência. Dela, todos sem exceção estamos extraindo preciosos conhecimentos. Por isso, aceitemos o que a vida nos deu e procuremos tirar proveito.

— É difícil.

— Basta querer. Você terá ainda que prestar declarações na justiça, mas tudo será esclarecido. Chegou a hora da verdade. Nada nem ninguém conseguirá impedir. Mas preciso pedir-lhe que não se deixe envolver pelo ódio nem pela vingança. Os criminosos são prisioneiros da própria maldade. Entregue seus ressentimentos, suas mágoas a Deus e depois desse julgamento trate de esquecer. Garanto que assim poderá desfrutar de uma vida feliz e harmoniosa, por um largo período de tempo.

— Sinto-me muito só.

— Não será sempre assim. Se ficar no bem, pessoas sinceras e amigas virão a seu encontro. Depende só de você.

Lágrimas corriam pelas faces de Alberto e ele tornou:

— Como você é nobre! Depois do que lhe fizeram, ainda tem forças para perdoar!

— Esse é o segredo de minha paz. Há muito deixei de brigar com a vida ou com as pessoas. Quando me machuco com o que elas fazem, procuro descobrir que atitude minha está atraindo coisas que me desagradam. Sei que a causa está em mim. Quando saio do equilíbrio, fatos desagradáveis acontecem. Quando volto ao equilíbrio, tudo à minha volta fica bem.

— Eu estou desequilibrado, nervoso. Como posso ficar bem?

— Esquecendo o mal, seja de quem for.

— Não posso me omitir. Terei que acusá-los no tribunal.

— Terá. É uma questão de ser verdadeiro. Mas faça isso sem ódio. Relate os fatos e deixe que a justiça faça o resto. Se conseguir, se sentirá muito bem. Toda a sua angústia passará. Ninguém pode ficar equilibrado conservando a mágoa, a raiva, a sensação de injustiça no coração.

— É isso que estou sentindo. Essa injustiça me fere.

— O sentimento de injustiça aparece por nossa incapacidade de conhecer a verdade integral dos fatos. Pense nisso e não se aventure a julgar. Quando estiver amadurecido e esse conhecimento chegar, tenho certeza de que se sentirá feliz por haver perdoado e esquecido.

Ainda uma coisa: lembre-se que cada um só dá o que tem. Não espere dos outros o que ainda não têm para dar. Por isso, não exija o impossível e compreenda. Aqueles dois ainda estão iludidos, desprezando os verdadeiros valores da vida. Certamente devem ficar reclusos para não prejudicarem ninguém mais. Lá terão tempo para pensar e renovar seus valores. Entretanto, esse é um problema deles. Você não tem culpa de nada e não deve carregar o peso desses crimes. Entendeu?

— Entendi. Tentarei.

— Agora vou tentar ajudá-lo. Pense em Deus e firme o propósito de renovar sua mente. Peça-lhe que o ajude a esquecer o passado e ficar só no bem.

Alberto respirou fundo e obedeceu. O espírito do avô colocou a mão sobre a testa dele e orou. Seu peito iluminou-se e uma luz suave começou a envolvê-los. Enquanto ele orava, essa luz foi crescendo até iluminar toda a sala.

As lágrimas continuavam a descer pelas faces de Alberto, mas aos poucos sua angústia foi desaparecendo e elas pararam. Ele começou a sentir-se muito bem. Uma brisa leve e perfumada como que o acariciava e ele a aspirava gostosamente.

Então ouviu uma voz suave de mulher dizer:

— Meu filho! Deus o abençoe!

Alberto abriu os olhos na tentativa de ver quem estava falando, mas não havia ninguém. Seu avô tinha desaparecido.

De repente, todo o seu mal-estar havia passado. Em lugar do vazio no peito, sentia uma alegria agradável e a sensação de que nada de mal lhe aconteceria.

Pensou em Lanira. Não podia se considerar derrotado por Gabriel ainda. Envolvido pelos problemas que colocara como prioridades em sua vida, não quisera se envolver afetivamente com ninguém. Dali para a frente, tudo poderia mudar.

Dentro em breve, teria todo o tempo do mundo para conquistá-la. Naquele instante ele percebeu o quanto desejava isso.

No dia seguinte, pela manhã, Daniel e Rubinho foram à delegacia. Marques contou-lhes que deixara Eleutéria passar a noite na cadeia dizendo que ela deveria ficar lá aguardando o momento em que o juiz a ouviria.

Não conseguindo libertá-la, seu marido ficara de trazer um advogado no dia seguinte e ainda não havia chegado.

— Já a interrogou? — perguntou Rubinho.

— Eu tentei. Mas ela se recusa a falar antes de ver seu advogado. Não posso fazer nada.

Foi Daniel quem indagou:

— Mostrou a ela a confissão de Bóris?

— Sim. Ela de vermelha ficou branca, aterrorizada.

— Não vai poder detê-la por muito tempo — lembrou Rubinho.

— Com relação à audiência, não. Mas posso segurá-la um pouco mais para prestar declarações. Há o inquérito que estou formalizando em que ela aparece como suspeita.

— Devemos aproveitar para falar com ela antes de o advogado chegar — tornou Daniel.

— Podem ir. Mas acho que não vão conseguir nada.

Os dois entraram na sala onde Eleutéria estava e apresentaram-se como advogados de Marcelo Camargo. Ela teve ligeiro sobressalto que eles perceberam, mas nada disse. Foi Rubinho quem falou:

— Não adiantou nada você não comparecer para depor no processo. Temos provas de que foi você quem simulou aquele acidente e substituiu o corpo do menino. De nada adianta ficar calada, esperando seu advogado. Alberico contou tudo com detalhes antes de morrer e esse documento está registrado em cartório. Além disso, sua casa estava sob controle policial. Tudo que você e seu marido conversavam lá está gravado. Portanto não adianta negar. Sua culpa está provada.

— Isso não é verdade — disse ela com voz que tentava tornar firme. — Vocês estão me enganando.

— Viemos conversar porque, se você confessar tudo, poderemos ajudá-la e diminuir sua pena — contrapôs Daniel.

— É isso que vocês querem. Eu sei. Estão perdendo tempo.

— Quem está perdendo tempo e agravando sua situação é você. Bóris já confessou e Marcelo está decidido a ir até o fim na apuração dos fatos. O juiz já determinou à polícia as investigações, porque, além do que fizeram a Marcelo, há outros três crimes. O Dr. Camargo foi envenenado; os outros dois, assassinados. Se não contar a verdade, responderá também por todos eles. Nunca mais sairá da cadeia — lembrou Rubinho.

Eleutéria cambaleou e eles pensaram que ela fosse desmaiar. Mas ela respirou fundo e conseguiu manter-se na cadeira.

— Como sabe, o Dr. José Luís fugiu, o Dr. Eugênio desistiu de defender vocês. Portanto estão sozinhos. Se José Luís não for encontrado, apenas você e Bóris pagarão por todos esses crimes, enquanto ele estará no exterior, livre — explicou Daniel.

Foi a gota d'água. Eleutéria começou a gritar cheia de raiva:

— Aquele desgraçado! Bem que eu não queria. Foi ele quem me tentou, ofereceu todo aquele dinheiro e eu cedi. Sempre lutei com a vida. Estava cansada de ser pobre. Não sabia que ele iria matar toda a família de Marcelo! Achei que substituir o corpo do menino não era tão grave assim. Ninguém matou, o menino caiu da sacada e morreu. Foi acidente. Nós só trocamos a identidade do corpo e simulamos o acidente de carro. Não posso pagar pelos crimes que não cometi.

— Você sabia que ele pretendia eliminar a família toda. Confesse — pressionou Rubinho.

— Não! Eu não sabia!

— Como não? Como é que ele ficaria com a fortuna se os parentes estavam vivos? É claro que quando houve a troca de corpos, ele já planejava assassinar os outros! — concluiu Daniel.

— Não. Vocês não podem me culpar disso também.

— Não somos nós que a estamos culpando. Você foi cúmplice deles. Será igualmente responsabilizada pela justiça — lembrou Rubinho.

Da raiva, Eleutéria passou ao desespero. Juntou as mãos e suplicou:

— Por favor! Ajudem-me! Juro que não sabia de nada. Pensei que o Dr. Camargo tivesse morrido de tristeza. O Dr. José Luís disse que foi do coração. Eu vi o atestado de óbito.

— Assinado por ele — disse Daniel.

— Sim. O Dr. Camargo tratava-se com ele.

Daniel olhou para Rubinho e compreenderam como aconteceu. Claro que, como seu médico, fora fácil ao Dr. José Luís favorecer a morte do tio. Eles não tinham nenhuma dúvida de que Bóris dissera a verdade. Os três haviam sido mesmo assassinados.

Rubinho prosseguiu:

— E o acidente que matou os pais de Marcelo, como foi?

— Isso eu não sei. Li nos jornais que o barco em que estavam explodiu. Nada tive a ver com isso. Foi em outro país e eu estava no Brasil.

— Mas o Dr. José Luís, a esposa e Bóris estavam na Europa — tornou Daniel.

— Pode ser. Não me lembro.

— Trate de lembrar-se. Você será interrogada pela polícia e pelo juiz quando forem a julgamento. Se omitir alguma coisa, se tentar encobrir seus cúmplices, será tão culpada quanto eles — insistiu Rubinho.

— Não sei! Já disse que eles estavam longe, fora do Brasil. Nem sei onde.

— Bóris deve ter-lhe contado como foi — sugeriu Daniel.

— Vocês não conhecem Bóris. Ele nunca fala nada. Se sabe quem foi que cometeu esse crime, nunca disse. Sempre me proibiu de falar na troca dos meninos. Disse que, se eu abrisse a boca, ele e o Dr. José Luís acabariam comigo.

— Se quer atenuar sua pena, conseguir algum benefício, fale só a verdade. Não esconda nada. A polícia tem as provas de tudo como aconteceu realmente. Qualquer mentira pode prejudicar você e aumentar sua pena. Por isso, aconselho-a a confessar já ao delegado toda a sua participação nessa história. É o melhor que tem a fazer.

Rubinho calou-se. Dois homens acabavam de entrar na sala. Eleutéria levantou-se e agarrou-se a um deles chorando e dizendo:

— João, estou perdida! Eles sabem de tudo. Querem que eu confesse!

— Calma — respondeu João, abraçando-a. — Você não vai fazer nada. Este é o Dr. Nicanor de Andrade, seu advogado. Só vai fazer o que ele disser.

O advogado aproximou-se dos dois rapazes olhando-os com seriedade e dizendo:

— Vocês não podem obrigá-la a falar sem um advogado. Posso denunciá-los por estarem forçando minha cliente a falar contra a vontade.

— Nós somos os advogados de Marcelo Camargo, o menino que ela ajudou a ser julgado morto quando substituiu a identidade do cadáver de outra criança — esclareceu Rubinho, e continuou: — Você está entrando no caso e talvez ignore os detalhes. Sua cliente está sendo acusada de três assassinatos, fraude e usurpação do herdeiro legítimo do Dr. Antônio Camargo de Melo.

Nicanor olhou assustado e respondeu:

— Vocês têm certeza do que estão afirmando? Não foi isso o que me disseram.

— Pode informar-se de tudo com o delegado — esclareceu Daniel. — Sugerimos a Eleutéria que confesse a verdade logo e não tente enganar a justiça, porque a polícia tem em mãos todas as provas irrefutáveis dos crimes dela e de seus cúmplices.

— Eu não sabia que eles pretendiam matar toda a família — gritou Eleutéria chorando. — Se eles fizeram isso, não tenho culpa.

— Nós a aconselhamos a dizer toda a verdade sem tentar encobrir ninguém. A polícia sabe de tudo, e se ela mentir, agravará sua culpa. Tenho certeza de que, depois de conhecer a extensão do caso, como seu advogado vai aconselhá-la a fazer isso — tornou Rubinho.

Nicanor passou a mão pelos cabelos, olhou-os tentando descobrir quem dizia a verdade, depois disse:

— Tudo bem. Podem deixar. Agora ela ficará sob meus cuidados. Vamos conversar, verei que provas são essas, então voltaremos ao assunto. Agora, por favor, saiam. Tenho que conversar com minha cliente.

Eles saíram e foram até a sala do delegado, que, vendo-os, perguntou:

— E então?

— Ela falou. Ficou com medo por causa dos outros crimes. Acho que dará o serviço todo sem omitir nada — respondeu Rubinho.

— Nós a aconselhamos a dizer toda a verdade à polícia se quiser reduzir a pena. Acho que seu advogado vai dizer-lhe o mesmo. O que mais ela pode fazer diante de tantos crimes? — aventou Daniel.

— Tem razão. Só que precisamos obter mais provas. Por enquanto, só temos a palavra de Bóris, e ele não é de confiança. — tornou Marques.

— Tenho certeza de que o que ele afirmou é verdade. Eles cometeram todos esses crimes. De que adiantaria trocar o corpo dos meninos se havia outros herdeiros? Acha que eles não foram assassinados? Em menos de dois anos, todos se foram. O que por si só já é uma prova — insistiu Rubinho.

— É verdade. De fato, também penso que as investigações levarão a isso. No momento, encontrar o Dr. José Luís é fundamental. Com ele nas mãos e diante de tantas provas, obteríamos uma confissão completa. Então tudo estaria resolvido — explicou o delegado.

— Nós temos que ir — disse Daniel levantando-se. — Qualquer novidade, comunique-nos, por favor. Gabriel está muito preocupado com a segurança da mãe.

— A esposa do Dr. José Luís? Será mesmo que ela corre perigo? O rapaz pode estar enganado. Ela pode ser cúmplice do marido — tornou o delegado.

— Não acredito. Ele sabe o que está falando. Ela sabe muito e corre sério risco. Ele pode suspeitar que ela estava ajudando-nos. Aliás, foi com o auxílio dela e de Gabriel que chegamos ao paradeiro de Alberto. Não se esqueça disso — lembrou Daniel.

— É. De fato. Se ele souber disso, ela pode mesmo estar em perigo. Vão em paz. Qualquer notícia, telefonarei.

Lanira levantou-se, vestiu-se e foi tomar o café da manhã. Maria Alice esperava-a.

— Ninguém ligou? — indagou.

— Não, filha. Tome seu café. Tem aquele bolo que você gosta.

Ela se serviu e Maria Alice sentou-se a seu lado. Lanira comentou:

— Você precisava ver como Laura ficou quando descobriu a verdade. Parecia uma morta-viva.

— Dá para entender. Seu mundo despencou.

— Custou a acreditar. Quando viu Daniel, ficou furiosa. Mas Gabriel logo esclareceu a situação.

— Ela acreditou?

— A princípio, não. Mas depois acho que as coisas foram ficando mais claras em sua cabeça. Até eu ainda não consigo entender essa história de o Dr. José Luís ter assassinado toda a família.

— É difícil crer. Ele sempre pareceu um homem ponderado, afetuoso, amante da família. Sempre participando de obras sociais.

— Apenas aparências. Gabriel disse que ele sempre atormentou a esposa. Era cruel e indiferente com os filhos.

— Estou decepcionada com a sociedade. A vida inteira prestei culto a suas regras, obedeci a esse mundo de vaidade e podridão. Hoje não sinto mais vontade de freqüentar os salões nem de comparecer às festas.

— Eu sempre soube. Por isso não pensava em me casar. Não desejava fazer parte desse mundo.

— Não diga isso. Há de haver gente boa ainda. Não quero perder toda a fé na vida.

— Sabe de uma coisa? Toda esta história suja serviu para perceber o lado nobre, o caráter de algumas pessoas. Para Gabriel e a mãe, a honestidade, a verdade, a justiça, a paz da consciência estão em primeiro lugar.

— É verdade. Não sei se eu teria coragem de fazer o mesmo que eles fizeram.

O telefone tocou. A empregada atendeu e chamou Lanira, dizendo:

— Telefone para você. Disse que é Alberto.

Ela atendeu. Depois dos cumprimentos, disse:

— Você deve estar feliz. Afinal seu caso está resolvido.

— É. Finalmente parece que tudo vai terminar. Gostaria de conversar com você. Quer almoçar comigo hoje?

— Não sei... Estamos todos preocupados com o desaparecimento de D. Maria Júlia. Laura e Gabriel estão inconsoláveis. Eu tinha pensado em ir até lá.

— Compreendo. Claro. Eles são seus amigos. Queria que soubesse: estou me sentindo muito só. Apesar de tudo, não tenho ninguém para dividir minha vitória. Parece que ela não me deu tudo quanto eu esperava durante todos esses anos.

Havia um travo de tristeza na voz dele e Lanira resolveu:

— Está bem. Almoçarei com você. Acho que terei tempo para tudo. A que horas?

— Passarei em sua casa ao meio-dia. Está bem?

— Melhor às onze e meia. Estarei esperando.

Ela desligou e Maria Alice perguntou:

— Como é esse Alberto?

— É um moço sofrido mas agradável. Educado e de boa aparência. Raramente sorri, mas tem um lindo sorriso.

— Pelo jeito vai fazer muito sucesso em nossa sociedade. Estará interessado em você?

Pela lembrança de Lanira passou aquele beijo que haviam trocado. Abanou a cabeça e respondeu:

— Não. Nosso relacionamento foi ocasional.

— Você saiu com ele algumas vezes.

— Saímos, como amigos. Não ponha nada em sua cabeça, porque ele quer apenas conversar um pouco. Senti uma ponta de tristeza em sua voz. Por isso aceitei.

— Não deve ter sido fácil para ele passar por toda essa experiência e acabar descobrindo que toda a sua família foi cruelmente assassinada.

— Foi o que pensei. Ele me disse que não tem ninguém com quem comemorar essa vitória.

— Ele está certo. Está sozinho mesmo.

— Ele tem Deus — respondeu Lanira, séria. — É jovem, pode fazer amigos, ser feliz.

— Nunca a vi falar em Deus. Não sabia que era religiosa.

— Não sou. Mas as sessões em casa de tia Josefa têm me mostrado coisas que me fizeram pensar. Eu sei que a vida continua depois da morte. Sei também que a vida responde de acordo com nossas atitudes. O bem sempre é o melhor caminho.

Maria Alice olhou-a admirada.

— Josefa conseguiu mostrar isso a você?

— Sim, mãe. Ela é uma pessoa extraordinária. Ficar a seu lado é encontrar a sabedoria e a paz.

— Difícil aceitar. Ela sempre foi meio excêntrica.

— Vocês se deixaram levar pelo preconceito e perderam a oportunidade de privar de sua convivência. Nós vamos lá sempre. Vocês não sabem o que perderam.

Lanira subiu para telefonar e saber se havia alguma novidade. Maria Alice sentou-se na sala, apanhou uma revista, mas nem sequer a abriu. Seu pensamento estava longe.

Sua irmã Josefa, dois anos mais nova do que ela, sempre fora alegre e descontraída. Contudo, estava sempre vendo coisas, falando em espíritos, lendo livros estranhos. Em casa, ninguém a levava a sério.

Mas ela não ligava. Continuava mesmo assim. Quando se casou, o marido tinha as mesmas manias, e, além de fazerem sessões espíritas em casa, recebiam pessoas que eram tidas como bruxos.

Por essa razão, Maria Alice se afastara dela e nunca permitira aos filhos essa convivência. Uma vez deixara isso muito claro a ela e depois nunca mais tinham se encontrado.

Sabia que Lanira tinha bom senso e que dificilmente se enganava com as pessoas. Mas falar isso de Josefa parecia-lhe exagero. Resolveu conversar com Daniel a respeito. Ele era mais cético, talvez tivesse outra opinião.

Bem que ela gostaria de encontrar a paz e esquecer sua frustração. A vida estava indo embora e arrastando tudo em que ela acreditara. As ilusões estavam ruindo e Maria Alice sentia que nada iria sobrar em que pudesse agarrar-se.

Daniel afastara-se, Lanira qualquer dia iria casar-se. O que lhe restaria? O marido infiel, desonesto, ambicioso e fútil? De repente sentiu-se enojada da situação falsa em que vivia. Como levar adiante sua vida vazia?

Algumas lágrimas afluíram e ela as deixou cair. Tinha que fazer alguma coisa. Era uma mulher forte e determinada. Não podia aceitar a destruição de tudo sem lutar. Mas o que fazer? Como seguir adiante? Onde encontrar de novo a paz do coração e a motivação para prosseguir?

Capítulo 21

Antônio chegou em casa no fim da tarde. Maria Alice ainda estava na penumbra da sala de estar pensando.

A carta anônima que recebera dois dias atrás tivera o dom de colocá-la frente a frente com uma realidade que ela fingia ignorar. Depois que Lanira saiu com Alberto, ela se sentara ali e toda a sua vida, como num filme, passou diante de seus olhos.

Lembrou a jovem bonita, cheia de vontade de viver, os primeiros anos de casamento, as primeiras desilusões, a certeza de que seu dever era preservar a família acima de tudo, até dos próprios sentimentos.

Cedo descobriu que naquela sociedade a ingenuidade pagava um preço alto, que muitas pessoas, atrás do verniz da educação, eram capazes de trair, que a ambição, o jogo de interesses falavam mais alto do que a amizade.

Maria Alice começou a perceber como fora pouco a pouco modificando-se, entrando no jogo da maioria, valorizando as aparências. De tanto sufocar seus sentimentos, de tanto colocar em primeiro plano os conceitos da maioria, acabara por tornar-se um autômato, sem vontade própria, sem prazer, sem entusiasmo.

Quando Antônio entrou, vendo-a na penumbra em silêncio, não se conteve:

— Maria Alice! Você está bem?

Ela se levantou, acendeu o abajur e respondeu:

— Estou. E você?

Ele fez um ar de cansaço:

— Mais ou menos. Essas viagens me cansam. Ter que discutir exaustivamente, trabalhar nos fins de semana, é muito cansativo!

— Por que não deixa de viajar? — disse ela com voz calma.

— Por amor à causa. Tenho que trabalhar pelo nosso país. Para isso me elegeram.

Ela o olhou séria e respondeu:

— Comigo não precisa fingir. Não está precisando de meu voto.

Antônio surpreendeu-se:

— O que houve? Aconteceu alguma coisa para você me tratar assim?

— Nada de novo. Tudo continua igual em minha vida, e sabe de uma coisa? Quem está cansada, muito cansada, sou eu.

— Como assim? Você ficou em casa descansando enquanto eu estava trabalhando. Do que se queixa?

Maria Alice não respondeu logo. Olhou-o séria, depois disse:

— De nada. Você não vai subir para descansar?

— É uma boa idéia. Vou tomar um banho e relaxar um pouco.

Depois que ele subiu, Maria Alice sentou-se novamente no sofá. De repente ela sentiu que ele sempre fora o mesmo. Durante todos aqueles anos de vida em comum ela tentara entrar no jogo dele, mascarando suas atitudes, dizendo a si mesma que o marido era um homem voltado ao bem do país, um homem ilustre, respeitado e de bem.

Agora, a máscara de seus olhos caíra. Não só pela traição de seus sentimentos de mulher, trocando-a pela secretária, mas muito mais pela traição aos ideais que ele sempre pregara em suas campanhas e nunca cumprira nem cumpriria.

Percebeu que imaginara estar se casando com um homem nobre, cheio de sentimentos elevados, e unira-se a um egoísta, mentiroso e aproveitador do dinheiro público.

A constatação dessa verdade chocou-a. Maria Alice sentiu brotar dentro dela o desejo real de fazer alguma coisa boa na vida. Não podia continuar sentindo-se inútil, sem objetivos.

Pensamentos contraditórios passavam por sua cabeça, deixando-a confusa e inquieta. Sentia que precisava reagir para não mergulhar ainda mais na depressão e na tristeza. Mas o que fazer?

Atirar a carta anônima na frente do marido não iria resolver nada. Ele negaria e ela não estava disposta a suportar sua suposta indignação. Repugnava-a essa hipocrisia. De repente decidiu. Apanhou o telefone e discou para Daniel Ele atendeu:

— Como vai, mãe?

— Bem. Lanira me contou que vocês estão vencendo. Fiquei muito feliz. Parabéns.

— Obrigado. Você está bem? Sua voz está diferente. Aconteceu alguma coisa?

— O de sempre. Minha vida está muito sem graça. Mas não foi para isso que liguei. Lanira me disse que vocês têm ido a casa de Josefa. Lanira teceu muitos elogios. Minha irmã sempre foi uma pessoa estranha. Lanira não estará enganada?

— Não, mãe. Tia Josefa tem sido para nós uma orientadora maravilhosa. Tem nos ajudado muito com seus conhecimentos espirituais. Você não tem motivos para se preocupar. Aliás, você deveria ir vê-la. Tenho certeza de que lhe faria muito bem.

— Se você diz, eu acredito.

Eles continuaram conversando alguns minutos, e quando Maria Alice desligou, tomou uma decisão. No dia seguinte ligaria para Josefa e, se ela permitisse, iria visitá-la. Precisava falar com alguém sobre seus problemas. Começava a pensar que ela seria a pessoa certa.

Lanira entrou no carro de Alberto dizendo alegre:

— Parece que estamos chegando ao final do trabalho.

— É. Quando tudo acabar não saberei o que fazer com meu tempo. Durante anos não tive outra preocupação.

Ela sorriu e respondeu:

— Tenho certeza de que encontrará milhões de coisas. Tudo está a seu favor.

— Agradeço a Deus todos os dias ter permitido retomar o fio de minha vida. Eu sabia que você estava preocupada com Gabriel, mas ainda assim resolvi telefonar-lhe.

— Uma coisa não tem nada a ver com a outra. Gabriel é meu amigo e está sofrendo muito com toda essa história.

— Fiquei com medo que ele fosse mais do que um amigo. Notei o modo como ele olha para você.

— Chamou-me para falar sobre esse assunto?

— Não propriamente. Na verdade, senti-me muito só. Minha vitória fez-me compreender que ela nunca trará de volta tudo quanto perdi.

— O passado acabou e não tem remédio. Seria melhor que não deixasse essas mágoas diminuírem a alegria de sua conquista. Pelo que sei, está colocando tudo em seus devidos lugares. Sua persistência acabou por revelar os crimes contra as pessoas de sua família e os culpados. Sei que não é muito. Você preferia que eles estivessem vivos. Mas não teve escolha.

— Não tive mesmo. Estou me sentindo sozinho, mas não pretendo mergulhar na tristeza nem me revoltar. O que eu desejo é encontrar uma forma de reagir, de me entusiasmar, seguir para a frente, fazer alguma coisa boa que justifique essa vitória que a vida está me dando. Sei que ela tem um preço. Pelo que conheço da espiritualidade, o que nos aconteceu teve um motivo justo.

— É muito nobre de sua parte reconhecer isso.

— Não se pode negar a verdade. Se nós não tivéssemos que passar por todas essas terríveis experiências, certamente teríamos sido poupados. Sei que Deus não erra nem castiga. Apenas ensina o que precisamos aprender.

— Pensar assim ajuda bastante.

— Alivia. Mas reconheço que apesar disso a mágoa ainda me deprime. Há momentos em que me sinto muito só, sem rumo, como se houvesse perdido a motivação de tocar a vida para a frente. Parece um paradoxo, mas é difícil explicar.

— Não é, não. Dá para entender. Durante tanto tempo você colocou todas as suas energias na conquista desse objetivo. Deixou tudo de lado. Agora que o está alcançando, percebe que todas as outras necessidades de seu espírito ficaram abandonadas. Isso vai passar. Tenho certeza de que logo você retomará sua vida normal e tudo estará resolvido.

— Tem razão. Desde que voltei ao Brasil deixei de lado todo sentimento pessoal para me dedicar inteiramente à realização desse objetivo. Não fiz amigos, não tive lazer nem namoradas. Não queria que nada me desviasse. Sabia que precisava de toda a minha energia para vencer.

Lanira sorriu e tornou:

— Olhando para você, tenho certeza de que fará muito sucesso neste Rio de Janeiro. Basta querer. Quando comprar um palacete, roupas da moda, freqüentar alguns clubes, logo haverá muitas mulheres à sua volta e amigos a escolher.

Ele parou o carro. Haviam chegado ao restaurante. Depois que se sentaram à mesa e que fizeram o pedido foi que ele retomou o assunto:

— O que você disse é verdade. E é o que mais me atemoriza.

— Por quê?

— De pessoas interesseiras e falsas quero distância. Se quer saber, penso que continuarei a ser um bicho do mato em meu canto.

— Assim não conseguirá se relacionar bem. Também não gosto de certas pessoas nem de suas futilidades. Mas generalizar é perigoso. Há pessoas boas, honestas, sinceras, com as quais vale a pena conviver. Basta saber escolher.

— Eu sei. Daniel, Rubinho e você. Os dois como advogados têm sido mais formais. Mas quando tudo acabar, serei feliz se me aceitarem como amigo. Quanto a você, confesso que sinto mais afinidade. Você é uma pessoa verdadeira. Diz o que pensa. Não tem aqueles pequenos artifícios que a maioria das mulheres usam. Eu aprecio isso.

O garçom trouxe a comida e ficaram silenciosos por alguns minutos. Depois Alberto tornou:

— Você está apaixonada por Gabriel?

Lanira fitou-o séria:

— Por que pergunta?

Ele pousou o talher sobre o prato e olhando-a nos olhos respondeu:

— Porque não posso esquecer aquela noite. O gosto daquele beijo ainda está me queimando os lábios. Sinto por você grande atração e, não posso negar, muito ciúme de Gabriel. Quero saber se ainda tenho chance.

— Entre mim e Gabriel não existe nenhum compromisso. Não nego que gosto dele. Mas ainda não sei até que ponto.

Uma sombra de tristeza passou pelo rosto de Alberto.

— Acho que cheguei tarde demais. Ele já se declarou?

— Já. Pediu-me em casamento. Mas recusei.

— Então...

— Ainda não estou preparada para casar. Tenho idéias próprias sobre a vida familiar. Não sou uma mulher conformada como tantas outras. Quero ser feliz, levar a vida como eu gosto, fazer o que eu acho bom e ético sem me importar com as aparências. Em sociedade isso é difícil. Depois, só me casarei quando tiver certeza de meus sentimentos. O amor, a sinceridade são muito importantes para mim.

— Você sabe o que quer, o que é raro nas garotas de hoje.

— A maioria tem a cabeça cheia de ilusões que aprendeu em sociedade. Esperam o príncipe encantado e acordam frustradas e infelizes. Depois levam o casamento para a frente com receio de confessar o próprio fracasso. Não quero ser assim.

— Você nunca será. Tem idéias próprias. Nesse caso...

— O quê?

— Ainda não estou de todo fora do páreo. Vamos brindar a isso — disse ele sorrindo e levantando o copo de vinho.

Quando os copos se tocaram, Lanira não se conteve:

— Você deveria sorrir mais. Toda a sua fisionomia muda quando você sorri.

— Vou tentar.

Depois do brinde, Alberto não tocou mais no assunto. Começou a falar sobre a Inglaterra, que tinha como sua segunda pátria, e Lanira interessou-se vivamente.

Alberto era muito observador e excelente narrador. Descreveu lendas e costumes e até algumas aventuras de juventude. O tempo passou com rapidez, e quando Lanira olhou o relógio, passava das três. Assustou-se.

— Preciso ir.

— Já? Está tão bom aqui.

— É verdade. Nem senti o tempo passar. Quero saber se a polícia descobriu alguma coisa dos fugitivos. Você não tem que trabalhar?

— Hoje é feriado em nossa empresa. Estão comemorando o aniversário de fundação. Há até um jantar logo mais à noite.

— Você vai?

— Só se você me acompanhar.

— Obrigada, mas não posso.

Ele pagou a conta e saíram. No carro, Alberto tornou:

— Eu vou passar no escritório de Daniel para ver como estão as coisas. Vamos?

Lanira pensou um pouco e respondeu:

— Está bem. Também quero saber se há alguma novidade.

Vendo-os entrar juntos, Daniel olhou-os pensativo, mas cumprimentou-os com naturalidade.

— Alguma novidade dos fugitivos? — indagou Lanira com interesse.

— Nada ainda. Parece que derreteram. Ninguém consegue descobrir para onde foram.

O telefone tocou e Daniel atendeu:

— Jonas? Alguma novidade?

— Prendemos o falsário e o interrogamos. A princípio negou, mas por fim deu o nome que colocou no passaporte de José Luís e esposa. Dois homens estão checando as empresas aéreas. Logo saberemos para onde foram.

— Devem estar fora do país.

— Não estou certo. Além do passaporte, o falsário forneceu outros documentos que só servem para ser utilizados aqui.

— Quer dizer que eles ainda podem estar aqui.

— A meu ver é uma possibilidade remota. Ele estava com muito medo. Sabe que, pela extensão de seus crimes, se for preso nunca mais sairá. Deve ter desejado ir para bem longe.

— É o mais provável. O que pretende fazer agora?

— Se os nomes que temos estiverem em alguma lista de embarque, imediatamente comunicaremos à polícia internacional. Não descansarei enquanto não pusermos as mãos nesse criminoso.

— Avise-me se tiver alguma outra notícia.

Daniel desligou e contou a eles como estavam as investigações. Depois que ele finalizou, Lanira disse:

— Vou telefonar a Gabriel para dar as notícias.

— Ele já me ligou hoje. Perguntou se você estava aqui.

— Vou à sua sala falar com ele.

Ela saiu e Daniel percebeu a inquietação de Alberto e perguntou:

— Está preocupado com alguma coisa?

— Estou. Sempre fico quando Lanira fala com Gabriel.

Daniel olhou-o sério. Já havia notado que os olhos dele brilhavam quando se fixavam em Lanira. Não se sentia muito à vontade ao lado dele e não gostaria que ele namorasse sua irmã. Não se conteve:

— Está interessado nela?

Alberto sustentou o olhar e respondeu:

— Muito. Se ela me quiser, ficarei muito feliz.

— Ela é muito jovem para um compromisso.

— Nem tanto. Meu interesse por ela desagrada-o?

A atitude franca de Alberto desconcertou-o, e ele respondeu:

— Não se trata disso. Não nego que sinto certo ciúme de minha irmã.

— Estou sendo sincero.

Lanira voltou e eles se calaram.

— Laura não está bem e Gabriel está inquieto, nervoso. Fica o tempo todo ao lado do telefone. Acho que nem dorme direito. Atende ao primeiro toque. Vou tomar um táxi e ir até lá.

— Eu levo você — disse Alberto.

— Não se incomode.

Ele iria insistir, mas Daniel interveio:

— Deixe-a ir. Quando ela decide, nunca volta atrás. Prefiro que vá comigo até a delegacia. Temos que falar com Eleutéria. O delegado tem um plano em mente e precisa de você.

Alberto fez um gesto de impotência:

— Se é assim, eu me rendo.

— Já vou indo. Obrigada pelo almoço. Se tiverem alguma notícia, liguem para lá.

Daniel prometeu e ela saiu, deixando no ar o leve aroma de seu perfume.

Ao chegar na delegacia, Daniel viu-se logo cercado por vários jornalistas. Todos queriam saber detalhes das investigações em andamento, envolvendo o desaparecimento do Dr. José Luís e esposa.

Daniel pediu-lhes paciência, dizendo que a polícia ainda precisava manter sigilo para não atrapalhar as investigações. Prometeu dar-lhes esses detalhes assim que pudesse.

O seqüestro de Alberto, que se intitulava ser Marcelo, o dono legítimo daquela fortuna, a prisão do mordomo de José Luís, a presença da ama do menino na delegacia sendo interrogada e principalmente o desaparecimento do médico indicavam que ele era culpado.

As informações vazaram e tomaram vulto na imprensa, tendo alguns jornais mais sensacionalistas publicado manchetes chamativas e dramáticas. Tiraram várias fotos de Alberto e de Daniel quando os viram.

Entraram na delegacia e procuraram o delegado. Depois dos cumprimentos, Daniel considerou:

— Os jornalistas estão ávidos de notícias. Acha que podemos falar?

— Eles ficam por aqui à cata de novidades. Não nos foi possível esconder mais. Creio que a esta altura podemos contar a verdade — respondeu o delegado. — A confissão de Bóris é prova suficiente.

— Acha mesmo que eles mataram meus pais e meu avô? — indagou Alberto.

— Acho. Mesmo levando em consideração que Bóris não merece confiança, acredito que disse a verdade. A lógica nos conduz a isso. De que valeria afastar apenas você se o dinheiro estava nas mãos da família? Quando José Luís fez esse plano, já tinha planejado acabar com os outros também.

Alberto suspirou e ficou pensativo. Foi Daniel quem tornou:

— É difícil acreditar que alguém possa ser tão frio a ponto de exterminar pessoas de sua família por causa de dinheiro.

— Eu não me surpreendo. Nesta delegacia tenho visto cada coisa que há muito fez-me duvidar da bondade humana. Esse é mais um caso de crueldade entre os muitos a que tenho assistido.

— Mesmo eu, depois do que fizeram comigo, nunca imaginei que eles houvessem cometido esses crimes. Como eles morreram todos em pouco tempo, confesso que algumas vezes essa idéia passou por minha cabeça, mas ao mesmo tempo achei impossível. É triste ter que reconhecer que essa tragédia aconteceu com meus familiares. Sinto-me só. Apesar de ganhar essa causa que era toda a minha expectativa, a sensação de perda é muito viva dentro de mim.

— Posso compreender — tornou Marques. — Mas por outro lado, se você não tivesse levado à frente suas pesquisas, nunca os teríamos desmascarado. Eles continuariam usufruindo do nome, do dinheiro e do poder que desfrutavam.

— Deus poupou sua vida para que pudesse cumprir essa missão — disse Daniel, e os outros dois olharam-no admirados.

Marques considerou:

— Algumas pessoas acreditam em crime perfeito. Muitos deles a polícia nunca consegue desvendar, permanecem ocultos das leis dos homens. Mas sabem duma coisa? Eu também creio que Deus tem lá sua maneira de fazer justiça.

Alberto baixou a cabeça pensativo. Sabia que, se descobrira muitas coisas, fora com a ajuda do espírito de seu avô. Esperava que ele também o ajudasse a continuar quando tudo isso terminasse.

— Pedi que viessem aqui — continuou Marques — porque quero que Alberto converse com Eleutéria. Você consegue lembrar-se de alguma coisa daquele tempo?

— Lembro de alguns rostos, algumas coisas daquele tempo, mas detalhes, não.

— Vamos até lá e ver o que acontece.

O delegado conduziu-os até a sala onde a ama estava detida. O marido e o advogado estavam com ela. O delegado entrou e disse:

— Tem uma pessoa que deseja vê-la.

Ela levantou a cabeça e os olhos dela se encontraram com os de Alberto, que estava ao lado do delegado. Seu rosto empalideceu, ela começou a tremer e não conseguiu articular palavra.

Alberto aproximou-se dela olhando-a nos olhos e dizendo:

— Como vai, Téia?

Ela cambaleou e segurou-se na cadeira. Seu advogado fê-la sentar-se.

— Quem é você? O que está acontecendo aqui? — indagou ele.

— Ela sabe quem eu sou. Reconheceu-me, apesar de fazer muitos anos que não nos vemos. A última vez eu tinha quatro anos, não é, Téia? Não era assim que eu a chamava?

— Eu... — gaguejou ela — não sei... Não quero vê-lo. Vá embora.

— Como pode fazer isso comigo? Não percebe o mal que fez aos meus e a mim?

Ela levantou as mãos como querendo afastá-lo de sua frente e gritou:

— Não quero. Vá embora. Você está morto. Alberico garantiu que você tinha morrido. Aquele maldito.

— Cale-se. Não diga mais nada — interveio o marido, assustado.

— Não precisa responder nada — atalhou o advogado dela.

— Você está obstruindo a justiça — tornou o delegado. — Saiba que tudo quanto ela disse foi gravado. Ela tem o direito de confessar. Ela acabou de reconhecer esse jovem como sendo Marcelo, o menino cuja fortuna ela ajudou a usurpar.

— Ela está emocionalmente abalada. Nunca esteve detida em uma delegacia. Aliás, aqui está havendo um abuso. Ela foi detida indevidamente.

— Há um mandato judicial. Ela não compareceu para depor. Ela está detida para isso.

— Nesse caso, não tem que dizer nada nem falar com ninguém. Apenas apresentar-se ao juiz.

— Eu quis falar com ela — declarou Alberto. — Queria ver se podia reconhecê-la. Não só a reconheci como ela também me identificou. Agora terá que contar direitinho todos os detalhes de como eles mataram toda a minha família.

Eleutéria olhou-o assustada:

— Eu não sei. Juro que não sabia que eles iam fazer isso.

— Mas concordou que Alberico acabasse com o menino. Não é verdade? — disse o delegado olhando-a nos olhos.

— Deixem-me em paz. Não vou dizer mais nada.

Marques ficou calado alguns segundos, depois disse com voz calma:

— Estamos todos aqui agora. A vítima, a culpada e os advogados. Vamos aproveitar este momento e tentar esclarecer melhor esse caso. Se ela confessar tudo e facilitar a ação da justiça, isso será levado em consideração. Sua pena pode ser aliviada. Como advogado dela, você sabe que não tem outro caminho. As provas são muito convincentes, e negar é impossível. Portanto, o melhor que tem a fazer é aconselhar sua cliente a contar toda a verdade e assumir sua parte da responsabilidade.

Eleutéria olhou para seu advogado, que considerou:

— Vocês me contaram uma história dizendo que eram inocentes. Estou vendo que não disseram a verdade. O delegado está certo. É melhor contar tudo. Eu prometo fazer o que puder para ajudá-la.

Eleutéria caiu em pranto e cobriu o rosto com as mãos.

— Eu não queria fazer isso. Eles me obrigaram. Parecia coisa simples, fácil. Eles fizeram tudo, trouxeram o corpo. Eu só consenti e simulei o acidente. Não fiz por mal.

Alberto sentiu o estômago enjoar e saiu da sala. Daniel conversou com o advogado dela, que pedia que concordassem em libertá-la até o julgamento. Como ela era primária, eles concordariam desde que ela assinasse uma confissão completa.

Maria Alice ligou para Josefa, que a atendeu prontamente. Depois dos cumprimentos, ela tornou:

— Lanira e Daniel me contaram que têm estado em sua casa. Estou precisando muito conversar com você. Poderia me receber?

— Claro. Minha casa está sempre aberta para você. Quer vir tomar chá comigo esta tarde?

— Hoje? Havia pensado em ir amanhã.

— Você tem algum compromisso hoje?

— Não.

— Então venha. Estarei esperando.

Ela desligou e olhou o relógio. Passava um pouco das duas, tinha tempo. Antônio desceu as escadas. Tinha tomado banho e recendia a lavanda. Estava muito bem vestido. Vendo-a, disse apressado:

— Que vida a minha. Não posso descansar em casa nunca.

— Vai sair?

— Telefonaram-me do escritório. Tenho que ir até lá. Há um assunto inadiável a resolver.

Maria Alice não respondeu. As palavras da carta anônima vieram-lhe à mente e ela sentiu um aperto no coração. Precisava fazer alguma coisa para não explodir. Sentia que não podia mais agüentar aquela situação.

Ele saiu e ela mandou o chofer tirar o carro, arrumou-se e foi a casa de Josefa. Sentia o peito oprimido, muita tristeza e certo constrangimento. Como seria recebida? Depois do que ela fizera, Josefa tinha todo o direito de tratá-la com frieza. Se isso acontecesse, voltaria para casa sem lhe dizer o motivo que a levara até lá.

Josefa recebeu-a com carinho. Abraçou-a como se sempre estivessem estado juntas, e essa atitude inesperada provocou forte emoção em Maria Alice. Acanhada, esforçou-se por controlar-se.

Sentadas no aconchego da sala, tendo à frente uma xícara de chá e alguns biscoitinhos delicados, Josefa confidenciou:

— Estou muito contente que tenha vindo ver-me. É minha única irmã e sempre admirei-a.

— Bondade sua. Reconheço que tenho sido preconceituosa com você, por causa da religião. Daniel e Lanira me contaram que têm vindo aqui e você os tem ajudado.

— Eles me procuraram. Você sabe que respeito suas crenças.

— Eu sei. De repente, senti vontade de conversar com alguém em quem pudesse confiar. Sinto-me rodeada de pessoas indiferentes e falsas. Estou passando por alguns problemas delicados. Não tinha a quem recorrer.

— Continue — pediu ela.

— Descobri que minha vida tem sido um engano. Que a sociedade é falsa e interesseira, que não há amizade nem amor de verdade.

— Você está muito amarga.

— Como não estar se tudo em que eu sempre acreditei não passava de uma mentira? Nesta fase de minha vida, meus filhos não precisam mais de mim, meu marido não é o homem que gostaria que fosse. Não tenho como continuar a viver. Estou me sentindo deprimida, exausta.

A voz de Maria Alice estava trêmula e as lágrimas que ela tentara conter rolaram por fim. Josefa apanhou um lenço e entregou-o à irmã sem dizer nada. Ela o apanhou e tentava enxugar os olhos, mas era inútil. As lágrimas brotavam em catadupas e ela estremecia de vez em quando sacudida pelos soluços.

Quando ela finalmente parou, Josefa ofereceu-lhe o chá dizendo com firmeza:

— Beba. Vai fazer-lhe bem.

Ela pegou a xícara com mãos trêmulas e bebeu alguns goles. Josefa continuou:

— Beba tudo.

Ela obedeceu e aos poucos foi se acalmando. Colocou a xícara na mesinha e disse:

— Desculpe. Não pretendia fazer uma cena. Estou descontrolada. Isso não costuma acontecer comigo.

— Não se critique. Você tem o direito de chorar suas desilusões, de jogar para fora as energias que a oprimem.

— Você tem razão. Eu me sentia oprimida, enganada. O que mais me maltrata é pensar em como pude me enganar tanto, como pude fazer de minha vida uma coisa inútil e sem graça.

— Não se culpe por nada. Todos nos enganamos. E toda ilusão traz sempre dor. A hora da verdade chega mais cedo ou mais tarde. Entretanto, eu penso que é melhor viver com a verdade do que com a mentira.

— A verdade pode ser pior do que a mentira. Para não admiti-la acabei mergulhando mais na falsidade e no jogo da aparência.

— O que você chama de verdade ainda é ilusão. Ilude-nos a vontade de que as pessoas que amamos sejam do jeito que gostaríamos. Ficamos esperando que elas se comportem como queremos, desejamos o que elas não têm para dar. Nesse jogo, não enxergamos o lado verdadeiro e perdemos até o que elas de fato poderiam nos oferecer.

— Em meu caso não é assim. Sei perfeitamente o que Antônio tem para me oferecer. E isso não está mais sendo suficiente. Depois de tantos anos de vida em comum, olho para ele e só vejo indiferença, desonestidade, futilidade, ânsia de poder, leviandade, falta de amor. Tenho vivido iludida pensando que só eu sabia que Antônio era desse jeito. Mas descobri que de nada adiantava manter as aparências, porque todos já sabem tanto quanto eu o quanto ele é mentiroso e falso.

— Não estará sendo muito dura com ele?

— Não. Ele faz promessas eleitorais que nunca pensou em cumprir, usa o poder para beneficiar seus interesses pessoais, fez de sua secretária uma amante com a qual desfila por toda parte, e nunca se interessou muito pelos filhos. Recebi uma carta anônima chamando minha atenção para a passividade que tenho demonstrado suportando essa situação.

— As pessoas apressam-se a julgar quando o problema não as afeta.

— Reconheço isso. Mas há muito perdi o entusiasmo de viver. Tenho me obrigado a fazer as coisas, sem prazer nem motivação. É como se minha alma estivesse morta. Isso me assusta. Tenho me sentido muito só. Há um vazio dentro de meu peito que nada consegue preencher.

Josefa segurou as mãos dela com carinho dizendo:

— Sua alma está mais viva do que nunca. Está chamando sua atenção para o que é verdadeiro e justo. Você está se tornando consciente da precariedade de certos valores aprendidos na sociedade. Está amadurecendo e percebendo que há sentimentos mais importantes e verdadeiros. Seu coração está se abrindo, você tem sede de verdade. As futilidades já não servem mais, você quer coisas que alimentem sua alma, que a façam restabelecer sua dignidade. Você quer ser íntegra e forte.

— De fato. É isso que sinto. Mas não é o que eu sou.

— Você é o que quer ser. Se não gosta de ser como tem sido até aqui, é só mudar. Você pode daqui para a frente ser como acha que deve. A escolha é sua.

— Você fala como se fosse fácil. Não é bem assim.

— Assim é que é. Escolha ser verdadeira, faça de sua vida um livro aberto. Encare seus medos e enfrente-os. Diga o que sente e não fique esperando a recompensa de ninguém. Lembre-se de que deseja satisfazer seu espírito. Não tolere em sua vida nada que a oprima. Valorize sua dignidade.

— Não posso sair por aí dizendo aos outros tudo o que penso deles.

— Não foi isso que eu disse. Aliás, dizer o que você pensa dos outros não vai melhorar sua vida. Deixe-os em paz. Cada um é responsável pelo próprio destino. Você não tem que cuidar da justiça do mundo. Deus sempre fez isso muito bem. Você tem que cuidar de você. Dar força a seus sentimentos. Não aceitar situações que a oprimem. Colocar-se e dizer o que a incomoda, sem culpa ou ressentimentos.

— Se eu fizer isso, ficarei sozinha. Todos me abandonarão.

— Engana-se. Os que vivem na mentira certamente se afastarão. Mas os que se identificarem com sua postura respeitarão sua dignidade, terão prazer em aproximar-se de você. E, nesse caso, vão oferecer sinceridade, amor, carinho, amizade. Eu nunca tive filhos, fiquei viúva, mas vivo rodeada de pessoas bondosas e sinceras que me estimam e me respeitam. Nunca me sinto só. Creia, Maria Alice, você só atrairá pessoas dignas em sua vida quando valorizar sua própria dignidade.

— Você diz coisas que nunca ouvi antes. Confesso que me assustam um pouco, mas ao mesmo tempo me fazem muito bem. Sinto como que se de repente houvesse uma esperança.

— Isso mesmo. Tenho certeza de que você ainda olhará a vida como ela realmente é. Uma grande oportunidade de aprender, de viver e de ser feliz.

— Felicidade é coisa que não conheço.

— Tenho certeza de que ela está aí, dentro de você. Chegará o dia em que a encontrará. É apenas uma questão de tempo.

As duas continuaram conversando e Maria Alice foi se sentindo cada vez melhor. A tarde foi findando, elas continuaram conversando entretidas e a penumbra do fim da tarde conspirava tornando aquele momento, para elas, mágico e inesquecível.

Capítulo 22

Daniel chegou eufórico ao escritório e procurou Rubinho:

— Passei no fórum antes de vir para cá. O juiz deu sentença favorável. Ganhamos a causa!

Rubinho deu um pulo da cadeira e gritou:

— Viva! Você leu a sentença?

— Li. Mandei tirar uma cópia para nós. Está aqui. O juiz reconheceu Alberto como sendo Marcelo Camargo de Melo, legítimo e único herdeiro dos bens de sua família, que deve passar para suas mãos imediatamente. Determinou a prisão de José Luís Camargo de Melo e pediu urgência no inquérito da polícia apurando as responsabilidades dos demais envolvidos bem como completa investigação nas mortes de Antônio Camargo de Melo, seu filho Cláudio e sua esposa Carolina.

Rubinho segurou o papel com mãos trêmulas. A emoção era grande. Aquela vitória representava muito para eles em todos os aspectos.

— Depois que cheguei do almoço, a imprensa ligou sem parar. Deve ter tomado conhecimento da sentença.

— Logo que cheguei lá percebi que algo havia acontecido. Alguns colegas estavam mais amáveis do que de costume.

— Estamos famosos agora. Eles vão querer se aproximar.

— Temos que falar com Alberto.

— Alberto morreu hoje. Agora só existe Marcelo. Precisamos nos acostumar.

— É verdade.

— Temos que preparar a documentação para que ele receba o que lhe pertence.

— Fazer um levantamento dos bens.

— Temos muito trabalho pela frente. Precisamos começar com o formal de partilha do Dr. Antônio Camargo e um levantamento dos bens do Dr. José Luís. Ele tem filhos e que são herdeiros legítimos de todos os bens que ele possui e que não vieram da fortuna do Dr. Camargo.

Daniel ficou pensativo por alguns instantes, depois disse:

— Faz mais de um mês que ele fugiu e até agora nenhuma notícia. Parece que foram tragados pela terra.

— O falsário pode ter fornecido nomes errados dos documentos que fez para ele. Mesmo entre os bandidos há certo código de honra a que eles obedecem e que serve de garantia para que nunca lhes falte serviço.

— Nos nomes que ele deu, foram compradas duas passagens aéreas para Roma naquela data. Mas até hoje elas nunca foram usadas. Se eram eles, não viajaram. Às vezes chego a pensar que morreram.

— Se isso tivesse acontecido, seria mais fácil encontrá-los. Eles devem estar bem escondidos.

— Vou ligar para Alberto, ou Marcelo. A primeira providência será requisitar os documentos de sua identidade.

— É o primeiro passo. Eu vou atrás do formal de partilha. Deve estar com José Luís.

— Fale com Gabriel e aproveite para dar-lhe a notícia.

— Essa é uma missão que não me agrada nada. Vamos ver como ele vai reagir.

— Ele sabia que seria assim. Para Laura será pior. Ela nunca aceitou os fatos. Vive revoltada. Se ao menos D. Maria Júlia aparecesse...

— Ela saberia contornar a situação e confortar os filhos. Apesar do que aconteceu, continuo achando que ela é mais uma vítima da maldade do marido.

Daniel ligou para Lanira e contou a novidade. Ela ficou silenciosa por alguns instantes. Ele perguntou:

— Você ouviu o que eu disse?

— Ouvi. Estou contente. Finalmente ganhamos, mas estou pensando em Laura e Gabriel.

— Eu também. Por isso estou ligando. Rubinho foi até lá em busca de alguns documentos que vamos precisar e vai contar a eles. Seria bom que você estivesse junto para dar uma força.

— Está bem.

Ela desligou e Maria Alice, que ouvira parte da conversa, perguntou:

— Saiu a sentença?

— Sim. Alberto foi reconhecido oficialmente como Marcelo.

— Finalmente! Daniel e Rubinho estavam certos! Venceram!

— Vou ver Gabriel e Laura.

— Quer que a acompanhe?

— Não, mãe. Eles podem se sentir constrangidos em sua presença.

Depois que Lanira saiu, Maria Alice sentou-se na sala pensando na cara que o marido faria quando soubesse. Ele sempre menosprezara os rapazes e agora teria que admitir que estava errado. Nunca admitia os próprios erros. Era pretensioso e fraco.

Três semanas haviam decorrido de sua primeira visita a Josefa, e Maria Alice sentia que mudara bastante. Chegara lá desesperada, pensando que não havia mais solução para sua vida, que dali para a frente só lhe restava a velhice, a solidão e a tristeza, e saíra completamente transformada.

Josefa fizera-a perceber que os fatos de sua vida que tanto a angustiavam eram resultado das escolhas que havia feito, das atitudes que tivera, e que, se as modificasse, tudo se transformaria.

A princípio Maria Alice não acreditara muito nessas afirmativas, porém as palavras dela não lhe saíam do pensamento. Uma vez em casa naquela noite, pensando e revendo seu passado, percebeu claramente como bloqueara seus sentimentos e havia se transformado naquela mulher fria, prisioneira das aparências.

Desde aquele dia, Maria Alice ia para a casa de Josefa logo após o almoço e ficavam conversando o resto da tarde. Ela colocava suas dúvidas e a irmã esclarecia-a de tal forma que ela se rendia.

Assim, aos poucos ela foi mudando sua maneira de ser. Já não sentia prazer em dar as festas e o marido reclamava que ela estava diferente, que não se interessava mais pelo sucesso político dele.

Tendo voltado para casa antes dela algumas vezes, ficava intrigado porque ela não lhe dizia aonde havia ido. Antes ele sabia todos os seus passos. A modista, o cabeleireiro, o dentista, as visitas às esposas dos amigos.

Se ele não tivesse confiança absoluta na honestidade dela, teria ficado preocupado com suas saídas. Além disso, sentia que sua mulher não era mais a mesma. Havia qualquer coisa em seu olhar que o incomodava, embora ela continuasse a tratá-lo com a atenção de sempre.

Confidenciou com Alícia:

— Não sei o que é, mas Maria Alice não é a mesma. Está diferente.

— Eu senti. Do jeito que ela falou comigo naquele dia... Fiquei com medo de que ela desconfiasse de alguma coisa.

Ele sorriu e considerou:

— Não é nada disso. Ela está diferente. Vive abraçada a Lanira... Nunca foi disso. Elas até saem juntas! Lanira está tão cordata com ela que até me assusta.

— Seja como for, é melhor tomarmos mais cuidado. Se seus filhos descobrem, eu sumo. Não vou suportar.

— Não seja boba. Nem fale uma coisa dessas. O que seria de minha vida sem você?

Maria Alice, no entanto, a cada dia que passava reconhecia o quanto havia se enganado todos aqueles anos. Josefa fizera-a compreender que cada pessoa é o que é e que não valia a pena atormentar-se pelas fraquezas e pelos erros dos outros.

Compreendia que não estava em suas mãos modificar o temperamento do marido. Só ele poderia fazer isso, se quisesse.

O que ela precisava decidir é se queria continuar vivendo ao lado dele dali para a frente. Maria Alice sabia perfeitamente o que podia esperar dele. Conhecia-o tão bem que sabia exatamente o que ele faria neste ou naquele caso.

Começava a pensar que tinha o direito de escolher como desejava viver. As atitudes dele incomodavam-na por serem contra seus princípios. Sua forma de fazer política era enganosa. Ele bajulava pessoas por interesse, e agora Maria Alice não se sentia mais disposta a fazer isso.

Queria viver de maneira mais simples, mais sincera, cultivar a amizade das pessoas que lhe eram simpáticas e com as quais se sentia bem. As futilidades, os comentários maldosos, até as fofocas de gente famosa eram-lhe desagradáveis.

Maria Alice descobrira que tinha dentro de si sentimentos elevados e sentira que eles a alimentavam. Não se contentava mais com as frases de conveniência. A troca de carinho com Josefa fizera-a perceber que os relacionamentos poderiam ser mais sinceros. Que havia pessoas boas, confiáveis, dignas, com as quais seria gratificante estreitar os laços de amizade.

Apesar de Josefa convidá-la para participar de uma sessão com os espíritos, ela ainda não tinha certeza se queria isso. O que ela sabia era que não dava mais para contemporizar com o marido.

Não se sentia com forças de tomar nenhuma decisão. Josefa aconselhara-a a deixar as coisas seguirem curso normal. É o que Maria Alice estava fazendo.

Aquela noite, quando o deputado chegou no fim da tarde, foi logo dizendo:

— Você viu os jornais? Este mundo está virado mesmo. Daniel ganhou aquela causa!

— Eu sei. Lanira foi até a casa de Gabriel e Laura confortá-los.

— Lanira? Como pode ser isso? Eles vão massacrá-la.

— Desde que José Luís fugiu levando Maria Júlia, eles estão inconsoláveis. Lanira os tem visitado.

Antônio sentou-se na poltrona da sala e passou a mão pelos cabelos:

— Nunca imaginei que eles pudessem conseguir.

— A mentira tem pernas curtas. A verdade sempre aparece.

Antônio olhou a esposa um pouco assustado. Alícia teria razão?

— Será mesmo que ele é culpado? Parecia tão boa pessoa!

— As aparências enganam. Pelo que sei, além de ladrão ele é assassino. Matou toda a família por causa do dinheiro.

— Você está exagerando. Não acredito nisso. Só porque ele desapareceu, agora todos os acusam.

— Bóris confessou tudo. Não sabia?

— Você parece muito bem informada. Por que nunca me disse?

— Não tive vontade.

— Antes sempre me contava tudo.

— Tem certeza?

Antônio olhou-a sério.

— Por que está dizendo isso? Você é minha esposa!

Maria Alice olhou-o nos olhos e disse com voz serena:

— Ainda sou, pelo menos no papel.

— Não entendo. Aliás você de alguns dias para cá está mudada. Está doente?

— Nunca estive tão bem. Agora estou voltando a meu natural.

— Não parece. Você sempre foi sensata, ponderada, interessada no bem de nossa família. Agora diz coisas sem nexo, não é mais a mesma, tenho impressão de que está me observando. Isso me incomoda. Além do mais, ainda na semana passada recusou-se a oferecer o jantar aos Andrade. Ele é meu braço direito com o eleitorado.

— Não gosto da conversa deles. Guilhermina tem a língua mais ferina e maldosa do Rio de Janeiro.

— Também não morro de amores por eles, mas preciso cultivar essa amizade. Ele tem grande contingente de votos.

Maria Alice olhou-o séria e disse com naturalidade:

— Se você cumprisse suas promessas eleitorais, não precisaria dele para nada. Teria muito mais votos do que ele pode lhe oferecer.

Antônio levantou-se irritado:

— O que é isso? Você está contra mim?

— Pelo contrário, estou a favor. Você foi eleito, mas nunca cumpriu nenhuma das promessas que fez. Se quer agir assim, é um problema seu, mas se precisa dos votos dos eleitores e deseja cumprir bem o mandato que lhe deram, o mínimo que precisa fazer é realizar o que prometeu.

— Não acredito que esteja me cobrando. Você, minha própria esposa. Como pode fazer isso comigo? Só pode estar doente.

— Estou muito bem. Só que cansei de fingir, de suportar pessoas desagradáveis, cujas idéias abomino, só para ser amável com você. Chega de mentiras de conveniência. Elas me tornaram deprimida e infeliz. Não quero mais isso para mim.

— Não posso crer em uma coisa dessas! Acho que deve marcar urgente uma consulta com o Dr. Edilberto.

— Talvez você precise de um psiquiatra mais do que eu. Você e aquela sua secretária de mentira.

— Alícia é uma excelente secretária. Não seja injusta com ela.

— Não pretendo me envolver mais em sua vida particular. Você é livre para escolher o próprio caminho. Corteje seus apaniguados como quiser, mas não conte mais comigo para isso. Dê suas festas em algum clube, leve sua secretária para ajudá-lo, mas em minha casa eles não pisam mais.

— Você está se precipitando. Aconteceu alguma coisa. Não pode ter mudado de repente dessa forma. Está propondo uma guerra e eu sou de paz.

— Engana-se. Estou trabalhando em favor da minha paz. É diferente. Enquanto você vive como gosta, eu me obrigava a representar um papel falso, sem dignidade nem prazer. Não pretendo obrigá-lo a pensar como eu nem a fazer o que eu faço. Viva como quiser. Mas estou decidida a fazer de minha vida alguma coisa melhor, e isso ninguém vai me impedir. Agora é melhor ir tomar seu banho, o jantar logo será servido.

Antônio iria responder, mas mudou de idéia. Subiu para tomar banho e por mais que tentasse não conseguia esquecer o que Maria Alice lhe dissera.

Quando Lanira chegou em casa de Gabriel, Rubinho já estava lá conversando com eles na sala. Vendo-a, Gabriel levantou-se para abraçá-la. Estava pálido e mais magro.

— Parece que está consumado — disse Gabriel tentando sorrir.

Laura olhou e não disse nada. Via-se que estava transtornada. Lanira apressou-se a abraçá-la, dizendo:

— Sinto por vocês.

— Isso mais dia ou menos dia teria que acontecer — disse Gabriel. — O que me preocupa é o desaparecimento deles.

— Você só pensa em mamãe. Eu ainda penso que papai é inocente. Está sendo vítima de uma cilada. Qualquer hora ele vai aparecer e provar que todos vocês estão errados.

Gabriel abraçou Laura e respondeu:

— Eu gostaria muito que isso fosse verdade. Mas não é. Nosso pai é culpado, infelizmente. Gostaria que nos explicasse, Rubinho, o que vai acontecer agora.

— Bem, preciso fazer um levantamento de todos os bens de sua família, bem como dos que receberam de herança do Dr. Camargo. Devo esclarecer que Marcelo só tem direito ao que seu avô deixou. Os bens que seu pai tinha antes disso são de vocês.

— Pelo que sei, ele não era rico — esclareceu Gabriel.

— Temos que avaliar tudo. Como seu pai está desaparecido, gostaria que você me ajudasse a encontrar esses documentos. Talvez estejam no escritório dele. Se encontrássemos o formal de partilha do Dr. Camargo, seria mais fácil.

— Não tenho idéia de onde meu pai guardava esses documentos. Podemos ir ao escritório.

Laura levantou-se:

— Acho muito errado você permitir que ele tenha acesso aos documentos de papai na ausência dele. Para isso ele precisaria ter um mandato.

— Acalme-se, Laura — tornou Rubinho. — Se vocês quiserem podem convidar outro advogado para cuidar de seus interesses e representá-los na justiça.

— Papai gostava do Dr. Eugênio. Vamos telefonar para ele.

— O Dr. Eugênio abandonou a causa, Laura. Eu prefiro que Rubinho e Daniel cuidem de tudo.

— Pois eu, não. Não quero que mexam nos documentos de papai. Vou procurar um advogado de minha confiança. Por causa de vocês estamos passando por tudo isso. Como pode acreditar neles, Gabriel?

— Nesse caso, é melhor esperar pela polícia — disse Rubinho. — Poderíamos fazer isso de forma mais amena, amigável... Sabem como é, a polícia vem com mandato e sempre age de forma mais dura.

— Laura, não seja criança. Os investigadores já olharam tudo e não encontraram nada importante. Procuravam pistas da fuga. Agora precisamos de documentos. Vamos juntos ao escritório ver o que existe lá. Não faremos nada sem que você saiba.

— Está bem. Vamos. Mas Rubinho não vai levar nenhum documento sem eu saber.

— Fique tranqüila. Não temos intenção de prejudicar vocês. Vamos cumprir a lei e fazer o que é de direito.

Foram ao escritório e começaram a procurar. Gabriel havia arrombado as gavetas da escrivaninha e elas ainda estavam abertas. Não encontraram nenhum documento importante nelas. Olharam nos armários e também não encontraram nada que os interessasse.

— Só falta o cofre, mas não sei o segredo — tornou Gabriel.

Rubinho pegou a maçaneta e ela girou. O cofre estava aberto e vazio. Estava claro que José Luís não deixara nenhum documento importante. Preparara cuidadosamente a fuga e tivera tempo de guardá-los em lugar seguro.

— Estão vendo? — tornou Laura triunfante. — Ele não tem nada que o comprometa. Até o cofre estava aberto.

— Ele levou o dinheiro e o que havia nele — disse Gabriel.

— Bem, procurem no quarto dele ou no resto da casa, mas penso que não vão encontrar nada.

— E agora? — indagou Gabriel.

— Teremos que procurar nos registros de imóveis. Vou procurar o Dr. Eugênio. Ele poderá nos informar sobre isso.

— Tenho estado preocupado com esta casa. Talvez tenha que entregá-la a Marcelo. Gostaria de ficar aqui mais algum tempo. Mamãe pode dar notícias. Se nos mudarmos, ela não saberá onde estamos.

— Não se preocupe, Gabriel. Nem sabemos se esta casa será arrolada. Mas, ainda que seja, vai demorar. As providências legais precisam de tempo para serem cumpridas.

— Marcelo está muito agradecido à sua mãe pelo que fez por ele. Tenho certeza que fará tudo para ajudá-los — disse Lanira.

— Vocês falam como se esse aventureiro fosse mesmo Marcelo.

Gabriel aproximou-se de Laura, colocou as mãos nos ombros dela e olhou-a nos olhos dizendo com voz firme:

— Laura, você precisa aceitar que papai é culpado. Sei que é difícil para você, que a imagem que tinha de nossos pais ruiu. Mas não querer enxergar a verdade pode machucá-la ainda mais. Nunca contamos a você, mas mamãe confessou tudo. Contou-me detalhes de como ela salvou a vida de Marcelo e levou-o à Inglaterra sustentando-o sem ninguém saber.

— Se isso que diz for verdade, ela sabia e ficou calada. É tão culpada quanto ele.

— Ela foi ameaçada, teve medo. Nunca notou o quanto Bóris mandava nesta casa?

Laura não respondeu, seus olhos encheram-se de lágrimas. Gabriel abraçou-a com força e continuou:

— Temos que encontrar mamãe. Estou certo de que ela corre perigo.

Gabriel tirou do bolso um envelope, abriu-o, apanhou o papel que Maria Júlia havia deixado para ele no dia da fuga e mostrou-o à irmã.

Ela o leu e abraçou-se novamente ao irmão dizendo aflita:

— E agora, Gabriel, o que será de nós?

— Aconteça o que acontecer, estaremos juntos. Somos jovens, podemos trabalhar, refazer nossas vidas de maneira clara, limpa.

— Que vergonha! Todos os nossos amigos vão nos desprezar!

— Nós não fizemos nada. Não somos responsáveis pelo que papai fez. Aqueles que não souberem separar as coisas não merecem nossa amizade. Agora, Laura, é que vamos conhecer quem são nossos verdadeiros amigos.

Laura olhou para Lanira, cujos olhos estavam cheios de lágrimas, e disse:

— Desculpe, Lanira. Você não nos abandonou.

— Nem abandonarei. Podem contar comigo. Ficarei ao lado de vocês para o que for preciso.

— Tenho que ir agora — disse Rubinho. — Passarei na delegacia e informarei o Dr. Marques que não encontramos os documentos aqui. Pode ser que ainda assim ele mande alguém vistoriar. Quero ver se evito isso.

— Obrigado, Rubinho. Aproveite para perguntar-lhe se apareceu alguma pista.

— Jonas está trabalhando direto no caso. Ele vai encontrá-los.

— É isso que me importa. Se alguma coisa acontecer com mamãe, nunca me perdoarei.

— Você não teve culpa de nada.

— Ele se aproveitou de minha ausência. Eu deveria ter ficado ao lado dela o tempo todo. Nunca deveria tê-la deixado só.

Rubinho estendeu a mão a Gabriel dizendo:

— Se souber de alguma novidade, telefono. Acalme-se. Desse jeito vai acabar doente.

— Também acho. Vou ficar aqui e tomar conta desses dois de verdade. Vai ver que nem comeram — tornou Lanira.

— Não tenho fome — justificou-se Laura.

— Com fome ou sem fome, vocês precisam alimentar-se. Vou providenciar alguma coisa e vocês terão que comer.

Gabriel olhou para Lanira e havia tanta ternura em seus olhos que ele estremeceu. Naqueles dias Gabriel evitara falar de seus sentimentos com relação a ela. Nunca mais tocara no assunto.

Por outro lado, Alberto telefonava para ela diariamente convidando-a para sair. Ao lado dele, Lanira sentia-se bem. Aos poucos ele foi ficando mais à vontade e perdeu aquela reserva que lhe era peculiar.

Quando a sós com ela, tornava-se alegre, comunicativo, delicado, mostrando-se muito diferente do Alberto que ela conhecera no escritório de Daniel. Aos poucos Lanira foi percebendo o lado romântico e afetivo que ele procurava esconder quando estava com outras pessoas. Às vezes, ela ficava pensando como ele seria se aquela tragédia não houvesse amargurado sua vida.

Percebia que a cada dia ele parecia mais interessado nela. Sentiu vontade de posicionar-se, evitar o namoro. Mas ao mesmo tempo a presença dele a seu lado a atraía. Se o empurrasse para longe, tinha certeza de que ele a deixaria. Não queria que isso acontecesse.

A tragédia de sua vida tornara-o desconfiado e fechado. Sentia que ela era a única pessoa com a qual ele começava a mostrar-se mais confiante e aberto. Recusar seu afeto levá-lo-ia de volta às antigas atitudes que o tornariam solitário e infeliz.

Lanira estava confusa. De um lado estava Gabriel, vivendo um drama familiar. Sabia que ele não falara mais em seus sentimentos por causa da situação. Sentia vergonha por não poder oferecer-lhe um nome limpo, nem boas condições financeiras.

Ele tinha alma nobre, e, embora houvesse se calado, Lanira sentia que a cada dia mais e mais ele a amava. A maneira como a olhava, o jeito como lhe falava eram mais convincentes do que as palavras.

Ela gostava muito dele. Mas não sabia até que ponto. Era um misto de ternura e vontade de confortá-lo. Impressionava-a o amor que ele sentia pela mãe e a maneira correta e corajosa como estava enfrentando tudo.

Com Alberto, era uma espécie de desafio. Sua personalidade a atraía fortemente. Quando ele fazia alguma narrativa, ela ficava encantada, presa às suas palavras, às expressões de seu rosto, às emoções que se refletiam nele quando se entusiasmava.

Ele a beijara algumas vezes desejando maior intimidade, mas Lanira esquivara-se delicadamente. Temia deixar-se arrastar pelas emoções e confundir ainda mais seus sentimentos.

Acontecera com Gabriel, não se arrependia. Fora boa experiência. Mas com Alberto tinha medo de envolver-se. Não se sentia com forças de tomar nenhuma decisão. Se tivesse que escolher entre os dois, não saberia o que fazer. Precisava deixar o tempo passar para descobrir.

Rubinho chegou à delegacia e colocou o delegado a par de sua diligência.

— Ele teve tempo de esconder tudo tentando retardar a ação da justiça — disse Marques. — Não vai conseguir. Eleutéria teve a prisão decretada. Para encerrar o inquérito policial falta apenas a acareação que faremos com ela e Bóris, depois do depoimento de Pola, a amante dele, que foi intimada. Ela virá hoje à tarde e pretendo apertá-la dizendo que eles já confessaram sua participação.

— Gostaria de assistir.

— Pode ficar ouvindo na outra sala. Não quero que ela o veja.

Um policial avisou que Alberto havia chegado e pedia para falar-lhes.

— Mande-o entrar. É bom que ele fique com Daniel e ouça também o interrogatório.

Depois dos cumprimentos, Alberto e Daniel foram para o lugar indicado, onde já havia um operador e um policial para gravarem tudo. Dentro de alguns instantes teve início a conversa entre o delegado e Pola. Ele alegou que não adiantava ela negar, porque Bóris já havia confessado.

— Não pode ser. Ele não poderia ter dito uma mentira.

— Ele afirmou que quem depositava o dinheiro todos os meses na conta de Eleutéria era você.

— Não nego isso. Mas eu não sabia a verdade. Ele me dizia que era uma mesada que seu patrão mandava para a ex-empregada porque ela lhe prestara grandes serviços. Eu acreditei.

— Você se tornou cúmplice nos crimes que eles cometeram.

— Eu juro que não sabia de nada. Ele me pedia dizendo que não tinha tempo de ir ao banco, e eu ia. Não tenho nada a ver com essa história que aconteceu antes que eu conhecesse Bóris.

— Há quanto tempo tem relações com ele?

— Quinze anos.

— Em suas declarações, ele disse que você era sua confidente.

— Ele me contou algumas coisas da guerra, mas nunca falou dos negócios de seu patrão.

Bateram na porta e a uma ordem do delegado Jonas entrou:

— Essa mulher está mentindo — disse com voz firme.

— Não estou. Juro que estou dizendo a verdade.

— Você estava com Bóris na Itália quando os pais de Marcelo morreram naquele acidente de barco. Ou melhor, Bóris hospedou-se no mesmo hotel em que eles estavam e você foi para lá alguns dias antes e empregou-se como arrumadeira.

Pola empalideceu e começou a tremer. Jonas continuou:

— Não adianta negar. Descobrimos tudo. É melhor contar como foi que planejaram a morte do casal. Quem foi que preparou a lancha para que ela explodisse?

Pola cerrou os lábios e olhando-os com raiva disse:

— Podem falar o que quiserem. Não direi nenhuma palavra.

A partir dali, ela não respondeu a nenhuma pergunta. Marques mandou que a levassem detida, colocando-a em uma sala fechada.

Daniel e Alberto procuraram pelos outros dois:

— Essa história que você contou é verdadeira? — perguntou Daniel a Jonas.

— É. Há algum tempo fizemos contato com a polícia italiana pedindo informações sobre esse acidente. Mandamos fotos de José Luís, Maria Júlia, Bóris e Pola. Descobrimos que, quando o acidente ocorreu, Pola era arrumadeira no hotel em que Cláudio e Carolina estavam hospedados. Era encarregada da arrumação dos aposentos deles. Foi ela quem ajudou a arrumar todos os pertences dos dois para serem enviados aos familiares no Brasil.

— É muita coincidência! — interveio Alberto admirado.

— É mais do que coincidência. É prova de que o acidente foi provocado — tornou Daniel.

— Ainda há mais! O casal era muito estimado pelos donos do hotel. Iam para lá quase todos os anos e mantinham relações de amizade com o casal de proprietários. A comida era planejada pela esposa do dono e quando recebiam esses hóspedes, ela fazia os pratos de que eles gostavam. Acabava recebendo carinho e presente deles. Trocavam cartas e até telefonemas quando eles estavam no Brasil. Foi o dono do hotel que, procurado pela polícia internacional e colocado a par do que estava acontecendo aqui, reconheceu o retrato de Pola, embora agora ela esteja mais velha. Ele declarou que sempre suspeitara que aquele acidente fora provocado.

— Ele disse isso à polícia na ocasião? — perguntou o delegado.

— Disse. A lancha era do hotel e estava sempre muito bem cuidada. Ele aventou a hipótese de uma bomba, mas os peritos não descobriram nada que comprovasse isso.

— Se não foi bomba, o que poderia ter sido? — indagou Alberto.

— Estive conversando com um mecânico especializado em lanchas a motor e ele me disse que se eles fizessem uma ligação elétrica em curto que se comunicasse com o tanque de gasolina, ao ligar o motor ele explodiria. Foi o que eles fizeram.

— Depois de tanto tempo será difícil provar isso na justiça. — disse o delegado.

— O dono do hotel reconheceu o retrato de Bóris, dizendo que ele se hospedara no hotel um dia antes do acidente. Ele se lembrava porque Cláudio o convidara para jantar em sua mesa naquela noite apresentando-o como empregado de seu primo que cuidava de seus negócios no Brasil.

— Naquele tempo meu avô já havia morrido e eles cuidavam mesmo dos negócios da família.

— Não resta dúvida de que eles planejaram tudo. Mataram todos da família — concluiu o delegado.

— Obtive o atestado de óbito do Dr. Camargo — prosseguiu Jonas. — A *causa mortis* foi parada cardíaca. Quem assinou foi José Luís.

— Estamos diante de assassinos perigosos — comentou o delegado.

— Precisamos encontrá-lo — disse Alberto. — Precisa responder por esses crimes na justiça. Não pode ficar solto.

— Infelizmente ainda não temos nenhuma pista. Eles desapareceram. Vou continuar procurando. Para mim é um caso de consciência.

— O que vai fazer para Pola confessar? — indagou Daniel.

— O de sempre. Não deixá-la dormir nem descansar. Interrogar mil vezes, pressioná-la até que seus nervos não suportem mais. Estou certo de que ela sabe de tudo. Está querendo salvar a pele, mas está na lama até o pescoço.

— Isso mesmo. Ela vai acabar contando tudo. Agora temos que ir. Se tiverem alguma novidade, telefonem — disse Daniel despedindo-se.

Eles saíram. Daniel estava com pressa. Iria passar no escritório rapidamente e ir para casa. Havia combinado encontrar-se com Lídia às sete e meia. Iriam assistir a uma sessão em casa de tia Josefa.

Capítulo 23

Alguns minutos antes das oito horas, Daniel e Lídia chegaram a casa de Josefa. Depois de abraçá-la eles foram para a sala de reuniões. Surpreendido, Daniel viu que lá estavam Lanira, Laura, Gabriel e Alberto. Eles haviam se encontrado durante o dia e ninguém comentara a intenção de ir até lá.

Laura, abatida, olhava um pouco assustada para os outros participantes sentados ao redor da mesa e nas outras cadeiras da sala. Nunca havia ido a uma sessão espírita. Gabriel costumava conversar com a mãe dizendo que via coisas, mas ela nunca se detivera para pensar nisso. Não acreditava.

Tanto seu irmão e Lanira insistiram que ela concordara em ir até lá. Gabriel dissera-lhe que os espíritos viam tudo quanto acontece na Terra e poderiam, se quisessem, dizer onde seus pais estavam.

Assim que chegaram, depois de apresentá-la a Josefa, Gabriel pediu ajuda para descobrir o paradeiro dos pais. Queria saber se sua mãe estava bem. Ao que a dona da casa respondeu:

— Vamos pedir com fé e confiança e ver o que conseguimos.

— Eles dirão onde meus pais estão? — indagou Laura.

— Só se tiverem permissão de seus superiores.

— E se eles não quiserem dar? — insistiu Laura, pensando que essa resposta seria uma desculpa caso a informação fracassasse.

Josefa olhou-a nos olhos com firmeza e respondeu:

— Tudo no universo funciona obedecendo à ordem divina. Cada acontecimento tem sua razão de ser. Por isso, para interferir nesse processo eles precisam de permissão de quem conhece mais do que eles, para não atrapalhar o andamento das coisas. Nem sempre o que nós desejamos é o melhor para nós e para os outros envolvidos. A vida é mais sábia do que vocês podem imaginar. Tem seus próprios caminhos, mais perfeitos e adequados do que os nossos. Aceitar os fatos que não podemos mudar é prudente e sábio.

Laura calou-se e eles foram conduzidos à sala. Quando Alberto chegou, Laura fez menção de levantar-se. Gabriel segurou seu braço dizendo baixinho:

— Sente-se e fique quieta.

— Não sabia que esse aventureiro viria. Vou embora. Não posso ficar na mesma sala que ele.

— Acalme-se. Está sendo injusta. Ele é que poderia não querer ficar conosco aqui. Afinal foi o maior prejudicado. Se ele fica aqui apesar de nós, você também pode ficar.

Laura mordeu os lábios e não respondeu. Seria mesmo verdade tudo aquilo? Seu pai teria feito tantas maldades? Se ao menos ela pudesse ter certeza!

Tentou dominar a angústia. Sentia vontade de sair correndo dali, de gritar seu desapontamento, sua desilusão. Mas controlou-se. Não podia fraquejar diante de estranhos e principalmente diante de seus inimigos. Apertou a boca com mais força quando viu Daniel entrar com Lídia. Sentiu-se acusada. Procurou não demonstrar. Eles não iriam ter o prazer de vê-la sofrer.

Josefa sentou-se à cabeceira da mesa, fez pequena prece, apanhou um livro e pediu a Laura que o abrisse ao acaso. Ela obedeceu e devolveu-o a Josefa, que leu:

— A fé remove montanhas.

Após ler o pequeno trecho do livro, Josefa falou sobre a fé, dizendo que ela é a força que alimenta o espírito. Que se juntarmos a fé em Deus à sinceridade e pureza de nossa alma, removeremos todos os obstáculos para nosso progresso e felicidade. Porém a fé só age com toda a sua força em nós quando estamos voltados à verdade e ao bem. Os conceitos da verdade e do bem são relativos ao entendimento de cada um, contudo a verdade é absoluta e o bem é o bem. Ambos independem de nosso relativismo, que ainda pode estar cheio de enganosas ilusões. Para destruí-las, a vida cria desafios para que a consciência descubra os valores eternos do espírito. Quando chegamos a esse ponto é que a fé e o bem possuem a força irresistível que transporta montanhas.

As luzes apagaram-se, ficando acesa apenas pequena lâmpada azul. Uma médium começou a falar:

— Finalmente encontramo-nos. Tenho procurado falar com você, mas nunca me deu atenção. Esqueceu nosso trato. Preciso que me ajude! Eles pensam que estou morta, mas é mentira. Tenho gritado que estou viva, mas parece que não me ouvem.

— Você está viva — disse Josefa —, mas seu corpo morreu.

— Não acredito. Como pode ser isso? Eu sou a mesma. Por que não me entendem?

— A vida continua depois da morte do corpo. Você morreu, mas seu espírito vive.

— Não pode ser verdade! Laura, fale comigo, diga que aquele acidente não me matou. Eu estou viva!

Laura estremeceu enquanto seu coração se descompassava. Sentiu arrepios pelo corpo enquanto em sua mente aparecia o rosto de sua colega de colégio morta em um acidente de carro dois anos antes.

Assustada, segurou a mão de Lanira, que estava a seu lado apertando-a com força. Vendo sua aflição, Lanira sussurrou a seu ouvido:

— Calma, Laura. Está tudo sob controle. Não tenha medo.

A médium continuava:

— Sou jovem, quero viver! Por que tudo aconteceu comigo?

— Vamos orar em favor dela — pediu Josefa aos presentes.

Aos poucos a médium diminuiu os soluços e por fim disse:

— Agora estou percebendo o que me aconteceu. Sinto-me melhor. O pesadelo acabou. Obrigado, Laura, por ter me trazido aqui.

— Vá em paz. Deus a ilumine — disse Josefa.

O silêncio se fez. Pouco depois outra médium começou a falar sobre os desafios da vida que promove a renovação espiritual de cada um, colocando-os frente a frente com suas necessidades de progresso. Por fim, ressaltou a importância da fé e da confiança em Deus. Quando ela se calou, Josefa fez ligeira prece de agradecimento e encerrou a reunião.

Quando a luz acendeu, Josefa aproximou-se de Laura oferecendo-lhe um pouco de água, dizendo:

— Beba.

Laura obedeceu e depois perguntou:

— Mencionaram meu nome. Estavam falando comigo?

— Sim.

— Como pode ser se a pessoa que falava nem me conhecia? Como sabia meu nome?

— O médium não a conhecia, mas o espírito que se comunicou por meio dele estava com você. Trata-se de uma jovem de estatura média, cabelos castanhos lisos, pele clara e olhos cor de mel. Morreu em um acidente. Vocês eram muito amigas tempos atrás.

— Milena! Minha colega de ginásio. Morreu há mais de dois anos em um desastre de carro. Ela era como você disse. É extraordinário!

— Ela disse que vocês tinham um trato. Lembra-se?

— Lembro. Fizemos um pacto de amizade. Estaríamos sempre em contato. Fiquei muito chocada com a morte dela. Apesar da promessa, fui a seu túmulo só no dia do sepultamento, depois nunca mais voltei. Será que foi por isso que ela disse que não cumpri nosso trato?

— Não. Ela se encontrava em estado de semiconsciência. Nem sequer sabia que havia morrido.

— Como pode acontecer isso?

— Resistência às mudanças. Medo de perceber a verdade. Falta de conhecimento sobre a vida após a morte. É comum acontecer com pessoas muito apegadas à vida na Terra, aos familiares e aos bens que deixaram.

— Ela disse que eu a trouxe aqui. Como?

— Apesar de perturbada, ela percebeu que precisava de ajuda. Procurou a família mas ninguém a ouvia. Você era a amiga e confidente, ficou de seu lado tentando falar-lhe. Hoje, aqui, pôde ser esclarecida. Os amigos espirituais aproximaram-na de um médium, e, ao ser envolvida pela energia dele, ela se sentiu como se ainda estivesse no corpo de carne. Pôde falar através dele e ser ouvida. Nesses momentos, reassumiu a lucidez e pôde compreender melhor o que lhe aconteceu.

— E agora, o que acontecerá a ela?

— Ficará sob a proteção e orientação dos bons espíritos, que a levarão para o lugar apropriado.

— Ela não ficará mais a meu lado?

— No momento, não. Se um dia estiver bem, poderá visitá-la.

— Preferia que não. Senti medo.

Josefa sorriu levemente.

— Ela gosta de você. Nunca lhe fará mal.

— Eu sei. Mas prefiro que ela não venha. Sofri muito por causa do acidente dela. Tive pesadelos em que a via ensangüentada pedindo ajuda. Um horror! Sempre que pegava o carro, lembrava-me do acidente e tinha medo de dirigir.

— Você ficou impressionada, mas agora isso vai passar. A presença dela a seu lado provocava essas emoções e os pesadelos. Ela passava para você toda a angústia e o medo que sentia. Tenho certeza de que essas impressões vão desaparecer.

— Ainda bem.

Gabriel interveio:

— Eles não disseram nada sobre nosso caso.

— Não diretamente — respondeu Josefa. — Mas o tempo todo pediram que tivessem fé e continuassem orando. Eles estão ajudando. Vamos aguardar mais um pouco.

Alberto aproximara-se de Daniel e Lídia. De vez em quando olhava para Lanira sem coragem de se aproximar, uma vez que ela fora com Gabriel. Daniel despediu-se e saiu com Lídia. Alberto os seguiu.

— Gostaria de falar com Lanira, mas ela está com Gabriel. Talvez não seja oportuno — comentou ele quando chegaram à rua.

Lídia sorriu dizendo:

— Pelo jeito você está com ciúme.

— Talvez — reconheceu ele. Depois, vendo que Daniel olhava-o sério, completou: — Gostaria de falar com você sobre Lanira. Temos saído algumas vezes como amigos, mas confesso que ela me atrai muito.

— Lanira é muito jovem. É cedo para pensar nisso — respondeu ele.

— Agora é você quem está com ciúme — brincou Lídia. — Lanira é mulher feita e sabe o que quer.

— Nunca se interessou por ninguém — disse Daniel querendo encerrar o assunto, que o desagradava. — Até hoje não quis namorar firme.

— Eu sei — concordou Alberto. — Compreendo sua intenção de protegê-la. Mas eu garanto que minhas intenções são sérias. Gostaria que soubesse que estou disposto a conquistá-la, e se ela me quiser serei muito feliz.

Daniel fez ligeiro aceno com a cabeça e em seguida despediu-se de Alberto. Assim que se afastaram, Lídia foi direto ao assunto:

— Você não foi muito amável com Alberto.

— Como cliente eu o suporto, mas não o quero na família.

— Por quê? Parece-me um bom rapaz. Sua atitude com você foi correta.

— Por que o defende? Estará do lado dele?

Lídia olhou-o surpreendida. Daniel nunca usara esse tom áspero com ela antes.

— Desculpe, não quis me envolver em assuntos que não me dizem respeito.

Daniel pegou a mão dela e beijou-a, dizendo triste:

— Sou eu quem deve pedir desculpas. Fui grosseiro. É que não gostaria que Alberto namorasse Lanira. Isso me incomoda, deixa-me nervoso.

— Vamos esquecer o assunto. Afinal eu não deveria ter dito nada.

Gabriel, Lanira e Laura ficaram algum tempo conversando com Josefa. Laura estava se sentindo muito melhor. A desconfiança desaparecera e dera lugar à curiosidade.

Gabriel não queria estar ausente de casa durante muito tempo.

— Temos que ir. Tenho esperança de que mamãe telefone.

Despediram-se combinando voltar na semana seguinte. Levaram Lanira para casa e no caminho de volta Laura crivou o irmão de perguntas sobre as experiências dele. Descobriu que Gabriel vira o espírito do Dr. Camargo, entre outros.

— Eu não quero ver nada. Tenho medo.

— Essas coisas não acontecem por vontade nossa.

— Deus me livre! Não quero nada com almas dos mortos.

Gabriel riu e considerou:

— Você não queria, mas Milena estava a seu lado. Você acha que não querendo é o suficiente para não acontecer. Engana-se. Eles aparecem quando podem ou querem e você não tem como evitar.

— E se ela me aparecer?

— Ela foi embora, não vai acontecer. Pois eu queria muito que o espírito do Dr. Camargo viesse para me dar notícias de mamãe. Não tenho medo nenhum, ficarei até muito agradecido.

Uma vez em casa, cada um foi para seu quarto. Antes de dormir, Gabriel rogou a Deus que o ajudasse. Deitou-se e dormiu. Sonhou que alguém o perseguia, querendo matá-lo. Correu tentando esconder-se, tentou acordar mas não conseguiu mexer o corpo.

Apavorado viu o vulto escuro do perseguidor entrar em seu quarto, quis gritar mas a voz não saiu. Em pensamento rezou pedindo ajuda de Jesus. Imediatamente apareceu no quarto uma luz clara e em seguida o Dr. Camargo entrou. Seus olhos brilhavam como faróis acesos. Vendo-o, o vulto escuro encolheu-se a um canto enquanto a um gesto do Dr. Camargo duas pessoas que estavam atrás dele aproximaram-se do vulto, seguraram-no e levaram-no.

Gabriel respirou aliviado. O Dr. Camargo aproximou-se dele e colocou a mão sobre sua testa, dizendo:

— Tudo está bem agora. Continue orando com fé. Nós estamos ajudando vocês.

Ansioso, Gabriel pensou na mãe, e antes que formulasse qualquer pergunta o espírito disse:

— Ela está protegida. Confie.

Ele desapareceu e Gabriel finalmente conseguiu mexer o corpo. Levantou-se de um salto. Seu corpo estava coberto de suor. Foi à copa, tomou um copo de água e respirou fundo.

Tinha certeza de que fora mesmo o Dr. Camargo que estivera ali. Ele lhe disse que sua mãe estava protegida. Respirou aliviado. Naquele momento sentiu que nada de mal aconteceria a ela. Comovido, levou seu pensamento a Deus em agradecimento.

No dia seguinte logo cedo ligou para Lanira e contou-lhe o sonho e finalizou:

— Sinto-me aliviado. Tenho certeza de que nada de mal acontecerá com mamãe.

— Ele poderia ter dito onde eles estavam.

— Não creio. Ajudar de fato é difícil. Depois, a vida tem seus próprios meios. Eles sabem que intervir em muitos casos pode piorar o processo. Por isso só o fazem quando têm permissão dos superiores. Mas ele nos garantiu ajuda e proteção. Para mim é suficiente.

— Você tem fé.

— Tenho. Sabe, Lanira, a presença dos espíritos bons em minha vida tem sido constante. Sei que a proteção deles é preciosa. Agradeço a Deus poder tê-los do nosso lado agora. A presença do Dr. Camargo trouxe-me alívio e esperança.

— Gostaria de ser como você. Eu acredito, mas não com essa força. E Laura, está mais calma?

— Sim. Acordou menos abatida. Ainda está maravilhada com a comunicação de Milena. Não fala em outra coisa.

— É natural. Está descobrindo a vida após a morte.

— Ela sempre foi indiferente a qualquer crença.

Eles continuaram conversando durante algum tempo mais. Maria Alice passou pelo corredor e ouviu algumas palavras. Quando Lanira desligou o telefone, ela entrou no quarto perguntando:

— Era Gabriel?

— Sim. Você acredita que o espírito do Dr. Camargo está ajudando Gabriel?

— Não diga! Será? Como é que você sabe disso?

Lanira pediu à mãe que se sentasse a seu lado e contou-lhe os fatos da noite anterior, o sonho de Gabriel. Quando finalizou, Maria Alice disse:

— Estou toda arrepiada! Que coisa! Será que a pessoa que falou como se fosse Milena não estava fingindo?

— De forma alguma. Por que faria isso? Depois, nenhum dos amigos de tia Josefa que freqüenta as sessões conhecia Laura e muito menos Milena. Como poderiam falar de coisas que só Laura e ela sabiam? Era a primeira vez que Laura ia lá.

— É inacreditável! Eu me recordo quando Milena morreu. Conheci-a. Era uma bonita moça. Você se lembra dela?

— Vagamente. Mas Laura garante que ela era mesmo como a tia descreveu.

— Josefa sempre disse que via espíritos. Nunca acreditei. Mas agora...

— Ela vê mesmo, mãe. Acha que ela conheceu Milena?

— Não. Josefa não gostava de freqüentar a casa de nossos amigos. Sempre foi avessa às formalidades. Estava sempre às voltas com pessoas que não eram de nosso círculo. Minha mãe ficava muito irritada com ela. Não creio que ela a houvesse conhecido. Quando ela se casou, Milena nem havia nascido. Aí ela se afastou mesmo de todos nós.

— Se ela não a conheceu em vida e a descreveu a Laura, só pode tê-la visto agora, como espírito. Não acha?

— Isso é o que está me intrigando. Será que Josefa vê os espíritos mesmo?

— Não tenho nenhuma dúvida, mãe. Muitas vezes depois das sessões ela descreve alguns espíritos para as pessoas dando o recado que eles pediram.

— É incrível. Não sei o que pensar.

Lanira sorriu e respondeu:

— Pois não pense. Vá assistir a uma sessão e certifique-se.

— Talvez vá. Ultimamente tenho pensado muito. Até agora tenho levado uma vida fútil e sem prazer. Estou procurando alguma coisa nova que me estimule a viver. Ando cansada da falsidade das pessoas, dos jogos que elas fazem para obter o que querem, das mentiras e da desonestidade. Resolvi não participar mais desse jogo sujo. Quero mudar.

Lanira abraçou a mãe dizendo séria:

— Ainda bem que entendeu. Há muito que sinto a mesma coisa. Tia Josefa é a pessoa certa para você conseguir o que deseja. Por que não a procura?

— É o que tenho feito nas últimas semanas. Ela tem sido muito bondosa comigo. Depois de nossas atitudes grosseiras nos afastando dela, recebeu-me e tem me tratado como se eu sempre a tivesse respeitado como deveria.

— Ela é uma pessoa maravilhosa. Por isso você tem estado tão mudada. Está mais viva, mais interessada, perdeu aquele ar de indiferença, humanizou-se. Fico feliz por você.

Maria Alice olhou-a nos olhos e disse séria:

— Essa mudança tem um preço. Eu espero que você e Daniel não se aborreçam comigo por causa disso.

— Nós? Por quê?

— Olhar a verdade nem sempre é agradável. Você descobre coisas e, depois disso, não suporta mais viver enganada.

— Está falando da carta anônima?

— Estou falando de minha vida afetiva. Há muito que ela foi sufocada. Olhar a verdade pode trazer à tona coisas que podem mudar minha vida radicalmente.

— Você tem o direito de escolher como deseja viver. Nós não temos nada com isso. Pensa em separar-se de papai?

— Não pensei nisso ainda. Por enquanto estou querendo descobrir meus verdadeiros sentimentos. Às vezes sinto medo do que irei encontrar.

— Sei como é isso. De certa forma estou na mesma situação. Entre Alberto e Gabriel, não sei ainda de qual eu gosto mais. Nesse caso, mãe, acho que nós precisamos esperar um pouco mais para que a situação se esclareça.

— Tem razão, minha filha. Vamos esperar. Quando é que será a próxima sessão de Josefa?

— Na terça que vem.

— Acho que irei com você.

As duas continuaram conversando animadamente. Antônio, que naquela manhã ficara em casa para estudar melhor um discurso que pretendia fazer logo mais à tarde, passou pelo corredor, pela porta entreaberta viu as duas conversando animadamente e pensou:

"O que estaria acontecendo com Maria Alice? As duas nunca trocavam mais do que algumas palavras. Agora ficam horas conversando. Ela tem estado intratável ultimamente. Era tão cooperativa! Alícia falou em menopausa. Será? As mulheres são tão cheias de complicações! Precisava insistir para que ela fosse ao médico. Talvez com um pouco de hormônios ela voltasse a ser como antes."

Resolveria depois. Não podia desviar a atenção de seu discurso. Era muito importante. Estaria falando para técnicos, teria que mostrar conhecimento e erudição. Felizmente Alícia fizera uma boa pesquisa do tema.

Alícia! Entrara em sua vida e tomara conta de tudo! A seu lado sentia-se seguro, forte, capaz! O seminário seria na Argentina. Depois da abertura e de seu discurso, estaria livre. Não se importava de perder os debates. Como representante do Brasil, participaria das solenidades de abertura, faria seu discurso no primeiro dia e só apareceria novamente três dias depois, no encerramento.

Depois de sua fala, daria muitas entrevistas para que os jornais se ocupassem de sua participação no evento. Garantiria assim seu prestígio no Brasil. Dessa forma, ficaria com alguns dias livres para passear com Alícia. Pretendia levá-la a uma casa de tangos, dançar um pouco e ver os shows. A viagem estava marcada para a tarde do dia seguinte. Não tinha muito tempo para se preparar. Fechou-se no escritório decidido a estudar.

Na tarde do dia seguinte, quando Antônio já com as malas prontas procurou Maria Alice para despedir-se, encontrou-a lendo no quarto. Aproximou-se dizendo:

— Vim despedir-me. Está na hora.

Maria Alice levantou os olhos do livro e disse com naturalidade:

— Boa viagem.

— Você parece aborrecida por eu ter que viajar.

— Engano seu. Já estou acostumada.

— Você sabe que não vou por prazer. Estou cansado dessas viagens. Preferiria ficar em casa, mas o dever me chama. Tenho que corresponder aos votos de meus eleitores.

— Não precisa fingir comigo. Não pretendo ser sua eleitora nas próximas eleições.

Ele se irritou:

— Porque está tão agressiva?

— Não tive intenção. Mas conheço bem você. Discursar, aparecer, viajar com todas as mordomias oficiais é o que mais gosta de fazer. Está indo com prazer. Não vejo razão para fingir o contrário, ainda mais que vai em boa companhia.

— O que está insinuando?

— Nada que você já não saiba.

— Francamente, você está intolerável. Bem que me disseram: mulher na menopausa é triste. Por que não procura um médico?

Maria Alice fechou o livro, levantou-se e encarou-o firme:

— Foi a sua adorável secretária quem disse isso?

O rosto dele coloriu-se de intenso rubor. Tentou disfarçar o susto:

— Estou indignado! Está falando de uma senhora respeitável e muito competente. O fato de Alícia trabalhar não lhe dá o direito de implicar com ela.

— Que injustiça! A secretária exemplar, perfeita. Vá, Antônio, não a deixe esperar muito. Podem perder o avião.

— Vou mesmo. Não sei o que está acontecendo com você. Francamente. Não dá mais nem para conversar.

Ele saiu e Maria Alice deixou-se cair no sofá. Estava indignada. Tanta falsidade enojava-a. Lá ia ele representar o papel de pai de família exemplar, de político digno, do homem correto, interessado no progresso do país.

A verdade era bem outra. Ele era como um sanguessuga do povo que dizia representar e servir, mau marido, péssimo político, interessado apenas em manter o próprio prestígio a todo custo.

Maria Alice sentia que havia perdido o respeito por ele. Estava difícil continuar convivendo. A cada dia, ela via aumentar mais a distância que os separava. Começava a perceber que não poderia mudar sua vida e continuar fechando os olhos para as falcatruas do marido. As duas coisas eram incompatíveis.

Respirou fundo. Ainda não havia divórcio no Brasil. Tornar-se desquitada era ser desrespeitada pela sociedade. Quase sempre os maridos davam em cima da desquitada e as esposas afastavam-se dela com receio da concorrência.

Aos homens tudo era permitido. Ter amantes era chique, sinal de masculinidade. No desquite, mesmo quando o homem era o culpado, a mulher, de uma forma ou de outra, acabava sempre sendo responsabilizada.

Se ela quisesse libertar-se do marido, teria que enfrentar essa situação. Precisava avaliar bem até que ponto suportaria. Estava resolvida a dar outro rumo à sua vida, mas ainda não sabia se estava preparada para ser olhada como uma mulher fracassada, que não soubera manter o casamento.

Depois, havia os filhos. Lanira ainda não se casara. Não tinha o direito de atrapalhar o futuro dela. Teria que agüentar pelo menos até que ela se casasse. Depois pensaria novamente no assunto.

Apanhou o livro, sentou-se e reiniciou a leitura.

Capítulo 24

Jonas entrou na sala do Dr. Marques na delegacia dizendo:

— Encontramos o bicho.

O delegado levantou-se satisfeito e perguntou:

— José Luís?

— Sim.

— Onde eles estão?

— Em uma vila perto de Assunção, Paraguai.

— Como descobriu?

— A princípio direcionei as buscas para a Europa, você sabe: as passagens para Roma, depois para Estados Unidos, etc. Como ele teve tempo para fugir, imaginei que houvesse procurado ir para bem longe. Mas estava enganado. Foi um agente que trabalha junto à nossa embaixada em Assunção quem descobriu tudo. Tinha visto as fotos na central de polícia. Ouviu uma mulher conversando no mercado dizendo que estava trabalhando para um homem muito distinto, que pagava muito bem. Só que não lhe permitia entrar além da cozinha, dizendo que sua esposa era doente dos nervos e não suportava ver ninguém. Pedira-lhe segredo porque, se os médicos descobrissem-na, internariam-na. O agente desconfiou dessa história e, quando ela se foi, seguiu-a. Era um sítio, em uma pequena vila há uns quatro ou cinco quilômetros da cidade. Escondeu-se na mata para observar. Queria ver quem era. Não conseguiu ver ninguém. Apenas a mulher indo e vindo, lavando as roupas e estendendo-as no varal. Eram roupas finas, o que aumentou as desconfianças dele. Foi embora decidido a investigar melhor. Naquela hora não pensou nas fotos que havia visto na polícia. Estava mais interessado em contrabando, que era sua especialidade. Voltou lá no dia seguinte e resolveu ver o homem. Bateu na porta e a empregada foi abrir.

— "Quero falar com o dono da casa."

— "Ele não atende ninguém."

— "A mim ele vai atender. Abra a porta. Sou da polícia."

— Ele foi entrando assim que a mulher assustada abriu. Apareceu um homem magro, com barba e bigode, maneiras educadas e afáveis.

— "O que deseja?" — perguntou.

— "Seus documentos e os de sua mulher."

— Ele foi buscar e os apresentou. O policial verificou que estavam em ordem.

— "Quero saber qual é seu ramo de negócio e por que vocês vieram ao Paraguai."

— "Estou aqui por causa de minha mulher. Ela está muito doente. Precisei afastá-la de todos. Queriam que eu a internasse, mas não tive coragem. Eu a amo muito. Um médico me orientou e estou tentando tratá-la."

— "Quanto tempo pretende ficar neste país?"

— "Depende do estado dela. Felizmente está melhorando. Lentamente, mas está."

— "Está bem. Obrigado pelas informações."

— Ele se retirou decidido a esquecer o assunto. O caso era sem importância. Tinha outros mais relevantes a resolver.

— Quando foi que ele descobriu a verdade? — indagou Marques.

— Alguns dias depois. Foi à polícia e casualmente o delegado estava com as fotos sobre a mesa. Eu havia ligado e feito novo pedido de busca. Vendo as fotos, o agente recordou-se do homem que visitara. Apesar de a barba e o bigode modificarem a fisionomia e os cabelos serem mais curtos, os olhos, o formato da testa e principalmente a expressão do rosto eram muito semelhantes. Contou ao delegado e resolveram conferir. Quando saíram da delegacia, passaram em frente ao mercado, a mulher estava lá conversando com a amiga. O agente abordou-a perguntando pelo casal.

— "As coisas não vão bem lá. Acho que ela piorou — respondeu ela, satisfeita por estar em evidência diante da amiga. — Hoje mandaram-me arrumar tudo porque eles vão embora. Acho que não voltam mais. Disse que eu posso morar na casa porque o aluguel está pago por dois meses ainda. Isso que é gente boa."

— Os dois saíram e imediatamente juntaram alguns homens e foram até lá. Estava anoitecendo. Bateram, mas como ninguém respondesse, arrombaram a porta. Não havia ninguém. Foram até o quarto e a porta estava fechada. Bateram, mas não obtiveram resposta. Arrombaram. Sentada na cama estava uma mulher pálida, magra, mas que eles reconheceram como a da foto. Vendo-os, começou a chorar. Um dos tornozelos estava preso por uma corrente e um cadeado na grade da cama. O delegado lhe perguntou:

— "Onde está o homem?"

— Trêmula ela respondeu:

— "Ele saiu. Tem um avião fretado e voltará para buscar-me. Desta vez quer levar-me para muito longe. Por favor! Não deixe. Não quero ir. Quero meus filhos!"

— D. Maria Júlia soluçava presa em crise nervosa e o agente abraçou-a recomendando:

— "Calma. Estamos aqui para ajudá-la. Somos da polícia. Como é seu nome?"

— "Graças a Deus. Sou Maria Júlia Camargo. Meus filhos estão à minha procura no Brasil. Ele me ameaçou de morte, obrigou-me a segui-lo. Quero ir para casa."

— "Vamos libertá-la e providenciar. Tem idéia do lugar aonde ele foi?"

— "Não sei o nome do lugar. Mas ele voltará, com toda certeza. Está louco. Não quer me deixar."

— "Nesse caso, vamos preparar tudo para quando ele chegar" — resolveu o delegado.

— Mandou que escondessem o carro e apagassem os vestígios da presença deles. Libertou Maria Júlia da incômoda corrente. O tornozelo dela estava ferido e inchado. José Luís entrou sem desconfiar de nada, então foi preso. Não teve como reagir. Estão na embaixada à nossa disposição.

— É uma grande notícia. Vamos avisar a imprensa e mobilizar tudo para recebê-los.

— Vou ligar para Gabriel. Nunca vi um filho tão amoroso!

— Nem parece filho daquele canalha!

Jonas apanhou o telefone e discou. Gabriel atendeu logo. Ele deu a notícia e o rapaz ficou mudo do outro lado da linha.

— Está ouvindo, Gabriel? Nós os encontramos. Sua mãe está bem. Tudo está sob controle. Logo estarão de volta.

Gabriel respirou fundo, a voz sumira de sua garganta, não conseguia articular palavra. Por fim, disse com voz abafada:

— Finalmente! Ela está bem mesmo?

— Está. Foram localizados no Paraguai. Pode comemorar. Dentro de algumas horas para o cumprimento das formalidades, eles estarão aqui.

— Ele vai voltar para casa?

— Não. O delegado já fez a denúncia e conseguiu uma ordem de prisão preventiva para ele. Pode ficar sossegado, que desta vez ele não vai escapar.

— Eu gostaria de ir até lá para vê-la. Posso conseguir passagem agora mesmo.

— Não precisa. Ela está aos cuidados da embaixada e muito bem. O médico deu-lhe um calmante e ela está descansando. Sua volta não vai demorar nada. Estarão aqui dentro de mais algumas horas.

— Nesse caso vou preparar a casa para recebê-la com flores e alegria. Estou muito feliz. Obrigado, Jonas, por tudo. Você tem sido incansável. Deus o abençoe.

— Amém — respondeu ele tentando disfarçar a emoção.

Quando Daniel e Rubinho chegaram, meia hora depois, alguns jornalistas avisados por seus colegas do Paraguai já estavam na porta da delegacia e correram assim que os viram descer do carro, tentando obter informações. Daniel foi logo avisando:

— Encontraram o Dr. José Luís e esposa. Viemos nos inteirar dos detalhes. Tenham um pouco de paciência.

— Queremos saber tudo — disse um.

— Os dois foram presos? — indagou outro.

— Não. Só ele por haver seqüestrado a mulher e por não se apresentar à justiça — esclareceu Rubinho.

Enquanto caminhavam com dificuldade cercados por eles, Daniel garantiu:

— Vamos nos inteirar dos fatos e ao sair informaremos.

Entraram e lá já encontraram Gabriel ansioso por maiores detalhes. Laura ficara em casa, nervosa, sem saber o que fazer. Lanira estava com ela cuidando para que tudo estivesse em ordem quando Maria Júlia chegasse. Providenciou flores e pediu à cozinheira para fazer os pratos favoritos da dona da casa.

Foi com revolta que Gabriel ficou sabendo dos detalhes da prisão de José Luís. Não se conformava com o fato de seu pai tê-la acorrentado à cama. Era o cúmulo da maldade.

Só isso bastava para que ele ficasse preso por muito tempo. Gabriel estava ansioso para abraçar a mãe e certificar-se de que ela estava bem.

O dia decorreu entre as providências necessárias para a volta do casal. A polícia paraguaia fizera um boletim de ocorrência endereçado à polícia brasileira, registrando todos os fatos, inclusive as declarações de Maria Júlia. Foram diversos telefonemas, e Gabriel, depois que conversou com a mãe, sentiu-se mais calmo.

Era noite já quando o delegado disse a Gabriel:

— Vá para casa descansar. Um avião especial sairá daqui logo mais com dois agentes para buscá-los, mas só levantará vôo de volta lá pelas seis ou sete horas da manhã. Sabe como é. Há certa burocracia.

— Prefiro esperar. Não vou conseguir dormir.

— Também eu irei para casa. Mas assim que eles levantarem vôo vão nos avisar e imediatamente ligarei para você.

Gabriel acabou concordando e foi para casa. Passava das dez quando ele levou Lanira para casa. Durante o trajeto ia calado. Lanira tentou conversar:

— Agora tudo vai ficar esclarecido.

— É. Não vejo a hora que acabe esse pesadelo.

— Vocês precisam ser fortes. Ainda têm o processo. Seria bom que pudessem viajar, afastar-se até que tenha acabado.

— É impossível. Você esquece que minha mãe também está envolvida? Nenhum de nós vai poder afastar-se daqui.

Quando ele parou o carro em frente a casa dela, disse:

— Desejo agradecer tudo que tem feito por nós. Você tem sido maravilhosa. Mas daqui para a frente prefiro que se afaste. Não quero que se envolva nesse escândalo.

— Já estou envolvida, Gabriel. Como pode dizer uma coisa dessas? Acha que eu poderia?

Ele segurou as mãos dela, apertando-as com força. Seus olhos estavam marejados e sua voz trêmula quando respondeu:

— Deus sabe como eu gostaria que tudo isso fosse mentira para poder dizer o que vai em meu coração. Mas não posso. O amor que sinto por você me faz dizer que entre nós nada mais é possível. Meu pai será condenado, nosso nome já está na lama, nosso dinheiro passará para o legítimo dono. Estou pobre, desonrado, não tenho nem profissão. Não posso arrastá-la a uma situação dessas. Estou sendo sincero.

— Você está tomando uma decisão por mim, sem saber se estou de acordo.

— Quero preservar você. Logo encontrará alguém melhor do que eu, que a ame e possa oferecer-lhe uma vida estável, digna.

— Não estou à procura de ninguém, muito menos de um casamento de conveniência. Aliás, nem pensei ainda em casamento.

— Você já recusou meu pedido uma vez. Talvez não me ame nem deseje ficar comigo. Mas tudo mudou em minha vida. Não quero que a lama em que estamos mergulhados respingue em você, prejudicando-a.

— Quem decide minha vida sou eu. Não lhe dou o direito de escolher por mim. Vá descansar, está precisando. Boa noite!

Beijou-o com carinho na face e desceu do carro. Gabriel apertou a direção do carro com força. Amava Lanira. Sentia que ela era a coisa mais importante de sua vida. Ela era jovem e inexperiente. Poderia deixar-se levar por um sentimento de pena e isso o horrorizava. Estava decidido a sair do caminho dela de uma vez.

A partir do dia seguinte os acontecimentos se precipitaram. Maria Júlia, abatida, prestou declarações na delegacia, confirmando as que fizera no Paraguai. José Luís ficou preso e fechou-se no mais completo mutismo.

Não quis falar nada sem um advogado. Não lhe foi difícil encontrar um que o defendesse. O caso era de destaque. Vários advogados ofereceram-se e ele pôde até escolher. Juntos estiveram durante horas para que se inteirasse do caso.

Diante dos fatos novos, com base no inquérito policial, a promotoria pública entrou com recurso para que a sentença que reconhecia a identidade de Alberto fosse mantida em suspenso até que todos os fatos que envolviam o caso ficassem bem esclarecidos. Pediu a abertura de um processo-crime contra José Luís como suspeito do assassinato de Cláudio e Carolina. Por haver fugido, José Luís não conseguiu *habeas corpus*. Ficaria preso até o julgamento.

Maria Júlia, abatida e nervosa, apoiada pelos dois filhos, mantinha-se fechada em casa e não recebia ninguém, com exceção de Maria Alice e Lanira, que iam visitá-los tentando confortá-los, e dos dois advogados, interessados em defendê-la no processo.

Isso irritou Antônio, que tentou de todas as formas impedi-las de ir a casa deles.

— Isso é um absurdo! Vocês se misturando com eles! Podem ser vistas. Já pensaram que horror? Como é que eu fico? Não posso permitir. Tenho um nome a zelar.

Maria Alice deu de ombros, dizendo:

— Maria Júlia é minha amiga há anos. Nem ela nem os filhos são culpados. Ao contrário, foram vítimas dos crimes que José Luís cometeu. Fazer isso seria penalizá-los duas vezes. Não vou cometer essa injustiça.

— Não é possível falar com você. Pretende arruinar-me. Por que está fazendo isso comigo?

— Não estou fazendo nada contra você. Estou apenas agindo de acordo com meu coração. Se isso o contraria, sinto muito, mas não vou transigir.

— Sua mãe está perdendo o juízo — disse voltando-se para Lanira. — Não é mais a mesma. Parece outra pessoa.

— Engana-se, papai. A de antes é que era outra pessoa. Você agora está diante da verdadeira mulher. Ainda não percebeu? Ela está dizendo o que sente.

— Nem tudo que sentimos podemos dizer. Há regras a serem seguidas, prioridades a considerar. É loucura sair por aí dizendo tudo que se quer. Se eu fizesse isso, logo alguém me internaria.

— Se você fizesse isso — contrapôs Maria Alice —, talvez conseguisse perceber o que até agora ainda não viu. Talvez ainda conseguisse reaver a dignidade e o respeito das pessoas que tanto pretende conquistar.

— Não disse? Não dá para conversar. Você me agride sem motivo. Lanira, pelo menos você vê se consegue convencê-la a atender o que estou pedindo.

— Não posso fazer isso porque penso como ela. Que argumentos teria para convencê-la? Você expulsou Daniel de casa porque ele decidiu aceitar essa causa. Ele enfrentou a situação e provou que estava certo. Hoje tem nome como profissional e dá para perceber que é apenas o começo de uma brilhante carreira que lhe trará posição e dinheiro. Se ele houvesse obedecido à sua orientação, onde estaria agora?

— O que é isso? Uma rebelião organizada dentro de minha própria casa? Meu Deus! Onde nós estamos?

— Estamos aqui ainda. Espero que possamos continuar convivendo educadamente — tornou Maria Alice.

— Sempre fui um homem educado.

— Nesse caso não temos mais nada para conversar.

Irritado, Antônio saiu batendo a porta. Lanira comentou:

— Ele nunca vai entender, mãe.

— Esse é um problema dele. Não estou fazendo nada que possa desrespeitar nossa família nem prejudicá-lo. Apesar de tudo que ele faz, trato-o com respeito e consideração. Sou esposa fiel, cumpridora de meus deveres com a minha família. Entretanto não estou mais disposta a fazer coisas que me desagradam. Se ele não pode entender isso, paciência.

Lanira abraçou a mãe dizendo:

— Você tem todo o direito de preservar seus sentimentos. Ninguém pode passar por cima deles sem ferir profundamente a própria dignidade.

— É isso. Vamos embora. Maria Júlia ontem estava muito abatida. Pretendo animá-la um pouco. Sinto vontade de convidar Josefa para ir conosco visitá-la. Acha que ela a receberia?

— Penso que sim. Gabriel gosta muito de tia Josefa. Se falarmos com ele, certamente aprovará e ela aceitará.

— Noto que há momentos em que Maria Júlia fica muito agoniada, inquieta. Tenho impressão de que teme alguma coisa.

— Não será impressão sua? Ela está nervosa, é natural depois do que tem passado.

— Sinto que há alguma coisa a mais. Reparou como ela pergunta sempre aos advogados o que José Luís disse nos depoimentos? Há muita ansiedade em seus olhos. Chego a pensar que ela está com medo que ele diga alguma coisa. Será que ele pode comprometê-la mais? Terá alguma prova de sua cumplicidade?

— Não. Isso ele não tem. O próprio Alberto tem prestado declarações a favor dela, contando como ela o salvou e o sustentou durante todos aqueles anos. A única coisa que há contra ela é o fato de não haver procurado a polícia para denunciar o marido. Esse é o ponto mais delicado que ela terá que enfrentar nesse processo.

— Não sei, não. Para mim há ainda alguma coisa que ela não contou. Vamos pedir a Gabriel que a convença a receber Josefa.

— Tem razão. A ajuda espiritual é muito importante numa hora dessas.

Gabriel conversou com a mãe e convenceu-a a receber Josefa, que lhe daria uma ajuda energética e espiritual. Ele sempre que voltava de alguma sessão em casa dela contava detalhes para a mãe, que, por causa das vidências de Gabriel desde a infância, estudara esses assuntos e não tinha dúvidas sobre a vida após a morte. Concordou em recebê-la na tarde seguinte para um chá com as duas amigas.

Os amigos espirituais de Josefa haviam-na informado que ela seria chamada para ajudar essa família. Deveria aceitar, porque eles estariam a seu lado para fazer o que fosse possível. Por isso, quando a convidaram, concordou imediatamente.

Maria Júlia recebeu-os com delicadeza, porém Josefa notou o quanto ela estava nervosa, inquieta. Alguns vultos escuros estavam a seu lado e Josefa depois de meia hora de conversa disse:

— Noto que você está esgotada, nervosa e precisando de uma doação de energias positivas para sentir-me melhor. Se quiser, posso fazer isso.

— Gostaria muito. Estou me sentindo muito fraca.

— Nesse caso, vamos para outra sala onde possamos ficar a sós e onde ninguém nos interrompa.

— Vamos a meu quarto.

As duas subiram e, uma vez no quarto, Josefa segurou as mãos de Maria Júlia e fez uma prece fervorosa, pedindo a Deus proteção e ajuda para aquela família. À medida que ela orava, Maria Júlia rompeu em convulsivo pranto. Seu corpo estremecia sacudido pelos soluços, e Josefa convidou-a a abrir seu coração a Jesus, contando-lhe todos os seus receios e aliviando sua alma. Depois continuou orando e rogando a ajuda dos bons espíritos para que a paz e a harmonia pudessem voltar àquele lar.

Aos poucos Maria Júlia foi se acalmando. Quando ela parou de soluçar, Josefa ainda segurando suas mãos perguntou:

— Sente-se melhor?

— Um pouco. Estou aliviada. Não agüento mais carregar o peso de meus atos passados. Estou no limite de minhas forças.

— Não se atormente, Maria Júlia. O passado acabou. Não deixe que ele continue infelicitando sua vida. Esqueça o que passou.

— Não posso. Carrego este maldito segredo que pode ser revelado a qualquer momento e eu preferiria morrer a que isso acontecesse.

— Enfrentar a verdade é sempre o melhor negócio. Do que tem medo?

— Carrego comigo um segredo que tem infelicitado toda a minha vida.

— Você tem medo de revelar um segredo e por isso tem arruinado sua vida. Não seria mais prático acabar com ele e enfrentar seus medos?

— Não posso. Envolve outras pessoas.

— Vamos orar juntas e pedir a ajuda dos bons espíritos. Feche os olhos.

Josefa soltou as mãos de Maria Júlia e silenciosamente começou a orar enquanto estendia as mãos sobre a cabeça dela e imaginava a sala cheia de luz. Depois, durante alguns minutos foi passando lentamente as mãos próximo ao corpo dela, que estremecia como que tocada por fios elétricos.

Quando Josefa terminou, pediu:

— Abra os olhos. Como se sente?

— Melhor. Senti um calor agradável percorrer-me o corpo. Obrigada por ter vindo. Você tem um pouco mais de tempo? Gostaria de conversar um pouco.

— Claro.

Maria Júlia convidou-a a sentar-se na beira da cama e sentou-se a seu lado. Depois disse:

— Sinto que posso confiar em você. Preciso falar com alguém para não explodir.

— Estou ouvindo. Continue.

— Tudo começou em 1929. Nessa época eu estava com dezessete anos. Apaixonei-me perdidamente por um rapaz. Família importante da sociedade, rico, bonito, rodeou-me de atenções. A princípio eu não sabia que ele era comprometido. Não freqüentava a alta sociedade. Minha família era de classe média. Amei-o de todo o coração e nos entregamos um ao outro sem pensar em mais nada.

— Nossos encontros serviam para aumentar minha paixão e ele insistia para fugirmos juntos. Meu pai era oficial do exército e muito bravo. Exigia obediência cega de mim e de meus dois irmãos menores. Religioso, obrigava-nos a rezar o terço reunidos duas vezes por semana e mesmo doentes tínhamos que comparecer à missa no domingo. Estou contando isso para que possa compreender como fui educada. Ele possuía uma vara de marmelo com a qual nos corrigia, e não permitia a mínima desobediência às suas disciplinas. Ele tratava os filhos da mesma forma como tratava os soldados seus subordinados.

— Você pode imaginar como fiquei ao descobrir que estava grávida de um mês. Procurei meu amado e contei. Foi então que ele com tristeza me revelou que já era casado e tinha dois filhos. Fiquei apavorada. Queria me suicidar. Ele, atemorizado, prometeu-me resolver tudo. No dia seguinte procurou-me às escondidas, como sempre, dizendo que não precisava temer. Havia resolvido a questão. Levou-me ao apartamento de um jovem que estava no último ano de Medicina. Eram amigos, e quando soube de nossa situação, concordou em nos ajudar. Eles planejavam fazer um aborto.

— Fiquei apavorada. Mas eles me garantiram que não havia nenhum perigo, que seria fácil e assim tudo estaria resolvido. Foi assim que conheci José Luís. Quando me conheceu, logo percebi que se interessou por mim. Eu estava arrasada, não só por ter que fazer aquilo como por saber que o homem que eu amava e ao qual me entregara era comprometido. Ele queria fugir comigo, mas não concordei. Também não estava disposta a continuar naquela triste posição sendo a outra e pensava que depois de resolver a gravidez me separaria dele para sempre.

— José Luís era moço bonito, educado, fino. Desde o primeiro dia tratou-me com delicadeza. Disse que antes de fazer o aborto eu deveria tomar alguns medicamentos para evitar problemas futuros.

— Acreditei e obedeci. O homem que eu amava precisou viajar a serviço, mas antes de ir garantiu-me que tudo estava bem e que voltaria logo. Entretanto não voltou. Os dias foram passando e eu cada vez mais agoniada vendo minha cintura engrossar, minha barriga crescer e José Luís adiando o aborto.

— Eu fazia tudo para levar vida normal a fim de que meus pais nada percebessem. José Luís encontrava-se comigo a pretexto de preparar tudo para resolver o assunto, mas quando chegava eu percebia que ele me olhava de maneira diferente. Um dia abriu o jogo. Disse-me que eu já estava com mais de três meses de gravidez e que seria impossível fazer um aborto a essa altura. Disse que não havia feito antes porque tinha medo de não estar preparado o suficiente e provocar uma tragédia.

— Vendo meu desespero, confessou que me amava desde o primeiro dia em que me conheceu e que estava disposto a se casar comigo assumindo a paternidade da criança. Eu estava desesperada. Não o amava, mas vi nessa saída a tábua de salvação. Aceitei prontamente.

— Ele procurou meu pai, confessou que havíamos cometido um erro, mas que ele estava disposto a reparar e pediu minha mão em casamento. Apesar de meu medo, meu pai aceitou essa aliança com prazer. Ter um médico como genro era para ele uma boa solução. Havendo casamento, o resto não importava. Minha mãe providenciou tudo, inclusive um vestido que disfarçasse o pequeno volume que já começava a aparecer, e assim que correram os proclamas nos casamos na igreja e no civil, no mesmo dia.

— Inútil dizer que eu entrei para esse casamento sem amor, carregando dentro de mim um filho de outro homem, e como foi difícil suportar a intimidade de meu marido. Apaixonado, violento em seu ciúme, sempre que sentia minha repulsa, que eu fazia tudo para esconder mas nem sempre com êxito, cobria de injúrias a mim e à criança que ia nascer, como se aquele pequenino ser fosse culpado por minha falta de amor.

— Nossa vida foi um inferno desde o começo. Várias vezes pensei em separar-me, mas ele me ameaçava com o escândalo. Apesar de casada, meu pai exercia ainda terrível tirania sobre mim. Eu continuava temendo suas reações. Quando Gabriel tinha um ano aconteceu toda a trama com Marcelo.

— Ouvi José Luís conversando com Bóris traçando todo o plano, inclusive o de matar toda a família. Fiquei horrorizada. Nessa época ele me obrigava a tomar calmantes fortes. Querendo evitar isso, tratei de dissimular meus sentimentos. Contudo, não podia aceitar a morte de Marcelo. Era um menino alegre, inteligente, amável. Eu pensava em meu filho, tão pequeno, que era minha paixão, e imaginava a dor que sentiria se ele morresse. Então resolvi salvar Marcelo. Sabia que Alberico, o motorista, era homem bom e gostava muito do menino. Conversei com ele e combinamos tudo. Ele fingiu que matara o menino, e escondeu-o durante algum tempo. Eu andava muito nervosa e pedi para fazer uma viagem com meu filho até o convento das irmãs onde eu fora interna, para descansar. José Luís concordou. Senti que ele ficou aliviado por ver-se livre de mim para poder realizar seus planos sem minha interferência. Sabia que eu não concordava com o que ele planejava.

— Vendi algumas jóias e comprei as passagens para a Inglaterra. Tinha tudo planejado. Deixei meu filho com as irmãs e a pretexto de socorrer uma amiga doente na Inglaterra pedi-lhes para não dizer nada a meu marido. Apanhei Marcelo com Alberico e embarcamos para Londres.

— Era a primeira vez que eu viajava para o exterior. Sentia medo, mas fui. Deu tudo certo. Procurei o colégio e deixei Marcelo lá. Eu pretendia, na volta, procurar pelo Dr. Camargo e contar-lhe a verdade. Mas quando voltei soube que o Dr. Camargo estava acamado e muito doente. Inconformado com a morte do neto que era toda a sua alegria, tivera a saúde abalada.

— José Luís estava tratando-o e eu fiquei apavorada com a suspeita de que ele iria matá-lo. A essa altura eu já conhecia bastante meu marido para saber do que ele era capaz quando queria alguma coisa.

— Apesar disso, tentei procurá-lo às escondidas, porém não consegui. Bóris estava lá, ajudando no tratamento e tomando conta dele. Não pude fazer nada. Pensei em procurar Cláudio e Carolina. Tinha intenção de dizer-lhes onde seu filho se encontrava. Mas eles viajaram e eu não sabia onde estavam.

— O Dr. Camargo morreu e eu acredito que ele também tenha sido assassinado. Cláudio e Carolina vieram para o enterro e eu fui constantemente vigiada por Bóris. Estava proibida de sair de casa, e quando saía era sempre acompanhada por ele.

— O casal visitou-nos algumas vezes, mas eu nunca pude ficar a sós com eles. Até que foram para a Itália, mas antes passaram uma procuração para José Luís, pagando regiamente para que ele cuidasse dos negócios da família.

— Então ele quis que fôssemos para a França. Eu não queria, mas ele me obrigou fazendo ameaças a meu filho. Eu ficava apavorada. Sabia do que ele era capaz. Tinha horror de que algo pudesse acontecer a Gabriel.

— Viajamos para a França e fui obrigada a deixar Gabriel com uma ama, coisa que eu não queria de forma alguma. Mas tive que obedecer. Bóris acompanhou-nos e eu sabia que eles estavam tramando algo. Eu sabia também que se ele quisesse aquela fortuna teria que acabar com o resto da família. Portanto Cláudio e Carolina corriam perigo. Mas não consegui fazer nada. Tive que suportar tudo com medo de que ele fizesse algum mal a Gabriel, que ficara no Brasil.

Maria Júlia estava pálida e seu corpo cobrira-se de suor. Preocupada, Josefa interveio:

— Chega por hoje. Você está esgotada.

— Não. Sinto que preciso desabafar. Vou até o fim. Falta pouco. Como você sabe, eles explodiram a lancha e o casal morreu. Voltamos ao Brasil, ele herdou toda a fortuna. Sempre que eu pretendia deixá-lo ele ameaçava a vida de Gabriel. Com isso acorrentou-me até agora.

— Acabou, Maria Júlia. Você está livre. Deve contar na justiça toda a verdade. Você tem sofrido muito.

— Meu pai não me importa mais. Agora tenho medo do julgamento de meus filhos. O que pensarão de mim quando souberem a verdade? Gabriel não vai aceitar eu ter ocultado todo esse tempo que ele não é filho de José Luís.

— Ele vai ficar aliviado quando souber. Nunca pensou nisso?

— Pensei, algumas vezes. Ele nunca gostou de José Luís. Aliás, José Luís nunca se interessou em ser como um pai de verdade para ele. Dizia sempre que quando olhava para Gabriel lembrava-se de meu amor pelo outro. Gabriel é muito parecido com o pai. Agora que está moço, tem o mesmo sorriso, os mesmos olhos, até o jeito é igual. Isso fez com que José Luís sempre o odiasse.

— Por que não lhe conta tudo? Ele tem direito de saber.

— Tenho medo de sua reação. Laura também me preocupa. Ela sempre foi diferente do irmão. Vaidosa, intolerante, mimada. O pai fazia-lhe todas as vontades. Está sendo difícil para ela aceitar a verdade. Tinha uma impressão do pai muito diferente. Está sofrendo bastante.

— Ilusão é sinônimo de sofrimento. Talvez ela estivesse necessitando aprender os verdadeiros valores da vida. Não lamente a desilusão que ela está tendo agora. Ela precisa deixar de ser a criança mimada e crescer. Esse crescimento traz lucidez, mas tem o preço da experiência. Lembre-se de que a vida sabe o que faz e trabalha pelo melhor.

— Ela é tão jovem! Gostaria de poupá-la!

— Não vai conseguir. A vida deseja o contrário. Quer que ela experimente, escolha, descubra, perceba, desenvolva, fortaleça-se. Ela é um espírito, cheio de força e potencial, dentro de um processo próprio e intransferível de aprimoramento natural. Deve saber que tentar impedir esse processo é agir contra a vida, e isso só causa sofrimento. Seu amor deve contribuir para que ela se sinta mais forte, mais capaz, mais firme, mais confiante.

— Sei o que quer dizer. Farei o possível para isso.

— O primeiro passo é dizer a seus filhos a verdade. Colocar seus sentimentos, abrir seu coração a eles. Garanto que não tem nada a temer. A sinceridade, a verdade têm mais força do que tudo. Acredite.

— Não sei. Tenho medo. Vou pensar.

— Pense. Peça a Deus forças para fazer o que for melhor.

Quando as duas saíram do quarto, Maria Júlia estava mais calma, seu rosto distendido. Embora pálida, havia perdido a inquietação. Foram para o chá, mas todos, com exceção de Laura, notaram que a dona da casa estava melhor.

Capítulo 25

Daniel olhou o cartão que a secretária lhe dera e perguntou:

— Dr. Guilherme Gouveia. Está aí fora?

— Está.

Ficou calado durante alguns segundos pensando. O que um brilhante e famoso advogado, diplomata respeitado de família muito importante, desejava dele?

— Mande-o entrar imediatamente.

Em seguida Elza introduziu na sala um homem alto, elegante, bonito, aparentando cinqüenta anos. Daniel levantou-se para recebê-lo.

— Doutor Gouveia! Prazer em recebê-lo.

Depois dos cumprimentos, ele se acomodou na poltrona em frente à escrivaninha de Daniel, que se sentou também e esperou que ele falasse.

— É um prazer estar aqui com você. Tenho acompanhado o rumoroso caso que vocês estão defendendo com muito interesse. Há uma semana cheguei ao Brasil. Estava como adido da embaixada brasileira em Bruxelas nos últimos dois anos.

— O senhor tem prestado inúmeros serviços ao Brasil. Temos acompanhado sua brilhante carreira. É preciso disposição para estar sempre fora do país.

— Desta vez pretendo ficar mais por aqui. Meu filho mais velho está radicado em Nova York e minha filha, na França. Casaram-se e não dependem mais de mim. Estou com saudade de nossa terra e um pouco cansado de viajar.

— É uma boa notícia. Em que posso ser-lhe útil?

— Vim inteirar-me dos detalhes do processo do Dr. José Luís Camargo de Melo. O julgamento já foi marcado?

— Sim. Será no próximo dia dezoito. Temos apenas mais alguns dias. Por isso é que este escritório está tão movimentado. A imprensa não dá sossego e para trabalhar precisamos de calma. Por isso estamos dificultando o acesso.

— Entendo. Tenho lido o noticiário, nem sempre claro. Quero saber tudo a respeito desse caso.

Daniel remexeu-se na cadeira indeciso. Apesar de ter diante de si uma pessoa importante, sua ética falou mais alto e tornou:

— Qual é seu interesse no caso? Estaria representando o réu?

— Absolutamente. Dou-lhe minha palavra de honra que pretendo ajudar a esclarecer plenamente o assunto. É de vital importância para mim conhecer certos detalhes desse processo.

— Poderia ser mais claro?

— Há muitos anos conheci o Dr. José Luís e sua esposa. Tenho motivos muito sérios que me fizeram vir até aqui. Para ser mais sincero, foi por causa desse caso que resolvi voltar ao Brasil. Volto a dizer. Pode confiar em mim. Dou-lhe minha palavra de que estou aqui para colaborar com vocês.

— Nesse caso, vou colocá-lo a par de tudo.

Daniel relatou como conhecera Alberto, o desenvolvimento do caso que culminou na prisão de José Luís e finalizou:

— D. Maria Júlia tem sido uma vítima em tudo isso. Mas está difícil provar que ela não foi cúmplice deles. Esse é o ponto crucial que estamos tentando resolver agora. A culpa de José Luís e dos demais está provada. Eleutéria, Bóris, Pola confessaram o suficiente para serem condenados. Mas José Luís insiste em declarar que a esposa era cúmplice, e os outros confirmam. Estamos querendo impedir essa injustiça. O próprio Marcelo testemunhou a favor dela contando como foi protegido e sustentado por ela. Está difícil entender por que, sabendo de tudo, ela se calou durante tanto tempo, usufruindo da fortuna. Esse fato tem sido explorado pela imprensa, sempre voltada à idéia de atacar os ricos em defesa dos pobres.

— Ela nunca disse por que se calou?

— Alega que teve medo. Mas isso não serve de prova na justiça.

— Talvez o marido a tenha ameaçado.

— Foi o que ele fez. Mas quem acreditará nisso? Ela viveu ao lado dele todos esses anos, freqüentou a alta sociedade sempre aparentando viver muito feliz. Eles eram até apontados como o casal modelo. É o que diz o promotor agora. De fato, não posso negar que essa era a imagem deles até há pouco tempo.

— Acha que ela será condenada?

— Receio que sim. Embora com atenuantes no caso de Marcelo, há os outros crimes.

— Vim procurá-lo porque preciso encontrar-me com ela.

— Desculpe. Não entendi. O que disse?

— Preciso encontrar-me com ela. Tentei falar-lhe, mas não quis atender-me.

— Ela tem vivido reclusa. Não fala com ninguém.

— É urgente que nos encontremos. Por isso vim procurá-lo. Como seu advogado, penso que poderá arranjar isso.

— Posso tentar. Poderia esclarecer-me o que pretende com isso?

— Ajudar. Mas preciso conversar com ela. Esclarecer algumas coisas. Convencê-la a se defender. Tenho impressão de que ela está pretendendo punir-se de alguma forma.

— Sei o que quer dizer. Também já tive essa impressão.

Guilherme levantou-se, curvou-se para a frente, apoiando-se na mesa, olhou-o firme nos olhos e pediu:

— Por favor. Arranje um encontro a sós com ela. Se não quiser me receber em sua casa, iremos a qualquer outro lugar. Faça isso e serei grato pelo resto da vida.

Impressionado, Daniel respondeu:

— Vou tentar.

— Não temos tempo a perder. O julgamento será dentro de alguns dias.

— Falarei com ela hoje à noite.

— Agora.

— Agora?

— Sim. É urgente.

— Deixe-me pensar. Terá que ser a sós?

— Ela não vai querer falar comigo diante dos filhos. Tem que ser a sós.

— Não pode me adiantar o assunto? O que me pede pode desgostá-la. Vamos fazer o seguinte: vou ligar para ela agora e passar o telefone a você. Posso?

— Está bem.

Daniel discou e mandou chamar Maria Júlia. Quando ela atendeu, ele disse:

— D. Maria Júlia? Tem uma pessoa aqui que deseja muito conversar com a senhora.

— Quem é?

— Alguém que deseja ajudá-la. Fale com ele.

Guilherme pegou o telefone e disse:

— Sou eu, Maria Júlia, Guilherme. Voltei ao Brasil assim que soube de tudo. Quero falar com você.

— Não posso! — respondeu ela emocionada. — O que quer de mim?

— Esclarecer algumas coisas. Por favor. Não me negue esse consolo.

— Por que me procurou depois de tanto tempo? Ninguém pode saber o que aconteceu no passado.

— Só quero conversar com você. Seus filhos não precisam saber. Daniel guardará segredo. Não pode me negar isso.

— Tenho medo!

— Farei o que disser. Tenho que falar com você hoje.

— Não sei como. Meus filhos estão aqui. Não me deixam sozinha.

— Fale com Daniel. Ele vai dar um jeito.

Passou o telefone a ele dizendo baixinho:

— Ela aceitará se puder livrar-se dos filhos.

Daniel apanhou o telefone e resolveu:

— Vou cuidar desse assunto. Daqui a pouco voltarei a ligar. Vocês precisam se encontrar.

Daniel sentou-se pensativo. De repente lembrou-se de tia Josefa. Imediatamente ligou para ela e explicou o que estava acontecendo.

— Deixe comigo. Vou ligar para Maria Júlia e avisar que irei buscá-la dentro de meia hora. Vocês vêm para cá e quem chegar primeiro espera.

— Está bem, tia. Obrigado.

— Estou contente em colaborar.

Ele desligou e disse:

— Tudo resolvido. Daqui a meia hora iremos a casa de minha tia, que está indo buscá-la. Você conseguiu.

Guilherme deixou-se cair na cadeira aliviado.

— Você não avalia o bem que nos fez.

— Tenho interesse em libertar D. Maria Júlia. Sei que é inocente. Depois, tanto ela quanto seu filho Gabriel ajudaram-nos muito desde o começo, revelando um desprendimento admirável. Chegaram a nos surpreender pelo interesse em fazer justiça mesmo sabendo que além de perderem dinheiro passariam pelo descrédito público.

— Gabriel sabia de tudo?

— Não. Quando o escândalo estourou pela imprensa, ele desconfiou e a mãe acabou confessando tudo. Ele nunca se deu bem com o pai. Posso entender. São completamente diferentes. Enquanto um é criminoso e interesseiro, o outro é honesto e desprendido.

Guilherme ficou silencioso por alguns segundos, depois disse:

— Você acha que Gabriel é um bom rapaz, apesar da convivência com o pai?

— Tenho certeza. É um moço de princípios e muito valoroso. Por isso eu e Rubinho nos empenhamos em defendê-los, para que não sofram mais do que estão sofrendo. Para dizer a verdade, ele nem parece filho de José Luís.

Daniel notou que os olhos de Guilherme brilharam comovidos. Ele baixou a cabeça tentando encobrir a emoção. Daniel não se conteve:

— Seu interesse por esse caso, o fato de D. Maria Júlia recebê-lo e tudo o mais está me fazendo pensar que ainda não sei o suficiente. Há alguma coisa a mais. Pode dizer-me o que é?

— Ainda não. Espero que Maria Júlia concorde, e então vocês saberão de tudo.

— Devo lembrar-lhe que como advogado dela preciso estar informado de tudo.

— Concordo. Se não pensasse assim, não teria vindo. Deixe-me falar com ela primeiro, depois voltaremos ao assunto.

Quando Daniel e Guilherme chegaram em casa de Josefa, ela ainda não havia voltado. Foram introduzidos na sala pela criada, que, orientada, serviu-lhes café com biscoitos.

Quinze minutos depois as duas chegaram. Maria Júlia pálida e nervosa. Depois dos cumprimentos, Josefa conduziu-os ao escritório e deixou-os a sós, sentando-se com Daniel na sala para conversar.

Assim que se viu sozinho com ela, Guilherme disse comovido:

— Quanto tempo! Lamento o que está acontecendo. Durante todo este tempo pensei que você estivesse feliz e que José Luís fosse um homem de bem. Por que nunca se comunicou comigo? Não sabe como vivi atormentado este tempo todo.

— Eu não queria envolvê-lo em mais problemas.

— Tentei algumas vezes vê-la, à distância acompanhava suas notícias nas colunas sociais. Consolava-me pensando que, apesar de todo o mal que eu lhe causara, você conseguira vencer e ser feliz.

— Minha felicidade era de aparência. Uma máscara que eu usava para encobrir a verdade. Agora nem isso tenho mais.

— Engana-se. Tem seus filhos, tem a mim, que voltei para tentar ajudá-la.

— Ninguém pode me ajudar. Estou envolvida demais. José Luís me acusa e não tenho como defender-me.

— Diga a verdade. Conte por que agüentou todas as maldades dele sem reagir.

Maria Júlia tremia nervosa, seu coração disparava e ela não conseguia controlar-se.

— Não posso. Meus filhos ignoram tudo. Já estão desiludidos com o pai. O que será deles quando souberem que eu tenho mentido todo esse tempo? O que pensarão de eu ter me casado carregando no ventre o filho de outro homem?

— Entenderão por que você se submeteu às exigências de seu marido. Não compreende que essa é a sua defesa diante das acusações que vem sofrendo? Você precisa dizer a verdade.

— Não tenho coragem. Prefiro morrer.

— Não permita que a falsa moral que a fez suportar uma situação terrível todos esses anos continue a vitimá-la. Você sempre foi uma mulher de bem, apesar do que houve entre nós. Assim que li nos jornais o que estava acontecendo, deixei tudo e voltei decidido a ajudá-la. Embora não conhecendo detalhes do caso, tinha a certeza de que você nunca teria sido cúmplice de seu marido. Nem por um momento acreditei em sua culpa. A conversa que mantive com o Dr. Daniel mostrou-me que estava certo. Ele me disse que está difícil explicar por que você ficou calada todo este tempo. Eu sei o motivo.

— Sabe?

— Sei. Gabriel. Nosso filho. Não foi por isso que se calou?

Maria Júlia não conteve as lágrimas. Guilherme segurou a mão dela e continuou:

— Esse canalha deve ter ameaçado você.

Ela fez que sim com a cabeça.

— Por que suportou tudo sozinha e nunca me procurou? Eu a teria defendido.

— Tive medo. Não queria prejudicá-lo. Você é um diplomata e, depois, tem família. Eu não tinha o direito de envolvê-lo.

— Agora você precisa contar a verdade no tribunal. Dizer por que se calou. É a maior prova de sua inocência.

— Não posso. Vão querer saber tudo, você será envolvido. Já pensou o escândalo? Sua carreira irá por água abaixo. E sua família me odiará. Não. Não vou fazer isso.

— Pois eu vou. Estou disposto a depor em juízo e a contar tudo.

— Não faça isso!

— Faço. Há muito me desiludi com a carreira. Estou cansado da hipocrisia dos políticos, dos governos de aparência que se permitem a todas as falcatruas, desde que nada venha a público. Não me importa mais o julgamento das pessoas maldosas que vivem julgando as pessoas para tentar fingir que são melhores. O que conta agora para mim, Maria Júlia, é a minha felicidade, a paz de minha consciência.

— Você pensa assim, mas e sua mulher? E seus filhos? Eles sofrerão.

— Minha mulher morreu há cinco anos. Meus filhos casaram-se e vivem em outro país. Mas ainda que eles estivessem aqui eu faria o que estou pretendendo. Sinto dentro de mim a vontade de ser verdadeiro, de limpar minha alma, de fazer o que meu coração sente. Eu preciso apagar um pouco a lembrança do mal que lhe causei, enganando-a.

Maria Júlia já não tentava conter as lágrimas que desciam por suas faces. Ele continuou:

— Eu a amava muito. Desde o primeiro dia que a vi, apaixonei-me perdidamente. Meu casamento com Isaura obedeceu mais à escolha da família em um tempo em que eu não sabia o que era amor. Ela foi companheira de infância. Eu gostava dela, mas amor eu só vim a conhecer quando vi você. Sabia que se dissesse que era comprometido você nunca me aceitaria. Por isso a enganei. Estava louco. Queria ficar com você para sempre. Insisti para que fugisse comigo. Mas você não quis e eu não tinha forças para deixá-la.

— Para que recordar agora todo o nosso sofrimento? Chega!

— Nunca pude dizer-lhe como me senti depois de nossa separação. Meu pai descobriu que eu estava apaixonado por você e providenciou para que eu fosse mandado para longe. Eu havia ingressado na carreira diplomática, que sempre fora o sonho dele. Fui embora com a família pensando que ficaria fora dois meses. Entretanto, eles foram me segurando fora. Quando voltei, soube que havia se casado com José Luís.

— Depois que você viajou, ele foi protelando o aborto dizendo que eu precisava tomar alguns medicamentos preventivos. Finalmente se recusou a fazer o que prometera alegando que era tarde demais e que o bebê tinha que nascer. Fiquei apavorada por causa de meu pai. Hoje agradeço a Deus por não termos feito isso. Meu filho é meu tesouro. Mas naquele tempo só pensava em papai. Então ele se ofereceu para casar-se comigo e dizer que era o pai de meu filho. Mesmo sem amor, aceitei. Pareceu-me a única saída.

— Ele me mandou uma carta dizendo que vocês haviam descoberto que se amavam e que iriam casar-se. Que eu nunca mais a procurasse, porque você não me queria mais.

— Eu nunca o amei. Também não pensava em procurá-lo. Estava disposta a renunciar a seu amor. Não concordaria jamais em ser apenas sua amante, prejudicando sua mulher e seus filhos.

— Sofri muito por isso. Mas concordei em me afastar de seu caminho. Acreditei no que ele disse naquela carta. Senti que não tinha o direito de prejudicar mais sua vida. Confesso que foi difícil aceitar isso. E até hoje, quando penso, sinto enorme tristeza. Nunca deixei de amar você, Maria Júlia. Esse amor ainda aquece meu coração. Foi ele que me fez regressar e é por ele que desejo lutar daqui para a frente.

— Agora é tarde, Guilherme. Apesar de tudo, ainda estou presa a José Luís.

— É uma questão de tempo. Só uma coisa me interessa. Se disser que ainda resta em seu coração um pouco daquele sentimento que nos uniu um dia, não medirei esforços para conquistar o direito de vivermos juntos para sempre. Diga que não me esqueceu. Diga que ainda gosta de mim.

Maria Júlia levantou o rosto lavado em lágrimas e olhando-o nos olhos disse emocionada:

— Esse amor tem sido meu alimento nesta vida. Nos momentos difíceis que tenho vivido, só a lembrança daquele tempo a seu lado me dava forças para suportar a realidade de minha vida.

Guilherme não se conteve. Tomando a mão dela, fê-la levantar-se, abraçou-a e beijou-a nos lábios. A princípio delicadamente, depois com paixão.

Maria Júlia esqueceu tudo. Nos braços de Guilherme, entregou-se àquele sentimento há tanto tempo reprimido que tomava conta de seu ser ansioso por libertar-se.

Quando se acalmaram, Guilherme disse baixinho:

— Não se entregue, Maria Júlia. Lute e permita que eu a ajude a libertar-se desse pesadelo. Juntos seremos fortes e venceremos. Ainda temos muitos anos pela frente. Podemos ser felizes.

— E meus filhos? O que lhes direi?

— A verdade. Só a verdade. Eles entenderão.

— Tenho medo.

— Não precisa. Tenho aprendido que a verdade é mais forte do que tudo. Quero que conte a verdade a Gabriel. Ele precisa saber que sou seu pai. Pretendo reconhecê-lo como filho legítimo e oferecer-lhe meu nome e dividir com ele minha fortuna.

— E seus filhos? Eles podem não gostar.

— Farei o que acho direito, doa a quem doer. Entretanto meus filhos estão bem de vida e têm fortuna própria. Têm cabeça aberta e muito bom senso. Estou certo de que vão nos apoiar. Mas mesmo que não concordassem eu o faria. Estou disposto a não fazer mais nada contra o que considero verdadeiro e justo. Quem não gostar, paciência. É assim que quero viver daqui para a frente e conquistar a paz de minha consciência.

Os dois continuaram conversando durante mais algum tempo. Quando eles finalmente saíram do escritório, Maria Júlia parecia outra pessoa. Seu rosto conservava vestígios das emoções que vivera, mas sua expressão era mais relaxada e em seus olhos havia um brilho novo, de vida e de força.

Josefa fê-los sentar e serviu-lhes chá com biscoitos. Foi Guilherme quem falou primeiro.

— Obrigado por sua hospitalidade. Serei eternamente grato a vocês por haverem nos proporcionado este encontro. Temos muito que conversar. Você fala ou eu?

Maria Júlia respondeu:

— Josefa já conhece nossa história. Tem sido minha confidente. Fale você. Daniel precisa saber.

Guilherme relatou tudo quanto acontecera entre eles e finalizou:

— Como eu previa, Maria Júlia viveu a vida toda chantageada por José Luís. Ele ameaçava a vida de Gabriel.

Maria Júlia completou:

— Eu sabia que ele havia assassinado o próprio tio, os primos, tentara matar Marcelo sem nenhum remorso. Não duvidava que ele seria capaz de cumprir o que dizia. Todos haviam morrido mesmo, quem lucraria com minha confissão? Preferi preservar a vida de meu filho.

— Como a senhora deve ter sofrido! — disse Daniel admirado.

— Estou disposto a testemunhar em juízo e contar a verdade — disse Guilherme. — Faria isso de qualquer forma, ainda que minha mulher estivesse viva. Mas ela morreu. Estou livre. Eu e Maria Júlia nunca deixamos de nos amar. Queremos ficar juntos para sempre. Estou disposto a fazer tudo que for preciso para isso. Se conseguir legalmente, bom. Senão, iremos para outro país onde há divorcio e nos casaremos lá. Temos o direito à felicidade e vamos lutar por ela.

Josefa levantou-se e abraçou Maria Júlia com entusiasmo:

— Isso mesmo! Sinto-me feliz por saber disso. Vocês merecem a felicidade.

— Estou pensando em meus filhos. Laura não vai aceitar.

— Laura é jovem. Logo encontrará alguém e seguirá seu próprio caminho. Você não está fazendo nada errado. Seu marido será condenado. Mas mesmo que ele estivesse livre você não voltaria para ele depois do que ele lhe fez. Nenhuma lei do mundo a obrigaria a isso. Laura terá que compreender. Se fizer isso, será beneficiada. Poderá viver em um lar feliz e ter a proteção e o carinho de vocês até dar um rumo à sua vida. Não prejudique sua felicidade por causa dela. Você já foi muito prejudicada e tem todo o direito de ser feliz. Se ela não puder entender isso ainda, a vida terá meios de ensinar-lhe o que lhe falta aprender. Um dia ela compreenderá.

— Tem razão, tia.

— Ainda assim, tenho medo. Guilherme é um diplomata. Não posso permitir que se envolva em um escândalo desses. Arrasaria sua carreira!

Guilherme abraçou-a dizendo emocionado:

— A carreira não conseguiu me devolver a felicidade. As viagens foram pretextos para fugir do Brasil e para não ver você ao lado de outro homem. Eu imaginava que você o amava e que eram felizes. Isso me entristecia e eu mergulhava mais no trabalho, na esperança de esquecer. Agora que sei a verdade, que reencontrei você, que descobri que sempre me amou, não vou perder a chance de ser feliz. Saiba que, aconteça o que acontecer, estarei a seu lado. Nunca mais a deixarei. Isso é tudo que eu quero da vida. O resto não importa.

Maria Júlia quis responder, mas não encontrou palavras. Seus olhos encheram-se de lágrimas e seus lábios tremiam de emoção. Daniel não se conteve:

— Um amor como o de vocês tem força. Tenho certeza de que conseguirão tudo que desejam. Estamos aqui para ajudar no que for possível.

— Quero testemunhar no processo — disse Guilherme com voz firme. — Vocês, como advogados, devem me orientar.

— Não precisa. Basta contar os fatos — disse Daniel.

— A verdade tem muita força — completou Josefa. — Sempre é o melhor caminho.

Maria Júlia passou as mãos pelos cabelos dizendo inquieta:

— Como contar tudo a Gabriel? Como dizer-lhe que o enganei durante toda a sua vida mesmo sabendo que ele não se dava bem com José Luís? E Laura?

Josefa tomou a mão de Maria Júlia dizendo com voz firme:

— Essa é uma coisa que terá que fazer.

— Tenho medo.

— É hora de posicionar-se. De conversar com seus filhos sobre seus verdadeiros sentimentos. Essa é a base de uma confiança mútua que deve existir entre pessoas que se amam e que desejam manter um bom relacionamento. Não tenha medo de falar de tudo que vai em seu coração. De seu amor da juventude, de suas fraquezas, de seus medos e de sua infelicidade. Deixe-os conhecer sua intimidade. Abra sua alma para que eles sintam todo o amor que tem por eles. Se fizer isso, irá se surpreender.

— Vou tentar.

— Isso — concordou Josefa. — Uma atitude sincera, franca, agora vai dar-lhes mais segurança. Eles a conhecerão como você é de fato e isso os fará sentir-se mais confiantes, apesar dos problemas que estão enfrentando. Perceberão que a felicidade que pensavam possuir era falsa e que, fatalmente, um dia teriam que descobrir isso.

— Você acha mesmo?

— Acho, Maria Júlia.

— Poderia ir comigo falar com eles?

— Poderia. Entretanto minha presença poderá constrangê-los. É melhor falar com eles sozinha.

Maria Júlia colocou a outra mão sobre a que Josefa segurava e pediu:

— Reze por mim. O que me pede é um ato muito penoso. Apesar disso, sinto que preciso fazer. Não dá mais para esperar.

— Isso mesmo. Estarei rezando por você. Agora vamos. Vou acompanhá-la de volta a casa.

— Por favor, Maria Júlia. Assim que falar com eles, ligue para mim. Estarei esperando ansioso. Gostaria de estar a seu lado nessa hora, mas sinto que essa conversa precisa ser só você com eles.

— Ainda bem que entende, Guilherme. Tenho que prepará-los para conhecer você. Não tenho idéia de como vão receber essa notícia. Principalmente Laura. Ela é muito revoltada. Admirava o pai. Vai ser difícil aceitar.

— Talvez não. Faça sua parte, que a vida fará o resto — disse Josefa com um sorriso.

Saíram juntos. Enquanto Josefa com seu motorista levava Maria Júlia de volta, Daniel conduziu Guilherme de novo ao escritório.

Rubinho havia chegado e Daniel apresentou o diplomata, informando que ele iria depor no processo. Diante da história que Guilherme lhe contou, Rubinho ficou radiante:

— Finalmente encontramos o meio de libertar D. Maria Júlia. Uma história de amor como essa colocará do nosso lado toda a opinião pública. As mulheres, principalmente, vão se colocar ao lado da mãe que sofreu calada para proteger a vida do filho! Até que enfim temos o motivo pelo qual ela se calou durante toda a vida!

— É verdade — concordou Guilherme. — Nem eu sabia o que ela estava sofrendo. Sabia que Gabriel era meu filho, mas pensava que eles fossem uma família unida e que Gabriel havia encontrado em José Luís o pai que eu não pudera ser. Nunca os procurei porque não queria atrapalhar sua felicidade. Carregava no coração muita culpa pela infelicidade que havia provocado, não queria prejudicá-los mais.

— Qualquer pessoa teria feito o que fez. Como poderia suspeitar a verdade? Eles eram tidos como o casal modelo na sociedade — comentou Rubinho.

— Se por um lado eu sentia ciúme, por outro me conformava pensando que eles haviam encontrado a paz. Quando li sobre o escândalo nos jornais, fiquei desesperado. Mas só depois, quando percebi que ela estava sendo acusada de cumplicidade, foi que resolvi voltar.

— Sua presença será de grande ajuda no caso dela — disse Daniel. — Sua coragem de enfrentar tudo e permitir que sua vida íntima venha à tona é admirável.

— Eu amo essa mulher! Sempre a amei. Saber que ela me ama deu-me forças para enfrentar qualquer desafio. Nós ainda seremos felizes, tenho certeza.

Depois que ele se foi, Daniel ficou pensativo.

— O que foi? Está calado.

— Pensando na força do amor. Puxa, o que ele faz com as pessoas.

— É mesmo. Eu faria qualquer coisa por Marilda. E você, o que faria por Lídia?

— Tenho medo de pensar. A cada dia que passa me sinto mais preso a ela. Tenho a impressão de que agora já não dá mais para tentar escapar.

Rubinho riu alegre e respondeu:

— Nós já marcamos o casamento. E você?

— Ainda não sei. Depois que tudo isto acabar, veremos.

— O julgamento está marcado para o dia dezoito. Depois da sentença, tudo estará acabado.

— Parece mentira que conseguimos desvendar tudo isso.

— Às vezes penso que tivemos muita ajuda espiritual. Você com seus sonhos, as sessões em casa de D. Josefa. Há momentos em que me parece que estamos apenas sendo instrumento das forças superiores. Nunca pensou nisso?

— Já. Tia Josefa acha que estava na hora de a verdade aparecer. Mas diz que nosso trabalho foi fundamental para que tudo se concretizasse. Se nós não tivéssemos aceitado a causa, talvez eles não pudessem fazer o que pretendiam.

— Por isso você sonhou que precisava aceitar esse trabalho.

— Eu ia dizer não. O sonho mudou minha vontade. Ainda agora a presença desse diplomata disposto a defender D. Maria Júlia fez-me pensar.

— Em quê?

— No merecimento que ela tem. Quem poderia imaginar uma coisa dessas?

— Concordo.

Josefa deixou Maria Júlia em casa e despediu-se dizendo:

— Coragem. Estarei rezando por você.

Ela foi direto para seu quarto, sentou-se na poltrona e pensou nas palavras de Josefa. Durante o trajeto de volta ela lhe mostrara o quanto Deus havia sido bondoso com ela, ajudando-a sempre que precisava. Primeiro, tirando-a da tirania paterna, depois libertando-a do marido, e, num momento decisivo e difícil, trazendo de volta o amor de sua vida, disposto a lutar por ela e dar-lhe a felicidade.

Josefa tinha razão. Nessa hora ela precisava confiar em Deus. Ele a estava ajudando e protegendo. Queria que seus filhos usufruíssem dessa proteção e pudessem refazer suas vidas. Guilherme tinha dito que se ela desejasse, depois que tudo se resolvesse, eles iriam para outro país, onde havia leis para o divórcio e para outro casamento. Tanto poderiam continuar vivendo lá como voltar ao Brasil. Ele faria tudo como ela e seus filhos quisessem.

Maria Júlia fechou os olhos e rezou. Agradeceu a Deus a proteção que tivera e pediu que lhe desse forças para contar toda a verdade aos filhos. Ao terminar, respirou fundo e sentiu-se aliviada.

Chamou os filhos a seu quarto para essa conversa. Eles obedeceram imediatamente.

— Sente-se melhor, mamãe? — indagou Gabriel.

— Sim. Estou bem. Sentem-se aqui, a meu lado.

Eles se acomodaram e ela continuou:

— Chamei-os porque precisamos conversar. Tudo que tem acontecido ultimamente tem-nos perturbado e feito sofrer. Para vocês deve ter sido terrível descobrir os fatos dolorosos de nosso passado.

— Mãe, ainda duvido que papai tenha cometido tudo que dizem.

— Infelizmente, Laura, ele o fez. Você é sua filha, sempre teve dele uma imagem boa e eu sinto ter que lhe dizer a verdade. Eu me calei esses anos todos porque nunca pensei que Marcelo pudesse descobrir tudo e voltar para nos pedir contas.

— Quer dizer que você foi cúmplice dele em tudo isso? Como pode concordar com uma coisa dessas?

— Eu nunca concordei, filha. Fiz o que pude para salvar Marcelo e o consegui. Só Deus sabe como foi difícil e o medo que passei. Mas eu também tinha um filho pequeno e repugnava-me saber que pensavam em matar aquele menino.

— Mãe, não precisa dizer nada — tornou Gabriel. — Isso a faz sofrer. Sabemos de tudo. Não se atormente mais.

— Não, meu filho. Ainda não sabem de tudo. É sobre isso que desejo lhes falar. Minha vida tem sido até agora um amontoado de mentiras. Tenho sido covarde, nunca tive coragem para lhes contar o que ia em meu coração, por que e como me casei com José Luís. O que vou lhes dizer agora é o segredo que tenho guardado durante tanto tempo mas que não dá mais para segurar. Desejo abrir meu coração a vocês, dizer toda a verdade, lavar minha alma. Desnudar meus sentimentos mais íntimos para que me vejam tal qual sou. Apenas uma mulher que amou muito e que tem sofrido todos esses anos.

— Sempre desconfiei de que havia alguma coisa que a fazia temer Bóris e papai. Várias vezes senti que eles a ameaçavam.

— É verdade, meu filho. A vida inteira vivi ameaçada. Nossa história começou quando eu tinha dezessete anos.

Maria Júlia, olhos fixos no passado, com voz pausada porém firme que a emoção por vezes dificultava, foi relatando todos os acontecimentos de seu passado. À medida que ela falava, Gabriel foi se emocionando, pressentindo que suas palavras tinham a ver com ele. Segurou a mão dela com força e, sem desviar o olhar, esperava ansioso que ela concluísse.

Laura sentia as lágrimas descerem por suas faces. Nunca lhe passara pela cabeça que aquela mulher que sempre vira bem-posta, calma, controlada, havia passado por todas aquelas emoções, e parecia-lhe estar vendo-a pela primeira vez.

Em silêncio, esperaram que ela acabasse:

— Por isso me calei durante toda a vida — finalizou ela. — Eles ameaçavam a vida de Gabriel e eu sabia que eles diziam a verdade. Eu os conhecia. Vira como eles haviam planejado todos aqueles crimes. Eu mesma muitas vezes pensei que eles poderiam me matar. Acho que ele nunca fez porque tinha uma fixação por mim. Era como uma obsessão. Queria conquistar meu amor a qualquer preço. Precisava de mais essa vitória. Como nunca conseguiu, não desistia.

Os dois a abraçaram com força e misturaram suas lágrimas. Gabriel sentia um nó na garganta e não conseguia falar. Ficaram assim, abraçados, durante alguns minutos. Quando se acalmaram, Maria Júlia continuou:

— Eu queria poupar vocês. Entretanto foi inútil. A vida tem seus próprios caminhos. Espero que me perdoem. Eu amo vocês. Preciso de seu amor.

— Mãe, você sempre foi generosa e amiga. Deu-nos tudo e foi até o sacrifício para nos preservar. Só lamento que não tenha me contado a verdade antes. Se tivesse feito isso, talvez tivéssemos encontrado uma solução para acabar com seu sofrimento.

— Eu temia que não entendessem. Pretendia ficar calada pelo resto da vida. Nunca iria revelar esse segredo, a não ser que José Luís cumprisse a ameaça que me fez de que, se fosse preso, contaria tudo. Todavia, hoje aconteceu algo que me fez mudar de idéia.

Maria Júlia levantou a cabeça e olhou-os por alguns segundos em silêncio. Depois continuou:

— Daniel me telefonou e disse que o Dr. Guilherme Gouveia insistia em falar comigo pessoalmente.

— O diplomata? — indagou Gabriel admirado.

— Ele mesmo. Conversamos e Josefa veio buscar-me para um encontro em sua casa.

— Mãe, por que ele a procurou? O que ele tem a ver conosco? — indagou Gabriel apertando as mãos dela com força.

— Porque ele foi o amor de toda a minha vida. Depois daquele tempo, nunca mais nos encontramos. Pretende testemunhar a meu favor. Contar por que me calei durante esse tempo todo.

— Mãe... quer dizer que ele... é meu verdadeiro pai??!

— É, meu filho. Ele pretende contar tudo em juízo e reconhecê-lo como filho legítimo.

Gabriel não se conteve:

— Mãe, ele tem família. Não será um pouco tarde essa atitude?

— Não, meu filho. Ele nunca nos procurou porque pensou que éramos felizes. Não desejava nos prejudicar. Acompanhava nossa vida à distância, pelas notícias sociais. Quando soube pelos jornais do que aconteceu, voltou ao Brasil disposto a me ajudar. Entendeu logo por que eu me calara. Seus dois filhos casaram-se, moram no exterior. Sua esposa morreu há alguns anos. Ele está sozinho e nossos sentimentos ainda são os mesmos. Ele pensa em retomar nossa vida, desta vez de maneira limpa. Acredita que serei absolvida. Depois que tudo acabar, quer se casar comigo, no exterior, é claro. Aqui não há divórcio. Estou contando tudo a vocês como aconteceu. Não vou decidir nada sem ouvi-los a respeito.

Laura olhava-a emudecida pela surpresa. Não sabia o que responder. Era-lhe difícil pensar em sua mãe casada com outro homem. Gabriel, emocionado, não conseguia concatenar os pensamentos.

Maria Júlia abraçou-os dizendo:

— O importante é ter vocês a meu lado.

— Já pensou no que vai fazer? — indagou Gabriel. — Vai aceitar seu pedido?

— Não sei ainda, meu filho. Neste momento vocês são mais importantes do que tudo para mim. Nada farei que possa desgostá-los.

— Você ainda gosta dele? — indagou Laura.

— Nunca esqueci esse amor. Entretanto, para ser sincera, foi há muito tempo. Eu mudei, tudo mudou. Não sei se poderia retomar esse sentimento. Estou confusa e atormentada. Nem sequer sei se conseguirei sair livre de toda essa sujeira. A pobreza me assusta por causa de vocês. No momento não tenho como tomar nenhuma decisão.

— Ele vai mesmo testemunhar a seu favor? — indagou Gabriel.

— Vai. Eu não queria. É um diplomata respeitado, admirado. Tem livros publicados, é famoso. Esse depoimento vai arruinar sua carreira. Mas ele insiste, e Daniel, que estava conosco, é de opinião que, se ele contar nosso segredo, serei absolvida.

— Ele deve sentir-se culpado — disse Gabriel. — Por causa dele você acabou se casando com uma pessoa que não amava e viveu todo esse drama. Ele não merece o respeito que usufrui. Diz que a amava, mas enganou-a, iludiu-a. Usou de má-fé. Você era inexperiente e confiante. Depois do que fez, ainda queria que você abortasse.

— Não diga isso, meu filho. Não o culpo. Nós nos apaixonamos perdidamente. Ele nunca quis um aborto. Ao contrário, queria fugir comigo. Eu não quis. Tive medo de papai. Depois, repugnava-me fazê-lo abandonar a família. Ele tinha dois filhos. Está muito arrependido do que fez; mas eu, não. Apesar de tudo, a lembrança daqueles momentos de amor que vivenciamos juntos tem me dado forças para suportar toda a frustração que tem sido minha vida. Eles continuam vivos em minha mente. Nunca esquecerei.

Gabriel baixou a cabeça sem saber o que dizer. Ele se lembrou da noite em que levou Lanira para o barco e da experiência inesquecível que tinha vivido.

— Gostaria que entendessem que nos deixamos levar pelas emoções e nos envolvemos sem pensar nas conseqüências e pagamos um preço muito alto por nossa fraqueza. Ele teve medo de dizer que era casado e eu de assumir a verdade perante a família. Assim, acabamos por piorar a situação. Ele cumpriu até o fim a sua responsabilidade para com a esposa e os filhos, e eu tentei fazer o mesmo. Ele conseguiu, mas eu não tive a mesma sorte.

— Você não podia saber o que eles iriam fazer — disse Gabriel.

— Se papai não tivesse cometido tantas loucuras, tudo estaria bem agora. Talvez até você tivesse aprendido a gostar dele — disse Laura com voz triste.

Maria Júlia abraçou-a comovida:

— Tem razão, minha filha. Quando José Luís me pediu em casamento, disse que me amava e que seria um bom pai para meu filho. Acreditei. Ele era um médico, bonito, jovem, agradável. Achei que seu amor estava sendo sublime a ponto de me aceitar grávida de outro homem. Acreditei que todos os problemas estavam resolvidos. Tinha certeza de que conseguiria amá-lo. Infelizmente, não foi o que aconteceu.

— Por quê? — indagou Laura.

Maria Júlia olhou-a nos olhos e respondeu séria:

— Ele é seu pai, e o que vou dizer não é agradável. Mas estou disposta a dizer a verdade. Nunca mais quero ter segredos para vocês.

— Fale, mãe. Queremos saber tudo — pediu Gabriel.

— Você já sabe, meu filho. Seu pai tinha um gênio difícil. Possessivo, ciumento. Casou comigo mas nunca aceitou de fato a situação. Tinha raiva de você porque o achava parecido com o verdadeiro pai.

— Pelo que sei, era Gabriel que não gostava dele — interveio Laura.

— Quando era bebê, várias vezes surpreendi-o dizendo palavras rancorosas e você chorava. Algumas vezes eu desconfiei até que ele o beliscava. Quando ficou maiorzinho, começou a fugir dele e os criados começaram a notar. Então ele passou a rodeá-lo de atenções, mas eu sabia que era só diante dos outros. Por isso nunca o deixava a sós com ele.

— Eu sentia a repulsa dele. Nunca me senti bem em sua presença.

— Mãe, custo a crer. Meu pai é um monstro!

— Prefiro pensar que ele seja um neurótico, um psicopata. Gostaria de não ter que lhe dizer tudo isso, minha filha, mas sinto que não posso mais segurar.

— Agora já posso entender melhor o que está acontecendo. Para mim papai sempre foi calmo, controlado. Era respeitado por todos, e mesmo você sempre me pareceu feliz ao lado dele. Nada disso era verdade. Estávamos vivendo uma situação falsa. Vocês colocaram no rosto uma máscara atrás da qual escondiam seus verdadeiros sentimentos. Diante do que falou de meu pai, de seu temperamento, posso acreditar que tudo quanto dizem dele é verdade. Ele nunca foi quem eu pensava que fosse.

Laura soluçava e tanto Maria Júlia quanto Gabriel abraçaram-na em silêncio. Quando ela finalmente parou, Maria Júlia tornou:

— Obrigada por terem me ouvido. Espero que me perdoem e continuem me amando apesar de tudo. Só isso me importa.

— Mãe, não me sinto em condições de julgar nada — disse Gabriel emocionado. — Sempre amei você e sempre vou amar. Aconteça o que acontecer, estarei do seu lado.

— Eu também, mãe — tornou Laura. — Nunca esquecerei este momento. Admiro sua coragem e seu desprendimento abrindo seu coração, contando-nos a verdade. Fico triste em pensar que papai cometeu tantos erros, mas reconheço que precisa assumir sua responsabilidade por eles.

— Obrigada, meus filhos. Infelizmente, depois do que aconteceu, seu pai não pode ficar em liberdade. Está descontrolado e pode fazer coisa pior.

— Apesar de tudo, mãe, não desejo abandoná-lo. É meu pai. Se puder fazer alguma coisa para ajudá-lo, eu farei.

— Compreendo, filha.

— Ele não pode ficar em liberdade, Laura. Você ouviu o que mamãe falou — disse Gabriel. — Se ele sair da cadeia, vai tentar alguma coisa contra ela.

— Depois de tudo, tenho certeza de que ele ficará preso. Vou ficar do seu lado e de mamãe, mas repito: se puder ajudar papai de alguma forma, eu o farei.

— Faça o que seu coração quer. É a maneira mais certa de viver. Terá sempre meu apoio. Agora vamos para a copa, vocês precisam comer alguma coisa.

Quando saíram do quarto abraçados, Maria Júlia sentia-se aliviada. A conversa fizera-lhe muito bem. Reconheceu que há muito tempo não se sentia tão leve. Satisfeita, percebeu que tanto Gabriel quanto Laura também pareciam estar melhor.

Capítulo 26

Depois desse dia os acontecimentos precipitaram-se. O julgamento de José Luís movimentou a sociedade. Não se falava em outra coisa. Depois da leitura do processo, que demorou dois dias, começaram os depoimentos.

Alberto emocionou a todos contando sua história. José Luís, ereto, mantendo na fisionomia um ar de indiferença, de vez em quando olhava para seus cúmplices, sentados a seu lado, como se não os visse. Depois foi a vez de Bóris, que tentou impressionar colocando-se na posição de vítima, dizendo-se chantageado pelo patrão.

Seu depoimento foi impiedoso. Jogou sobre José Luís toda a responsabilidade pelos crimes cometidos. Pressionado por Rubinho, que com inteligência foi interrogando-o, acabou contando como José Luís envenenou o tio aos poucos e de que forma eles provocaram o "acidente" que matou os pais de Marcelo.

Antunes disse que era inocente. Que ajudara Bóris a intimidar Marcelo por ser amigo da família de José Luís. Que não pretendiam fazer nenhum mal ao moço.

Estarrecidos, os presentes tomaram conhecimento de toda a trama. Ficou clara a ambição de Eleutéria e de Pola, e principalmente a crueldade de José Luís.

Quando chegou sua vez de prestar depoimento, José Luís tentou justificar-se dizendo que o Dr. Camargo havia roubado a fortuna do irmão, que era seu pai, deixando toda a sua família na miséria. Ele queria desforra. Disse que foi sua esposa, Maria Júlia, quem deu a idéia de trocar a identidade de Marcelo. Mais tarde, ela o ajudou a planejar o resto. Falou que ela o apoiava e que o aconselhara a fugir quando tudo foi descoberto.

Durante todo o tempo lançava olhares para Maria Júlia, que, pálida, estava sentada ao lado dos filhos no banco reservado às testemunhas.

Foi então que, para surpresa geral, Daniel chamou o Dr. Guilherme Gouveia para depor. Ele entrou no recinto e todos os olhares voltaram-se para ele. José Luís empalideceu ainda mais e trincou os dentes com raiva. De onde saíra seu rival?

Depois do juramento, Rubinho aproximou-se e pediu para a testemunha dizer ao tribunal por que resolvera pedir para depor.

Com olhar emocionado porém firme, Guilherme começou:

— Vim para evitar que se cometa uma injustiça. Sei que Maria Júlia é inocente dos crimes que foram cometidos contra os Camargo.

— Como é que sabe? — indagou Rubinho.

— Porque a conheço muito bem. Sei que ela nunca iria concordar com nada disso. Trata-se de uma mulher íntegra, que tem sido vítima da maldade do marido a vida inteira.

— Em que se baseia sua afirmação?

— Eu sei por que ela ficou calada durante todo esse tempo. Eu sei por que ela nunca revelou à polícia as falcatruas desses assassinos.

— Na verdade — considerou Rubinho —, desde que tomamos conhecimento dos fatos, temos feito essa pergunta. Se ela não foi cúmplice, por que não procurou a justiça para contar o que sabia?

— Ela estava sendo ameaçada no que tem de mais sagrado. Na pessoa de seu filho!

Um "oh!!" ecoou na platéia e o juiz pediu silêncio várias vezes. Quando conseguiu, deu ordem para Rubinho prosseguir.

— Pode nos esclarecer melhor?

— Posso. Para isso terei que voltar no tempo e contar a história de minha vida.

Guilherme, com voz comovida, começou a relatar todos os fatos do passado. Maria Júlia emocionada deixava que as lágrimas descessem por suas faces. Gabriel segurava a mão da mãe para dar-lhe coragem, mas também, vendo a dignidade daquele homem permitindo que todos invadissem sua intimidade, conhecessem seus sentimentos, soubessem de suas fraquezas, não conseguiu reter as lágrimas.

Laura ouvia entre a tristeza e a curiosidade. Horrorizada com tudo que escutara naquele tribunal, não podia deixar de comparar os dois homens. Seu pai tentara destruir sua mãe, arrastá-la com ele na queda, revelando uma maldade e um egoísmo que ela era forçada a reconhecer. O outro, para defendê-la, não se importara em destruir sua carreira com o escândalo, interessado apenas em limpar sua consciência e salvar a mulher que amava.

Naquele instante Laura entendeu por que sua mãe amara aquele homem e nunca conseguira amar seu pai. A verdade doía, mas apesar de tudo ela sentia que precisava ficar do lado da mãe, que já havia sofrido muito e merecia encontrar a paz.

Guilherme continuava relatando o passado com voz emocionada. As mulheres presentes choravam discretamente enquanto os homens pigarreavam de vez em quando tentando dissimular a emoção. Ele finalizou:

— Eu não poderia ficar calado. Seja qual for o preço que terei que pagar por isso, sinto-me gratificado, aliviado por poder dizer o que vai em meu coração. Por poder contar que Gabriel é meu filho e que pretendo reconhecê-lo diante da lei. Mas gostaria que soubesse, meu filho, que, mesmo distante todos esses anos, você sempre esteve dentro de meu coração. Acompanhei à distância, pelas colunas sociais, todas as notícias a seu respeito, tentando assim afogar a saudade e a vontade de me aproximar, de abraçá-lo e dizer-lhe que sou seu pai. Nunca os procurei porque não quis perturbar sua felicidade. Eu não sabia nada do que estava acontecendo aqui. Só espero que, quando tudo isto acabar, você possa me perdoar, aceitar e compreender.

Fez ligeira pausa e prosseguiu:

— Depois que voltei ao Brasil, procurei os advogados de Marcelo e tomei conhecimento dos detalhes, entendi tudo. Meu filho sempre teve a vida ameaçada por José Luís. Essa era a arma que ele usava para coagir a esposa a ficar calada e a suportar suas exigências. Agora acabou. Maria Júlia está livre desse martírio. Tenho a certeza de que sairá deste tribunal de cabeça erguida e livre para viver sua vida com seus filhos daqui para a frente.

Maria Júlia, abraçada aos filhos, chorava, e a comoção havia tomado conta dos presentes. O juiz tomou a palavra e suspendeu os trabalhos determinando que seriam reiniciados às dez da manhã seguinte.

Os jornalistas saíram rápido, empolgados com a história inesperada envolvendo o diplomata. Daniel aproximou-se de Maria Júlia dizendo:

— Foi bom o juiz encerrar por hoje. Amanhã é sua vez de prestar depoimento e precisa descansar, acalmar-se, para poder agüentar. Vou levá-la para casa.

Marcelo aproximou-se de Maria Júlia, que mais controlada preparava-se para sair.

Olharam-se emocionados. Ele tornou:

— Sempre desejei falar com a senhora. Agradecer tudo quanto fez por mim. Sinto ter envolvido sua família. Mas não pude evitar.

— Eu sei, meu filho. Você fez o que precisava fazer.

Ele olhou para Laura e Gabriel, que o fitavam curiosos, e continuou:

— Lamento por vocês. Não desejava que sofressem. Agradeço a Gabriel por ter-nos ajudado. É preciso muita coragem para fazer o que você fez.

— Apesar de tudo, estou em paz. Gostei de seu depoimento. Tentou inocentar minha mãe — respondeu ele.

— Fui sincero. Se não fosse por ela, não estaria aqui.

Maria Júlia conversava com Rubinho e Daniel, distanciara-se alguns passos deles. Laura olhou Marcelo com curiosidade e um pouco de receio:

— Você vai tirar nossa casa? — perguntou baixinho.

Ele se sentiu embaraçado e respondeu:

— Não pensei em nada ainda. Nem sei o que me caberá de direito. O juiz é que vai decidir.

Gabriel abraçou Laura dizendo:

— Não se preocupe, Laura. Nós podemos trabalhar. Deixemos isso para depois.

Maria Júlia chamou os filhos para irem embora e despediram-se de Marcelo. Gabriel olhou e viu Guilherme do outro lado da sala, olhando-os. Sentiu-se embaraçado, teve vontade de ir embora. Maria Júlia percebeu e foi saindo acompanhada dos filhos.

Guilherme ficou olhando e não os seguiu. Daniel aproximou-se dele dizendo:

— Ele está ainda em estado de choque. Tenha paciência.

— Terei. Não está sendo fácil para ele nem para a irmã.

— Para ela será pior.

— Concordo. Podemos ir. Seu depoimento foi excelente. Emocionou todo mundo — tornou Rubinho satisfeito.

— Acha que conseguiremos?

— Temos grandes probabilidades. O caso é claro. Está suficientemente provado. Só ela não tinha provas a seu favor. Com seu depoimento, ela tem. Foi concludente — disse Rubinho.

— Foi mesmo — concordou Daniel. — Tive que fazer enorme esforço para conter a emoção.

— Pelo menos me sinto aliviado. É como se tivesse tirado um enorme peso de meu coração.

— Estou louco para ler os jornais de amanhã. Espero que eles não inventem nada — disse Rubinho.

— Não precisam. O que o Dr. Guilherme contou dá uma matéria e tanto.

Eles saíram conversando. Alberto aproximou-se de Lanira, que estava acompanhada de Maria Alice. A moça apresentara-os na entrada do tribunal.

— Aceitariam um chá, um café comigo?

Foi Maria Alice quem respondeu:

— Está um pouco tarde. Vamos deixar para outra ocasião.

— Posso levá-las até em casa?

— Obrigada — disse Lanira. — Mas nosso motorista está aí fora.

Ele sorriu dizendo:

— Nesse caso estou sem argumentos. O que eu queria mesmo é estar um pouco mais com vocês.

— Se Lanira desejar ficar, irei sozinha.

— Não, mãe. É tarde. Amanhã teremos que voltar cedo. Não quero perder nada. D. Maria Júlia vai depor.

— Virei com você. Quero que ela sinta que estamos do seu lado e que confiamos na justiça.

Alberto ficou pensativo por alguns instantes, depois disse:

— É uma mulher sofrida e merece conquistar a paz. Desejo isso de coração.

Maria Alice olhou-o e viu o brilho de uma lágrima que ele não deixou cair. Não se conteve:

— Depois de tudo que aconteceu, é nobre de sua parte desejar isso.

— Conhecendo o passado, cheguei a invejar Gabriel. Gostaria muito de ter uma mãe como ela.

— De uma certa maneira, ela é um pouco sua mãe também. Salvou-lhe a vida, sustentou-o até a maioridade. Por que não reivindica esse lugar em seu coração?

Lanira olhou a mãe admirada. De onde tirara esse idéia? Alberto sorriu levemente e respondeu:

— Se ela me aceitasse, eu faria isso.

Despediram-se combinando estar de novo lá na manhã seguinte.

No outro dia, Daniel e Rubinho foram a casa de Maria Júlia bem cedo. Vendo-os, disse nervosa:

— Estou preocupada. O que será que vai acontecer?

— Depois de ontem, acredito que sairá absolvida — disse Daniel.

— Não sei. Tenho medo. Penso em Gabriel e Laura. Eles precisam de mim. Não quero deixá-los sozinhos.

Gabriel, que vinha entrando e ouviu suas palavras, abraçou-a dizendo:

— Não vai acontecer nada. Todos perceberam que você é inocente.

— Mesmo que não considerassem o depoimento do Dr. Guilherme, há várias atenuantes a seu favor. O depoimento de Marcelo deixando claro que você lhe salvou a vida, nossas declarações frisando que você nos ajudou, o próprio inquérito policial registrando sua cooperação e a de Gabriel na solução do seqüestro que resultou na prisão de Bóris e de Antunes. A forma como foi encontrada pela polícia, prisioneira de José Luís.

Ele nunca faria isso com uma cúmplice. Tudo soma a seu favor — esclareceu Rubinho.

— Seu depoimento de hoje é muito importante. Repita tudo que contou na polícia. Diga a verdade, fale da dramática fuga, inclusive que ele a acorrentou para que não fugisse. Lembre-se de que estará falando com o júri. Pessoas que estão tomando conhecimento dos fatos agora, ou que só leram o que saiu nos jornais, mas que precisam conhecer bem como tudo aconteceu para que possam dar a sentença com justiça — aconselhou Daniel.

— É, D. Maria Júlia. Faça como o Dr. Guilherme. Vá fundo. Abra seu coração, ponha para fora tudo quanto guardou estes anos todos. Deixe que as pessoas conheçam sua intimidade, seus sentimentos, sua visão da vida. Mostre-se tal qual é. Se fizer isso, tenho certeza de que conseguirá o que deseja — acentuou Rubinho.

— Isso, mãe — concordou Gabriel. — A mulher que eles imaginam que você seja é falsa. A imprensa, os culpados, tudo que eles disseram a seu respeito, nada disso é você. Deixe que todos conheçam-na como é. Isso será o bastante para que a absolvam.

— Está bem. Vou tentar.

— Quando se sentar lá para depor — continuou Daniel —, quando colocar a mão sobre o livro sagrado para jurar dizer a verdade, peça a ajuda de Deus em pensamento. Chame os espíritos amigos para dar-lhe forças. Depois, esqueça o lugar onde está. Entre no fundo de seu coração, de suas lembranças, e conte tudo do seu jeito. Não omita nenhum detalhe, por pequeno que seja.

— Está bem. A nossa vida já está devassada, e não adianta querer preservar alguma coisa.

— Está devassada mas de maneira errada em muitos aspectos — lembrou Rubinho.

— É. Eles contaram tudo como quiseram o tempo todo. Até José Luís fez seu jogo. Agora chegou minha vez. Vou dar a minha versão.

Laura, que entrara e ouvira parte da conversa, interveio:

— Depois de ontem, acho que não falta mais nada.

— Engana-se, minha filha. Eu nunca disse a ninguém como vivi todos esses anos. Tenho certeza de que posso acrescentar algumas coisas.

Maria Alice levantou cedo, vestiu-se e estava tomando o café da manhã quando Antônio desceu e vendo-a disse admirado:

— Vai sair?

— Vou.

— Não me diga que vai àquele julgamento.

— Vou.

— Melhor faria se não defendesse aquela família degenerada. Já viu os jornais da manhã?

— Não, mas imagino o que está lá.

— Quem imaginaria que aquele sonso do Guilherme Gouveia estivesse metido nessa história sórdida?

— O Dr. Guilherme é um homem de bem. Seu depoimento ontem foi maravilhoso. Comoveu a todos nós.

— O que ele fez foi um ultraje. Onde já se viu? Um diplomata em exercício, envolver-se nesse escândalo. Garanto que vai se arrepender. Estou pensando em exigir que ele seja expulso do Itamarati.

Maria Alice indignou-se. Olhou o marido nos olhos e disse irritada:

— Quem é você para fazer isso? Que moral tem para atirar pedras em um homem decente como ele? Logo você que desfila por todos os lados com a amante que sustenta no luxo à custa do dinheiro público! Não tem vergonha nessa sua cara?

Antônio estremeceu. Seu rosto cobriu-se de intenso rubor. Apanhado de surpresa, não encontrou palavras para responder.

Maria Alice olhou para ele e disse com voz calma:

— Não seja tolo de levantar a lebre. O tiro pode sair pela culatra.

Havendo se recuperado do susto, ele conseguiu dizer:

— O que está dizendo? Enlouqueceu? O melhor é ir embora, você está intratável. Não dá para conversar.

Lanira ia entrando para tomar café e perguntou:

— O que foi, mãe? Ele estava furioso.

— Nada de mais. Quis procurar lã e saiu tosquiado.

Lanira sorriu e não respondeu. Sabia que as coisas não estavam bem entre eles. Tratou de tomar café, porque já estava quase na hora de sair.

Quando o juiz reabriu a sessão do júri, às dez em ponto, todos estavam sentados em seus lugares. Os jornais da manhã haviam publicado as declarações de Guilherme e foi preciso conter os curiosos que acorreram ao tribunal querendo assistir ao julgamento.

Depois das formalidades habituais, finalmente Maria Júlia foi chamada a depor. A solenidade do lugar, o olhar das pessoas que a fitavam com curiosidade, os filhos que de onde estavam controlavam a própria ansiedade, tudo isso impressionou-a. Sentiu-se nervosa. Quando colocou a mão sobre a bíblia para fazer o juramento, lembrou-se das palavras de Daniel e endereçou um veemente pedido a Deus para que a ajudasse naquele decisivo momento.

Quando se sentou, estava mais calma. Daniel começou a interrogá-la pedindo-lhe que relatasse tudo quanto aconteceu. Maria Júlia sentiu que uma força nova apoderou-se dela. Esqueceu o lugar onde estava, as pessoas, a importância do momento, voltou no tempo e viu-se aos dezessete anos, quando se apaixonou por Guilherme.

Seu rosto modificou-se e ela começou a contar, com voz que a emoção modulava, todos os acontecimentos. Seu amor por Guilherme, a entrega, a descoberta da gravidez.

As pessoas ouviam-na sustendo a respiração, envolvidas pela magia daquela mulher bonita e cheia de classe que relembrava o grande amor de sua juventude. Ninguém ousava interromper a narrativa, e ela, perdida no oceano de suas lembranças mais íntimas, desnudava seus sentimentos, seus medos, sua ansiedade, seu desejo de felicidade.

Depois, sua desilusão. A descoberta terrível do caráter do homem que se tornara seu marido. De suas tentativas de salvar Marcelo, de conseguir contar tudo à família dele e de como sofreu por não haver conseguido.

Depois, a máscara que foi forçada a vestir para obedecer àquele homem vaidoso, que se escondia sob o verniz social mas que na intimidade era violento e cruel.

Ela contou tudo com detalhes. De vez em quando fazia pequena pausa e tomava um pouco da água que Daniel colocara a seu lado.

Quando ela falou da fuga, de como fora obrigada a segui-lo, levantou um clamor de indignação na assistência que obrigou o juiz a pedir insistentemente silêncio.

Ela disse que ele pretendia viajar para Roma, mas, percebendo que na sala de embarque havia dois conhecidos, resolveu tomar outro vôo. Assim chegaram ao Paraguai.

Quando ela contou que finalmente a polícia apareceu e a libertou, houve um murmúrio de alívio no recinto. Ela finalizou:

— Não guardo rancor de José Luís. Foi ele quem evitou que eu em meu desespero fizesse um aborto e permitiu que meu filho vivesse. Sempre lhe serei grata por isso, mas nunca mais quero vê-lo. Desejo que ele um dia tome consciência de todo o mal que fez, que se arrependa e que possa mudar sua maneira de ser. Quanto a mim, a única coisa que espero da vida agora é poder viver em paz com meus filhos, se Deus permitir.

— Obrigado, D. Maria Júlia — disse Daniel.

O juiz perguntou se os advogados de defesa desejavam interrogar a testemunha. Nenhum deles quis, o que irritou José Luís, que esperava que pelo menos o seu se levantasse para questionar tudo quanto ela dissera.

Depois de os peritos apresentarem em juízo algumas provas, a corrente com a qual Maria Júlia havia sido presa, os documentos falsificados, o dinheiro apreendido com ele na fuga, etc., Rubinho tomou a palavra e começou a fazer as acusações contra os assassinos. Falou da crueldade do médico, que jurara curar mas que se tornara um assassino da própria família. Arrancou lágrimas da platéia e dos jurados, falando do sofrimento do Dr. Camargo, dos pais de Marcelo julgando-o morto. Comoveu. Foi uma peça brilhante de acusação.

Depois foi a vez do advogado de defesa de Bóris e seus comparsas. Disse que eles haviam cometido todos esses crimes pressionados por José Luís, que os explorava. Disse que estavam arrependidos e pediu um abrandamento de pena.

O advogado de defesa de José Luís falou pouco. Disse que o réu cometeu esses crimes inspirado pela paixão que sentia pela esposa. Pediu clemência sem muita convicção.

Finalmente levantou-se Daniel como advogado de defesa de Maria Júlia. Tanto Maria Alice quanto Lanira, vendo-o de toga, bonito, digno em sua postura elegante, tendo no olhar um brilho que elas nunca haviam percebido nele, emocionaram-se.

Maria Júlia sentiu o coração descompassar. Pediu a Deus que o ajudasse naquela hora.

Daniel falou do amor de mãe, incondicional e eterno. Da luta daquela mulher que tudo suportou para proteger o filho. Discorreu com fluência sobre a infelicidade que se abateu sobre seus dois filhos, jovens inocentes de todos aqueles crimes, tendo que sofrer as conseqüências dos erros do pai. Salientou que eles precisavam mais do que nunca da mãe dali para a frente, e comoveu os jurados quando disse:

— Eu peço que seja feita justiça. Esta mulher já sofreu demais sem ter cometido crime algum. Mesmo rodeada de malfeitores da pior espécie, conservou a dignidade, fez o que pôde para evitar que eles cometessem mais crimes. Salvou a vida de Marcelo duas vezes: quando ele era criança e agora, há poucos meses, quando o seqüestraram. Sim, foi ela e seu filho Gabriel que ajudaram a polícia a localizar e prender os seqüestradores. Por causa disso, sofreu no cativeiro, acorrentada, com ameaça constante de morte. Ninguém mais do que ela merece daqui para a frente destar de paz com seus filhos. Peço sua completa e total absolvição. Senhoras e senhores, tenho certeza de que lhe farão justiça.

Os jurados se retiraram para deliberar, e o juiz interrompeu a sessão, avisando que seria reaberta assim que eles tiverem chegado ao veredito.

Daniel e Rubinho foram cumprimentados pela brilhante atuação. Maria Alice, Josefa, Lanira reuniram-se a Maria Júlia, abraçando-a com carinho e dizendo-lhe palavras de conforto e apoio. Quando conseguiram escapar dos demais, Daniel e Rubinho juntaram-se ao grupo.

Maria Alice abraçou o filho com olhos brilhantes, dizendo:

— Você me comoveu! Nunca pensei que pudesse ser tão brilhante! Sinto-me orgulhosa e feliz. Tenho certeza de que escolheu o caminho certo.

— Obrigado, mãe. Eu sempre soube que queria fazer o que fiz hoje. Sinto que esse é meu caminho.

Marilda e Lídia aproximaram-se para cumprimentá-los. Vendo-as, Daniel abraçou-as com prazer:

— Nunca esquecerei o brilho de seus olhos nem sua dignidade na brilhante defesa que fez — disse Lídia emocionada. — Você nasceu predestinado a defender o Direito e fazer valer a justiça.

— A causa é nobre. Defender uma pessoa inocente é gratificante.

— Tenho certeza de que se ela fosse culpada você não a teria defendido — respondeu ela.

— Não mesmo.

— Um advogado deve defender seu cliente mesmo que seja culpado — lembrou Marilda, que ainda abraçada a Rubinho ouvira a conversa.

— Não eu. Não encaro assim. Para defender uma causa ou uma pessoa, preciso acreditar que estou fazendo um bem. Só essa certeza pode me dar força e argumentos para vencer.

— Eu tinha certeza que você diria isso. Eu sei que você é um advogado de Deus! — disse Lídia. E percebendo que a olhavam admirados, concluiu: — Quem defende o bem e a verdadeira justiça não está sendo um instrumento dele?

Todos concordaram. Maria Alice olhava-os curiosa e Daniel apresentou-as à mãe.

— Quanto tempo pensa que vai demorar para sair a sentença? — perguntou Lanira.

Ela estava um pouco preocupada com a presença de Marcelo e Gabriel juntos ali. Ambos a olhavam como que tentando descobrir como é que ela iria dividir sua atenção entre eles. Foi Rubinho quem respondeu:

— Não sei. Eles podem demorar o tempo que quiserem.

— Quando a decisão é unânime, sai mais depressa. Quando há dúvida, demora mais. Em todo caso, penso que vão demorar algumas horas. Há muitas pessoas envolvidas e todas terão que ser julgadas — esclareceu Daniel.

— Acha aconselhável esperar aqui? — indagou Maria Alice.

— Vocês podem ir, se quiserem. Nós precisamos ficar. Temos que estar presentes quando formos chamados — respondeu Daniel.

— O que faremos? — perguntou Maria Alice a Lanira.

— Penso que podemos ir almoçar. Há um bom restaurante perto daqui — sugeriu Alberto.

Maria Júlia não quis e os dois advogados convidaram-na a passar para uma sala de espera, onde ficariam mais à vontade. Lá havia água e café. Eles também preferiam não sair dali. Estava difícil segurar a ansiedade.

Alberto insistiu com Lanira, Gabriel e Laura para irem comer, e Maria Júlia insistiu para que fossem. Tanto fez que finalmente concordaram.

Lanira sentiu-se um pouco constrangida entre os dois rapazes. Tentou dar mais atenção a Laura. Isso colocou os dois moços mais próximos. Eles estavam pouco à vontade. Lanira notou, e assim que se instalaram no restaurante tentou contornar:

— Vamos dar uma trégua às nossas preocupações. Nada podemos fazer com relação ao que está acontecendo naquela sala do tribunal agora.

— Não consigo pensar em outra coisa — tornou Laura.

— É difícil — concordou Gabriel.

— Não é, não — respondeu Lanira. — Vamos fazer de conta que estamos passeando em seu barco. Tudo está bem, o dia é lindo, o mar está calmo e vamos almoçar.

Gabriel suspirou fundo e considerou:

— Como seria bom se pudéssemos estar lá e se nada disso estivesse acontecendo.

— Que tipo de barco você tem? — perguntou Alberto.

Gabriel olhou-o e hesitou em responder. Laura não se conteve:

— Está pensando em tirar o barco de Gabriel?

Alberto olhou-a surpreendido. Seus olhos brilhavam quando ele pousou a mão na dela que estava sobre a mesa e respondeu:

— O que é isso, menina? O que acha que estou fazendo aqui? Um inventário de bens para saber qual é o montante de minha fortuna?

— Ela não quis dizer isso... — interveio Lanira tentando suavizar a situação.

— Quis, sim. Ela acha que sou um aventureiro que apareceu de repente para lhes tirar todos os bens. Fique sabendo que só quero o que me pertence de direito. Não tenho intenção de tirar nada de ninguém. Você precisa perceber que sua postura orgulhosa e altiva não vai ajudá-la em nada daqui para a frente.

Gabriel mordeu os lábios e considerou:

— Laura ainda não aceitou a nova situação. Desculpe, garanto que não temos intenção de ofender. Você tem todo o direito à herança de sua família.

— É difícil de repente você saber que está pobre, que o nome de sua família não vale mais nada — disse Laura devagar, pensando em cada palavra. — Fiquei insegura. Meu pai era para mim a segurança. Descobri que não posso mais esperar nada dele. Tenho medo. Não sei o que irá nos acontecer daqui para a frente. E se mamãe também for presa? Ficaremos sozinhos. Nossa família terá acabado.

Gabriel ia responder, mas Alberto segurou a mão de Laura com força e falou primeiro:

— Está enganada, Laura. Você ama sua mãe, seu irmão e até seu pai. Sei que ama. Essa é a garantia de que, aconteça o que acontecer, nada poderá separá-los. Estarão sempre em seu coração. Veja: eu perdi todos os parentes. Sozinho, tenho enfrentado não só o mundo mas também minha solidão, minha tristeza por tudo quanto nos aconteceu. Mas apoiado no amor que sinto por meu avô, na certeza de que ele estava comigo, consegui chegar onde estou. Venci não só os inimigos de nossa família, mas venci o mundo, seus perigos, suas armadilhas e, o que é mais difícil, venci meus medos. Não pense que foi fácil. Mas posso garantir a você, depois de tudo, que essa luta desenvolveu minha força. Hoje não tenho mais medo de nada. Estou certo de que quando você prefere o caminho reto, quando tem dignidade, respeito pela vida, escolhe viver no bem, tudo no universo trabalha a seu favor. O único temor que você pode ter é o de se deixar envolver pelas ilusões, pelo orgulho, pelas armadilhas da vaidade. O único perigo que a ameaça de fato não vem de mim nem ninguém, mas de você mesma, da maneira como você olha e enfrenta os desafios de sua vida. Agora é o momento de usar sua força e conquistar seu lugar. Não perca esta oportunidade; aprenda com ela e cresça de verdade. Essa vitória ninguém lhe poderá tirar.

Gabriel olhava-o admirado e Lanira sentiu-se mais aliviada. Laura baixou a cabeça sem saber o que responder. Sem largar a mão dela que segurava, ele continuou:

— Apesar da tragédia que nos envolveu, vocês são meus únicos parentes vivos. Ao aproximar-me de vocês, tive apenas a intenção de conhecê-los, de dar oportunidade a que me conheçam também, descobrir se podemos nos tornar amigos. Tenho me sentido só. Estou vencendo uma causa na qual dediquei toda a minha vida. Finalmente conheço minha origem, sei meu nome, sou alguém. Mas não tenho com quem dividir essa alegria. Quem me dera ter uma mãe como a de vocês para abraçar.

Laura estremeceu, levantou os olhos e encarou Alberto. Sentiu que ele estava sendo sincero e sentiu vergonha. Ele estava sendo mais digno e generoso do que ela. Naquele momento, alguma coisa tocou seu coração e ela apertou a mão que segurava a sua dizendo com sincera emoção:

— Desculpe, Marcelo. Tenho sido injusta com você. Perdoe-me.

Ele sorriu e largou a mão dela dizendo:

— Não tenho nada contra você. Vamos pedir a comida, que estou morrendo de fome.

Eles riram e a partir daquele momento começaram a conversar com naturalidade. Gabriel falou de sua paixão pelo barco. Marcelo o crivou de perguntas, já que não entendia nada do assunto. Depois foi sua vez de falar de sua vida na Inglaterra, dos costumes e da grandeza daquele povo que aprendera a admirar.

A conversa decorreu agradável e Lanira ficou alegre percebendo que a tensão entre eles diminuíra. Laura de vez em quando ficava pensativa e Lanira notou que ela disfarçadamente observava Marcelo como querendo descobrir mais a respeito dele.

Quando voltaram ao tribunal, passava das quatro e não havia ainda nenhuma novidade. Fazia três horas que os jurados estavam reunidos deliberando.

Rubinho mandara comprar alguns lanches e refrigerantes, e, apesar da tensão, eles conversavam tentando distrair Maria Júlia. Maria Alice aproveitou para conversar mais com Marilda e Lídia, e Daniel percebeu que ela sabia de seu interesse por Lídia e tentava conhecê-la melhor.

Finalmente bateram na porta para avisar que a sessão seria reiniciada dentro de quinze minutos. Em silêncio, coração batendo forte, todos se dirigiram para a sala do júri.

Guilherme estava lá, olhar ansioso que ia de Maria Júlia a Gabriel. Ficara do lado de fora da sala onde eles estavam. Naquele momento difícil de incerteza, não queria impor sua presença. Queria apenas que eles percebessem que estava ali, apoiando-os, pronto para fazer o que pudesse a favor deles.

Maria Júlia olhou para ele e seus olhos se encontraram. Queria correr para ele, aninhar-se em seus braços protetores até que aquele instante acabasse. Porém não teve coragem. Mas seus olhos disseram tudo que ela sentia e bastou esse pequeno sinal para que se entendessem.

Depois das formalidades, o juiz leu o veredicto do júri. José Luís foi considerado culpado e condenado a noventa anos de prisão. Os cúmplices todos foram julgados culpados sem atenuantes e condenados. Bóris, Pola e Eleutéria, trinta anos cada um. Antunes foi inocentado da participação nos outros crimes, mas pelo seqüestro pegou quinze anos de reclusão. Quanto a Maria Júlia, foi considerada uma vítima do marido e absolvida de todos aqueles crimes.

Ao ser pronunciada a sentença, um grito de ódio quebrou a solenidade do momento.

— Bandidos, canalhas, traidores! Vocês me pagam. Vou me vingar. Acabar com um por um.

Antes que saíssem da surpresa, José Luís de um salto agarrou Rubinho vibrando violento murro em seu rosto. Imediatamente os policiais saltaram sobre ele, que se debatia e gritava sem parar:

— Você não me venceu, seu moleque maldito! Nem você, mulher traidora. Vou acabar com vocês. Ninguém vai me vencer. Eu sou mais forte, mais inteligente, mais rico.

A força de José Luís parecia duplicada. Os guardas finalmente conseguiram imobilizá-lo no chão enquanto o juiz solicitava que o mantivessem seguro.

Com as mãos algemadas nas costas, as pernas amarradas e alguns homens segurando-o, José Luís não se assemelhava em nada com o homem altivo e desafiador que entrara no tribunal. Seus olhos pareciam querer saltar das órbitas e seu rosto se contorcia em um ricto de ódio.

Laura não se conteve e gritou:

— Pai, não faça isso! Não. Eles vão matá-lo! Por favor.

Ela empalideceu e iria cair. Marcelo, que estava a seu lado, amparou-a tomando-a nos braços, saindo dali à procura de um médico.

Enquanto alguns amigos socorriam Rubinho, que se refazia do soco que levara, Maria Júlia queria sair atrás de Laura, mas a confusão que se estabeleceu no recinto, onde as pessoas se aglomeravam querendo ver melhor o que estava acontecendo, fê-la perder o ar.

Gabriel abraçou-a tentando abrir passagem e impedindo que a empurrassem. Naquele momento um braço forte os amparou. Guilherme surgiu com dois guardas, forçando a passagem, e segurou Maria Júlia, que sem ar ameaçava perder os sentidos, e disse para Gabriel:

— Rápido. Vamos ou ela vai desmaiar.

Auxiliados pelos dois guardas, em poucos minutos eles conseguiram sair para o corredor. Guilherme continuou:

— Vamos levá-la para aquela sala. Laura está lá, sendo atendida pelo médico.

Foi quase carregada pelos dois que Maria Júlia se deixou conduzir. Sua cabeça rodava e ela sentia que não tinha mais forças. Só conseguiu balbuciar:

— Laura. Quero ver Laura!

— Calma. Ela está bem. Vamos cuidar de você.

Assim que entraram na sala, viram Laura sentada em uma cadeira amparada por Marcelo segurando um copo de água com as mãos trêmulas. Vendo a mãe entrar amparada, assustou-se e quis se levantar:

— Fique sentada. Sua mãe está bem. Só um pouco abafada com o tumulto. O médico vai ajudá-la — disse Guilherme.

Fizeram-na sentar-se e o médico imediatamente a atendeu, segurando seu pulso:

— Laura! — disse ela. — Como ela está, doutor?

— Já melhorou. Não tem nada. Está só nervosa. Acalme-se. A senhora está muito debilitada. Tem se alimentado?

Foi Gabriel quem respondeu:

— Ela não comeu nada hoje. Estava muito tensa.

— O que é isso, D. Maria Júlia? A senhora já ganhou essa guerra! É hora de comemorar! Vamos reagir.

— Isso mesmo, mãe. Finalmente estamos livres desse pesadelo. Logo estaremos em casa e tudo ficará bem — disse Gabriel alisando com carinho os cabelos dela.

Laura respirou fundo e tentou levantar-se, mas havia tomado um calmante e estava trêmula. Marcelo amparou-a colocando sua mão em seu braço para que se apoiasse. Conduziu-a para perto da mãe. Sabia que era isso que ela queria.

Vendo-os, Maria Júlia perguntou:

— Está melhor, minha filha?

Ela sentiu vontade de chorar, mas controlou-se:

— Estou — respondeu. — Quero ir para casa.

Maria Júlia olhou para o médico e perguntou:

— Ela já pode ir? Não me parece bem ainda.

— Pode, sim. Dei-lhe um calmante e ela precisa descansar. Seria bom mesmo que fosse repousar. Quando acordar, estará bem.

— Eu também gostaria de ir embora, mas não sei se já estou liberada. Tenho que falar com Daniel. Leve Laura para casa, Gabriel. Ela precisa deitar-se.

Ele olhou preocupado. Não desejava deixá-la só. Ela ainda estava muito fraca. Marcelo adiantou-se:

— Fique com sua mãe, Gabriel. Levarei Laura para casa e ficarei com ela até que vocês cheguem.

— Está bem. Obrigado.

Maria Júlia olhou-os surpreendida. Sabia que Laura sempre se referia a Marcelo com raiva, mas, vendo-a apoiada no braço dele, não fez objeção. O que ela queria mesmo era afastar a filha daquele ambiente para que não visse mais nada do que estava acontecendo com o pai.

Guilherme estava ao lado em silêncio. Não queria impor sua presença valendo-se de uma circunstância conturbada como aquela. Mas estava pronto a intervir se fosse preciso.

Eles se foram e aos poucos Maria Júlia foi se acalmando. Quando Daniel entrou na sala acompanhado por Lanira e Maria Alice, ela já estava melhor. Eles a abraçaram com carinho.

— Laura está bem — informou ela. — Marcelo levou-a para casa. Tomou um calmante e precisa descansar.

O médico, que se aproximara, interveio:

— A senhora precisa se alimentar. O Dr. Gouveia já mandou buscar um lanche e a senhora vai comer agora.

— Ela não está precisando de um calmante? — indagou Maria Alice, preocupada.

— Se ela tomar um agora, fraca como está, ficará pior. Precisa é de um estimulante. Vai comer e depois está liberada. Quero ver a cor voltar a seu rosto antes de ir.

Ela hesitou e depois perguntou:

— José Luís ainda está lá?

— Não. Deram-lhe uma injeção calmante e levaram-no — informou Daniel.

— Para onde?

— Não sei. Há muita confusão ainda. Os jornalistas não arredam pé à sua espera. Disseram que não saem sem uma entrevista sua — esclareceu Daniel.

— Não quero falar com eles.

— Daremos um jeito de tirá-la daqui sem que nos vejam — garantiu Daniel.

— E Rubinho? Está bem?

— Está. Não se preocupe.

— A reação de José Luís foi inesperada — comentou Maria Alice.

— Ele nunca aceitou perder — disse Maria Júlia.

— Agora terá que se conformar. Não há nada que ele possa fazer — esclareceu Daniel. — Estive conversando com o advogado dele. Não vai recorrer. Diante do que ouviu no julgamento, acha que será inútil. José Luís está acabado.

O lanche chegou e Maria Júlia tomou o café com leite que lhe foi oferecido e comeu o sanduíche de presunto com queijo sob as vistas do médico. Ela estava se sentindo melhor. A certeza de que estava livre, o carinho dos amigos, dos filhos, a presença de Guilherme, que mesmo em silêncio a confortava, deu-lhe calma e, aos poucos, disposição.

— De minha parte, está liberada — disse o médico com satisfação. — Desejo-lhe muitas felicidades. Trabalho aqui há muitos anos. Fico feliz quando a justiça se cumpre.

— Podemos ir para casa? — perguntou ela a Daniel.

— Podem. A senhora está livre.

Ela se levantou e abraçou-o com carinho:

— Obrigada, Daniel, por tudo que fez por nós. Nunca esquecerei.

Ele correspondeu ao abraço e não respondeu. Estava emocionado e satisfeito. Rubinho entrou acompanhado de Marilda e Lídia. Garantiu que estava bem. Informou que José Luís fora retirado do local fora de si. Apesar da injeção calmante, continuava com a voz pastosa e insegura, acusando a todos e jurando vingança.

Maria Júlia despediu-se de todos com carinho. Diante de Guilherme, deteve-se olhando-o com emoção. Ele gostaria de acompanhá-la até em casa, mas não se atrevia a sugerir. Estendeu a mão dizendo:

— Obrigada, Guilherme. Sem seu depoimento, talvez agora eu não estivesse livre.

Ele segurou a mão que ela lhe estendia e sem poder se conter beijou Maria Júlia delicadamente na face:

— Vá com Deus e fique boa logo.

Gabriel olhou-o nos olhos e sentiu a voz embargada. Aquele homem era seu verdadeiro pai. Como ele seria na intimidade? Sentia vontade de abraçá-lo, de aproximar-se mais, entretanto teve medo. Havia aprendido que as aparências enganam. Ele era respeitado e querido em sociedade, mas

José Luís também. Era melhor continuar distanciado. Não queria mais uma desilusão.

Estendeu a mão e disse sério:

— Também sou grato pelo que o senhor fez. Obrigado.

Quando eles saíram, Guilherme acompanhou-os com o olhar comovido e Daniel disse-lhe baixinho:

— Fique firme. Vai dar tudo certo.

Guilherme sorriu e abraçou-o:

— É. Acho que vai. Parabéns pelo trabalho de vocês. Foi grande. Se eu perder meu emprego, talvez volte a advogar. Teria um lugar para mim em seu escritório?

— Está brincando! — respondeu Daniel alegre. — Ouviu o que ele disse, Rubinho?

Nesse tom alegre eles se despediram, e enquanto Rubinho tentava distrair os jornalistas afirmando que Maria Júlia iria sair de uma sala do outro lado do corredor, Daniel despediu-se de todos e conduziu-a com Gabriel até seu carro, levando-os para casa.

Capítulo 27

Rubinho levantou a cabeça surpreendido:

— O que disse, Elza?

— Sua mãe, D. Angelina, está aqui. Deseja vê-lo.

— Peça a ela para entrar.

Fazia duas semanas que o julgamento de José Luís havia terminado e tanto ele quanto Daniel haviam estado muito ocupados com as providências necessárias a fim de que Marcelo pudesse receber tudo a que tinha direito.

Daniel havia sugerido a Gabriel que contratasse outro advogado para cuidar dos interesses de sua família, mas Maria Júlia recusou. Preferia que eles cuidassem de tudo e tanto Gabriel quanto Laura concordaram.

Eles haviam procurado o Dr. Loureiro, que sempre tratara dos negócios de José Luís e que se mostrou muito interessado em cooperar. Queria deixar claro que nunca compactuara com nenhum negócio excuso de seu ex-cliente e procurou mostrar serviço facilitando o que podia. Guilherme acompanhava todas as providências, interessado em ajudá-los.

Haviam feito levantamento de tudo. Descobriram que ele tinha muito dinheiro no exterior e estavam tentando descobrir o número da conta para poder retirá-lo.

Além disso, eles haviam se tornado advogados famosos. Estavam sendo muito procurados pela imprensa para entrevistas e novos clientes surgiam a cada dia.

Rubinho recebeu a mãe com naturalidade. Ela o abraçou dizendo um pouco acanhada:

— Vim parabenizá-lo pelo sucesso. Vocês venceram!

— Obrigado, mãe. Como vão as coisas lá em casa?

— Como sempre. Por que durante todo esse tempo você nunca nos procurou?

— Não sabia se seria bem recebido.

— Não diga isso, meu filho. Afinal somos a sua família!

— Vocês também não me procuraram. André, Betinho, nem mesmo você.

— Não tive coragem. Mas sempre acompanhei o caso pelos jornais. Seu pai ficou pasmo! Quem poderia imaginar que José Luís seria capaz de tudo aquilo? Parecia tão bom, tão sério! E pensar que por causa disso brigamos com você. Estou envergonhada, meu filho.

— Não se preocupe, mãe. Compreendo a posição de vocês.

— Não está sentido conosco? Magoado com seu pai?

— Não. Ele fez o que pensou que fosse certo. Esqueça isso. Não vale a pena lembrar.

— Nesse caso você pode voltar lá para casa. Falei com seu pai, será recebido de braços abertos.

— Verdade? Então por que ele não veio?

— Sentiu-se acanhado. Sabe como é. Ninguém gosta de reconhecer que errou. Quando eu disse que vinha aqui pedir que voltasse para casa, ele concordou. Está arrependido.

— Sei.

— Você vai voltar?

— Não.

— Então não nos perdoou. Ainda está com raiva.

— Engana-se, mãe. É que eu estou muito bem. Posso cuidar de mim. Não precisa preocupar-se.

— Seu pai pode montar um grande escritório para você. Não precisa mais trabalhar aqui.

Rubinho olhou-a nos olhos e disse com voz firme:

— Eu trabalho aqui porque gosto. Adoro este lugar e não pretendo me mudar. Adoro meu apartamento com Daniel e só sairei de lá para me casar, o que pretendo fazer assim que puder.

— Casar? Você falou casar? Com quem?

— Saberá quando for oportuno. Pretendo enviar convites para toda a famíiia.

— É moça da sociedade? Nós a conhecemos?

— Saberão quando receberem os convites.

— Não é justo fazer isso comigo. Casar sem contar nada. Sou sua mãe. Mereço atenção.

— Nunca lhe faltei com o respeito. Só que agora não sou mais criança. Tomei conta de minha vida. Sei o que quero. Espero que compreenda.

— Pelo menos vá lá em casa conversar com seu pai.

— Tenho estado muito ocupado, trabalhado bastante. Não sei se terei tempo.

— Você não quer ir. Diga a verdade.

— Não quero mesmo, mãe. Não sinto vontade de vê-los. Nunca se interessaram por mim. Garanto que não sentem minha falta.

— Como pode dizer isso? Ainda somos a sua família!

— Já disse que mandarei convite de meu casamento. Se precisarem de mim antes disso, podem me procurar. Estarei disposto a cooperar. É o que posso oferecer.

Angelina olhou-o triste e disse:

— Você está diferente. Não é mais o mesmo.

— Não se entristeça por isso. Não vale a pena. Gosto de vocês, desejo todo o bem do mundo, mas estou disposto a viver do meu jeito. Cuidar de minha vida como eu quero.

— Agora que ficou famoso não quer mais saber de nós.

— Você está me julgando de acordo com seus próprios valores. Eu poderia dizer que vocês me querem de volta pelo mesmo motivo. Mas prefiro reconhecer que pensamos de maneira diferente. Peço-lhe que entenda e não se aborreça comigo. Garanto que não lhe darei motivos de tristeza.

— Quer dizer que não vai mesmo voltar para casa?

— Não, mãe.

— Nesse caso, vou embora. Se um dia se arrepender, nossa casa está aberta. Lembre-se disso.

— Não esquecerei.

— Pelo menos vá nos visitar. Sinto tanto sua falta!

— Vamos ver.

Angelina abraçou-o, beijou-o nas faces e saiu. Rubinho sentou-se atrás da escrivaninha pensativo. Daniel entrou e ele nem notou:

— Encontrei com sua mãe agora. Aconteceu alguma coisa? Você está com uma cara...

Rubinho levantou a cabeça olhando-o sério:

— Queria que eu voltasse para casa.

— Era de se esperar. Afinal eles entenderam que estavam errados.

— Eles me pediram para voltar porque vencemos. Se tivéssemos perdido, nem teriam me procurado.

— Não está sendo muito duro com eles?

— Pode ser. Mas quando a vi reticente, dizendo que papai queria me dar um escritório de luxo se eu voltasse para casa, senti vontade de pedir que ela fosse embora.

Daniel começou a rir.

— O que foi? — indagou Rubinho mal-humorado.

— Queria ver sua cara nessa hora. Pelo jeito, eles ainda não entenderam nada do que fizemos.

— Nem nunca entenderão. Para eles o que vale é a fama, o nome, as aparências.

— Meu pai é capaz de ter alguma idéia parecida. Ainda bem que mamãe mudou. Está tão diferente! Acho que foi influência de tia Josefa. Está mais viva, mais alegre.

— Sua mãe é mais independente. A minha nunca fará nada que ele não aprove. Não tem vontade própria. Só pensa por intermédio dele.

— É uma pena. Mas ela deve gostar muito de você. Sempre o tratou com carinho.

— É verdade. Eu também gosto dela. Mas não suporto essa dependência. Ela se anula, não posso entender.

— Nem eu. Talvez seja problema de educação.

— Jonas ligou e disse que José Luís ainda está internado. Vive dopado. Quando acorda, fica tão furioso que quer agredir todo mundo. Então eles colocam de novo a camisa de força e o imobilizam com tranqüilizante. Acha que ele vai aceitar a condenação?

— Não sei. Laura está muito deprimida e todos estão preocupados com sua saúde. Está abatida, mal se alimenta. Na sessão da semana passada, tia Josefa pediu ajuda aos espíritos.

— Ela ainda está em estado de choque. Vai passar. É jovem. Tenho certeza de que vai reagir.

— Espero que sim.

O telefone tocou em casa de Maria Júlia e a criada avisou-a que era Guilherme. Ela atendeu imediatamente:

— Como vai Laura? Melhorou?

— Infelizmente, não. Hoje nem se alimentou. Está lá, no jardim, quieta, parada. Não posso vê-la assim. Emagreceu. Está mais pálida a cada dia. O que podemos fazer, Guilherme?

— Temos que dar tempo para que ela assimile o que aconteceu. Lanira pode ajudá-la.

— Ela tem vindo visitá-la, mas não tem conseguido muito.

— Eu gostaria de ir até aí. Precisamos conversar. Não suporto mais ficar longe de você. Podemos resolver nossos assuntos, viajar todos juntos para algum lugar onde vocês possam esquecer um pouco tudo isso.

— Eu gostaria muito. Mas tenho medo. Acho que é cedo para que ela veja alguém no lugar do pai. Pode se revoltar. Não quero magoá-la mais. Prefiro esperar.

— Sinto vontade de fazer alguma coisa por vocês. Não posso vê-los sofrendo sem que eu possa fazer nada. Eu amo você, Maria Júlia, amo Gabriel, quero que Laura aprenda a gostar de mim.

— Eu também. Mas vamos esperar um pouco mais.

Ele desligou o telefone, mas não se conformou. Ligou novamente e pediu para falar com Gabriel. Quando ele atendeu, disse:

— Gabriel, precisamos conversar. Não podemos esperar mais. Quer almoçar comigo hoje?

Gabriel hesitou, depois resolveu:

— Está bem. Irei. Onde?

No carro, quando se dirigia para o local do encontro, Gabriel pensava em tudo que havia acontecido. Ao descobrir sua origem, havia ficado chocado. Porém, depois do depoimento de Guilherme no tribunal, sentira-se aliviado. Ele não era filho de José Luís e sim de um homem honesto, culto, bom, que amava sua mãe e o amava também.

Sabia que chegaria a hora de falar com ele, de colocar para fora todos os seus sentimentos. Tentara retardar esse momento, porém sentia que precisava enfrentá-lo.

Guilherme esperava-o na porta do restaurante. Vendo-o parar o carro, aproximou-se. Gabriel abriu a porta e ele disse:

— Vamos conversar antes do almoço. Posso entrar?

Gabriel assentiu. Ele entrou, sentou-se a seu lado, fechou a porta e disse com voz embargada:

— Sempre desejei este encontro, meu filho. Agora que estamos aqui, as palavras me fogem.

Gabriel olhou-o e sentiu que algo se quebrava dentro de seu peito. Abraçou-o e, seja pela tensão dos últimos tempos ou pela comoção do momento, começou a chorar sentidamente. Abraçados, misturaram suas lágrimas e ficaram assim durante certo tempo. Nenhum dos dois conseguia falar. Depois, foram se acalmando, e Gabriel tornou com voz emocionada:

— Não pude me conter.

— Nem eu. Tenho esperado por esse momento toda a minha vida. Só quero dizer-lhe que sempre o amei. Infelizmente, não pudemos conviver, mas nestes dias em que estivemos mais próximos pude avaliar como você é nobre, bom, amoroso. Senti-me muito orgulhoso de poder dizer a todos naquele tribunal que você é meu filho. Quero recuperar o tempo perdido. Amo sua mãe. Meu maior sonho sempre foi casar-me com ela. Podemos ir para um país onde há divórcio e regularizar nossa união. Sei que posso ser para Laura um bom amigo, protegê-la e amá-la. Sua mãe me ama também. Disse que sempre me amou. Mas tem medo de desgostar vocês. Teme que Laura não aceite. Diga que concorda com o que estou propondo.

— Se mamãe o ama, penso que tem todo o direito de ser feliz. É o que mais desejo neste mundo.

— E você? O que pretende fazer de sua vida?

— Eu tranquei a matrícula na faculdade. Ainda não tomei nenhuma decisão. Teremos que devolver nossos bens a Marcelo. Não sei como ficaremos financeiramente.

— Não se preocupe com isso, meu filho. Tenho bastante para todos nós vivermos com conforto. Vocês não terão nenhum problema financeiro. Quero fazer pela felicidade de vocês tudo que puder. Diga: o que mais deseja obter neste mundo?

Pelo rosto de Gabriel passou um lampejo de emoção. Seus olhos brilharam e fundo suspiro saiu de seu peito.

— O que foi? — indagou Guilherme. — Fale. O que mais deseja no mundo?

— Ver minha família bem e em paz.

— Isso eu sei. Mas você, pessoalmente, o que o faria mais feliz?

Gabriel hesitou, depois disse:

— O amor de Lanira. Eu a amo muito. Queria viver a seu lado para sempre.

Guilherme pensou um pouco, depois disse:

— Ela gosta de você?

— Gosta. Eu sinto que gosta. Mas não aceitou meu pedido de casamento. Disse que ainda é cedo.

— Você aceitou essa recusa assim, sem fazer nada?

— Não achei justo continuar. Ela é moça de família rica, importante. Eu sabia que ficaria pobre e com o nome sujo. Afastei-me por isso.

— Compreendo. Mas agora sua situação é outra. Você vai ter um nome honrado para oferecer e dinheiro para dar-lhe conforto. Vou reconhecê-lo como filho legítimo. Acha que ela não o aceitou por causa do que seu pai fez?

— Não. Ao contrário. Disse que não estava certa se o que sentia por mim era amor de verdade. Se tivesse essa certeza, casaria comigo em qualquer circunstância.

— Parece ser uma boa moça.

— Lanira é diferente de todas as que conheci. Franca, direta, sincera, sabe o que quer.

— Dá para perceber que você gosta mesmo dela.

— Gosto. Gosto muito.

— Nesse caso, não perca sua chance de felicidade. Trate de conquistá-la. Aproxime-se dela.

— Agora já posso pensar nisso.

— Não perca mais tempo. Ela tem lhes dado todo o apoio. D. Maria Alice me parece pessoa de bem. Apoiou vocês durante todo o tempo. Tenho certeza de que aprovará o casamento.

— O pai dela, talvez não. É muito diferente delas.

— É político ardiloso. Conheço-o. Mas, como você disse, ela sabe o que quer. O que ele pensa não vai influenciá-la.

Guilherme colocou a mão no braço do filho dizendo contente:

— Com seu apoio, sei que vou conseguir o que pretendo. Me ajude a conquistar a estima de Laura. O que acha que posso fazer para que me aceite?

— Conversarei com ela para perceber o que pensa. Depois veremos.

— Você deve estar com fome. Vamos almoçar agora.

Marcelo ligou para Lanira convidando-a para um chá no fim da tarde.

— Não posso. Prometi passar em casa de D. Maria Júlia.

— Vai ver Gabriel?

— Ele está bem. Vou mais por causa de Laura. Ela tem passado muito mal.

— Fui visitá-las duas vezes e só vi D. Maria Júlia. Laura nem apareceu. Então pensei que minha presença era-lhe desagradável. Afinal, eu provoquei toda esta mudança.

— Não deve ser por isso. Ela se recusa a receber qualquer pessoa. Vive triste, deprimida. D. Maria Júlia tenta tirá-la desse estado, mas tem sido inútil. Tenho estado com ela para ver se reage.

— Sei como ela está se sentindo. Durante anos senti-me triste por causa de minha orfandade e dos mistérios que me envolviam. Julgava-me injustiçado, infeliz. Tive que fazer muita força para sair dessa atitude e confesso a você que foi com a ajuda de alguns amigos que me levaram às sessões espíritas, onde pude falar com meu avô e receber a orientação dele, que reagi. Aliás, penso que foi a mão de Deus que me guiou para que a justiça se cumprisse. Já falou com D. Josefa sobre o estado dela?

— Já. Ela também está tentando ajudar.

— Se eu fosse visitá-las esta tarde, acha que Laura me receberia?

— Não sei.

— De certa forma sinto-me responsável pelos sofrimentos dela. Eu provoquei a revelação dos crimes de seu pai.

— Não tem por que se sentir assim. Ela viveu toda a vida na mentira. A verdade dói mas fortalece. Eu prefiro saber a verdade, seja qual for. Você a enfrenta, reage, fica mais forte. Viver enganada sempre acaba em dor.

— Gostaria de fazer alguma coisa por Laura. Seria uma forma de suavizar um pouco o golpe que fui forçado a lhe dar.

— Apareça lá hoje à tarde. Vamos ver como ela reage.

— Mais ou menos às cinco horas estarei lá. Estou com saudade de você. Depois do julgamento nunca mais saímos juntos.

— Tenho estado ocupada.

—Precisamos retomar nossos passeios.

— Vamos ver.

Despediram-se e Lanira ficou pensativa. Durante o julgamento, sentira-se o tempo todo preocupada com Gabriel. Sabia que ele estava sofrendo e por várias vezes sentira vontade de abraçá-lo, beijá-lo, darlhe carinho.

Comovia-a sua atitude digna, seu amor pela mãe e pela irmã, seus cuidados para suavizar um pouco o sofrimento delas. Em nenhum momento ouviu de seus lábios palavras de vingança contra José Luís, nem revolta por ter que entregar a fortuna a Marcelo.

Agia conforme sua consciência, sem mesquinhez, disposto a trabalhar e a sustentar a família dali para a frente. Era forte e valoroso.

Quando pensava nele, Lanira sentia um calor brando no peito e uma vontade muito forte de estar com ele, de repetir aqueles momentos que haviam vivenciado juntos. Isso seria amor? Estaria mesmo amando Gabriel?

Ele nunca mais a procurara. Agora que os motivos de seu retraimento com ela haviam sido contornados, ele voltaria a mostrar interesse?

Vendo-a arrumada, Maria Alice perguntou:

— Vai sair?

— Vou ver Laura. Quer vir?

— Combinei tomar chá com Josefa.

— Vocês agora não se largam.

— Nunca pensei que pudesse dar-me tão bem com ela. Só lamento o tempo que perdi todos esses anos.

Lanira saiu e Maria Alice apanhou a bolsa para sair. A criada apareceu e entregou-lhe uma carta. Assim que viu o envelope, ela estremeceu. Era igual ao da carta anônima que recebera meses antes.

Apanhou. Estava endereçada a ela. Abriu e leu:

"Enquanto você finge que não vê, seu marido leva a amante e registra-a no hotel como sua esposa. Você sabia? Se duvida, telefone ao Grande Hotel de Punta del Este e veja a ficha de registro. Aliás, as jóias que ela tem foram todas pagas com nosso dinheiro. Até quando vai suportar essa vergonha? Ou será que sabe e fica calada? É o que nós deduzimos vendo que ele faz isso tudo e você continua ao lado dele como se nada fosse. Crie vergonha. Reaja! Está na hora de acabar com essa farra!!!"

Não estava assinada. Maria Alice deixou-se cair no sofá. Aquilo era demais. Tinha que tomar uma atitude. Não podia mais suportar essa situação.

Gabriel chegou em casa e procurou por Laura. Ela estava sentada no jardim tendo ao colo um livro aberto sem ler, olhos perdidos em um ponto distante.

— Laura.

Ela o olhou e não disse nada. Gabriel sentou-se a seu lado e segurou sua mão dizendo:

— Sente-se melhor?

Ela deu de ombros e ele prosseguiu:

— Não gosto de vê-la triste, abatida. Está na hora de reagir. É preciso enfrentar a verdade. Nada que fizer vai modificar os fatos que nos aconteceram.

— Não posso. Nossa vida acabou.

— Não creio. Somos jovens. Temos muitos anos para viver ainda. Podemos fazer de nossa vida alguma coisa melhor do que tivemos até agora.

— Nossa vida era ótima antes da desgraça que se abateu sobre nós.

— Engana-se. Estávamos cegos para tudo que estava acontecendo à nossa volta, dentro de nossa própria família. Vivíamos às custas de dinheiro roubado. Bóris dirigia nossa casa, nossos negócios, até nossas vidas, vigiando-nos pelas costas, sem que soubéssemos. Pessoas estavam sendo vítimas da maldade e da ambição deles. De qualquer forma, isso um dia teria que ser descoberto. Não percebe que tudo foi revelado para que nossa vida possa ser melhor daqui para a frente? Que agora todas as ameaças terminaram? Que mamãe pode respirar aliviada sem o peso da chantagem e das ameaças deles?

— Reconheço tudo isso. Mas e papai? Você nunca gostou dele e agora sei por quê. Mas eu sou sua filha. Ele sempre me tratou bem, nunca me fez mal. Depois do que vimos no tribunal, creio que ele seja um doente mental que precisa de ajuda. Dói pensar que ele está lá, abandonado, dopado, amarrado naquele hospital. Que quando melhorar, se melhorar, será trancado em uma prisão pelo resto da vida. Esses pensamentos me atormentam o tempo todo.

Gabriel colocou a mão no braço dela enquanto dizia:

— Você está confundindo as coisas. Ele está no lugar onde se colocou com suas próprias mãos. Durante anos ele burlou a justiça humana, mas chegou o momento em que ele colheu o resultado de suas atitudes. Acha que ele iria ficar impune? Laura! Acorde. Perceba o que está dizendo. Claro que ele é digno de pena. Pode até ser um doente mental. Mas isso não o isenta de responder pelo que fez. Seja qual for o grau de insanidade que ele tem, o certo é que não pode de forma alguma ficar em liberdade. Trata-se de um homem perigoso. Pense. Ele matou três pessoas da própria família. Prendeu mamãe com correntes de ferro e por pouco não a matou também. Acha que ele poderia ficar solto?

— Por que diz essas coisas horríveis que fui obrigada a ouvir no tribunal e que quero esquecer? Está sendo cruel.

— Não, Laura. Você não é uma menina fraca, mimada, incapaz. Você é uma moça cuja inteligência sempre admirei e que tem condições de enfrentar a verdade. De saber tudo como é. Isso não a impede de continuar amando seu pai como sempre fez. Mas esse amor não pode impedi-la de ver os fatos, de compreender. Ele escolheu como queria viver, você tem o direito de fazer o mesmo. Não pode permitir que o que ele fez a impeça de ser feliz, de sentir alegria novamente. Você um dia encontrará um homem que a ame, se casará, terá uma família. Não pode permitir que essa sombra dos atos dele a impeça de construir sua vida em paz.

Laura soluçava e Gabriel abraçou-a com força esperando que ela serenasse. Depois disse com voz firme:

—Laura, preciso que me ajude. Mamãe tem se dedicado com amor a nós dois. Ainda agora, pensa em renunciar ao amor de sua vida com receio de nos desgostar. Acha que podemos exigir-lhe esse sacrifício?

— Ela disse isso?

— Hoje estive com Guilherme... com meu pai. Tivemos uma longa conversa. Ele deixou bem claro que se amam. Mamãe só não o aceitou por nossa causa. Não acho justo. Amanhã cada um de nós casa, vai embora e ela ficará só. Já pensou nisso?

— É difícil para mim aceitar outro homem no lugar de meu pai.

— Você não precisa fazer isso. Ele não pretende substituir seu pai em seu coração. Eu gostaria que o conhecesse melhor. Que concordasse que ele nos visitasse.

— Acha que mamãe quer isso?

— Acho que ela se sentiria feliz se nos aproximássemos dele um pouco mais.

— Não sei… Vou ficar inibida.

— Ele virá como uma visita. Disse-me que não vão decidir nada de suas vidas sem que nós sejamos consultados.

— Ele disse isso?

— Sim. Disse que quer ser um bom pai para mim e um bom amigo para você, protegê-la e ajudá-la a esquecer o que passou.

— Se é isso que mamãe quer, posso tentar. Mas se eu não gostar dele ela pode casar assim mesmo. Irei embora de casa e pronto.

— Não seja criança nem preconceituosa. Nem o conhece e já está criando caso.

Ela deu de ombros e ele prosseguiu:

— Você está cada dia mais magra e mais feia. Desse jeito nunca vai arranjar um marido.

Ela fez uma careta e respondeu:

— Se for para casar com algum almofadinha sem graça, prefiro ficar solteira.

— Com esses olhos vermelhos, então, parece que está de ressaca.

— Você tirou o dia para me criticar.

— Vamos entrar, você vai se arrumar um pouco. Não gosto de vê-la tão relaxada. O que é isso? Você nunca foi assim!

— Não sou relaxada, não!

— Vamos. Vou levá-la para o quarto e vai se arrumar. Lanira não virá aqui hoje?

— Não sei. Mas se soubesse não lhe diria. Está caidinho por ela.

— Estou mesmo. Se ela não vier até as quatro horas, telefono pedindo que venha. Vamos agora.

Gabriel abraçou-a e acompanhou-a até o quarto, fazendo-a entrar:

— Veja se muda essa atitude. Afinal, somos civilizados. Estamos machucados mas não destruídos. Olhe-se no espelho. Acha que pode continuar assim?

Laura empurrou-o para fora e bateu a porta. Aproximou-se do espelho e olhou-se. Aquela moça magra, olhos encovados, sem cor, cabelos em desalinho, não se parecia em nada com a Laura que ela se orgulhava de ser.

Gabriel tinha razão. Ficar destruída e doente não iria ajudar em nada. Precisava reagir.

Foi ao banheiro, lavou-se, penteou-se, colocou uma maquiagem leve, perfumou-se. Depois procurou um vestido elegante e vestiu. Olhou-se novamente no espelho. Ainda estava um pouco pálida, mas pelo menos mais arrumada. Gabriel não poderia dizer que ela estava ficando relaxada. Isso, não.

Gabriel procurou a mãe, que estava sentada na sala, beijou-a na face com carinho e disse:

— Mãe, estive com meu pai.

Ela estremeceu. Olhou-o preocupada.

— Com meu verdadeiro pai — emendou ele. — Tivemos uma longa conversa. Penso que chegou a hora de falarmos nesse assunto.

— O que foi que conversaram?

— Tratamos de nos conhecer melhor e falamos sobre o futuro. Ele a ama e deseja propor-lhe casamento. Perguntou-me se eu concordaria.

— O que respondeu?

— Não sou eu quem deve responder essa pergunta. Ele é meu pai. Estou aliviado por saber disso. Sinto que posso amá-lo e manter com ele estreitas relações de amizade. Mas quanto ao casamento, só você pode resolver. Ele está certo quando diz que você ainda sente por ele o mesmo amor?

— Durante toda a minha vida nunca deixei de pensar nele, de recordar nossos encontros e de ter saudade. Ainda agora, depois do que ele fez naquele tribunal, de sua coragem, de sua dignidade, confessando seu amor diante de todos, senti meu coração bater mais forte e uma vontade muito grande de ficar ao lado dele. Mas tenho medo.

— De quê? Ele me parece um homem de bem.

— Ele é. Mas penso em vocês. Você é filho, vai aceitar melhor, mas e Laura? Ela não vai gostar. Ainda não se refez do golpe duro que sofreu e eu não posso agora colocá-la em uma situação delicada. Talvez um dia, depois que ela se casar, eu e Guilherme possamos pensar novamente no assunto.

— Isso, não. Vocês já esperaram demais. Antes havia um casamento. Ele estava comprometido, porém agora está livre. Você, depois do que houve, é como se estivesse viúva. Estive conversando com Laura. Ela concordou em tentar conhecer melhor meu pai. Acho que podemos convidá-lo a freqüentar nossa casa.

— Tem certeza? Ela está tão deprimida... Isso não irá contribuir para que fique pior?

— Ao contrário. Ela é vaidosa, toquei-lhe os brios. A presença dele a fará reagir e se cuidar. Será até bom. Esta casa precisa de alegria. Chega de tristeza. Temos que reagir. Vou telefonar para Lanira, para que venha tomar chá hoje conosco. Posso telefonar e convidá-lo que venha também?

Maria Júlia iria recusar, mas Laura apareceu na sala e Maria Júlia olhou-a admirada. Sua aparência estava muito melhor. Gabriel olhou para a irmã e disse:

— Vou ligar para Lanira e para o Dr. Gouveia, convidando-os para o chá. O que acha?

Laura olhou-o com ar desafiador e respondeu:

— Por mim está bem. Ainda acha que sou relaxada?

— Não, maninha. Você agora está um chuchu. Se exibir seu lindo sorriso, ficará ainda melhor.

Maria Júlia sentiu seu coração bater mais forte. Olhou-se no espelho. Também estava abatida. Precisava arrumar-se um pouco.

A criada introduziu Lanira e Marcelo na sala. Depois dos cumprimentos, Gabriel disse alegre:

— Ainda bem que chegaram. Iria ligar para você vir.

— Tomei a liberdade de convidar Marcelo — respondeu ela. — Ele estava com saudade de vocês, mas tinha receio de incomodar.

— O que é isso, meu filho? — disse Maria Júlia. — Venha sempre que quiser. Teremos muita alegria em recebê-lo.

— Obrigado, D. Maria Júlia. Eu estava com saudade mesmo.

— Fiquem à vontade. Vou subir um pouco. Com licença.

Gabriel olhou para Laura e piscou o olho. Ela entendeu.

— O que está acontecendo por aqui que eu não sei? — indagou Lanira aproximando-se de Gabriel.

Marcelo sentou-se ao lado de Laura no sofá e perguntou:

— Sente-se melhor?

— Estou tentando reagir.

— Fico feliz de vê-la mais calma. Estive aqui duas vezes e você nem desceu. Fiquei apreensivo.

— De fato, eu estava mal. Mas o que aconteceu não tem remédio e a vida continua. Obrigada pelo que fez por mim no tribunal. Ainda não tive ocasião de lhe agradecer.

— Naquele dia fiquei muito abalado. Eu desvendei essa história. Sabia que vocês iriam sofrer, mas precisava fazer o que fiz. Senti-me culpado por seu sofrimento. Queria muito que me perdoasse por isso e que aceitasse minha amizade. Garanto que é de coração.

Laura olhou-o nos olhos durante alguns segundos, depois disse:

— Estou precisando muito de amigos. Quando o escândalo estourou, as pessoas afastaram-se de nós e as que se aproximavam tinham intenção de especular para comentar depois. Por isso Gabriel largou a faculdade. Todos os amigos desapareceram.

— Menos Lanira. Ela tem sido fiel.

— É. Quem eu menos esperava. A vida tem dessas surpresas.

Lanira sentara-se em outro sofá com Gabriel e conversavam baixinho. Marcelo olhou-os e entristeceu-se.

— Também está apaixonado por Lanira? — indagou Laura.

— Por que pergunta?

— Você ficou triste quando os olhou tão próximos.

— Confesso que ela me atrai. Mas pelo jeito ela prefere Gabriel. — Ele tentou desviar o assunto: — E você, está apaixonada?

— Tive alguns namoradinhos, mas nunca me apaixonei. Para dizer a verdade, penso que amor é ilusão. As pessoas unem-se por interesse. O homem para ter um lar, filhos, perpetuar o nome da família; a mulher para ter quem cuide dela pelo resto da vida.

— É isso que você pensa? Quando chegar a hora, escolhe um bom moço, casa-se e pronto?

— Confesso que o casamento não me atrai nem um pouco. É uma prisão sem graça em que a mulher se anula a cada dia.

Marcelo meneou a cabeça dizendo:

— O dia em que o amor entrar em seu coração, mudará de idéia. Sempre vivi só, e sonho encontrar uma mulher que eu ame e que me corresponda para criar uma família como nunca tive. Tenho muito amor guardado dentro de mim e uma vontade muito grande de dividir isso com alguém e poder finalmente viver em um ambiente de carinho e de paz.

Laura olhou-o admirada.

— Você é um romântico. Acha que Lanira seria essa mulher?

— Não sei. Para que meu sonho se realize, minha companheira terá que me amar muito, tanto quanto eu a amarei. Lanira me atrai, tem sido gentil comigo, mas não parece me amar. Veja, seus olhos brilham quando fala com Gabriel.

— Não se importa de perder?

— Se ela gosta dele, não estou perdendo nada. Só estou percebendo que ela não é a moça de meus sonhos.

— Vai continuar esperando por ela?

— Vou.

— E se ela não aparecer?

— Virei atrás de você para dividir minha solidão. Sei que está se sentindo muito só também. Acho que, enquanto o amor não aparece, podemos fazer companhia um para o outro. Que tal?

Laura sorriu:

— É uma boa idéia.

Maria Júlia desceu mais arrumada e Gabriel trocou um olhar alegre com Lanira. Telefonara para Guilherme convidando-o ao chá. Ele chegou dez minutos depois e cumprimentou a todos com prazer.

Seus olhos brilhavam e Gabriel sentiu-se feliz percebendo que Maria Júlia, com a fisionomia distendida, fazia as honras da casa com prazer. Fazia muito tempo que ele não via seu rosto tão calmo. Olhando todos na sala conversando animadamente, sentiu que dali para a frente tudo iria mudar para melhor.

Lanira entrou em casa mais animada. Laura estava melhor e Gabriel dissera-lhe que a amava cada dia mais. Pela emoção que sentiu naquele momento, compreendeu que era a ele que amava.

Marcelo era atraente, inteligente, agradável, mas Gabriel tocava fundo em seu coração, com seus olhos doces, sua figura elegante, seu jeito carinhoso e firme de ser. Se ele a pedisse em namoro, aceitaria.

Passava das nove. Ela iria subir para o quarto quando ouviu vozes no escritório. Prestou atenção. Seus pais estavam discutindo? Aproximou-se da porta que estava entreaberta e ouviu a voz firme de Maria Alice dizendo:

— A decisão é sua. Não vou mais tolerar essa vergonha. Ou você manda sua secretária embora, acaba com essa ligação vergonhosa, ou sairá desta casa para sempre.

— Isso é uma calúnia. Não pode deixar-se levar por uma carta anônima. Tenha bom senso.

— Não adianta, Antônio. Há muito tempo que sei de tudo. Se nunca falei nada, foi porque desejava preservar o bom nome de nossa família.

O futuro de Lanira não pode ser prejudicado por um desquite. Mas sua falta de vergonha chegou a um ponto que já é de domínio público. Portanto meu sacrifício tornou-se inútil.

— Tenha calma, Maria Alice. Você sempre foi ponderada.

— Já coloquei suas coisas no quarto de hóspedes. Por enquanto vou tolerar sua presença nesta casa. Não quero que diga que não lhe dei chance de arrepender-se e de acabar com essa sujeira. Mas nosso relacionamento acabou. Assim que Lanira se casar, quero o desquite.

— Como pode agir assim depois de tantos anos juntos? Você não tem sentimentos. Acaba com nosso casamento com essa calma...

Maria Alice olhou-o friamente. Como pudera amar aquele homem tão falso? Foi com voz firme e indiferente que respondeu:

— Minha consciência não me acusa de nada. Sempre fui esposa fiel e cumpridora de meus deveres. Sempre respeitei o nome que me deu e ajudei-o a galgar todos os degraus de sua carreira política. Foi você quem traiu, foi você que de tanto mentir para seus eleitores acabou mentindo para a própria família. Não quero mais isso em minha vida. Tenho o direito de exigir respeito e de viver em paz sem compactuar com suas falcatruas.

— O que direi a Alícia? Ela é uma senhora direita. Não merece essa suspeita vil.

— Isso é problema seu. Se tem dificuldade em despedi-la, posso fazer isso amanhã mesmo.

— Você teria coragem de fazer uma cena em meu escritório? Nunca pensei que fosse capaz de uma baixeza dessas!

— Eu sou. Se não tem coragem, eu irei até lá e a despedirei com poucas palavras, sem me alterar. Afinal, ela já usufruiu bastante. Teve bons passeios, hospedou-se em hotéis de luxo, ganhou roupas finas, jóias. O que pode querer mais? Está muito bem paga. Não tem do que se queixar.

— Você está louca! Se pensa que vou permitir isso, está muito enganada. Não vou fazer uma inocente pagar por suas suspeitas injustas.

— Nesse caso, pode ir direto para um hotel. Aliás, no quarto de hóspedes há uma mala preparada para essa eventualidade. Amanhã mandarei o restante.

— Não vou fazer o que quer. Esta casa é minha e daqui não sairei.

— Tentei uma solução amigável. Mas você não entendeu. Nesse caso estou decidida a procurar um advogado para tratar de nossa separação.

— Quer arruinar minha carreira? Está com tanta raiva de mim que pretende destruir-me?

— Engana-se. Quero apenas cuidar de minha vida do meu jeito. Não preciso fazer nada para destruir sua carreira. Você já fez isso muito bem. Estou cansada e vou dormir.

Vendo que ela ia sair, Lanira afastou-se da porta, subiu rapidamente as escadas e ficou esperando no quarto, com o coração batendo forte. Ouviu quando ela subiu, dirigiu-se para o quarto do casal e fechou a porta.

Não teve coragem de bater no quarto da mãe com medo que seu pai as surpreendesse. Ficou atenta ao menor ruído e deixou a porta de seu quarto apenas encostada para poder ouvir melhor.

Ouviu quando seu pai subiu as escadas e bateu na porta do quarto várias vezes. Ela não abriu e ele acabou indo para o quarto de hóspedes.

Lanira preparou-se para dormir, mas o sono não vinha. Sabia que Maria Alice estava segura do que dissera. Sua voz estava firme, revelando uma atitude refletida largamente. Depois, ela tinha a força de quem sabe o que faz e está com a razão. O que seu pai faria? Aceitaria uma situação que sempre odiara ou acabaria com aquele relacionamento? Por mais que pensasse, ela não sabia o que ele iria fazer.

Capítulo 28

Daniel apressou-se. Estava atrasado para a cerimônia. Ainda tinha que passar em casa de Lídia para apanhá-la. O casamento estava marcado para as sete da noite. Olhou-se no espelho com satisfação. Estava muito elegante. Iriam ser padrinhos de casamento de Rubinho e Marilda, e ele queria apresentar-se bem, pois tinha certeza de que Lídia estaria muito bem vestida.

Dentro de mais alguns meses, eles também estariam se casando. Havia comprado uma bela casa e já estavam decorando com capricho e alegria.

Um ano depois do julgamento de José Luís, tudo havia se modificado. Marcelo tomara posse da fortuna que lhe pertencia e pagara regiamente seus advogados. Maria Júlia ficara apenas com alguns bens que herdara de sua família e uma pequena propriedade que José Luís comprara antes de tomar posse do dinheiro do tio.

A casa em que Maria Júlia morava com os filhos fora do avô de Marcelo e pertencia-lhe por direito.

Depois daquela primeira visita a casa de Maria Júlia, Guilherme passou a ir lá todos as tardes, ficando para o jantar. Sua presença discreta, elegante, seu jeito ponderado e educado, a delicadeza de suas atitudes, o respeito que demonstrava por todos, a conversa inteligente sempre interessante acabou por encantar Gabriel, que a cada dia mais se sentia feliz em tê-lo como pai. Depois Maria Júlia havia rejuvenescido, mostrava-se mais alegre, mais interessada nas coisas e mais serena.

Aos poucos Laura também foi aprendendo a gostar de Guilherme. Quando a via triste, encontrava sempre uma forma de interessá-la em coisas alegres e ela sem perceber acabava se sentindo melhor.

Uma tarde, apareceu com uma cesta na qual havia um lindo cachorrinho branco e peludo e colocou-a no colo de Laura, que encantada apanhou o bichinho que abanava o rabinho e a premiava com generosas lambidas, olhando-a com olhinhos brilhantes e tão alegres que ela o abraçou feliz.

Desde esse dia, onde Laura ia, Mocinho, como ela o chamava, acompanhava-a. Dormia com ela na cama, o que fez Maria Júlia comentar com Guilherme:

— Nunca pensei que Laura gostasse tanto de cachorro. Dormir com ela na cama é exagero! Comprei uma bela caminha para ele, mas ela não o deixa ficar lá.

— Não se incomode — tornou Guilherme. — Deixe-a. Dar amor devolver-lhe-á o equilíbrio. Ela precisa deixar seu amor sair.

— Nunca pensei que isso pudesse ajudá-la.

— Um animalzinho amoroso, fiel, que depende de seus cuidados, fará mais por ela do que qualquer terapia. Você verá.

De fato, Laura ganhou mais alegria, ocupou-se de Mocinho e aos poucos foi se interessando mais pelas coisas do dia-a-dia. Esse foi o princípio de sua amizade com Guilherme, que começou conversando sobre o cachorrinho e acabou se tornando um verdadeiro amigo, ouvindo suas confidências.

Sempre que conversavam, ele nunca lhe dizia o que fazer, mas procurava colocar as coisas claras, de maneira que facilitasse a ela compreender melhor o assunto, dando-lhe sempre o poder de decisão.

Assim, ela foi se tornando mais confiante em si mesma e, por sentir que as conversas com ele lhe faziam muito bem, procurava-o com freqüência.

Quando Guilherme reuniu-os para uma conversa, convidando-os para uma viagem aos Estados Unidos, onde pretendia conseguir o divórcio de Maria Júlia e o casamento, Laura concordou.

Seu pai continuava internado, enlouquecido, cada dia mais furioso. Ela se conformou sabendo que, mesmo que ele melhorasse, nunca mais sairia da cadeia.

— Depois de nosso casamento, poderemos viajar para onde quiserem. Tenho três meses de licença e estarei à disposição de vocês. Depois, quando voltarmos ao Brasil, iremos morar em minha casa. Gostaria que fossem até lá comigo antes da viagem e ajudassem-me a transformá-la a seu gosto. Quero que se sintam à vontade, escolham seus aposentos e decorem-nos como gostam.

— Quer dizer que não voltaremos a morar aqui? — indagou Laura.

Foi Maria Júlia quem respondeu:

— Esta casa pertence a Marcelo. Portanto dentro em breve teríamos que deixá-la.

— Espero que gostem de minha casa e se sintam à vontade lá.

— Esta casa me traz péssimas lembranças. É bom poder ir viver em outro lugar. Só tem uma coisa: não quero ficar muito tempo fora. Logo agora que eu e Lanira estamos nos entendendo.

— Você precisa de um tempo para reassumir sua vida. Descobrir o que deseja fazer. Se quer continuar a faculdade ou se prefere dedicar-se a outro trabalho. Esperar um pouco vai dar a vocês mais condições de avaliar os próprios sentimentos. Depois, há o telefone, o correio, vocês podem corresponder-se. Mas se não agüentar a saudade, poderá voltar antes.

Gabriel concordou. Sentia que viajar, mudar um pouco de ambiente iria fazer-lhe muito bem. Procurou Lanira, contou-lhe os planos da família e finalizou:

— Viajaremos dentro de uma semana. Antes de ir, porém, quero esclarecer algumas coisas com você. Temos estado juntos, tenho dito que a amo muito e tenho percebido que sou correspondido. Uma vez eu a pedi em casamento e você recusou. Talvez porque tenha pensado que eu a pedi só por dever, querendo consertar o que aconteceu. Mas não é verdade. Eu a amo com sinceridade e quero me casar com você. Quero estar a seu lado e amá-la sempre. Você quer?

— Quero. Agora já sei que é a você que eu amo. O casamento me assusta, mas desde já garanto que não pretendo transformar-me em uma matrona acomodada, nem em uma apaziguadora dentro do lar. Tenho gênio, faço as coisas do meu jeito e não gosto de ser cerceada. Gosto de conversar, expor minhas idéias, e só aceito mudá-las quando me provam que há outras melhores. Sinto que vou continuar sendo assim, mesmo amando você. Agora sou eu quem pergunta: ainda quer se casar comigo?

Ele a beijou apaixonadamente nos lábios muitas vezes, depois disse:

— Antes de viajar quero falar com seu pai, pedir permissão para namorá-la.

Lanira meneou a cabeça dizendo:

— As coisas lá em casa andam meio complicadas. Talvez não seja um bom momento para isso.

— Acha que ele pode recusar por causa de José Luís?

— Não. Ele e mamãe andam se desentendendo. Estão separados. Ela o colocou no quarto de hóspedes e quer que ele vá embora, mas ele não vai.

— Eles sempre pareceram tão felizes!

— As aparências enganam.

— Falarei com D. Maria Alice. Ela me dirá se posso ir até ele.

Gabriel conversou com ela, que consentiu no namoro, sentindo-se aliviada. Com o casamento da filha, poderia cuidar de sua própria vida. Aconselhou-o a não falar com Antônio. Ele estava intratável porque ela havia contratado um advogado para cuidar da separação. Ele estava inconformado. Principalmente porque Alícia, envergonhada, também se recusava a sair com ele e a continuar o relacionamento.

Daniel chegou em casa de Lídia, que o esperava pronta. Estava linda. A cerimônia na igreja foi muito bonita. Daniel sentiu-se emocionado ao lado de Lídia. Gabriel, ao lado de Lanira, pensava como seria feliz quando também se casassem.

Maria Júlia, Guilherme e Laura continuavam viajando. Eles haviam se casado nos Estados Unidos e regressado para a belíssima casa onde foram instalados com luxo e bom gosto. Apesar da boa vontade de Guilherme para mudar o que quisessem, não quiseram mudar nada. A casa era muito bonita, cheia de objetos de arte, e eles ficaram encantados em poder viver lá.

Depois de algum tempo, decidiram viajar novamente. Laura estava descobrindo o prazer de conhecer outros países, principalmente porque Guilherme era um cicerone maravilhoso. Profundo conhecedor de história, contava coisas de cada lugar em que passavam, tornando ainda mais interessante a viagem. Estavam felizes.

Gabriel retomara a faculdade e o namoro com Lanira. Conversara com Antônio, que acabara por consentir. Andava triste, infeliz. Alícia abandonara-o, cheia de culpa e de vergonha.

Procurara por Maria Alice para pedir-lhe perdão e dizer-lhe que iria voltar para a pequena cidade onde sua família vivia. Dizia-se arrependida, sentia-se a última das mulheres.

Maria Alice, vendo que lágrimas nos olhos dela estavam prestes a cair, disse apenas:

— Eu estou me separando dele. Se quiserem continuar, estão livres. O que desejo é que ele desapareça de minha vida e me deixe em paz.

Ouvindo-a, Alícia não conseguiu conter-se mais, rompeu em soluços, o que fez Maria Alice dizer com voz calma:

— Não precisa se emocionar dessa forma. Depois de ter sido amante dele todos esses anos, chorar não serve para nada. Pelo menos assuma sua posição e agüente com dignidade as conseqüências.

Ela parou de chorar e saiu sem dizer palavra. No mesmo dia, foi ao escritório, apanhou suas coisas e desapareceu. Quando Antônio foi à sua procura no apartamento, ela já havia se mudado. Desesperado, voltou para casa. Sua vida estava se desmoronando. Sua carreira política estava indo por água abaixo. As pessoas olhavam-no com ar malicioso e ele não se atrevia a freqüentar os lugares da moda.

Na roda de amigos já se comentava a separação e ele sentia que as pessoas olhavam-no com ar de reprovação, elogiando Maria Alice. De repente ele começou a sentir-se sozinho e triste. Maria Alice continuava linda, discreta, admirada, cheia de classe, e ele se arrependeu de haver mergulhado naquela aventura com Alícia. Mas era tarde.

Tentou aproximar-se dela, contar de seu arrependimento na esperança de que ela o perdoasse e o aceitasse de volta. Entretanto, por mais que fizesse, ela não cedia. Finalmente percebeu o quanto ela estava mudada. Algo havia se partido entre eles e não haveria mais volta.

Reuniu o resto de seu sentimento de dignidade que ainda possuía e aceitou a separação, com todas as condições legais que o advogado dela propôs-lhe. Mudou-se para o apartamento e como sempre fizera tratou de fingir diante dos amigos, dizendo que não estava se importando nem um pouco com o fracasso de seu casamento.

A recepção de casamento que os pais de Marilda ofereceram em seu palacete na Lagoa era finíssima. A festa estava animada. Rubinho conseguira notoriedade e seu casamento marcou época na sociedade, embora ele não se importasse com isso.

Marcelo sentia-se solitário naquela festa. Laura, de quem se tornara muito amigo, estava fora; Lanira, namorando Gabriel, afastara-se naturalmente. Lídia aproximou-se dele dizendo:

— Está tão pensativo! Não está gostando da festa?

— Estou. Tudo está perfeito. Eu é que sou um bicho do mato. Não tenho facilidade em fazer amigos.

— O baile está animado. Há muitas meninas ansiosas para dançar. Por que não tenta?

— Hoje estou me sentindo muito só. Já lhe aconteceu? Estar em meio a muitas pessoas, em uma festa bonita e animada como esta, e sentir-se só?

— Já. Como está se sentindo em sua nova casa?

— Morar na casa de meu avô sempre foi meu maior sonho. Pensava que lá estaria mais próximo dele. Mas às vezes penso que não foi bom ir morar lá. As lembranças da tragédia de minha família ficaram mais vivas. É difícil esquecer quando tudo me recorda o que passou.

— Uma casa guarda sempre a energia de seus moradores. Nessa casa eles viveram momentos de angústia, de medo, de insegurança. Você pode estar sentindo essas influências. Por que não faz uma reforma? É bom para renovar o ambiente.

— Pode ser mesmo. Às vezes sou acometido de tristeza, de angústia, sem nenhum motivo. Vou falar com D. Josefa, pedir ajuda.

— Faça isso. Não o tenho visto nas sessões lá.

— De fato. Tenho me afastado um pouco, ocupado com meus afazeres. Estou tentando retomar os negócios do vovô. Comprar novamente a empresa que foi dele e que José Luís vendeu.

Daniel aproximou-se e sentiu um aperto no coração. Ver Marcelo ao lado de Lídia incomodava-o. Tentou dissimular:

— Desculpe a demora. Rubinho vai ficar fora um mês e tinha mil recomendações. Não se esqueceu delas nem do dia de seu casamento!

— Tudo bem. Falávamos dos projetos de Marcelo. Sabia que ele está fechando negócio com a empresa que era de seu avô? Acho bonito retomar isso também.

— Sabia. Estamos tratando dos contratos. Quer dançar?

— Mais tarde. Está tão agradável aqui!

Daniel sentou-se esperando que Marcelo se levantasse e os deixasse sozinhos na mesa. Mas ele não parecia interessado em fazer isso. Estava segurando a taça de champanhe, pensativo.

Tentando esconder a inquietação, Daniel dirigiu-se a Marcelo:

— Você não gosta de dançar?

— Gosto. Mas hoje estou sem disposição.

— Às vezes basta começar e o entusiasmo aparece — disse Lídia. E voltando-se para Daniel explicou: — Penso que Marcelo precisa fazer alguma coisa para mudar as energias da casa onde foi morar. Aquelas paredes ainda guardam as lembranças de seus antigos moradores. Seria bom voltar às sessões em casa de Josefa. Esta falta de entusiasmo não deve ser natural. Você, Marcelo, tem tudo que precisa para ser feliz. É jovem e muito atraente. Tenho certeza de que se olhar em volta não ficará muito tempo sozinho.

Marcelo sorriu e respondeu:

— Diz isso para me animar. Quando estava na Inglaterra, tinha fases de depressão. Eu as atribuía à minha orfandade, ao desconhecimento de minha origem. Hoje não tenho mais esses motivos. Só que essas fases ainda permanecem. Às vezes sinto que me falta alguma coisa ainda. Que preciso encontrar alguém. Às vezes sonho com uma mulher que está de costas, fico deslumbrado, sinto que a encontrei. Mas quando me aproximo e vou abraçá-la, ela desaparece e fico desesperado. O vazio reaparece e a sensação de solidão me acompanha por alguns dias.

Daniel sentiu um aperto no peito. Marcelo nunca lhe contara isso. Ele teve certeza de que essa mulher que ele via era Lídia. Olhou-o assustado. O que ele faria se um dia descobrisse a verdade? Percebeu que era esse medo que aparecia sempre que ele conversava com ela.

— Interessante — comentou ela. — É sempre o mesmo sonho?

— Às vezes um pouco diferente, mas sempre com a mesma mulher. Ela sempre está de costas e nunca consigo ver seu rosto.

— Os sonhos são sempre assim, confusos — interveio Daniel. — Não se pode acreditar neles.

— Há sonhos e sonhos — respondeu Marcelo. — Esses despertam em mim tantas emoções que devem ter algum significado maior. As cenas permanecem em minha lembrança durante alguns dias. E mesmo agora, ao mencioná-los, parece-me vê-los de novo.

— Talvez sejam lembranças de suas vidas passadas. Coisas que marcaram tanto você que inconscientemente seu espírito as procura durante o sono.

Daniel remexeu-se na cadeira inquieto. Por que Marcelo não ia embora? Ele parecia não estar nem pensando nisso. Olhos perdidos em um ponto distante, disse:

— Pode parecer loucura, mas tenho comigo que preciso ver seu rosto de qualquer maneira. Que só assim ela vai aparecer de verdade em minha vida e poderemos ser felizes.

Lídia sorriu alegre e respondeu:

— Que romantismo! Não acha que está alimentando uma ilusão perigosa?

— Por quê?

— Ela aparece de costas em seus sonhos, o que quer dizer que não está disponível para você. Ou melhor, que não quer ser encontrada.

— Será? Nunca pensei nisso. De fato, sempre acordo com uma sensação de perda. Isso é que me impressiona. Tenho certeza de que é a mulher de minha vida, que ainda irei encontrá-la e ficaremos juntos para sempre.

— Fale com Josefa. Tenho certeza de que poderá ajudá-lo. Não acho bom alimentar essa ilusão. Ela pode nunca aparecer, sua vida passar e quando acordar terá deixado escapar todas as chances de felicidade que a vida lhe ofereceu.

— Lídia tem razão. Você deve deixar esses sonhos de lado. Se são lembranças de outras vidas, nunca se repetirão. Aliás foi isso que o espírito de Norma disse-me certa vez. As emoções aparecem, mas o fato já acabou, passou e nunca se repetirá. Portanto dar importância a isso é perder tempo.

— Talvez por isso não consiga amar ninguém — tornou Lídia. — Olhe em volta, experimente as oportunidades que a vida lhe oferece. Pode se surpreender.

— É. Acho que vou fazer isso mesmo. Ainda se Laura estivesse aqui! Ela é boa companheira.

— Nunca pensei que vocês pudessem ser tão amigos — disse Daniel.

— Temos algumas afinidades. Isso conta.

Lanira e Gabriel se aproximaram avisando que os noivos estavam fugindo pelos fundos. Os três levantaram-se e correram para o bota-fora.

Naquela noite, Daniel remexeu-se na cama sem conseguir dormir. Aquele tormento precisava acabar. Pensou em falar abertamente com Lídia, saber se ela sentia alguma coisa por Marcelo. Hesitava. E se isso despertasse os sentimentos dela? Poderia deixar-se influenciar pelo passado e acabar abandonando-o para ficar com Marcelo.

Sua cabeça doía e ele não conseguia relaxar. Quando o dia estava amanhecendo foi que conseguiu adormecer. Acordou tarde, mal-humorado. Iria ligar para tia Josefa e pedir orientação, mas lembrou-se que à noite estaria em sua casa para uma sessão e resolveu esperar.

Quando entrou com Lídia em casa da tia e notou que Marcelo já estava lá, teve vontade de ir embora. Josefa abraçou-o com carinho, dizendo baixinho:

— Não se atormente, que tudo vai ficar bem.

Ele a olhou admirado. Ela sorriu e ele se sentiu um pouco melhor. Marcelo aproximou-se e cumprimentou-os com alegria. Sentaram-se ao redor da mesa junto com os freqüentadores costumeiros e Josefa proferiu comovida prece, pedindo proteção e esclarecimento a todos.

Abriu um livro e leu uma mensagem espiritual de otimismo e confiança. Depois apagou a luz, ficando acesa apenas pequena lâmpada azul. O silêncio era absoluto. Daniel sentiu um torpor que foi tomando conta de seu corpo e de repente viu-se em um jardim muito bonito onde o verde dos gramados fazia sobressair os canteiros cobertos de flores de vários matizes.

Ao contemplar essa paisagem, sentiu o coração bater forte e uma enorme expectativa apossou-se dele. Sentia que algo importante estava para acontecer. Tinha que alcançar a casa que via mais adiante.

Rapidamente foi até lá, abriu a porta e entrou. Seu coração batia forte. Na sala não havia ninguém. Foi até o quarto, abriu a porta e deparou com Lídia, linda, sorrindo e estendendo os braços para ele.

Emocionado, atirou-se neles abraçando-a forte, beijando seus lábios com amor, sentindo grande alegria. Quando se acalmou, olhou-a nos olhos e disse:

— Finalmente nos encontramos. Parece mentira que a tenho de novo nos braços. Diga que me perdoou, que ainda me ama e que nunca mais nos separaremos.

— Eu amo você. Sempre amei.

— Quando você rolou da escada, quase enlouqueci. Senti-me culpado. Se tivesse sido mais flexível, nada disso teria acontecido.

— Não se culpe. Todos nós erramos. Eu não compreendi seu ciúme, nem a paixão de nosso filho. Achava que você estava sendo duro demais. Ele era um menino que estava confundindo seus sentimentos. Mas você o expulsou e ele o odiou.

— Você o via como um filho, mas ele a via como mulher. Ele a amava. Arrependi-me de tê-lo levado para nossa casa. De tratá-lo como filho.

— Isso já passou. Todos sofremos e aprendemos.

Daniel abraçou-a de novo e beijou-a nos lábios com ternura e pediu:

— Diga que ainda me ama, que agora ficaremos juntos para sempre.

— Eu amo você, sempre amarei. Para que possamos ficar juntos daqui para a frente, precisamos da permissão de nossos superiores.

— Por quê?

— Devemos comparecer a uma reunião com eles. Alberto também estará lá.

— Não sei se estou preparado para vê-lo. Ele me denunciou à polícia, abriu um processo contra mim, acusou-me de assassino afirmando que eu a empurrara daquela escada, causando sua morte.

— Mas você era inocente, conseguiu ser absolvido. Fui avisada que, se quisermos ficar juntos de novo, teremos que passar por alguns testes.

— Que testes?

— Não sei. Saberemos na reunião.

Na mesma hora Daniel viu-se em outra sala de estar sentado em um sofá junto com Lídia. Havia outras pessoas nas demais poltronas. Em uma delas reconheceu Alberto.

Um senhor de meia-idade, rosto simpático que pareceu muito familiar a Daniel, estava falando:

— Para conquistar a felicidade precisamos deixar o passado ir embora. E o passado só vai embora quando conseguimos resolver todos os relacionamentos inacabados, em que nos envolvemos em mútuos compromissos que nos amarram a pensamentos negativos e impedem nosso progresso.

— Conservar rancor, idéias de injustiça, insatisfação, culpa, frustração demonstra que a pessoa não tem condições de poder desfrutar de uma vida feliz e serena.

— Por isso é preciso limpar essas energias, e isso só se dá quando percebemos que somos responsáveis por tudo quanto nos acontece, quando deixarmos de culpar os outros por nossa infelicidade. Essa descoberta faz com que todos os sentimentos negativos criados por um enfoque errado de ver a vida desapareçam.

— É o que está acontecendo com vocês. Estão ligados por laços que construíram com o correr dos anos e que precisam desatar para que possam limpar suas vidas e desfrutar da felicidade a que têm direito.

— Pensem em tudo que lhes aconteceu. No sofrimento que passaram, observem as feridas que ainda estão sangrando e machucando vocês. Ninguém pode conquistar a felicidade escondendo as feridas do coração, mascarando o medo, carregando o peso da culpa.

— Vamos nos retirar agora e vocês três ficarão sozinhos para conversar. Dessa conversa decidiremos quais providências precisam ser tomadas daqui para a frente.

Daniel viu-se frente a frente com Alberto, que o olhava triste. Reparou que em seus olhos não havia mais o brilho do rancor. Lídia foi a primeira a falar:

— Eu gosto de vocês dois. Daniel é o amor de minha vida. Alberto, o filho de meu coração. Essa é a minha forma de querer. Gostaria muito que fôssemos uma família espiritual, já que isso não foi possível naquele tempo.

Alberto olhou-os triste e respondeu:

— Quero pedir-lhe perdão. Fui ingrato, infiel, joguei fora todo o bem que a vida me deu quando perdi tudo e vocês me agasalharam como um filho querido. Eu estava louco. Hoje sei que me deixei subjugar pela vaidade, pela competição, pelo ciúme. Eu queria a atenção de Lídia só para mim. Fui o causador da tragédia que envolveu nossas vidas. Estou arrependido, Daniel. Se me perdoar, gostaria de ter a chance de recomeçar.

Surpreendido, Daniel percebeu que os olhos dele brilhavam sinceros e as lágrimas desceram pelo seu rosto. Olharam-se nos olhos e abraçaram-se emocionados.

— Tenho sofrido muito — continuou Alberto. — Deixei nossa casa, fiz tudo aquilo levado pelo ódio, vivi muitos anos amargurado e infeliz. Mas o pior ainda estava por vir. Quando cheguei aqui, fiquei vagando sem rumo, ouvindo as vozes gritando, me chamando de assassino, escarnecendo e dizendo que seu assassino, Lídia, era eu. Eu a vitimara com minha obsessão. Arrependi-me, reconheci que vocês haviam me dado tudo, que eu fora maldoso, e pedi perdão a Deus, supliquei que me ajudassem. Então fui auxiliado por um espírito bondoso que me conduziu a um lugar de recuperação. Desde então, tenho pedido a Deus esta reunião para que me perdoem. Eu estava errado.

— Continuo amando você como um filho querido. Nada me faz mais feliz do que podermos ser amigos outra vez — disse Lídia com voz emocionada.

— Bom, tudo passou — disse Daniel. — Reconheço que fui intransigente e duro. Gostaria de esquecer o passado.

Na mesma hora as pessoas que se haviam retirado da sala voltaram e Daniel reconheceu o Dr. Camargo entre eles. Desta vez foi Norma quem tomou a palavra:

— Sabemos que se reconciliaram e estamos felizes. Já podemos preparar a próxima encarnação dos três. Daniel terá chance de se casar com Lídia novamente. Alberto reencarnará como neto do Dr. Camargo, que terá em sua família alguns elementos que foram atraídos em suas vidas e sabemos que irão causar-lhes problemas. Mas se souberem agir no bem, tudo dará certo. Devo avisar que Alberto, por não haver valorizado o que possuía, será órfão e será privado da convivência da família. Afirmo que todos terão muita ajuda espiritual e que estaremos torcendo para que consigam eliminar todos os obstáculos e possam finalmente conquistar a felicidade.

Alberto levantou-se dizendo:

— Gostaria de fazer um pedido.

— Faça.

— Sei que não valorizei a família, serei órfão, mas hoje eu mudei. O que mais quero é ter uma companheira, um lar, ser feliz. Sei o quanto vale um afeto sincero e uma boa companheira.

Norma sorriu e tornou:

— Tem certeza de que ela deseja ir?

— Nós nos amamos. Deixá-la aqui e seguir sozinho vai ser muito difícil para mim. Sei que a vida é justa e tudo faz para que eu aprenda o melhor, mas se eu conseguir ficar no bem, fazer as coisas de maneira justa, posso contar com ela a meu lado?

— Então ela irá a seu encontro — garantiu Norma.

Nesse momento Daniel viu uma moça loura e muito bonita entrar e abraçar Alberto, que a olhou apaixonadamente. Foi nesse momento que todo sentimento de angústia desapareceu de seu peito e Daniel suspirou fundo dizendo:

— Finalmente estou livre. Somos livres!

Abriu os olhos assustado. A luz havia se acendido, ele falara em voz alta e as pessoas o olhavam curiosas. Ele respirou fundo. Lídia segurou sua mão com carinho e ele a olhou emocionado.

Josefa deu-lhe um copo com água para beber e depois ele se levantou e procurou Marcelo com os olhos. Localizando-o, levantou-se sem dizer nada e foi até ele, abraçando-o forte.

Marcelo sentiu-se emocionado, embora não soubesse o porquê. Daniel pediu a Marcelo que o esperasse, porque precisavam conversar.

Quando todos se foram, sentaram-se na sala, e Daniel, com voz que a emoção fazia vibrar, disse:

— Nesta noite finalmente entendi o porquê de tudo quanto nos tem acontecido. Todos nós estivemos juntos em outras vidas, nós três principalmente. Machucamo-nos, iludimo-nos, criamos sofrimento. Nesta noite descobri que tudo isso acabou. O passado está morto e nós felizmente estamos vivos e podemos aspirar a felicidade.

— Sinto que algo muito importante ocorreu aqui hoje. Estive o tempo todo emocionado, várias vezes pareceu-me ver a moça com a qual tenho sonhado. Houve um momento em que finalmente ela estava de frente e me sorria.

— Eu a vi — confirmou Daniel. — Ela é linda. Loura, esbelta, rosto oval suave, olhos verdes.

Marcelo levantou-se admirado:

— Isso mesmo. Você também a viu?

Daniel sorriu alegre e respondeu:

— Vi. E pelo que sei, ela está guardada para você e logo vai aparecer em sua vida.

Ele suspirou alegre:

— Então nunca mais estarei sozinho.

Daniel abraçou Lídia e respondeu:

— Sim, Marcelo. Nós dois nunca mais estaremos sozinhos.

E Josefa sorriu, percebendo que vários espíritos estavam ali comemorando a vitória. O Dr. Camargo, Cláudio e Carolina abraçando Marcelo; Norma e vários outros amigos estavam envolvendo a todos com energias luminosas.

Diante desse quadro, Josefa não se conteve. Fechou os olhos e silenciosamente começou a orar, agradecendo a Deus por toda a ajuda que receberam. E os outros três, percebendo o que ela estava fazendo, guardaram respeitoso silêncio. Em seus corações também brilhava a alegria da gratidão.

Fim

Sucessos de ZIBIA GASPARETTO

Crônicas e romances mediúnicos.

Retratos de vidas nos caminhos da eternidade.

Mais de quatro milhões de exemplares vendidos.

- Crônicas: Silveira Sampaio

PARE DE SOFRER
O MUNDO EM QUE EU VIVO
BATE-PAPO COM O ALÉM

- Crônicas: Zibia Gasparetto

CONVERSANDO CONTIGO!

- Autores diversos

PEDAÇOS DO COTIDIANO
VOLTAS QUE A VIDA DÁ

- Romances: Lucius

O AMOR VENCEU
O AMOR VENCEU *(em edição ilustrada)*
O MORRO DAS ILUSÕES
ENTRE O AMOR E A GUERRA
O MATUTO
O FIO DO DESTINO
LAÇOS ETERNOS
ESPINHOS DO TEMPO
ESMERALDA
QUANDO A VIDA ESCOLHE
SOMOS TODOS INOCENTES
PELAS PORTAS DO CORAÇÃO
A VERDADE DE CADA UM
SEM MEDO DE VIVER
O ADVOGADO DE DEUS
QUANDO CHEGA A HORA
NINGUÉM É DE NINGUÉM
QUANDO É PRECISO VOLTAR

Sucessos de LUIZ ANTONIO GASPARETTO

Estes livros irão mudar sua vida!
Dentro de uma visão espiritualista moderna, estes livros irão ensiná-lo a produzir um padrão de vida superior ao que você tem, atraindo prosperidade, paz interior e aprendendo acima de tudo como é fácil ser feliz.

ATITUDE
SE LIGUE EM VOCÊ *(adulto)*
SE LIGUE EM VOCÊ - nº 1, 2 e 3 *(infantil)*
A VAIDADE DA LOLITA *(infantil)*
ESSENCIAL *(livro de bolso com frases para auto-ajuda)*
FAÇA DAR CERTO
GASPARETTO *(biografia mediúnica)*
CALUNGA - "Um dedinho de prosa"
CALUNGA - Tudo pelo melhor
CALUNGA - Fique com a luz...
PROSPERIDADE PROFISSIONAL
CONSERTO PARA UMA ALMA SÓ *(poesias metafísicas)*

série CONVERSANDO COM VOCÊ:
(Kit contendo livro e fita k7)
1- Higiene Mental
2- Pensamentos Negativos
3- Ser Feliz
4- Liberdade e Poder

série AMPLITUDE:
1- Você está onde se põe
2- Você é seu carro
3- A vida lhe trata como você se trata
4- A coragem de se ver

INTROSPECTUS:
Jogo de cartas para auto-ajuda.
Modigliani criou através de Gasparetto, 25 cartas mágicas com mensagens para você se encontrar, recados de dentro, que a cabeça não ousa revelar.

OUTROS AUTORES

Conheça nossos lançamentos que oferecem a você as chaves para abrir as portas do sucesso, em todas as fases de sua vida.

LOUSANNE DE LUCCA:
• ALFABETIZAÇÃO AFETIVA

MARIA APARECIDA MARTINS:
• PRIMEIRA LIÇÃO - "Uma cartilha metafísica"
• CONEXÃO - "Uma nova visão da mediunidade"

VALCAPELLI:
• AMOR SEM CRISE
VALCAPELLI e GASPARETTO:
• METAFÍSICA DA SAÚDE:
vol.1 (sistemas respiratório e digestivo)
vol.2 (sistemas circulatório, urinário e reprodutor)

ELISA MASSELLI:
• QUANDO O PASSADO NÃO PASSA
• NADA FICA SEM RESPOSTA
• DEUS ESTAVA COM ELE
• É PRECISO ALGO MAIS

RICKY MEDEIROS:
• A PASSAGEM
• QUANDO ELE VOLTAR
• PELO AMOR OU PELA DOR...

MARCELO CEZAR (ditado por Marco Aurélio):
• A VIDA SEMPRE VENCE
• SÓ DEUS SABE
• NADA É COMO PARECE

MÔNICA DE CASTRO (ditado por Leonel):
• UMA HISTÓRIA DE ONTEM
• SENTINDO NA PRÓPRIA PELE
• COM O AMOR NÃO SE BRINCA

MECO SIMÕES G. FILHO:
• EURICO um urso de sorte (infantil)

LUIZ ANTONIO GASPARETTO

Fitas K7 gravadas em estúdio, especialmente para você!
Uma série de dicas para a sua felicidade.

• PROSPERIDADE:
Aprenda a usar as leis da prosperidade.
Desenvolva o pensamento positivo corretamente.
Descubra como obter o sucesso que é seu por direito divino, em todos os aspectos de sua vida.

• TUDO ESTÁ CERTO!
Humor, música e conhecimento em busca do sentido da vida.
Alegria, descontração e poesia na compreensão de que tudo é justo e Deus não erra.

• série VIAGEM INTERIOR (1, 2 e 3):
Através de exercícios de meditação mergulhe dentro de você e descubra a força da sua essência espiritual e da sabedoria.
Experimente e verá como você pode desfrutar de saúde, paz e felicidade desde agora.

• TOULOUSE LAUTREC:
Depoimento mediúnico de Toulouse Lautrec, através do médium Luiz Antonio Gasparetto, em entrevista a Zita Bressani, diretora da TV Cultura (SP).

• série PRONTO SOCORRO:

Aprenda a lidar melhor com as suas emoções, para conquistar um maior domínio interior.

1. Confrontando o desespero
2. Confrontando as grandes perdas
3. Confrontando a depressão
4. Confrontando o fracasso
5. Confrontando o medo
6. Confrontando a solidão
7. Confrontando as críticas
8. Confrontando a ansiedade
9. Confrontando a vergonha
10. Confrontando a desilusão

• série CALUNGA:

A visão de um espírito, sobre a interligação de dois mundos, abordando temas da vida cotidiana.

1. Tá tudo bão!
2. "Se mexa"
3. Gostar de gostar
4. Prece da solução
5. Semeando a boa vontade
6. Meditação para uma vida melhor
7. A verdade da vida
8. "Tô ni mim"

• série PALESTRA

1- A verdadeira arte de ser forte
2- A conquista da luz
3- Pra ter tudo fácil
4- Prosperidade profissional (1)
5- Prosperidade profissional (2)
6- A eternidade de fato
7- A força da palavra
8- Armadilhas do coração
9- Se deixe em paz
10- Se refaça
11- O teu melhor te protege
12- Altos e baixos
13- Sem medo de errar
14- Praticando o poder da luz em família
15- O poder de escolha

PALESTRAS GRAVADAS AO VIVO:

• série PAPOS, TRANSAS & SACAÇÕES

1- Paz emocional
2- Paz social
3- Paz mental
4- Paz espiritual
5- O que fazer com o próprio sofrimento?
6- Segredos da evolução
7- A verdadeira espititualidade
8- Vencendo a timidez
9- Eu e o silêncio
10- Eu e a segurança
11- Eu e o equilíbrio

• série PALESTRA AO VIVO

1- Caia na real *(fita dupla)*
2- Casamento e liberdade *(fita dupla)*
3- Segredos da auto-estima *(fita dupla)*
4- A vida que eu pedi a Deus *(fita dupla)*

• LUZES

Coletânea de 8 fitas k7. Curso com aulas captadas ao vivo, ministradas através da mediunidade de Gasparetto.
Este é um projeto idealizado pelos espíritos desencarnados que formam no mundo astral, o grupo dos Mensageiros da Luz.

LUIZ ANTONIO GASPARETTO EM CD

Títulos de fitas k7 que já se encontram em CD

- Prosperidade
- Confrontando a ansiedade
- Confrontando a desilusão
- Confrontando a solidão
- Confrontando as críticas

LUIZ ANTONIO GASPARETTO

em vídeo

• SEXTO SENTIDO

Conheça neste vídeo um pouco
do mundo dos mestres da pintura,
que num momento de grande ternura
pela humanidade, resolveram voltar
para mostrar que existe vida além da vida,
através da mediunidade de Gasparetto.

• MACHU PICCHU

Visite com Gasparetto a
cidade perdida dos Incas.

• série VÍDEO & CONSCIÊNCIA

Com muita alegria e arte, Gasparetto
leva até você, numa visão metafísica,
temas que lhe darão a oportunidade de
se conhecer melhor:

O MUNDO DAS AMEBAS

JOGOS DE AUTO-TORTURA

POR DENTRO E POR FORA

ESPAÇO VIDA & CONSCIÊNCIA

Acreditamos que há em você muito mais condições de cuidar de si mesmo do que você possa imaginar, e que seu destino depende de como você usa os potenciais que tem.

Por isso, através de PALESTRAS, CURSOS-SHOW e BODY WORKS, GASPARETTO propõe dentro de uma visão espiritualista moderna, com métodos simples e práticos, mostrar como é fácil ser feliz e produzir um padrão de vida superior ao que você tem. Faz parte também da programação, o projeto VIDA e CONSCIÊNCIA. Este curso é realizado há mais de 15 anos com absoluto sucesso. Composto de 8 aulas, tem por objetivo iniciá-lo no aprendizado de conhecimentos e técnicas que façam de você o seu próprio terapeuta.

Participe conosco desses encontros onde, num clima de descontração e bom humor, aprenderemos juntos a atrair a prosperidade e a paz interior.

EDITORA VIDA & CONSCIÊNCIA GRÁFICA

INFORMAÇÕES E VENDAS:

Rua Agostinho Gomes, 2312
Ipiranga • CEP 04206-001
São Paulo • SP • Brasil
Fone / Fax: (11) 6161-2739 / 6161-2670
E-mail: gasparetto@snet.com.br
Site: www.gasparetto.com.br